法学教室
LIBRARY

Seminar in Criminal Procedure
Furue Yoritaka

事例演習
刑事訴訟法

第3版

古江賴隆

有斐閣

第３版はしがき

本書の初版を上梓したのは，2011年２月であるが，その後2015年３月に第２版を，そして，この度，第３版を刊行することができたのは，ひとえに読者の方々のご支持とご叱正の賜物であり，筆者にとって望外の喜びである。

本書のベースとなった「法学教室」における刑事訴訟法演習の執筆（2007年１月号から2009年３月号までの全27回）は，我が国刑事訴訟法学の第一人者であられる，井上正仁先生（当時，東京大学大学院法学政治学研究科長・法学部長。現法務省特別顧問）の強いご推挙により実現したものであり，その意味において，本書の生みの親は，井上正仁先生その人である。井上先生には，筆者が東京大学に勤務する間は，咫尺（しせき）の間（かん）に接し，同志社大学に移った後も，折に触れてお教えを賜った。まことに感謝に堪えない。

読者諸賢に，刑事訴訟法学の奥深さ，面白さを堪能していただきたいとの強い思いは，初版より聊かも変わるものではない。刑事訴訟法に対する深い理解を得るには，「蟻の目」を用いた緻密な文言解釈をベースにしながらも，「鷹の目」をもって訴訟制度全体の中で俯瞰してこれを全体の中に位置づけ，あわせて，「魚の目」「渡り鳥の目」により歴史的視点とグローバルな視点から訴訟制度を眺めることが肝要である。さらに，独善を排すべく，正反対の視点から事物を観察する，いわゆる「蝙蝠（こうもり）の目」（コペルニクス的転回）もまた，必須である。法律学を学ぶに際して常に意識すべきこの「５つの目」の重要性は，どんなに強調してもしすぎることはない。

この度の改訂は，読者を更なる深みに誘い込むべく，大幅な見直しを行ったものである。このような企てが果たして成功しているかどうかは，読者の判断にお任せするほかない。読者諸賢のご叱正を乞う次第である。

本書の編集に当たっては，有斐閣の五島圭司，大原正樹の両氏には，ひとかたならず，お世話になった。ここに深甚の謝意を表する次第である。

2021 年 7 月

古 江 賴 隆

第2版はしがき

初版から早くも4年が過ぎた。この間の判例，学説の展開をみるにつけ，改訂・加筆の必要を感じていたところ，このたび改訂の機会を与えられたので，初版では不十分であった箇所，全面的に考えを改めた箇所，判例・学説の展開を反映すべき箇所などについて加筆・修正したほか，補強法則（設問22），伝聞法則⑸（設問27）および一事不再理効（設問32）の3項目を新しく書き下ろしたものである。

第2版においても，基本的コンセプトは初版となんら異なるところはない。初版と同様，刑事訴訟法が無味乾燥な単なる「手続の羅列」に過ぎないものではなく，実にダイナミックでエキサイティングな学問であることを聊かなりともお伝えすることができ，学生諸君の刑事訴訟法に対する理解を一層深めることに寄与できるならば，これに勝る喜びはない。

このたびの改訂に当たっては，同志社大学大学院司法研究科の同僚である佐藤嘉彦教授，洲見光男教授から貴重なご意見をいただいた。また，初版に引き続いて，有斐閣雑誌編集部の足立暁信氏には，ひとかたならずお世話になった。ここに記して謝意を評する次第である。

2015年2月

古 江 賴 隆

初版はしがき

本書は，法学教室2007年1月号（316号）から2009年3月号（342号）まで，「演習 刑事訴訟法」欄に執筆連載した27問に，新たに3問を書き足して全30問とし，また，質疑解答のほか，学生諸君の誤解しがちな点について注意を喚起するための記述を付け加え，1冊にまとめて刊行するものである。

本書の内容は，筆者が，東京大学大学院法学政治学研究科法曹養成専攻（法科大学院）において，1期生から5期生までの5年間にわたって担当した2年次科目である『上級刑事訴訟法』の講義内容をベースにしている。『法学教室』の「演習」欄の連載は，読者において，自ら理論の深みに到達することのできるよう，また，理解を容易ならしめるべく，対話型の演習形式により執筆したものであるが，大幅に筆を加えた本書においても，その基本的スタンスに異なるところはない。

ところで，本書を読まれた諸君は，概説書のわずかな記述の背後に潜む著者の深い理論的洞察の一端を垣間見て胸躍るとともに，次々に湧き上がる疑問を前に立ち尽くすことになるかもしれない。逆説的ではあるが，これもまた，筆者の心密かに期待するところである。概説書の記述に満足する者に未来はなく，疑問のないところに学問の発展はないからである。本書中には，井上正仁ほか編『ケースブック刑事訴訟法〔第3版〕』のAdvancedに相当する議論もいくつかなされており，難解な部分も存するが，そのような項目も，基本あっての応用であり，常に基本に立ち返って考えることが肝要である。各問の末尾に記載した参考文献や，各自の概説書の該当箇所をひもとくなどして，倦まず弛まず，立ち向かっていただくことを期待したい。本書が兎角とっつきにくいとの印象をもたれがちな「刑事訴訟法」に対する読者の理解を深めることに資するだけでなく，更に刑事訴訟法理論を究めるよすがとなることがあるとすれば，筆者としてはこれに過ぎる喜びはない。

本書は，多くの研究者や実務家，とりわけ東京大学大学院法学政治学研究科在籍中に親しくご指導いただいた井上正仁教授，大澤裕教授，川出敏裕教授の多くの研究成果によるところが大であり，また，同志社大学に移籍後も，三井誠教授から機会あるごとに度々お教えいただき，旧稿を練り直した個所も少なくない。本書の旧稿となった『法学教室』の連載については，井上正仁教授の熱心なお勧めによるものであり，井上教授のお勧めがなければ，『法学教室』の連載もなく，したがってまた本書も日の目を見ることはなかった。また，『法学教室』連載中から本書刊行までの間，有斐閣雑誌編集部の足立暁信氏には一方ならずお世話になった。ここに記して深甚の謝意を表する次第である。

2011年1月

古 江 賴 隆

目　次

凡　例

◆法令名略語

原則として，『六法全書』（令和３年版，有斐閣）の「法令名略語」による。

◆判例集の略語

刑　録	大審院刑事判決録
刑　集	大審院・最高裁判所刑事判例集
民　集	大審院・最高裁判所民事判例集
集　刑	最高裁判所裁判集刑事
高刑集	高等裁判所刑事判例集
下刑集	下級裁判所刑事裁判例集
東高刑時報	東京高等裁判所刑事判決時報
高刑判特	高等裁判所刑事判決特報
高刑速	高等裁判所刑事裁判速報集
刑　月	刑事裁判月報
裁　時	裁判所時報
LEX/DB	TKC ローライブラリー文献番号
LLI/DB	LLI/DB 判例秘書判例番号

◆法律雑誌等の略語

ジュリ	ジュリスト
論ジュリ	論究ジュリスト
法　教	法学教室
法　時	法律時報
法　セ	法学セミナー
判　時	判例時報

判　評　判例時報添付の判例評論
判　タ　判例タイムズ

曹　時　法曹時報
警　研　警察研究
現　刑　現代刑事法
刑　弁　季刊刑事弁護
刑ジャ　刑事法ジャーナル

法　協　法学協会雑誌
論　叢　法学論叢
阪　法　阪大法学
新　報　法学新報
刑　雑　刑法雑誌

最判解刑事（民事）篇平成（昭和）○○年度
最高裁判所判例解説刑事（民事）篇平成（昭和）○○年度（法曹会）

平成（昭和）○○年度重判解（ジュリ○○号）
平成（昭和）○○年度重要判例解説（ジュリスト○○号）
百選〔第○版〕　刑事訴訟法判例百選〔第○版〕（別冊ジュリスト）
争点〔第○版〕　刑事訴訟法の争点〔第○版〕（ジュリスト増刊）
新・争点　刑事訴訟法の争点（新・法律学の争点シリーズ）（ジュリスト増刊）

◆単行本等の略語

新コンメ刑訴法　後藤昭＝白取祐司編『新・コンメンタール刑事訴訟法〔第3版〕』（日本評論社，2018年）
条解刑訴法　松尾浩也監修『条解刑事訴訟法〔第4版増補版〕』（弘文堂，2016年）
体系コンメ　瀧川幸辰ほか『刑事訴訟法〔法律学体系コンメンタール篇10〕』（日本評論社，1950年）

大コンメ刑訴法(2)　河上和雄ほか編『大コンメンタール刑事訴訟法 第2巻〔第2版〕』（青林書院，2010年）
大コンメ刑訴法(4)　河上和雄ほか編『大コンメンタール刑事訴訟法 第4巻〔第2版〕』（青林書院，2012年）
大コンメ刑訴法(6)　河上和雄ほか編『大コンメンタール刑事訴訟法 第6巻〔第2版〕』（青林書院，2011年）
大コンメ刑訴法(7)　河上和雄ほか編『大コンメンタール刑事訴訟法 第7巻〔第2版〕』（青林書院，2012年）
大コンメ刑訴法(8)　河上和雄ほか編『大コンメンタール刑事訴訟法 第8巻〔第2版〕』（青林書院，2011年）
大コンメ刑訴法(9)　河上和雄ほか編『大コンメンタール刑事訴訟法 第9巻〔第2版〕』（青林書院，2011年）

注解刑訴法(上)　平場安治ほか『注解刑事訴訟法 上巻〔全訂新版〕』（青林書院，1987年）
注解刑訴法(中)　平場安治ほか『注解刑事訴訟法 中巻〔全訂新版〕』（青林書院新社，1982年）

注釈刑訴法(1)〔新版〕　伊藤栄樹ほか『注釈刑事訴訟法 第1巻〔新版〕』（立花書房，1996年）
注釈刑訴法(2)〔新版〕　伊藤栄樹ほか『注釈刑事訴訟法 第2巻〔新版〕』（立花書房，1997年）
注釈刑訴法(3)〔新版〕　伊藤栄樹ほか『注釈刑事訴訟法 第3巻〔新版〕』（立花書房，1996年）
注釈刑訴法(5)〔新版〕　伊藤栄樹ほか『注釈刑事訴訟法 第5巻〔新版〕』（立花書房，1998年）
注釈刑訴法(6)〔新版〕　伊藤栄樹ほか『注釈刑事訴訟法 第6巻〔新版〕』（立花書房，1998年）
注釈刑訴法(1)〔第3版〕　河上和雄ほか編『注釈刑事訴訟法 第1巻〔第3版〕』（立花書房，2011年）
注釈刑訴法(4)〔第3版〕　河上和雄ほか編『注釈刑事訴訟法 第4巻〔第3版〕』（立花書房，2012年）
注釈刑訴法(6)〔第3版〕　河上和雄ほか編『注釈刑事訴訟法 第6巻〔第3版〕』

（立花書房，2015 年）

注釈刑訴法⑺〔第 3 版〕　河上和雄ほか編『注釈刑事訴訟法 第 7 巻〔第 3 版〕』（立花書房，2012 年）

逐条実務　伊丹俊彦＝合田悦三編『逐条実務刑事訴訟法』（立花書房，2018 年）

ポケット註釈(上)　小野清一郎ほか『刑事訴訟法(上)〔新版〕（ポケット註釈全書(3)）』（有斐閣，1986 年）

ポケット註釈(下)　小野清一郎ほか『刑事訴訟法(下)〔新版〕（ポケット註釈全書(3)）』（有斐閣，1986 年）

刑事法辞典　三井誠ほか編『刑事法辞典』（信山社，2003 年）

刑事手続(上)　三井誠ほか編『刑事手続(上)』（筑摩書房，1988 年）

刑事手続(下)　三井誠ほか編『刑事手続(下)』（筑摩書房，1988 年）

新刑事手続Ⅰ　三井誠ほか編『新刑事手続Ⅰ』（悠々社，2002 年）

新刑事手続Ⅱ　三井誠ほか編『新刑事手続Ⅱ』（悠々社，2002 年）

新刑事手続Ⅲ　三井誠ほか編『新刑事手続Ⅲ』（悠々社，2002 年）

新実例刑訴法Ⅰ　平野龍一＝松尾浩也編『新実例刑事訴訟法Ⅰ』（青林書院，1998 年）

新実例刑訴法Ⅱ　平野龍一＝松尾浩也編『新実例刑事訴訟法Ⅱ』（青林書院，1998 年）

新実例刑訴法Ⅲ　平野龍一＝松尾浩也編『新実例刑事訴訟法Ⅲ』（青林書院，1998 年）

実例刑訴法Ⅰ　松尾浩也＝岩瀬徹編『実例刑事訴訟法Ⅰ』（青林書院，2012 年）

実例刑訴法Ⅱ　松尾浩也＝岩瀬徹編『実例刑事訴訟法Ⅱ』（青林書院，2012 年）

実例刑訴法Ⅲ　松尾浩也＝岩瀬徹編『実例刑事訴訟法Ⅲ』（青林書院，2012 年）

法律実務講座⑶　団藤重光責任編集『法律実務講座刑事編第 3 巻』（有斐閣，1954 年）

法律実務講座(5)　団藤重光責任編集『法律実務講座刑事編第５巻』（有斐閣，1954 年）
法律実務講座(9)　団藤重光責任編集『法律実務講座刑事編第９巻』（有斐閣，1956 年）

制定資料全集(10)　井上正仁・渡辺咲子・田中開編著『刑事訴訟法制定資料全集 昭和刑事訴訟法編(10)』（信山社，2015 年）
制定資料全集(11)　井上正仁・渡辺咲子・田中開編著『刑事訴訟法制定資料全集 昭和刑事訴訟法編(11)』（信山社，2015 年）
制定資料全集(12)　井上正仁・渡辺咲子・田中開編著『刑事訴訟法制定資料全集 昭和刑事訴訟法編(12)』（信山社，2016 年）

捜査法大系Ⅰ　熊谷弘ほか編『捜査法大系Ⅰ』（日本評論社，1972 年）

証拠法大系Ⅰ　熊谷弘ほか編『証拠法大系Ⅰ』（日本評論社，1970 年）
証拠法大系Ⅱ　熊谷弘ほか編『証拠法大系Ⅱ』（日本評論社，1970 年）
証拠法大系Ⅲ　熊谷弘ほか編『証拠法大系Ⅲ』（日本評論社，1970 年）

公判法大系Ⅱ　熊谷弘ほか編『公判法大系Ⅱ』（日本評論社，1975 年）

令状基本問題(上)　新関雅夫ほか『令状基本問題(上)〔増補〕』（一粒社，1996 年）
令状基本問題(下)　新関雅夫ほか『令状基本問題(下)〔増補〕』（一粒社，1997 年）

令状実務詳解　田中康郎監修『令状実務詳解』（立花書房，2020 年）

令状に関する理論と実務Ⅰ
高麗邦彦＝芦澤政治編『令状に関する理論と実務Ⅰ（別冊判タ 34 号）』（判例タイムズ社，2012 年）
令状に関する理論と実務Ⅱ
高麗邦彦＝芦澤政治編『令状に関する理論と実務Ⅱ（別冊判タ 35 号）』（判例タイムズ社，2012 年）

警察基本判例　長沼範良ほか編『警察基本判例・実務 200』（別冊判タ 26 号）

（判例タイムズ社，2010 年）

証拠法の諸問題㊤ 大阪刑事実務研究会編著『刑事証拠法の諸問題㊤』（判例タイムズ社，2001 年）
証拠法の諸問題㊦ 大阪刑事実務研究会編著『刑事証拠法の諸問題㊦』（判例タイムズ社，2001 年）

公判の諸問題 大阪刑事実務研究会編著『刑事公判の諸問題』（判例タイムズ社，1989 年）

渥美 渥美東洋『全訂刑事訴訟法〔第 2 版〕』（有斐閣，2009 年）
アルマ 田中開ほか『刑事訴訟法〔第 6 版〕』（有斐閣，2020 年）
池田 = 前田 池田修 = 前田雅英『刑事訴訟法講義〔第 6 版〕』（東京大学出版会，2018 年）
石井・証拠法 石井一正『刑事実務証拠法〔第 5 版〕』（判例タイムズ社，2011 年）
石井・諸問題 石井一正『刑事訴訟の諸問題』（判例タイムズ社，2014 年）
石丸ほか・刑事訴訟の実務㊤ 石丸俊彦ほか『刑事訴訟の実務㊤〔3 訂版〕』（新日本法規出版，2011 年）
石丸ほか・刑事訴訟の実務㊦ 石丸俊彦ほか『刑事訴訟の実務㊦〔3 訂版〕』（新日本法規出版，2011 年）
井上・原論 井上正治『新刑事訴訟法原論』（朝倉書店，1949 年）
井上・証拠排除 井上正仁『刑事訴訟における証拠排除』（弘文堂，1985 年）
井上・通信会話の傍受 井上正仁『捜査手段としての通信・会話の傍受』（有斐閣，1997 年）
井上・強制捜査と任意捜査 井上正仁『強制捜査と任意捜査〔新版〕』（有斐閣，2014 年）
上口 上口裕『刑事訴訟法〔第 5 版〕』（成文堂，2021 年）
川出・判例講座〔捜査・証拠篇〕 川出敏裕『判例講座 刑事訴訟法〔捜査・証拠篇〕』（立花書房，2016 年）
川出・判例講座〔公訴提起・公判・裁判篇〕
川出敏裕『判例講座 刑事訴訟法〔公訴提起・公判・裁判篇〕』（立花書房，2018 年）
岸・要義 岸盛一『刑事訴訟法要義』（廣文堂，1961 年）

江家・基礎理論　江家義男『刑事証拠法の基礎理論〔訂正版〕』（有斐閣，1952年）
香城・構造　香城敏麿『刑事訴訟法の構造〔香城敏麿著作集Ⅱ〕』（信山社，2005年）
後藤・伝聞法則　後藤昭『伝聞法則に強くなる』（日本評論社，2019年）
小林　小林充原著〔植村立郎監修・前田巌改訂〕『刑事訴訟法〔第5版〕』（立花書房，2015年）
斎藤　斎藤司『刑事訴訟法の思考プロセス』（日本評論社，2019年）
酒巻　酒巻匡『刑事訴訟法〔第2版〕』（有斐閣，2020年）
白取　白取祐司『刑事訴訟法〔第10版〕』（日本評論社，2021年）
鈴木　鈴木茂嗣『刑事訴訟法〔改訂版〕』（青林書院，1990年）
鈴木・基本問題　鈴木茂嗣『刑事訴訟法の基本問題』（成文堂，1988年）
高田　高田卓爾『刑事訴訟法〔2訂版〕』（青林書院新社，1984年）
田口　田口守一『刑事訴訟法〔第7版〕』（弘文堂，2017年）
伊達・講話　伊達秋雄『刑事訴訟法講話』（日本評論社，1959年）
田中・証拠法　田中和夫『新版証拠法〔増補第3版〕』（有斐閣，1971年）
田宮　田宮裕『刑事訴訟法〔新版〕』（有斐閣，1996年）
田宮Ⅰ　田宮裕編著『刑事訴訟法Ⅰ』（有斐閣，1975年）
田宮・一事不再理　田宮裕『一事不再理の原則』（有斐閣，1978年）
団藤　団藤重光『新刑事訴訟法綱要〔7訂版〕』（創文社，1967年）
団藤・條解(上)　団藤重光『條解刑事訴訟法(上)』（弘文堂，1950年）
平野　平野龍一『刑事訴訟法』（有斐閣，1958年）
平野・概説　平野龍一『刑事訴訟法概説』（東京大学出版会，1968年）
平野・訴因と証拠　平野龍一『訴因と証拠』（有斐閣，1981年）
平場　平場安治『刑事訴訟法講義〔改訂〕』（有斐閣，1954年）
平場・基本問題　平場安治『刑事訴訟法の基本問題』（有信堂，1960年）
平良木Ⅱ　平良木登規男『刑事訴訟法Ⅱ』（成文堂，2010年）
ポイントレクチャー　椎橋隆幸ほか『ポイントレクチャー刑事訴訟法』（有斐閣，2019年）
松尾(上)　松尾浩也『刑事訴訟法(上)〔新版〕』（弘文堂，1999年）
松尾(下)　松尾浩也『刑事訴訟法(下)〔新版補正第2版〕』（弘文堂，1999年）
三井(1)　三井誠『刑事手続法(1)〔新版〕』（有斐閣，1997年）
三井Ⅱ　三井誠『刑事手続法Ⅱ』（有斐閣，2003年）

三井Ⅲ　三井誠『刑事手続法Ⅲ』（有斐閣，2004年）
光藤Ⅰ　光藤景皎『刑事訴訟法Ⅰ』（成文堂，2007年）
光藤Ⅱ　光藤景皎『刑事訴訟法Ⅱ』（成文堂，2013年）
緑　緑大輔『刑事訴訟法入門〔第2版〕』（日本評論社，2017年）
宮下・逐条解説Ⅱ　宮下明義『新刑事訴訟法逐条解説Ⅱ』
（司法警察研究会公安発行所，1949年）
横井・逐条解説Ⅲ　横井大三『新刑事訴訟法逐条解説Ⅲ』
（司法警察研究会公安発行所，1949年）
リークエ　宇藤崇ほか『刑事訴訟法〔第2版〕』（有斐閣，2018年）

刑事訴訟法演習　日本刑法学会編『刑事訴訟法演習』（有斐閣，1962年）
演習刑訴法　長沼範良ほか『演習刑事訴訟法』（有斐閣，2005年）
基礎演習刑訴法　上口裕ほか『基礎演習刑事訴訟法』（有斐閣，1996年）

事例研究Ⅱ　井田良ほか編著『事例研究刑事法Ⅱ刑事訴訟法〔第2版〕』
（日本評論社，2015年）
ケースブック　井上正仁ほか『ケースブック刑事訴訟法〔第5版〕』
（有斐閣，2018年）
三井教材　三井誠編『判例教材 刑事訴訟法〔第5版〕』
（東京大学出版会，2015年）
横川＝櫛淵・総判研叢書⑿
横川敏雄＝櫛淵理「収集手続の違法な証拠の証拠能力」
『総合判例研究叢書⑹刑事訴訟法―刑事訴訟法⑿』（有斐閣，1961年）

ドレスラーほか・アメリカ捜査法
ジョシュア・ドレスラー＝アラン・C・ミカエル〔指宿信監訳〕
『アメリカ捜査法』（レクシスネクシス・ジャパン，2014年）

設問を解く前に

教員　法科大学院の教員
A君・Bさん　法科大学院生

なにはさておき「法的三段論法」

A君：司法試験などの国家試験や，法科大学院での期末試験の論文の書き方が今ひとつよく分からないのですが，どのように書いたら，よい評価がもらえるのでしょうか。

Bさん：先輩たちが「法的三段論法」で書かないといけないと言っていましたが……。

教員：司法試験，いや実定法の試験で，なにが重要かって，「法的三段論法」ほど重要なものはないのだ。

A君：そんなに重要なのですか。

教員：法律実務家が他人を説得する論理は，当事者であれ裁判官であれ，洋の東西を問わず，皆この「法的三段論法」によっているんだ。法律実務家にとって最も重要な「お作法」といってよいだろう（田中成明『法学入門』〔有斐閣，2005年〕157頁，木村草太『キヨミズ准教授の法学入門』〔星海社，2012年〕11頁以下参照）。この「お作法」を守らない者は，法律実務家とはいえないね。

Bさん：「法的三段論法」って，「大前提」（適用されるべき法規範）に「小前提」（具体的事実）を当てはめて「結論」を出す論法ですよね。

教員：そうだね。法的三段論法の出発点は法規範というわけだ。

A君：「問題提起」からじゃないのですか。

Bさん：問題提起は「法的三段論法」には含まれないわ。

教員：答案では，法的三段論法を用いて問題を解決する前に，まずもって，なにが法的問題なのか，そしてまた何故その法規範をもち出すのかを明らかにするため，いわゆる「問題提起」（いわばイントロ）をするのが一般的だね。そこで，「問題提起」について注意を促したいのは，いきなり，「本問ではこれこれが問題となる」と書いてはならず，なぜ，「これこれが問題となると考えたのか，事案に即して的確・簡潔に説明をする必要がある」（亀井源太郎「法律基本科目入門⑦刑事訴訟法」法教

344号〔2009年〕37頁。山下友信ほか「（座談会）法学部で勉強しよう！3・4年生へのアドバイス」法教355号〔2010年〕19頁［三木浩一発言］）ということだ。要するに，「問題提起」にも理由付けが必要なのだ。なお，問題文の文章（例えば本件捜査は適法か）をそのまま引き写すことが「問題提起」と誤解している学生もいるようだが，問題提起は，問題文をそのまま引き写すことではない（平成26年司法試験の採点実感等に関する意見〔民事系科目第3問〕28頁は，「検討の必要があると考える論点を端的に摘示して問題提起をするのではなく，問題文にある設問自体を相当行にわたって書き写している答案」の存在に言及する）。また，「これこれが問題となる」との文言を用いないと「問題提起」ではないと誤解している学生も少なくないようだが，「問題提起」に何らかの定型が存するわけではなく，「許されるか」「できるか」で十分なのだよ。

法の解釈と理由付け

A君：まず，大前提の法規範については，条文の文言を書き写す必要はありませんよね。

教員：そんな必要はさらさらない。もとより，大前提としての法規範から出発するのだから，条文番号（例えば刑訴法320条1項）を引くことは必要だが（「条文からスタート」せよ），それは，条文の文言を逐一書き写すことではない。問題となる条文のこの文言はこのように解するとか，判断枠組みはこのようなものであるといった法解釈が求められているのだ。

Bさん：以前の司法試験では，法の解釈がすべてだったけど，新しい司法試験では，設問中に，事実関係が詳細に記載されていることから，「当てはめ」こそが重要であって，法解釈はさして重要でないという話を司法試験に合格した先輩から聞いたことがありますが，そうなのですか。

教員：確かに，かつては，そのような俗説が巷間流布したこともあったが，司法試験の採点実感（法務省のホームページで入手可能）などで，何度も何度も，「法解釈」の重要性が力説されているのだから，さすがに法解釈はほどほどでよいといった考えの司法試験受験生はほとんどいなくなっただろう。

A君：まずは「法の解釈」を示すのですね。

Bさん：それだけでは十分ではないわ。採点実感の中では，「法の解釈」については，結論だけではだめで，そのような解釈の理由付けの必要性も強調されているわよ。

教員：「法あるところ解釈あり」

「解釈あるところ理由あり」だ。君たちが答案に「○○条△項」と書いたら，まず最初にやるべきは，その条文の法解釈だ（判断枠組みも法解釈により導かれる）。君たちも，法学部や法科大学院でさんざん「法の解釈」を学んできたはずだから，その成果を表現すればよいわけだ。そして，そのような解釈をする以上，理由があるはずだ。なぜそのような法解釈をするのかという理由付けは必ず答案に書かなければならない。法解釈の理由付けは，平素から心がけておかなければならないんだ。法解釈や判断枠組みの結論を示しただけでは，法を解釈したとはいえない。要するに，法とその解釈，理由付けは三位一体なのだよ。

Ａ君：それは当たり前ですよね。

教員：ところが，定期試験（期末試験）の答案を見ると，その「当たり前」がなかなかできていないんだ。「私は，これこれと解する」だけで，なぜそのように解釈するのか理由付けのない答案がいかに多いことか。Ａ君は，「○○と解する」，Ｂさんは，「××と解する」だけで，それぞれの法解釈に理由付けがなされていないとすれば，水掛け論にしかならないだろ。なぜそのように解釈するのか，説得力のある理由付けが，肝要だ。

Ｂさん：法学部時代に，先生から，「理由付けのない答案は，法律の答案ではない」と聞かされたことがあります。

教員：そのとおりだね。理由付けは，形式論理だけではなく，実質的理由付けも重要だ。

Ａ君：学部生時代の刑訴法の試験では，「捜査の必要」，「実体的真実の究明」，「基本的人権の保障」，「適正手続」など，そのつど適当なものを持ち出して，理由付けにしていましたが……。

教員：学生諸君の答案を見ていると，「実体的真実の発見と人権保障の調和（刑訴法１条）の観点から，これこれと解する」とか，「警察官の行為は，これこれの点で問題があるが，真実の究明（実体的真実の発見，あるいは犯人の検挙）のためには，○○原則の例外を認めるべきである」とか，逆に，「基本的人権の保障の見地から○○と解すべき」などというものにしばしば出くわす。しかし，考えてもみたまえ。「実体的真実の発見と人権保障の調和」が重要なことは，何人といえども疑う余地のない自明の命題であって，そのことからある特定条文の法解釈が出てくるはずがない。また，自分の採る解釈に都合のよいよう，あるときは「捜査の必要」，「実体的真実の究明」，またあるときは「被疑者の基本的人権の保障」「適正手続の保障」といったマジックワードを用いても，到底まともな「法解釈」とはいえないだろう（後藤昭ほか「刑事訴訟法の学び方・教え方」法教197号〔1997年〕15頁［後藤発言］，南野森編『法学の世界』〔日本評論社，2013年〕122頁［笹倉宏紀］，緑大輔「刑事訴訟法学・事始め」法セ699号〔2013年〕38頁。なお，民訴法に関して，山本克己「現行司法試験の問題点と法科大学院創設の理念」判タ1195号〔2006年〕20頁，山下ほか・前掲19頁［三木発言］参照）。

A君：確かにそうですね。どうしたら法解釈の理由付けができるんでしょうか。

教員：基本に立ち返って考えることだね。

Bさん：ああ，それで，「制度趣旨」が重要だといわれるのですね。

教員：そのとおり。ただし，「制度趣旨」は法解釈の理由付けにはなっても，それ自体が規範ではないことはいうまでもない。「第◯条の制度趣旨はこれこれこうである。これを本件についてみると，これこれの事実が認められるから，上記制度趣旨に適合する」という答案にお目にかかったことがあるが，「制度趣旨」は断じて規範ではない。重要だとはいっても法解釈の支えにすぎないことを認識すべきだね。答案を書くときは，「法あるところ解釈あり」「解釈あるところ理由あり」を忘れないことだ。法解釈を書いたときは，必ず「なぜならば」と続ける癖をつけておくといいだろう。もちろん理由付けを先に書いてから法解釈するのでもよいことはいうまでもない。

A君：ところで，最高裁判例の提示した法解釈や判断枠組みなら，それをそのまま答案に書けばよいのであって，理由付けは不要ですよね。

教員：確かに，確立した最高裁判例の法解釈や判断枠組みが実務を支配していることは，厳然たる事実だけれども，君たちが最高裁判例と同じ法解釈や判断枠組みによるのを相当と考えるときは，なぜそのような法解釈や判断枠組みによるのが相当なのか，その理由付けは，必ず答案に書かないと高得点は望めないよ。

A君：最高裁判例など端から無視して，自分の信ずる法解釈や判断枠組みとその理由付けを答案に書けば，それはそれでよいのですか。

教員：いや，そうじゃないよ。君たちが勉強したような（概説書に載っているような）いわば基本的な最高裁判例（いわゆる「強い判例」。最高裁判例がなく高裁判例の場合もある）を無視して独自の見解を書くのは，研究者になる試験であればいざ知らず，実務法曹への第一関門たる司法試験に限っては，適切とはいえないだろう。基本判例を無視すべきではない。ただ，「（判例同旨）」なんて書く必要はさらさらないだろう。採点者にとっては，当該答案の主が判例を知っているかどうかは，答案を見れば一目瞭然だからね。

A君：それは，判例に従えという意味ですか。

教員：いや，最高裁判例の法解釈や判断枠組みに従えと言っているのではないんだ。最高裁判例の中にも，不適切なものがあることは事実だ。判例の法解釈や判断枠組みが相当でないと考えるのであれば，「最高裁判例はこれこれこういう解釈をするが（判断枠組みを提示するが），この点がおかしい，あの点がおかしい」などと説得力のある理由を示して，判例批判を展開したうえで，自説を述べ，自説の理由付けを書けばよろしい。判例の採る法解釈を否定する答案は何度か見たことがあるが，何ら理由を示すことなく，「判例は，……とするが，自分は採らない」とだけ書いたものがほとんどだった。法科大学院が実務法曹養成機関であり，司法試験が実務法曹への第一関門であることを忘れないことだ。

Bさん：ほかにはどうでしょうか。

教員：何らの法解釈・判断枠組みを示すことなく，設問に記載されている事実を答案にそのまま逐一引き写したうえ，「これらの事情を総合考慮すると，設問の司法警察員の行為は適法（違法）である」といった答案を，見かけることがある。

Bさん：そのような答案なら，法律の勉強などしなくても書けそうですね。

教員：そんな答案でよいのなら，法解釈など無用の長物だね。法科大学院も法学部もいらないよ。

A君：最高裁判例の中には，そのようなものもあると思うのですが。

教員：それは「達人技」「名人技」だよ。「達人」「名人」は，寸法など図ることなく目分量で仕事をしても，設計図と寸分違わないものだ。それでこそ「達人」「名人」と言われるわけだ。修行中の君たちが同じことをしたら，どうなるか言わずもがなだね。とうてい修行中の身で真似できる技ではない。

Bさん：まず法解釈をすべきということですね。

教員：そのとおり。

Bさん：少し具体的に聞きたいのですが，「この点については，甲説と乙説と丙説があるが，自分は甲説を採る」というのはどうですか。

教員：もちろん，甲説を採る理由付け，つまり乙説や丙説に対する的確な批判が答案上でなされていればよいのだが，往々にして，何らの理由をも記載することなく，「自分は甲説が相当と解する」とするものをよく見かけるね。私は，このような答案を「天上天下唯我独尊」型答案と呼んでいるんだ。

A君：よい答案の模範はないものでしょうか。

教員：最高裁判例には事例判断だけのものもあるが，きちんと法解釈をし，判断枠組みを提示して，当てはめをしているものも少なくない。例えば，刑訴法を勉強した者なら誰でも知っている最決昭和51・3・16刑集30巻2号187頁（岐阜飲酒検知拒否事件）は，問題提起をしたうえ，法解釈をし，判断枠組み（二段階判断の枠組み）を提示し，「これを本件についてみると」以降で，当てはめをし，結論に達しているんだ。

Bさん：でも，この昭和51年決定には，そのような法解釈をしたことの理由付けや当該判断枠組みを採る理由付けが示されていませんよ。

教員：そのとおりだね。しかし，これは最高裁だから許されることであって，学生諸君は，きちんと理由付けをしないといけないことは先ほど話したとおりだ。

Bさん：分かりました。

求められるのは「論点集中」型

A君：問題文を読んだとき，どこまで書くかは，いつも悩むのですが。

教員：設問の解決にとって必要のない一般的前提について長々と論述する必要はないよ。「裁判所は証拠として採用できるか」といった証拠能力の設問に対して，「証拠能力を認めるためには，①自然的関連性があること，②法律的関連性があること，③証拠禁止に当たらないことが必要であり，①自然的関連性とはこれこれ，②法律的関連性とはこれこれ，……」といった「そもそも論型答案」を一定割合で目にするのだが，これら①②③は，証拠能力の要件ではなく，むしろ逆に証拠能力の制限事由にすぎないことはさておくとしても，例えば，当該事案が伝聞法則だけが問題となる事案なら，自然的関連性や証拠禁止のそもそも論はもとより，法律的関連性でも自白法則を一般論として論じる必要はなく，いきなり伝聞法則について記述すればよいわけだ（緑258頁，250頁参照）。

Bさん：いわゆる「論証パターン」を丸暗記して，覚えた一般論を答案用紙に引き写すのは，問題があるわけですね。

教員：また，「要件逐一つぶし」型，例えば，「捜索・差押えの適法性」が問題となる場合に，令状の発付について何ら問題はないのに，令状の記載を逐一検討して令状発付は適法であるといったように，出題者がおよそ問題にしていない点についてまで逐一検討する答案も適切とはいえないね。もちろん，君たちが問題を検討する過程で，要件を逐一検討していくことの有用性を否定しているわけではないし，またそうすべきなのだが，それをそのまま答案に書く必要はない。さらに，設問の事実関係ではおよそ問題とならない点（例えば，設問の事実関係のもとで，令状の事前呈示をしているのに，令状の事前呈示がなかった場合について論じ，当てはめにおいて本件では事前呈示されているといった滑稽とも思える答案すらある），つまり考えられるあらゆる論点を挙げ，広く薄く論述する「論点網羅」型答案も散見されるところだ（無関係なことを書くと，その箇所に配点がないだけならまだしも，誤った記述により，刑訴法の基本を理解していないことが露呈することがあり，無益というより有害といえよう）。「論点集中」型の答案こそが求められていることを理解すべきだろう。

当てはめ――事実の「評価」

A君：法解釈についてはそのくらいにして，当てはめはどうですか。

教員：当てはめとして，問題文に書いてある事実を全部引き写す答案を見受けるが（平成26年司法試験の採点実感等に関する意見〔刑事系科目第2問〕39頁のいう「強制処分性についても任意処分としての相当性についても，判断構造や判断要素が十分に意識されないまま，事例中の具体的事実を漫然と羅列して結論を導くような答案」），法解釈・判断枠組みのうちのどの要件該当性を判断するためにどの事実を拾い出したのか対応関係を明らかにしないとだめだよ。漫然と問題文中の事実を引き写して羅列すれば足るわけじゃない。

Bさん：確かに，刑法では，「これこれの事実，これこれの事実があるから，これらを総合すれば，刑法◯条に該当し，犯罪が成立する」なんて書いたら，点がもらえませんよね。刑訴法だって同じなんですね。

A君：当てはめでは，問題文から適切に事実を抽出するだけでなく，「評価」が重要といわれていますが，「評価」って何ですか。

教員：問題文から抽出した事実が法解釈した要件ないし規範に，なぜ当たり，あるいはなぜ当たらないのかを明らかにするのが事実の「評価」だ。「評価」は，具体的な事実がもつ意味の吟味（事実に対する意味付け）のことだ（例えば，平成20年新司法試験論文式試験問題出題趣旨〔刑事系科目第2問〕7頁は，「具体的事実を事例中からただ書き写して羅列すれば足りるものではなく，個々の事実が持つ意味を的確に分析して論じなければならない」という）。例えば，任意同行・留め置きが実質的逮捕に当たるかどうかを判断するにあたり，「警察車両で警察に同行したこと」

とか，「警察官が同宿したこと」など問題文から事実を抽出したとしても，警察車両で同行したことが，あるいは警察官が同宿したことが，何故に実質的逮捕に当たると判断するにあたって積極要素となるのかを明らかにすべきだということだよ。これらの事実を摘示しただけでは，「親切な警察官だね」という「評価」だってあり得ないわけではないから(笑)。要は，事実の「評価」は，要件・規範と事実との中間にあって，両者を結びつける「仲人」のようなものだ。例えば，321条1項3号の「特に信用すべき情況」に関して，供述の外部的付随事情に関する具体的事実として，「個人の日記と解されるノートに，1週間に3日ないし5日程度の割合で，出来事やその感想等がその経過順に記載されていることや，空白の行やページが無かったこと」や，「鍵が掛けられていた机の引き出しの中から本件ノートが発見されたこと」（同7頁）など問題文の事実をただ答案に引き写すだけでは，そのような事実がなぜ特信情況（外部的付随事情）を肯定しあるいは否定することとなるのか，明らかではない。そこで，当該事実のもつ意味を分析・評価し，「その日にあった出来事をその都度記載している」，「ノートを他人に見せることを予定しておらず，うそを記載する理由がない」（前同）との分析・評価を媒介として，特信情況を肯定しあるいは否定するのでなければならないわけだね。もちろん，「供述人の死亡」のように，要件と事実との間に「評価」を介在させなくとも自ずから要件該当性が明白な場合には，「評価」が不必要なことはいうまでもないだろう。なお，設問に掲げられた事実を自分の結論に好都合なように変更することが許されないのはもちろんだけど，自分の結論に都合のよい事実だけ「つまみ食い」的に抽出し，その余の事実は無視する答案も見かけるが，そのような事実も切り捨てるのではなく，きちんと抽出して評価することを忘れてはならないだろう。

A君：小前提も，「事実あれば，評価あり」ですね。平素の勉強でも，裁判例が事実に対していかなる意味付け，評価を行っているか，自覚的に裁判例を読むことが必要ですね。

その他の留意事項

Bさん：そのほかには，いかがですか。

教員：条文番号の間違いもよくあるね。せっかく六法が手元にあるんだから，せめて条文番号を確認してから，答案に書いてほしいものだね。

A君：僕の属するロースクールの

教員からは，誤字が多いと，何度も何度も注意されていますが，どうですか。

教員：弊害を「幣害」，法廷を「法延」，令状発付を「令状発布」と誤るくらいのことは，かわいいものだが，逮捕を「逮補」，勾留を「匂留」，被告人を「被告」，捜査段階の参考人を「証人」，その供述を「証言」，公判廷での被告人の供述を「証言」などとした答案は，刑事訴訟法をまじめに勉強したのか，疑わしくなるね。黙秘権を「黙否権」，自己負罪拒否特権を「自己不罪拒否特権」とする答案にもお目にかかるが，どうも古典的誤字のようだ（高田卓爾＝平野龍一＝柏井康夫＝鴨良弼「刑事訴訟法の学び方」法学教室〈第1期〉6号〔1963年〕9頁参照）。

A君：ほかにはどうでしょうか。

教員：用語の不正確な答案も目に付くね。例えば，「令状は違法」とか，「許可状の適法性」，「自白の適法性」，「自白は，自白法則により無効」などというものだよ。

A君：どこがおかしいのですか。

教員：令状，許可状といった類の書面が違法評価の対象となるはずがないだろ。違法なのは法律行為や事実行為だよ。また，自白したこと（犯罪事実を認めること）が違法なのではなくて，捜査官が自白を獲得したその取調べが違法なんじゃないかい。そうすると，「令状発付は違法」，「許可状発付の適法性」，「自白獲得手続（あるいは取調べ）の適法性」，「自白は，自白法則により証拠能力がない」というべきだね。

A君：なるほど……。でも，えらく細かいなあ。

教員：実務法曹にとっては言葉が命なのだよ。これらは決して些細なことではない。実務法曹は，オリンピックの体操選手のように足のつま先まできちんと揃えていなければならない職業なんだ。

Bさん：私は，よく法科大学院の友人から，字が小さすぎると言われるのですが……。

教員：確かに，答案の文字が小さい，あるいはペンの濃さが薄くて，採点者が判読できない答案も稀には見かけるが，採点者が読めなければ得点をもらえないわけだから，相応の大きさで，かつ，濃く書く方がいいよ。また，独自の略字で採点者に理解不能な文字や，殴り書きした手控えのような答案を見受けることがあるが，採点者に読んでもらうという意識がないのだろう。読めない部分が採点対象とならないことは，文字が小さい，文字が薄い場合と同じだ。

複眼的思考を忘れるな！

教員：学生諸君の答案には，「こ

うだから，こうなって，ああなる」といった単線的な「単眼的思考」の答案がいかに多いことか。おそらくは，いわゆる「論証パターン」とやらの影響ではないだろうか。しかし，試験に出るような論点については見解の対立があるのが普通だろう。そうだとすると，いわゆる蝙蝠（こうもり）の眼（物事を逆から見る眼）をもって，反対説を考慮しながら，自分の採る見解を説得的に理由付けることは不可欠だね。最近の司法試験でも，自己の見解を述べさせたうえ，それとは異なる結論を導く理論構成とあてはめを求められているところだ（令和元年司法試験論文式試験問題〔刑事系科目第2問〕）。平素の勉強においても複眼的なものの考え方を鍛錬しておけば，試験においても，複眼的思考をもって設問を分析・検討することも容易になるだろう。それでは，本書によって，君たちの思考方法が聊かなりとも鍛錬されることを期待しつつ，お二人とも，刑事訴訟法の世界をお楽しみあれ!!

1　任意捜査と強制捜査

【設　問】

(1)　深夜，Ｖ方に忍び込み，Ｖを殺害したうえ，現金500万円を奪う強盗殺人事件が発生したが，110番通報をした隣家の住人Ｗは，臨場した司法警察員に対して，「かねて顔見知りの被害者Ｖの『助けて』という叫び声を聞いて，外に出てみたところ，Ｖ方から飛び出してきた犯人らしき男と鉢合わせになった。お互いにびっくりしたが，その男は，すぐさま駅方向に逃げていってしまった。その男の顔はよく覚えている」旨供述した。警察において，捜査したところ，Ｘの刑務所仲間のＹから，「Ｘから，事件の数日前に，一緒に忍込み強盗をやろう。ねらっている家は老人の一人暮らしで大金を溜め込んでいるようだ。分け前は折半だ，と強盗を誘われたが，もう刑務所生活はこりごりだったので，断った」との供述を得た。さらに捜査したところ，確かにＹはＸと刑務所において同房であり，しかもＸの前刑の犯罪は，深夜，一人暮らしの老人を狙った忍込み強盗致傷事件であることが判明した。そこで，司法警察員Ｋは，Ｘの容ぼうを隣家のＷに確認させる目的で，裁判官から令状の発付を受けることなく，夜間，Ｘの居住するアパート前の路上から，望遠レンズおよび赤外線フィルムを用いて，自室の居間でくつろいでいたＸの容ぼうを写真撮影した。このような捜査方法は適法か。

(2)　昼間，路上を歩行中のＸをビデオで隠し撮り撮影した場合はどうか。

〔ポイント〕

①　強制処分と任意処分の区別の基準

②　任意処分に対する法的規制

③　写真撮影・ビデオ撮影

〔判　例〕

●任意処分と強制処分

▷最決昭和51・3・16刑集30巻2号187頁（岐阜飲酒検知事件。ケースブック1頁，三井教材2頁，百選〔第8版〕4頁・〔第10版〕4頁）

▷最決平成21・9・28刑集63巻7号868頁（宅配便荷物に対するエックス線検査事件。ケースブック10頁，三井教材201頁，百選〔第9版〕70頁・〔第10版〕62頁）

●GPS捜査

▷最大判平成29・3・15刑集71巻3号13頁（GPS事件。ケースブック11頁，百選〔第10版〕64頁）

●写真撮影・ビデオ撮影

▷最大判昭和44・12・24刑集23巻12号1625頁（京都府学連事件。ケースブック5頁，三井教材191頁，百選〔第8版〕20頁）

▷最決平成20・4・15刑集62巻5号1398頁（宇治強盗殺人事件。ケースブック15頁，三井教材197頁，百選〔第9版〕20頁・〔第10版〕18頁）

▷東京高判昭和63・4・1判時1278号152頁（山谷テレビカメラ監視事件。ケースブック9頁，三井教材193頁，百選〔第9版〕22頁）

▷東京地判平成元・3・15判時1310号158頁（上智大内ゲバ事件。三井教材192頁）

▷東京地判平成17・6・2判時1930号174頁（ケースブック20頁，三井教材195頁）

●解　説

1　強制処分と任意処分の区別の基準

教員：まずは，捜査手段としての写真撮影を素材に，「強制処分と任意処分の区別の基準」と「任意処分に対する法的規制」について理解を深めることにしよう。

A君：強制処分と任意処分の区別の基準については，最決昭和51・3・16刑集30巻2号187頁で解決済みの問題なのではないですか。

Bさん：昭和51年決定は，「強制手段とは，有形力の行使を伴う手段を意味するものではなく，個人の意思を制圧し，身体，住居，財産等に制約を加えて強制的に捜査目的を実現する行為など，特別の根拠規定がなければ許容することが相当でない手段を意味するものであって，右の程度に至らない有形力の行使は，任意捜査においても許容される場合がある」と説示しています。このうち基準として実質的な意味があるのは，「個人の意思を制圧し」と「身体，住居，財産等に制約を加えて」の2つであると思われます[1)]。井上教授は，この基準を「大筋において妥当」とし，刑訴法197条1項ただし書にいう「強制の処分」とは，「相手方の明示または黙示の意思に反して，重要な権利・利益を実質的に侵害・制約する処分」[2)]と定義しています。

教員：井上教授の定義付けについては，今日では，多くの学説が賛同しているようだね[3)]。

A君：かつては，処分の方法・態様の強度に注目して，強制処分を，㋐逮捕や捜索・差押えのように，直接的・有形的な実力行使を伴う処分（直接強制）と，㋑起訴前の証人尋問（刑訴法226条，227条，179条）のように，相手方に義務を負わせる処分（従わない場合に制裁を伴うもの〔間接強制〕に限る説もあった）の2つであるとするのが通説[4)]だったようですね。

教員：そうだね。しかし，かつての通説のこのような定義に対しては，軽度の有形力の行使であっても強制処分に当たることとなり妥当でないといった指摘（広すぎる）や，強制処分として規制されるべき通信傍受のような，直接的な実力行使を伴うことなく権利・利益の侵害が行われる処分が強制処分から脱落することとなるとの指摘（逆に狭すぎる）がなされていたんだね。

A君：後者の点に関連して，田宮教授は，「処分態様の異常性」だけでなく，「処分の向けられた法益の内容」にも注目すべきであるとして，上記㋐，㋑のほか，㋒「同意をえずに個人の法益を侵犯する場合」も強制処分となるとされたのですね[5)]。田宮教授の定義によるとすれば，㋐も㋑も，㋒の定義

1）井上・強制捜査と任意捜査7頁，小林充「強制処分と任意処分」研修671号（2004年）6頁など。

2）井上・強制捜査と任意捜査7～8頁。

3）酒巻匡「捜査に対する法的規律の構造(2)」法教284号（2004年）67頁，田口43頁，上口64頁など。

4）団藤・條解(上)361頁，平野82頁など。

に含まれ，㋒の定義だけで済ますことができそうですね。

Bさん：田宮教授の定義（法益侵害説）によると，何らかの法益を侵害する捜査手段は，それがどんなに軽微な法益であっても，すべて強制処分法定主義（197条1項ただし書）により特別の根拠規定が必要とならざるを得ませんよね。しかし，刑訴法に特別の根拠規定のある捜査手段は，逮捕，勾留，捜索，差押え等の重大な法益侵害を伴う捜査手段に限られていますので，それよりも重要性の劣る法益を侵害することとなる捜査手段は刑訴法に定めがないために用いることができないこととなり，それって不合理じゃないかしら。つまり，この見解によると，刑訴法は，重大な法益侵害を伴う法定の強制処分と，何らの法益侵害もない純粋な任意の処分のみを許容しており，その中間の，何らかの法益侵害はあるもののその法益が重大でない場合は，刑訴法に規定されていない強制処分として許容されないというおかしな結論になってしまうんじゃないかしら。

教員：そうだね。田宮教授もそのことは先刻ご承知だよ。田宮教授は，刑訴法に規定のない法益侵害処分（法益侵害説に従えば強制処分である）を正当化するため，刑訴法制定時に予定されていなかった「新しいタイプの強制処分」については，197条1項ただし書の「強制の処分」に当たらず，刑訴法に根拠規定がなくても，判例がその許容性の要件を令状主義の精神に沿って構築すべきである，とされるんだ[6)]。そうだとしても，「新しいタイプ」でない強制処分については，Bさんの言うように問題はなお残るよね。

A君：ところで，最近の通説は，どの点に着目した定義なのでしょうか。

教員：井上教授の見解に代表される最近の通説についてみると，強制処分とは，「相手方の明示または黙示の意思に反して，重要な権利・利益を実質的に侵害・制約する処分」[7)]と定義され，「明示または黙示の意思に反する」ことは，強制処分である以上当然の前提であり，意思に反していてもなお任意処分である場合があり得るとすれば，強制と任意の実質的な分岐点は，かつての通説[8)]のいう「処分の方法・態様」が相手方の意思に反する（あるい

5） 田宮Ⅰ 129頁［田宮裕］，田宮71頁。

6） 田宮Ⅰ 141頁［田宮］，田宮72頁。

7） 井上・強制捜査と任意捜査11頁，12頁。

8） 平野82頁など。

は意思を制圧する）ものであるかどうかにあるのではなく，そのような処分により「制約される権利・利益の重要性」であるとするものだ。そこで，最近の通説の見解は，「侵害される権利・利益の質」に着目した見解（重要権利利益実質的侵害説）といっていいだろう[9]。処分の方法・態様ではなく侵害・制約される権利・利益の質に着目する点においては，田宮教授の「法益侵害説」の延長線上にある見解だね。

A君：かつての通説が有形力行使や義務を負わせるといった「手段」に着目して定義していたのに対し，最近の通説（重要権利利益実質的侵害説）は当該処分により侵害され得る「結果」に着目して定義しているのですね。なんだか，刑法の行為無価値と結果無価値の対立に似てるなあ。

Bさん：ほんとにそうね。ところで，昭和51年決定は，本当に，最近の通説のように理解されるべきなのでしょうか。

A君：えっ，どういう意味なの。井上教授は，昭和51年決定にいう「意思の制圧」については，被処分者不在の捜索もまた強制処分であるから，「意思の制圧」を「『相手方の明示または黙示の意思に反すること』と言い直す方が適切だと思われる」とされ，「〔強制処分法定主義や令状主義のような〕法定の厳格な要件・手続によって保護する必要のあるほど重要な権利・利益に対する実質的な侵害ないし制約を伴う場合にはじめて，強制処分ということになる」とされておられるよ[10]。昭和51年決定をそのように理解することに，何か問題でもあるの。

Bさん：この判例のいう「意思の制圧」を，明示または黙示の意思に反すると言い直すことができるのは，いったい何故なのかしら。

教員：昭和51年決定が刑訴法197条1項ただし書の「強制の処分」の定義を示したものと理解すれば，強制処分である通信傍受や写真撮影などの類型をもこの定義に含ましめるためには，通信傍受や写真撮影は相手方の知らぬ間に行われるので，「意思を制圧する」との文言の語感に合わないことから，「明示または黙示の意思に反する」と言い直さざるを得ないのだけど，「明示または黙示の意思に反する」としてしまうと，被侵害法益を重要なも

9）川出敏裕「任意捜査の限界」『小林充先生・佐藤文哉先生古稀祝賀刑事裁判論集(下)』（判例タイムズ社，2006年）27頁参照。

10）井上・強制捜査と任意捜査11頁，12頁。

のに限定しなければ，「同意をえずに個人の法益を侵犯する場合」を強制処分とする田宮教授の見解[11]に対する批判（軽微な法益を侵害する処分は，根拠規定が存しないためできないこととなる）がそっくりそのまま妥当することとなるので，田宮教授のように新たな強制処分説を採らない限り，被侵害法益は重要なものに限定せざるを得ないわけだ。しかし，昭和51年決定の説示は，「意思に反する」ではなく「意思を制圧し」であり，また「重要な権利・利益の制約」ではなく，「身体，住居，財産等に制約を加え」だよね。権利・利益の制約は強制処分の当然の前提であって，制約があってもなお任意処分であり得るとすれば，昭和51年決定は，単なる「物理力・有形力」基準は否定したものの，「意思の制圧」を強制と任意の実質的な分岐点とし，「制約される権利・利益の重要性」（結果）ではなくて，「処分の方法・態様」（手段）が意思を制圧するような強度なもの（強度の物理力・有形力）という点に重点を置いているとも理解できるだろう[12]。そのような理解を前提にすると，この判例は，かつての通説である物理力・有形力基準を，あらゆる物理力・有形力行使ではなく，「意思の制圧」を伴う物理力・有形力に限定したものとみること（意思制圧説）ができるだろう。

Bさん：昭和51年決定を「意思の制圧」を伴うような物理力・有形力に限定したものと理解すると（意思制圧説），強制処分であることに異論のない通信傍受のような処分は，相手方の「意思の制圧」がなく，「強制処分」に当たらないことになってしまいます。「意思の制圧」を文字どおり「制圧」と理解すると，昭和51年決定は，刑訴法197条1項ただし書にいう「強制の処分」の一般的定義を説示した判例ではないということになりませんか。

教員：そのとおりだね。この昭和51年決定の射程を有形力行使による強制処分に限定しようとする試みは早くから行われており[13]，最近でも，この判例の射程は，「物理的な有形力の行使等，警察官の行為が直接に相手方に向けてなされるような場合」（以下，便宜「有形力行使類型」という）に限られ，「相手方が認識していない状態で行われる処分」（例えば通信傍受。以

11）田宮Ⅰ 129頁［田宮］。
12）川出・前掲注9)27頁参照。
13）刑事判例研究会編『刑事判例評釈集第38・39巻〔昭和51・52年度〕』〔有斐閣，1982年〕57頁［田宮裕］。

下，便宜「盗聴等類型」という）には及ばないのではないかとする見解も有力なんだ[14]。

A君：それに対して井上教授に代表される重要権利利益実質的侵害説は，この昭和51年決定を，刑訴法197条1項ただし書の「強制の処分」の解釈を示したものと理解するわけですね。

教員：確かに，この判例を重要権利利益実質的侵害説を採ったものと理解する見解も有力だが[15]，井上教授は，昭和51年決定自体が重要権利利益実質的侵害説を採用するものと理解しているわけではなく，盗聴等類型などをも含めて，「強制の処分」を統一的・整合的に理解するためには，重要権利利益実質的侵害説が汎用性のある基準として有効だと主張されているんだ[16]。これに対し，意思制圧説は，昭和51年決定の強制処分（正確にいえば強制手段）の定義は，刑訴法197条1項ただし書の「強制の処分」の類型の一部についての解釈を示したにすぎないと理解するわけだ。意思制圧説からは，この昭和51年決定が，197条1項ただし書の「強制の処分」の文言を用いずに，「強制手段」という慎重な言い廻しをしていることに特別な意味を見出すことになるだろう。

Bさん：意思制圧説によれば，盗聴等類型については，昭和51年決定とは別個の定義が必要になるということですか。

教員：そのとおりだね。川出教授は，盗聴等類型の処分については，通信傍受の合憲性を認めた最決平成11・12・16刑集53巻9号1327頁（旭川覚せい剤電話傍受事件）を挙げて，この類型の強制処分を，「意思（もとより推定的な意思）に反した重要な権利・利益の制約」[17]と定義しているんだ。

A君：被処分者が不在の場合や反対意思を明示せず，抵抗もしない状況下で捜索を行った場合には，意思制圧説によると，「意思の制圧」がないので，強制処分に当たらないということになるのですか[18]。

教員：令状による捜索（逮捕に伴う無令状の捜索も）の場合には，まさか強制処分でないとはいえないだろうから，意思制圧説は，意思の制圧が現実的

14）川出・前掲注9)29頁参照。

15）上口64頁など。

16）井上・強制捜査と任意捜査18頁，19頁。

17）川出・前掲注9)29頁。

18）井上・強制捜査と任意捜査22頁。

に行われる場合のほか，抵抗する場合には意思を制圧して目的を実現できる場合も含むといった説明することになるだろう[19]。結局のところ，意思制圧説は，昭和 51 年決定の事案のような「相手方に対して現実に有形力ないし物理力が行使されたケース」あるいは「相手方が仮に抵抗するときは有形力・物理力を行使し得るケース」に適用される限定的な定義ということになるだろう。

Bさん：意思制圧説と重要権利利益実質的侵害説って，そんなに違う見解なのかしら。有形力行使類型の場合であっても，「意思を制圧するような強度のものでない」ということは，すなわち，「未だ重要な権利・利益を実質的に制約・侵害するに至っていない」と言い換えることもできますよね。そうだとすると，意思制圧説も重要権利利益実質的侵害説も，ものごとを行為態様からみるか侵害され得る結果から見るかの違いであって，実質的には異なるところはないように思われるのですが。

教員：重要権利利益実質的侵害説は，被侵害法益を「移動の自由」「身体の自由」といった抽象的レベルで捉えるのではなく，同じく短時分の移動の自由や身体の自由の制約であっても，腕をつかむ行為による場合と押し倒して押さえつける場合とでは，被侵害法益の「重要」度が異なると考えるのだろうから[20]，ものの見方の違いともいえるだろうね。つまり，「意思に反するにとどまらず，意思を制圧するまで至っている場合については，それだけ重大な権利の制約がなされる」[21]と理解すれば，「両者を過度に対立的に捉えることは適当ではない」[22]ともいえるだろう。

Bさん：そのように捉えると，井上教授のいわれるように，重要権利利益実質的侵害説の方が，盗聴等類型にも適用可能な，刑訴法 197 条 1 項ただし書の「強制の処分」について汎用性のある解釈ということになるわけですね[23]。

教員：それはそうだね。私は，昭和 51 年決定については意思制圧説により理解するのが判例解釈の在り方として適切だと考えているのだけれども，

---

19) 小林・前掲注 1) 9 頁。
20) 佐藤隆之「在宅被疑者の取調べとその限界(1)」法学 68 巻 4 号（2004 年）12 頁。
21) 川出・前掲注 9)30 頁。
22) 大澤裕・百選〔第 10 版〕5 頁。
23) 井上・強制捜査と任意捜査 19 頁，20 頁。

197条1項ただし書の「強制の処分」について敢えて一元的な定義を求めるとすれば，そうなるだろう。なお，近時の調査官解説では，昭和51年決定について，「①対象者の意思の制圧，②身体，住居，財産等の重要な権利・自由・利益の侵害という二つの要因により強制処分と任意処分を区別し」たものと解されるとし[24]，対象者が知らない間に行う捜査について，「意思の制圧の有無は，合理的に推認される〔対象者の〕意思に反するか否かにより決すべきである」[25]とされているんだ。

A君：相手方が知らない間に通信傍受や写真撮影を行うことがなぜ相手方の「意思を制圧」することになるのですか。どうも「意思の制圧」の語感に合わないな。

教員：調査官は，その理由付けとして，「本件エックス線検査は，これら荷送人や荷受人との関係では秘密裡に行われるため，現実には，これらの者の意思を制圧することはない」（傍点は筆者による）ことを認めたうえ，井上教授の「本人が知れば当然拒否すると考えられる場合に，そのように合理的に推認される当事者の意思に反してその人の重要な権利を奪うのも，現実に表明された当事者の反対意思を制圧して同様のことを行うのと，価値的には何ら変わらないというべきである」との見解[26]（価値的に変わらない説）を援用しているにすぎない。

A君：現実に表明された当事者の反対意思を制圧してその人の重要な権利・利益を侵害するのと「価値的には何ら変わらない」のは，いったいなぜなんでしょうか。「価値的」ってどういう意味なのかな。

Bさん：井上教授の重要権利利益実質的侵害説は，被侵害法益の重要性こそが強制処分かどうかを決する分水嶺なんだから，相手方の意思に反するのであれば，意思の現実的な制圧の場合であろうと，制圧まで至らない明示の意思に反する場合であろうと，はたまた合理的に推認される意思（黙示の意思）に反する場合であろうと，その違いは，強制処分の意義にとって重要ではないから，「価値的にみて同価値」なんじゃないかしら。

24）　鹿野伸二・最判解刑事篇平成20年度298～299頁，増田啓祐・最判解刑事篇平成21年度383頁。

25）　増田・前掲注24）384頁。

26）　井上・強制捜査と任意捜査11頁。

教員：Bさんの言うとおりだろう。そこでいう「意思の制圧」は，意思制圧説のいうそれとは，全く異なる意味であることに留意が必要だね。

A君：最高裁大法廷のGPS判決（最大判平成29・3・15刑集71巻3号13頁）は，「合理的に推認される個人の意思に反してその私的領域に侵入する捜査手法であるGPS捜査は，個人の意思を制圧して憲法の保障する重要な法的利益を侵害するものとして，刑訴法上，特別の根拠規定がなければ許容されない強制の処分に当たる」（傍点は筆者による）と説示したことにより，意思制圧説は，もはや風前の灯ですね[27]。

Bさん：GPS大法廷判決は，被侵害法益を「憲法の保障する重要な法的利益」に限る趣旨なのでしょうか。

教員：いやそうではあるまい。GPS大法廷判決の調査官は，「重要な法的利益」の前に「憲法の保障する」という文言が挿入されている点について，「本件で問題とされた被侵害利益が……憲法35条の保障するものであったことから，被侵害利益が重要なものであるということを簡明に説明できるため，このような表現を取ったものであって，強制処分として認められるためには被侵害利益がすべからく憲法の保障するものでなくてはならないことを意味するものではないと解される」（傍点は筆者による）[28]としており，「憲法の保障する」との修飾語はいわば事案に即した説示ということのようだね。

A君：そうすると，最近の判例・通説によるときは，「刑訴法197条1項ただし書にいう『強制の処分』とは，相手方の意思を制圧し，身体，住居，財産等の重要な権利・利益を実質的に侵害し，制約を加えて強制的に捜査目

27） なお，平野龍一『捜査と人権〔刑事法研究第3巻〕』（有斐閣，1981年）225頁が，のちに取り上げる京都府学連事件最高裁大法廷判決の評釈の中で，「新しい，微妙な分野について判決するときは，なるべく，『本件の場合』あるいはせいぜい『本件のような場合』には適法であるという判断にとどめ，未決定の部分を残しておく方が妥当なのであって，本判決のように大上段から，およそ許されるのはこのような場合であると断定し，本件はそれにあたるから許されるという形で判決をするのは最高裁判所のとるべき態度ではない」として，この京都府学連事件大法廷判決を批判するところ，仮に，昭和51年決定が「強制の処分」の一般的な意義を示したものと理解するのであれば，平野教授の批判がそのまま当てはまることとなろう。GPS大法廷判決は，昭和51年決定についての誤った理解を前提に，合理的に推認される意思に反することも「意思の制圧」に当たるとし，調査官も，「現実には，これらの者の意思を制圧することはない」が，価値的に同じであるから，「意思の制圧」に当たるなどといった，無理な解説をせざるを得なくなったのではなかろうか。

28） 伊藤雅人＝石田寿一「最高裁判所判例解説」曹時71巻6号（2019年）1281頁。川出敏裕『刑事手続法の論点』（立花書房，2019年）22頁も同旨。

的を実現する行為をいい，ここにいう意思の制圧には，現実に表明された相手方の反対意思を制圧する場合，明示の意思に反する場合のほか，これと価値的に異なるところのない合理的に推認される相手方の意思に反する場合を含む」とでもするのでしょうね。

教員：誠に不本意なことながら，そういうことだね。

2　任意処分に対する法的規制

教員：次に任意処分の限界について考えてみよう。強制処分は，強制処分法定主義により，刑訴法に特別の根拠規定が必要であり，一部の例外を除いて裁判官の令状を要するが，任意処分であれば，そのような法的な規制はなく無制約にできるということになるのだろうか。

Bさん：「任意処分」と一口にいっても，何らの法益をも侵害しない処分（公道上の実況見分など）から強制処分と境を接する処分までバリエーションがあり，「強制処分」に当たらないとしても，何らかの法益を侵害するものまで無制約に行えるというのは相当とは思われません。昭和51年決定は，「強制手段にあたらない有形力の行使であっても，何らかの法益を侵害し又は侵害するおそれがあるのであるから，状況のいかんを問わず常に許容されるものと解するのは相当でなく，必要性，緊急性などをも考慮したうえ，具体的状況のもとで相当と認められる限度において許容されるものと解すべきである」と説示し，任意処分にも一定の制約があることを認めています。

A君：任意処分も無制約ではなく，限界があることについては，昭和51年決定が初めて言い出したことなのでしょうか。行政法における「警察比例の原則」の捜査版である「捜査比例の原則」が任意処分にも適用されることは[29]，この判例を待つまでもなく，当然のように思うのですが。

教員：もっともな疑問だね。田宮教授は，昭和51年決定の前に既に，正当にも，「任意捜査の原則は，……捜査比例の原則の一環（一部）たるにとどまる……。任意捜査も必要な限度で相当な場合に許されるにとどまる」[30]と指摘されていたんだ。しかし，他方で，任意処分であれば，刑訴法197

29）　川出敏裕「行政警察活動と捜査」法教259号（2002年）76頁。
30）　田宮Ⅰ 131頁［田宮］。

条１項本文により，捜査機関は，「必要」のある限り，その判断と裁量で自由に行うことができるとの理解も根強かったことも事実だね。

Ｂさん：この判例は，任意処分の適法性の判断枠組みとして，「必要性」「緊急性」「相当性」の３つを並列的な要件としているのでしょうね。

教員：確かに，かつて，この３要件を並列要件と読む見解もあったのだが[31)]，昭和51年決定は，「必要性，緊急性などをも考慮したうえ，……相当と認められる限度」と説示しているのだから，考慮要素は「考慮したうえ」の前の文言である「必要性・緊急性など」であり，「相当性」は考慮の結果にすぎないと解すべきだろう。また「などをも考慮したうえ」の「など」は，同決定が任意処分が違法とされる理由を「何らかの法益を侵害し又は侵害するおそれがある」からだとしているのだから，法益侵害（ないしそのおそれ）を違法判断の要素に取り込んで判断枠組みを構築していると理解するのが正当だろう。井上教授も，「この最高裁決定は，……任意処分にも，それに伴う法益侵害の性質・程度と当該処分の必要性・緊急性との較量により導かれる『相当性』の限度があることを示したもの」[32)]として，利益衡量の判断枠組みによるべきだとされているんだ。

Ｂさん：昭和51年決定の判断枠組みを総括すると，まず第１段階の判断枠組みとして，当該措置（処分）が刑訴法197条１項ただし書の「強制の処分」に当たるかどうか（「強制の処分」に当たるときは，刑訴法に根拠規定があるか，①根拠規定がないときは強制処分法定主義違反，②根拠規定があるときは，令状の発付を受けるなどその要件を充足しているか〔令状の発付が必要なのにこれを受けていなければ令状主義違反〕），「強制の処分」に当たらない（任意処分である）ときは，第２段階の判断枠組みとして，当該任意処分が「具体的状況のもとで相当と認められる限度」かどうか，という二段階の判断枠組みを採用しているのですね。

教員：そのとおりだね。第１段階の判断枠組みは，197条１項ただし書の「強制の処分」に当たるかどうかについて，具体的状況（すなわち現にとられた処分の必要性や緊急性）を顧慮することなく，その処分の性質が，「個人の意思を制圧し，身体，住居，財産等に制約を加える」ものかどうかという判

31） 刑事判例研究会編・前掲注13)59頁［田宮］。

32） 井上・強制捜査と任意捜査７頁。酒巻・前掲注3)66頁も同旨。

断であるのに対し，第2段階の判断枠組みは，「捜査比例の原則」（通説によれば，その法的根拠は197条1項本文）により，当該措置（処分）を行う必要性・緊急性（昭和51年決定は，当てはめにおいて，(a)事案の性質〔事件の重大性〕，(b)嫌疑の程度〔(a)(b)はいずれも必要性に関わる要素〕，(c)被疑者の態度〔(c)は必要性・緊急性に関わる要素〕を考慮している）と被侵害利益の性質・程度との衡量により「相当性」の判断がなされることになるんだね。

3　写真撮影・ビデオ撮影

A君：写真撮影やビデオ撮影は，最近の通説によればもちろんのこと，意思制圧説によっても，「意思の制圧」を要件としない盗聴等類型に属するので，これが刑訴法197条1項ただし書の「強制の処分」に当たるかどうかは，「重要な権利・利益の実質的侵害・制約」といえるかどうかにかかっており，それは当該撮影の対象・状況によって異なることになるのでしょうね。設問(1)のように，家屋内にいる者を望遠レンズや赤外線フィルムなどを用いて撮影する場合は，「重要な権利・利益の実質的侵害・制約」といえるだろうけれども，公道を公然と歩行中の者の撮影は，合理的に推認される意思に反してはいても，室内にいる者に比してプライバシーの要保護性は低く，「重要な権利・利益の実質的侵害・制約」とはいえないでしょうね[33)]。

教員：「プライバシー」というだけで足りるのかい。酒巻教授のいわれるように，「いかなる性質の法益がどの程度侵害されているのかを，徹底的に分析」しなきゃね[34)]。A君の言う「重要な権利・利益」って，「承諾なしに，みだりにその容ぼう・姿態を撮影されない自由」のことなの。つまり，同じく「みだりにその容ぼう等を撮影されない自由」であっても，家の中にいるときと公道を歩いているときとでは，要保護性が異なるという趣旨なのかな。

A君：そのとおりです。

教員：でも，どんな場所であろうと（対象者がどこにいようと），容ぼう等を写真撮影されることによって侵害される権利・利益（みだりに容ぼう等を撮影されない自由）の内容そのものには何の違いもないんじゃないのかな[35)]。

---

33)　田口97頁，上口89頁。
34)　酒巻・前掲注3)68頁。

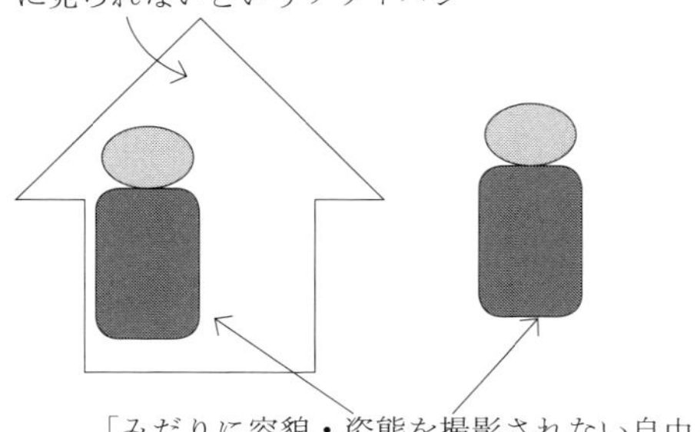

Bさん：確かに，撮られるのは顔や姿態の写真という意味では，どこで撮られようが，被侵害法益の重要度は変わらないですね。それじゃ，家の中の場合に強制処分だといわれるのは，公道の場合とどこに違いがあるのですか。

教員：それは，「みだりにその容ぼう等を撮影されない自由」よりももっと重要な権利・利益，具体的には，井上教授のいわれる「(住居内における) 自分の行動を他人に見られることはないというプライヴァシーの正当な期待」[36]，酒巻教授のいう「憲法35条の保障する私的領域におけるプライヴァシイの合理的な期待（他人から見られていないという期待)」[37]，川出教授のいう「私生活を他人に見られない権利という意味でのプライバシーの利益」[38]が，実質的に侵害されるからだよ（もっとも，酒巻教授は「みだりにその容ぼう等を撮影されない自由」に加えて，「私的領域におけるプライヴァシイの合理的な期待」が侵害されるから，強制処分だとしているが，後者の侵害のみをもって強制処分に当たるとすれば足るように思われる)。被侵害法益が何であるかを考えるにあたっては，徹底的に権利・利益を分析してみることが肝要だね。

Bさん：写真撮影やビデオ撮影については，いかなる場合（公道上を含む）であれ強制処分に当たるとする見解（強制処分説）も少数説とはいえ有力で

35) 井上・強制捜査と任意捜査14頁，酒巻・前掲注3)68頁。酒巻匡・百選〔第9版〕20頁も，みだりに撮影されない自由という人格的利益は，撮影される対象者がどこにいても変化しないとし，公道等にいるからといって，「みだりに撮影されない自由」それ自体が放棄されたり減縮するわけではない，という。

36) 井上・強制捜査と任意捜査14頁。

37) 酒巻・前掲注3)68頁。酒巻匡・百選〔第9版〕21頁も同旨。

38) 川出・判例講座〔捜査・証拠篇〕15頁は，公道上にいる者について，「住居内にいる者のように，私生活を他人に見られない権利という意味でのプライバシーの利益は存在しない。みだりに容ぼう等を撮影されない自由は保護すべき利益ではあるが，その重要性は，その侵害を強制処分とするほどのものではない」とする。

すよね[39]。

A君：強制処分説によるとすれば，無令状の撮影は，218条3項の場合のほかは，逮捕に伴う無令状の検証（220条1項2号，3項）としてしか許されないことになるのですね[40]。

教員：原則的には，そうだね。でも，220条1項2号に準じる状況があれば無令状で許されると解する見解もあるんだ[41]。また，田宮教授は，いわゆる「新たな強制処分」説の立場から，新たな強制処分としての写真撮影については，197条1項ただし書の強制処分法定主義は適用されず，刑訴法に根拠規定は不要であるが，憲法35条の令状主義の精神は妥当するので，令状主義の精神を具体化する要件を充足すれば許されるとしているんだ[42]。

A君：最大判昭和44・12・24刑集23巻12号1625頁（京都府学連事件）は，「①現に犯罪が行なわれもしくは行なわれたのち間がないと認められる場合であって，しかも②証拠保全の必要性および緊急性があり，かつ③その撮影が一般的に許容される限度をこえない相当な方法をもって行なわれるとき」は，「撮影される本人の同意がなく，また裁判官の令状がなくても，警察官による個人の容ぼう等の撮影が許容される」と説示しているよね（①②③は筆者による）。この大法廷判決は，①で現行犯的状況を要件としていることからみて，公道における写真撮影も「強制処分」と理解しているのではないかな。

Bさん：そう読めなくもないわね。でも，大法廷判決は，当該写真撮影を適法としているのだから，公道上における容ぼう等の写真撮影が強制処分だとすると，「新たな強制処分」説を採らない限り，刑訴法に根拠規定が必要だけど（197条1項ただし書），①は220条1項の「現行犯人を逮捕する場合」とは異なり，現行犯逮捕の要件がある場合としているにすぎないし（現に当該事案では現行犯逮捕をしていない。現行犯逮捕の要件があるだけでは，220条1項2号の無令状の検証，218条3項の無令状の写真撮影が許されないことは明らかである。後者につき，大法廷判決は，そもそも，「218条2項〔筆者注・現3

39)　三井(1)116頁，光藤Ⅰ169頁，田宮121頁。
40)　三井(1)116頁。
41)　光藤Ⅰ169頁。
42)　田宮121頁。

項〕のような場合のほか」として，上記①，②，③の要件を掲げている)，②の証拠保全の必要性・緊急性の要件は，そのような要件を充足したとしても強制処分を正当化する理由にはならないわね。強制処分を正当化するのは刑訴法に特別の規定がありその要件を充足する場合でなければならないはずでしょ。②の要件は，昭和51年決定の第2段階の判断枠組みに類似しているわ。そのように考えると，①の要件は，たまたまこの事案が現行犯的状況だったので，単に当該事案に即した説示をしたともいえるのではないかしら[43)]。

教員：そうだね。この大法廷判決後の下級審裁判例には，①の要件を事案に即した説示と理解するものが存在するんだ（東京高判昭和63・4・1判時1278号152頁，東京地判平成元・3・15判時1310号158頁)。昭和44年大法廷判決は，これを昭和51年決定と整合的に理解するならば，当該事件における写真撮影が任意処分であることを前提に，それが「相当」として許されるのはいかなる場合であるかを明らかにしたものと解すべきだろう。詳言すれば，街頭での写真撮影によって侵害された利益（みだりに容ぼう等を撮影されない自由）の性質・侵害の程度と当該処分（写真撮影）の必要性・緊急性とを比較衡量することにより，それが「相当」として許容されるのは，いかなる場合であるかを明らかにしようとしたもの，と解すべきだ[44)]。このような理解によれば，①の現行犯的状況は，犯罪の嫌疑が明白であることを意味することとなり，写真撮影の「必要性」の考慮要素となるだろう。

Bさん：最決平成20・4・15刑集62巻5号1398頁が，昭和44年大法廷判決について，「警察官による人の容ぼう等の撮影が，現に犯罪が行われ又は行われた後間がないと認められる場合のほかは許されないという趣旨まで判示したものではない」として，昭和44年大法廷判決の提示した①の現行犯的状況は，適法性を肯定するために不可欠な要件ではなく，事例に即した説示であったことを明らかにしていますね。

教員：この平成20年決定も，憲法13条に由来する「みだりに容ぼう等を撮影されない自由」を侵害するだけでは，強制処分には当たらず，任意処分と理解していることになるだろう[45)]。

43）　前掲注27)参照。
44）　井上正仁「科学捜査の限界」法教114号（1990年）22頁参照。
45）　酒巻匡・百選〔第9版〕21頁。

Bさん：平成20年決定は，さらに，「①捜査機関において被告人が犯人である疑いを持つ合理的な理由が存在していたものと認められ，かつ，②前記各ビデオ撮影は，強盗殺人等被告事件の捜査に関し，防犯ビデオに写っていた人物の容ぼう，体型等と被告人の容ぼう，体型等との同一性の有無という犯人の特定のための重要な判断に必要な証拠資料を入手するため，これに必要な限度において，③公道上を歩いている被告人の容ぼう等を撮影し，あるいは不特定多数の客が集まるパチンコ店内において被告人の容ぼう等を撮影したものであり，いずれも，通常，人が他人から容ぼう等を観察されること自体は受忍せざるを得ない場所におけるものである。以上からすれば，これらのビデオ撮影は，捜査目的を達成するため，必要な範囲において，かつ，相当な方法によって行われたものといえ，捜査活動として適法なものというべきである」（①②③は筆者による）と説示していますね。

教員：平成20年決定も，昭和51年決定の二段階判断のうち第2段階の判断枠組み（任意処分としての相当性）に相応する写真撮影・ビデオ撮影に特化した判断枠組み，すなわち，撮影の必要性（①の犯罪の嫌疑の程度と②の当該態様によるビデオ撮影の必要性）と，撮影による被侵害法益の性質・侵害の程度（③）とを衡量するという枠組みを提示したものだろう。

A君：写真撮影とビデオ撮影とで，何らかの違いはないのでしょうか。

教員：うん，なかなかいい視点だね。ビデオ撮影の場合は，複数の静止画でなく動画が撮影されることに加えて，音声まで録音されることもあり，静止画によるよりもより重要なプライバシーの侵害といえるだろう（一般的にいえば，ビデオ撮影は写真に比べて，容ぼう・姿態がより明瞭に写されることになるであろうし，それゆえ犯人特定のためにはビデオの方が，表情，癖，歩き方など行動に関するプライバシーが侵害されることも少なくないであろう[46]）。しかし，公道を公然と歩行中の者のビデオ撮影は，写真撮影よりもより多くの情報を取得するという意味において，法益侵害の程度が幾分か高いとはいえても，「重要な権利・利益の実質的制約」すなわち強制処分とまではいえないのではなかろうか。そうではあっても，第2段階の判断においては，嫌疑の程度（上記①）は写真撮影の場合よりもより高いものが要求されるだろう

46）　緑67頁参照。

し，写真では足りずビデオ撮影が必要である合理的な理由（上記②）が求められることとなるだろうね。

4　設問の解決

教員：設問(1)は，どうかな。

A君：強制処分の意義について重要権利利益実質的侵害説と意思制圧説のいずれによろうと，住居内のXを望遠レンズや赤外線フィルムを用いて，こっそりと写真撮影する行為は，その容ぼう・姿態をみだりに撮影されない自由のみならず，「私的領域におけるプライヴァシイの合理的な期待」を侵害するものであって，合理的に推認される相手方の意思に反して「重要な権利・利益」を実質的に侵害・制約するものといってよく，刑訴法197条1項ただし書の「強制の処分」に当たることになりますので，違法です。

教員：「強制の処分」に当たれば，直ちに違法なのかな。197条1項ただし書は，「強制の処分」について，どういっているの。

A君：えっと，この法律に特別の定めが必要だとしています。

教員：だったら，まず，この法律（刑訴法）に特別の定めがあるかどうかを検討しなきゃならないんじゃないかい。

A君：確かにそうですね。197条1項ただし書の「強制の処分」に当たるからといって，安易に「違法」とするんじゃなくて，刑訴法に特別の定めがあるかどうかを検討しなきゃだめなんですね。

Bさん：そうよね。設問の場合の写真撮影は，刑訴法の定める「検証」に当たり，特別の定めはあるので，強制処分法定主義には違反しないけれど，無令状で許される場合（218条3項，220条1項2号，3項）には当たらないので，218条1項の「検証」の要件を満たさなければならないのですが，要件の1つである令状の発付を受けていないので，設問の写真撮影は，令状主義に違反し，違法です。ビデオ撮影の場合も同様です。

教員：そうだね。刑訴法に特別の定めのない類型の強制処分のときは，強制処分法定主義に違反することとなり，特別の定めがある強制処分については，強制処分法定主義には違反せず，さらに特別の定めの要件を満たすかどうかを検討しなければならないのだね[47)]。

Bさん：設問⑵については，街頭で公然と活動している者の写真撮影やビデオ撮影は，「自分の行動を他人の目に曝している」（平成20年決定にいう「他人から容ぼう等を観察されること自体は受忍せざるを得ない」）のだから「自分の行動を他人に見られることはないというプライヴァシーの正当な期待」はもはや存在せず[48]，ただ「みだりに容ぼう・姿態を撮影されない自由」（前掲最大判昭和44・12・24）のみを侵害するものですが，容ぼう・姿態は，家屋内であろうとなかろうと，公の場に出れば不特定多数の者に観察されるものですから，この自由自体の重要性は必ずしも高いとはいえず，刑訴法197条1項ただし書の「強制の処分」に当たらないので[49]，第2段階の相当性判断枠組みにより違法な任意処分かどうかを決することになります。設問⑵の場合は，刑務所仲間でXと顔見知りのYが「事件の数日前にXから強盗を誘われた」旨供述していること，Xは同種の前科を有することなどから，「捜査機関においてXが犯人である疑いを持つ合理的な理由が存在していた」と認めることができますし（犯罪の嫌疑の程度），かつ，Wの目撃した犯人と思われる人物とXとの同一性の有無という犯人特定のために重要な判断に必要な証拠資料を入手するためには，Xの表情や歩き方などを総合してWに確認させる必要があり，写真では十分でなく，ビデオにより撮影する必要があると認められ（当該態様によるビデオ撮影の必要性），他方，Xは公道上で活動していたもので，「通常，人が他人から容ぼう等を観察されること自体は受忍せざるを得ない場所」において撮影されたものであって（さらにいえば，本件においては，写真撮影とビデオ撮影との間に侵害されるプライバシーの内容等にさほどの相違があるとは思われない。被侵害法益の性質・侵害の程度），これらの事情を比較衡量すると，任意処分として相当限度を逸脱するものではないので，捜査目的を達成するため，必要な範囲において，かつ，相当な方法によって行われたものということができ，適法です。

教員：被告人の自宅前の公道と玄関を7か月にわたりほぼ24時間連続してビデオカメラで撮影した捜査について，これを任意処分として相当限度を逸脱するとして違法とした裁判例（さいたま地判平成30・5・10判時2400号

47）　斎藤124頁。
48）　井上・強制捜査と任意捜査14頁。
49）　井上・強制捜査と任意捜査14頁，田口97頁，上口89頁。

103 頁[50]）にも留意すべきだろう。

Question & Answer

Q　強制処分法定主義と令状主義の関係は，どのように理解すべきなのでしょうか。

A　強制処分法定主義（大陸法系）と令状主義（アメリカ法系）との関係は，難しい問題です。強制処分法定主義も令状主義も，どちらも捜査のための強制権限の行使を規律する基本的な原則であることについては異論はないでしょう[51]。この2つの原則の関係をどのように理解するかについては，大きく分けて2通りの考え方があるように思われます。

1つは，田宮教授などの理解で，強制処分法定主義（197条1項ただし書）を，「既成の強制処分は各々の規定のとおり法定の令状主義に従う，という意味のもの」[52]，「令状主義の同意異語にほかならない」[53]とする，すなわち強制処分法定主義は「憲法の定める令状主義（33条及び35条）を具体化したものである」[54]と把える見解です。つまり，令状主義中心説といってよいでしょう。

2つ目は，通説の採る見解であり，井上正仁教授は，「強制処分法定主義は，そもそも刑事手続において当の処分を用いることを一般的に許すか否かの判断を誰がどのような形式で行うかを定めるものであるのに対し，令状主義は，許すとした場合の条件と個々具体的な処分についての許否の手続を規律するものである」「両者はそれぞれ……独自の意義を持つ別個の存在である」[55]とされ，田口教授も，「令状主義は，強制処分法定主義を手続上保障する機能をいとなむ」[56]とされています。これは，いわば強制処分法定主義中心説といっていいでしょう。

50）　評釈として，宇藤崇「判例セレクト Monthly」法教 457 号（2018 年）135 頁。

51）　後藤昭「強制処分法定主義と令状主義」法教 245 号（2001 年）10 頁。

52）　田宮 72 頁。

53）　田宮 I 132 頁〔田宮〕。

54）　平良木登規男『捜査法〔第 2 版〕』（成文堂，2000 年）42 頁。ただし，同『刑事訴訟法 I』（成文堂，2009 年）96 頁は改説。

55）　井上・強制捜査と任意捜査 28 ～ 29 頁。

56）　田口 41 頁。

田宮教授が「新たな強制処分」説を提示したのは，令状主義と強制処分法定主義との関係を上記のように理解するからにほかなりません。「新たな強制処分」説とは，憲法（令状主義）の解釈として導かれる要件を実質的に充たすならば，刑訴法に明示の根拠規定がなくとも強制処分が許されるとするものですが，強制処分法定主義と令状主義との関係に関する通説（井上，田口など）の見解によれば，強制処分は，まずもって刑訴法に根拠規定が必要ですから，「新たな強制処分」説は，およそ採り得ないこととなります。

強制処分の規制に際して令状主義の重要性はいかに強調してもしすぎることはありませんが，国民の重要な権利・利益を侵害する処分である強制処分については，司法機関ではなく，主権者たる国民の代表で構成される立法機関こそが，その要否と内容・要件・効果を定めるのが憲法の大原則のはずですから，強制処分法定主義を中核とし，その手続面を司法機関によって規制するのが令状主義であると把える通説に左袒すべきものと考えます[57]。

学びの道しるべ

✍ 学生諸君の答案には，「強制処分」を刑訴法の条文とは無関係に，「強制処分とは，個人の意思を制圧し，……」とするものが散見される。

しかし，「強制処分」という概念が，アプリオリに存在するわけではない。最近の通説（井上教授など）によるにせよ，意思制圧説によるにせよ，刑訴法197条1項ただし書にいう「強制の処分」の文言解釈として論じられるべきである。それが分かったうえで「強制の処分」ではなく「強制処分」の語を用いるのならそれでよかろう。同様に，第2段階の判断枠組みである任意処分の相当性判断に関しても，捜査比例の原則に根拠を求めるのが一般であり[58]，これまた，197条1項本文の解釈問題であることに留意すべきである。

✍✍ 二段階判断枠組みによる場合に，当てはめで，第1段階の判断，つまり強制処分に当たるかどうかの判断において，必要性・緊急性を考慮する

57）　緑大輔「令状主義とその例外」法教376号（2012年）16頁参照。

58）　田宮Ⅰ131頁［田宮］，上口60頁，酒巻匡・百選〔第9版〕21頁，リークエ35頁［松田岳士］など多くの見解は，捜査比例の原則の根拠を197条1項の「その目的を達成するため必要な取調をすることができる」との規定に求めている。

答案も，ときに見受けることがある。

しかし，第1段階の判断枠組みである「強制の処分」に当たるかどうかは，当該処分の「性質」（最決昭和51・3・16刑集30巻2号187頁）によって決まるのであって，必要性・緊急性は，第2段階の判断において検討すべき事項であり，第1段階の判断で検討すべき要素ではない。「強制の処分」は，捜査の必要性・緊急性がいかに高くとも，特別の根拠規定がない限り，それを許容することが相当でないような手段であり（いかに緊急性・必要性が高かろうとも，特別の根拠規定がない限り，許されないことは自明である），他方，任意処分は，必要性・緊急性などを考慮して相当性を判断することになる（香城敏麿・最判解刑事篇昭和51年度73頁）。つまり，必要性・緊急性は，強制処分かどうかを判断するメルクマールには断じてならないということを肝に命じる必要がある。

このことは，第2講において論じる「職務質問・所持品検査」について判例の採る二段階判断枠組みにおいても同様であり，「捜索」「強制」に当たるかどうかは，当該処分の性質により決まるものであり，具体的な事情（必要性や緊急性など）の衡量によって変動するものではない[59]。

〈参考文献〉

①井上正仁「強制捜査と任意捜査の区別」新・争点54頁
②酒巻匡「捜査に対する法的規律の構造⑵〔刑事手続法の諸問題②〕」法教284号（2004年）62頁
③川出敏裕「任意捜査の限界」『小林充先生・佐藤文哉先生古稀祝賀刑事裁判論集㈦』（判例タイムズ社，2006年）23頁
④後藤昭「強制処分法定主義と令状主義」法教245号（2001年）10頁
⑤大澤裕「強制捜査と任意捜査〔刑事訴訟法の基本問題①〕」法教439号（2017年）58頁
⑥鹿野伸二・最判解刑事篇平成20年度289頁
⑦増田啓祐・最判解刑事篇平成21年度371頁
⑧伊藤雅人＝石田寿一「最高裁判所判例解説」曹時71巻6号（2019年）1244頁

59） 酒巻匡「所持品の隠匿行為を制止する際の有形力の行使について――東京高裁昭和61年1月29日判決を素材として」警研58巻4号（1987年）29頁，32頁。

2　職務質問・所持品検査

【設　問】

警察官K・Lは，午後10時ころ，薬物密売の外国人が出没する通りを制服姿で警ら中，対向して歩行してきたXとYが，警察官の姿を見て，急に向きを変えて，もと来た道を急ぎ足で戻り始めたので，KおよびLは，この両名に職務質問をするために，同人らの後方から「そこの二人，ちょっと待って」と声を掛けた。すると，Xがいきなり走って逃げ出したので，KがXを追いかけて，Xの背後から右手でXの右手首を摑んだ。Xはいったん止まったが，再び逃げ出すそぶりをみせたため，Kは，Xの右手首に手錠を掛けたところ，観念した様子であったので，直ちにその手錠をはずしたが，その直後，XはKの顔面を手拳で数回殴打した。そこで，KはXを公務執行妨害罪の現行犯人として逮捕し，その身体に対し逮捕に伴う捜索を実施したが，差し押さえるべき物は何も発見されなかった。他方，Lは，Yがポーチを右脇下あたりに大切そうに抱えて携帯していたので，Yに当該ポーチの提示を求めたが，Yがこれを拒絶したため，Yが持ったままのポーチのチャックを開けて中に手を差し入れたところ，ビニール袋と思われるものに触ったので，これを取り出してみると，白色結晶約1グラムが入ったビニール袋であった。そこで，Lが試薬検査を実施したところ，覚醒剤の反応を示したので，Lは，Yを覚醒剤取締法違反罪（覚醒剤所持）の現行犯人として逮捕した。KおよびLの各職務執行は適法か。

〔ポイント〕

①　職務質問のための停止措置の限界――有形力行使の可否

②　所持品検査の許容性とその限界

〔判　例〕

●職務質問のための停止その他の付随措置

▷最決平成6・9・16刑集48巻6号420頁（ケースブック37頁，三井教材37頁，百選〔第9版〕6頁・〔第10版〕6頁）
▷最決平成15・5・26刑集57巻5号620頁（ケースブック46頁，三井教材31頁）
▷東京高判昭和49・9・30刑月6巻9号960頁（ケースブック23頁，三井教材9頁）

●所持品検査

▷最判昭和53・6・20刑集32巻4号670頁（米子の銀行強盗事件。ケースブック30頁，三井教材27頁，百選〔第9版〕10頁・〔第10版〕10頁）
▷最判昭和53・9・7刑集32巻6号1672頁（ケースブック43頁，三井教材29頁）
▷最決平成7・5・30刑集49巻5号703頁（ケースブック44頁，三井教材35頁）
▷東京高判平成30・3・2判タ1456号136頁

●自動車検問

▷最決昭和55・9・22刑集34巻5号272頁（ケースブック27頁，三井教材16頁，百選〔第9版〕12頁・〔第10版〕232頁）

● 解　説

1　職務質問のための停止措置の限界──有形力行使の可否

A君：警察官職務執行法（以下「警職法」という）2条1項は，警察官に職務質問とそのための停止措置の権限を付与していますが，2条3項において，職務質問の相手方は，刑事訴訟に関する法律の規定[1]によらない限り，身柄の拘束，意に反する連行，答弁の強要をされないと規定していますので，質問も停止措置も，いずれも任意処分であり，有形力の行使は，いかなる程度のものであれ，絶対に許されません。したがって，Kの措置は違法です。

1）　2条3項において，「刑事訴訟法の規定」でなく「刑事訴訟に関する法律の規定」とされた理由につき，第2回国会衆議院治安及び地方制度委員会（昭和23年6月18日）における政府説明員の答弁参照（同委員会議録第40号8頁）。当時，（新）刑事訴訟法案が国会で審議中であり，その施行日は昭和24年1月1日とされる予定であったため，警察官等職務執行法の施行時（昭和23年7月）における刑事訴訟に関する法律は，旧刑事訴訟法（大正11年法律第75号）と日本国憲法の施行に伴う刑事訴訟法の応急的措置に関する法律（昭和22年法律第76号）であったことから，このような表現になったとのことである。

教員：これらが「任意処分」と理解されていることは，A君の言うとおりだけど，第1講で勉強した捜査手段としての「任意処分」は「強制処分でない」という意味しかなかったことを覚えているかい。「任意処分」といっても，有形力の行使が一切許されないことを意味するものでないこともあり得るのではないかな。

Bさん：警職法2条1項の職務質問や停止措置を「任意処分」と解する根拠が2条3項にあるとすれば，この場合の「任意」は「身柄の拘束，意に反する連行，答弁の強要」でないとの意味しかないのだから，2条3項の存在は，有形力の行使が一切許されないとする理由にはなり得ませんね。

教員：そのとおりだね。ところで，職務質問やそのための停止措置は行政警察活動に属するのだから，「法律による行政」の原理，そしてそのコロラリーとしての「法律の留保」原則が適用されることになるよね。行政法学においては，法律の留保原則の及ぶ範囲について，侵害留保説，重要事項留保説など種々の見解があるけれども，少なくとも侵害的行政活動については法律の根拠規定（根拠規範）が必要であることに異論はないだろう。この「法律の留保」原則（とりわけ侵害留保原則）との関係で，警職法2条1項の規定は，どのように位置付けたらよいのだろうか。

Bさん：行政法学における侵害留保原則によれば，相手方の承諾を得て行う行政活動（非侵害的行政活動）については根拠規範（行政作用法）を要しませんが，警職法2条1項が一定の要件を明示して，質問と停止（及び2項の任意同行）の権限を定めているのですから，同項は，侵害留保原則にいう根拠規範というべきです。2条1項の規定は，非侵害的行政活動の確認規定ではなく，相手方が承諾しない場合においてもなお侵害的行政活動ができるという意味の創設的規定と解して初めて存在意義があるのではないでしょうか。

教員：私も2条1項をBさんの言うような意味での創設的規定と解するのが相当だと思うのだが，確認規定説も理解できなくはない。というのは，太平洋戦争終結前の時代の警察による行政警察権の濫用に対する反省として，職務質問について相手方の承諾のある場合（非侵害的行政活動）であっても，さらに「何らかの犯罪を犯し……」の要件を付加して，職務質問等を特に制限したとの理解も可能ではあるだろう。

Bさん：確かにそうですね。しかし，最高裁の一連の判例（最決昭和29・

7・15 刑集 8 巻 7 号 1137 頁など）をみると，相手方の同意・承諾のある場合に限っているわけではないので，最高裁の判例も，２条１項＝創設規定説に立つといってよさそうですね。

教員：そうだね。以上の議論を要約すると，職務質問のための停止について有形力の行使が許される理由は，警職法２条１項が一定の要件を明示し，停止の権限を定めていることから，同項は，侵害留保原則にいう根拠規範であって，相手方に対して有形力を行使して停止させることは，同項により許容されていると解すべきである[2]，ということになるでしょう。２条２項の「同行を求める」ことについても，１項と同様に理解されるだろう。

Ｂさん：仮に有形力の行使が一切許されない（つまり相手方の同意・承諾のある場合に限り質問し，停止させることができる）とすると，何らの権利・利益の侵害もないのだから根拠規範は不要のはずですが（職務質問及びそのための停止の要件と効果を限定する必要はない），それは警職法２条１項が職務質問の相手方を限定して質問と停止の措置（そして２項が同行の措置）ができると定めていることと整合しないこととなるでしょうね。

Ａ君：２条３項が同条１項の処分に関して強制処分を禁じていることから，同条１項の処分は，強制に至らない程度の有形力行使を許すものであると解することはどうでしょうか。

教員：その論理は，いわば裏面（２条３項）から同じ結論を導くもので，それ自体誤りとはいえないだろう。しかし，２条３項の反対解釈として，警職法上の強制処分に至らなければ有形力の行使も許されると解したとしても，有形力行使の根拠規範を２条３項に求めることはできないのだから，正面から２条１項の解釈を理由とするのが本筋ではないだろうか。

Ｂさん：２条１項の「停止させて」の文言が，一定程度の有形力の行使を認めているとの理由を挙げる見解もありますが，どうでしょうか。

教員：確かにそのような見解があることは知っているよ。しかし，その理屈によると，２条２項は，「同行することを求めることができる」と定めるので，１項の停止と違って２項の同行については有形力行使ができないこととなるけど，そのような結論の相違に合理的な理由はあるとは思えないね。

2） 酒巻匡「行政警察活動と捜査(1)」法教 285 号（2004 年）49 頁，酒巻 43 頁。

A君：「職務質問の実効性を確保するため」には，停止させるためにある程度の有形力の行使が必要であるとの理由付けはどうですか。

教員：学生諸君が刑訴法の様々な論点について好んでする「実効性確保」論だね。質問に応じず立ち去ろうとする者を拱手傍観しなければならないというのはあまりに非現実的で，職務質問の実効性を確保できないというわけだ。しかし，それを非現実的とみるかどうかは水掛論であり，「実効性確保」論は，つまるところ，有形力の行使が必要だから2条1項が許容しているとするものであり，法解釈の理由付けとして適切を欠くのではなかろうか。

A君：自動車検問（一斉交通検問）についての最決昭和55・9・22刑集34巻5号272頁の説示は，一斉検問は，警職法2条1項の要件を満たさなくても実施されるものであるため，一斉検問について直接の根拠規範（行政作用法）がないこととなり（警察法2条は，組織規範〔行政組織法〕であって，侵害的行政活動の根拠規範とはなり得ない），そうすると，一斉検問では，侵害的行政活動は許されず，根拠規範を要しない，「相手方の任意の協力」を前提とする行政活動だけが許されるということになるのですね[3)]。

教員：この判例は，そう解釈すべきだろう。

Bさん：ところで，侵害的行政活動としての職務質問とそのための停止の措置の上限は，警職法2条3項によって画されているとのことでしたが，同項の「身柄の拘束」の意義について，川出教授が，「移動の自由の制限が，ある程度の時間的継続性を持つことが必要だと思われる」[4)]とされ，酒巻教授も，「対象者の行為態様に即応して，『停止』状態を作り出すため即時的に強度の有形力を加える措置（例えば，急に逃走しようとした対象者にタックルして倒す）については，これを『身柄の拘束』とみるべきではなく，『停止』の際の有形力行使が具体的状況のもとで権衡していたかどうかの問題と捉えることが適切であるとの考え方も成り立つように思われる」[5)]とされて，短時間（即時的）の移動の自由の制限は2条3項の「身柄の拘束」に当たらず，同項に違反しないとされていますね。

3）　一斉検問ではなく，緊急配備検問については警職法2条1項が根拠規範となり得ることにつき，三井(1)107頁，上口76頁など参照。

4）　川出敏裕「行政警察活動と捜査」法教259号（2002年）77頁。

5）　酒巻・前掲注2)51頁。

教員：そのような解釈には俄かに賛同できないね。後に検討する所持品検査に関する最判昭和53・6・20刑集32巻4号670頁（米子の銀行強盗事件）は，所持品検査の根拠規範を2条1項に求めたうえ，「捜索に至らない程度の行為は，強制にわたらない限り，所持品検査においても許容される場合がある」と説示しているけれど，これは捜索に至らない行為であっても強制にわたる行為は，必要性や緊急性がいかに高い場合であろうと，「捜索」と同様に許容されないという趣旨だろう（2条3項に明文の「捜索」「強制」の文言はないが，上記の説示は2条3項を根拠とするものと思われる）。この理解が正しいとすれば，同じく2条1項を根拠規範とする停止措置についてもまた，「身柄の拘束」に当たらなくても「強制」にわたる行為は許容されないと解すべきだろう。「身柄の拘束」の意義を川出教授や酒巻教授のように時間的継続性をもつ概念と理解するとしても[6]，2条3項は「身柄の拘束」のみならず強制処分一般を禁じていると解すべきであり[7]，そうすると，川出教授が例として挙げる，「停止」状態を作り出すため即時的に強度の有形力を加える措置（例えば，急に逃走しようとした対象者にタックルして倒す）について，これを「身柄の拘束」とみるべきでないとしても，強制には当たり，2条3項に違反して違法というべきではないだろうか。

A君：2条3項は，「刑事訴訟に関する法律の規定によらない限り」許されない旨定めるところから，その明示する「身柄の拘束」，「意に反する連行」，「答弁の強要」は，強制処分の例示であって，警職法上の強制処分一般を禁ずる趣旨であると解釈するわけですね。

Bさん：そうすると，警職法2条3項が禁ずる「強制」というのは，刑訴法197条1項ただし書の強制処分のことですよね。令状がなければできないということですかね。

教員：いや，そうじゃないんだ。2条3項は，警職法上の強制処分を禁じているのであって，刑訴法の強制処分を規制する規定ではないよ。だから，「警職法上の強制処分」が「刑訴法の強制処分」と同じ意味である必然性はおよそないんだ[8]。しかしながら，警職法2条3項が強制処分は「刑事訴訟

6）　演習刑訴法47頁［長沼範良］参照。

7）　川出敏裕「任意捜査の限界」『小林充先生・佐藤文哉先生古稀祝賀刑事裁判論集(下)』（判例タイムズ社，2006年）28頁参照。

に関する法律の規定によらない限り」許されない旨定めていることから，ただその一事をもって，当該処分は行政警察活動であって捜査ではないのだけれども，それを行うためには，捜査として刑訴法の規定によらなければならないような，そのような警職法上の強制処分は許されないという意味だから，結局のところ，警職法の禁ずる強制処分は，刑訴法の強制処分と同じ意味だということになるわけだよ。

Bさん：じゃあ，刑訴法の規定により裁判官から令状をもらえば，警職法でも強制処分ができるということですか。

A君：そんなことしたら，もはや行政警察の世界の話じゃなくて，司法警察（捜査）の世界に入ってしまうよ。「何らかの犯罪」にすぎず犯罪が特定されていないのに，令状が発付されるはずもないのだけれどね。

教員：それは，A君の言うとおりだ。2条3項が刑訴法の規定によらなければできない旨定めているのは，警職法の世界では，強制処分は禁じられているということだよ。だから，問題となっている警察官の行為を行政警察活動と把えて（職務質問，停止，所持品検査など），警職法2条1項の問題としているのに，やれ令状主義がどうした，強制処分法定主義がどうしたと論じるのは，明らかな間違いだよ。警職法2条3項によって禁じられる警職法上の強制処分は，刑訴法の「強制の処分」と同義と解される，というだけのことなんだ。

A君：警職法で禁じられている警職法上の強制処分とは何かについて，いわば刑訴法の定義を借用させていただくだけなのですね。

教員：うん，他の法律の定義の借用だね。

Bさん：結局，警職法2条3項の禁ずる強制処分とは，「相手方の意思を制圧し（明示の反対意思を制圧する場合のほか，それと価値的に同等の，合理的に推認される意思に反する場合を含む[9]），身体・住居・財産など重要な権利・利益を実質的に侵害・制約する処分というものと解すべきである」ということですね[10]。

8）いわゆる概念の相対性である。例えば，同じ法律（刑法）の中でさえ，暴行について，暴行罪，恐喝罪，強制わいせつ・強制性交等罪，強盗罪，騒乱罪等により，その意味を異にすることは周知のとおりである。いわんや異なる法律においてをや。

9）増田啓祐・最判解刑事篇平成21年度384頁は，合理的に推認される意思に反する場合は，「個人の意思を制圧するものと同価値に解すべき」であるという。

A君：そうすると，２条３項に当たらない限りは，停止のために有形力を行使しても，常に適法なのかな。

Bさん：前掲昭和53年判決（米子の銀行強盗事件）は，所持品検査に関して，「これを受ける者の権利を害するものであるから，……かかる行為は，限定的な場合において，所持品検査の必要性，緊急性，これによって害される個人の法益と保護されるべき公共の利益との権衡などを考慮し，具体的状況のもとで相当と認められる限度においてのみ，許容されるものと解すべきである」と説示しているよね。このことは，同じく２条１項を根拠規範とする職務質問のための停止措置にも当てはまるのではないかしら。

教員：そのとおりだね。酒巻教授は，「対象者の完全な承諾・任意の協力がない場合であっても，『身柄の拘束』や『意に反する連行』に至らない程度の行為は，強制にわたらない限り，停止，同行を求めるに際して許容される場合があり得ると解すべきであり，その適否の限界は，個別具体的な状況のもとでそこで用いられた手段の必要性，緊急性とそれにより害される対象者の法益との権衡が認められる限り，相当として許容されるとの判断枠組が導かれる」[11]とされており，「職務質問のための停止に際して取られた有形力行使の限界」の判断枠組みとして，答案にそのまま使えるだろう（理由付けは付加すべきだが）。

A君：この二段階の判断枠組み（第１段階の判断枠組み＝身柄の拘束に至らないか，強制にわたらないか，第２段階の判断枠組み＝具体的な状況において相当限度内か）は，司法警察活動である任意捜査の限界に関する最高裁昭和51年決定の枠組み（第１講参照）と酷似していますが，何故なんだろう。

教員：その理由を，両者の「類似性および連続性」[12]に求める見解が有力だけれども，そうではないだろう[13]。第１段階の判断枠組みは，警職法２

10）ここで問題とするのは，警職法２条３項の禁ずる強制処分であって，刑訴法のそれではない。

11）酒巻・前掲注2)50頁。

12）田口守一「職務質問と所持品検査」田口守一＝寺崎嘉博編『判例演習刑事訴訟法』（成文堂，2004年）12頁，田口59頁。

13）加藤俊治「所持品検査」実例刑訴法Ⅰ 23頁は，「刑訴法の判例になっている事例は，事の性質上，職務質問から犯罪捜査に発展したものが多いので，それらの事例を中心に検討していると職務質問は犯罪捜査の前提として行われているかのように思えてくるが，実際に日常的に行われている職務質問の大部分は犯罪捜査に発展することはないものであることに留意するべきであろう」という。

条3項が強制処分は刑訴法の規定によらなければできない（すなわち，警職法上は強制処分は一切許されない）と定めていることを根拠とするものであり，第2段階の判断枠組みは，「警察比例の原則」（警職法1条2項参照）がその根拠ということになるが，捜査に関しては，捜査比例の原則（刑訴法197条1項本文）が第2段階の判断枠組みの根拠であり，比例原則が両者に共通する規制原理であることから，その判断枠組みが類似するのだと考えるべきだろう[14]。

Bさん：捜査に関する昭和51年決定には，昭和53年判決（米子の銀行強盗事件）の説示にある「保護されるべき公共の利益との権衡」への言及がないのですが，枠組みに微妙な違いがあるのかしら。

教員：所持品検査が行政警察活動だからなのだろうか，昭和53年判決（米子の銀行強盗事件）の判断枠組みの方が比例原則の定義（必要性の原則と目的・手段の均衡の原則）に忠実な説示だね。しかし，その昭和53年判決においても具体的事案への当てはめでは，被侵害法益と公共の利益との権衡どころか，所持品検査により保護されるべき公共の利益の内容についてさえ一切触れてはいないんだ。同じく所持品検査の適法性が問題となった最判昭和53・9・7刑集32巻6号1672頁も公共の利益には言及していないよね。昭和51年決定についてみれば「公共の利益」に相当するのは捜査の利益ということになるだろうが，処分の必要性，緊急性こそが捜査の利益（公共の利益）を基礎づける重要な要素であると理解すれば，両者は特段異なる判断枠組みとは思えない。比例原則の適用にあたっては，司法警察活動にせよ行政警察活動にせよ，公共の利益を基礎づける必要性，緊急性と，被侵害法益の性質・侵害の程度とを衡量することになるだろう。

2　所持品検査の許容性とその限界

(1)　所持品検査の許容性

教員：次に，所持品検査の問題に移ろう。所持品検査は，①所持品について質問し，その提示を求める行為，②着衣等に外部から手を触れて所持品を

14)　川出・前掲注4)76頁。

検査する行為，③実力を行使して所持品を取り出したり携帯品を開披して，検査する行為を含むといわれているが，①については，職務質問に含まれ，２条１項の要件を満たす限り許されるとされている15)。そうすると，所持品検査の許容性が問題となるのは，②と③の類型というわけだね。所持品検査の許容性については，警職法に明示的な規定がないため，そもそも許容されるかどうか問題となるが，学説では否定説が有力だが，判例は，肯定説だよね。

Ａ君：ええ，最高裁昭和53年判決（米子の銀行強盗事件）は，「所持品の検査は，口頭による質問と密接に関連し，かつ，職務質問の効果をあげるうえで必要性，有効性の認められる行為であるから，同条項〔２条１項〕による職務質問に附随してこれを行うことができる場合があると解するのが，相当である」と説示しています。

教員：昭和53年判決は，所持品検査について明文の規定は存しないものの，職務質問との密接関連性，必要性・有効性を強調することにより，所持品検査を職務質問に付随する行為として，明文規定のある停止や同行と同じく，２条１項を根拠に許される場合があると解釈したわけだ（明文のある停止や同行と横並びに解する）。そのうえで，停止，同行について有形力行使が許されるかどうかが問題になるのとパラレルに職務質問の付随行為としてどこまで許容されるかについて，まず初めに，「所持品検査は，任意手段である職務質問の附随行為として許容されるのであるから，所持人の承諾を得て，その限度においてこれを行うのが原則であることはいうまでもない」として原則論を述べたうえ，「職務質問ないし所持品検査は，犯罪の予防，鎮圧等を目的とする行政警察上の作用であつて，流動する各般の警察事象に対応して迅速適正にこれを処理すべき行政警察の責務にかんがみるときは，所持人の承諾のない限り所持品検査は一切許容されないと解するのは相当でな〔い〕」と説示して，所持人の承諾のない所持品検査が許される場合があることを肯定しているね。

Ａ君：この説示箇所は，行政警察は，捜査と違って，迅速性が求められるので，所持人の承諾がなくても許される場合があるとするもので，「必要だ

15）　福岡高決昭和45・11・25判タ257号95頁は，①の類型（提示の要求）について，「質問の実効を期するうえに極めて必要な方法であつてしかもこれがため相手方にさほどの負担を加重するものとはいわれない」として，２条１項により許されるという。

から許される」と言っているにすぎず，理由になっていないですね。

教員：うん，確かにそう批判されても仕方がないね。所持人の承諾がないのに所持品検査が許される理由は，質問のための停止（２条１項）について有形力の行使が許される理由と同じく，侵害留保原則との関係で説明すべきだろう。なお，これを付随行為論で根拠づけることができないことについては，本講末尾の「学びの道しるべ」を参照してほしい。

Ｂさん：否定説は，所持品検査は，明文に定める「質問」や「停止」とは異質の身体・所持品に関するプライバシーの利益を侵害するもので，職務質問の付随行為として認めることは困難であり，２条１項に根拠を求めることはできないが（２条３項に「捜索」の文言がないことをも根拠とする），相手方が凶器を所持している疑いがある場合に限り，衣服や所持品の外側から手で触れる方法による上記②の検査のみが許されるとしていますね[16)]。

教員：否定説のいうとおり，所持品検査により侵害される法益である身体・所持品に対するプライバシーは，２条１項がその侵害を許容する質問や停止の侵害法益である応答の自由や移動の自由（ただし一定限度の侵害に限る）とは，異質別個の法益であって，後者に包摂することはできないので，２条１項を根拠規範とすることには無理があるだろう。所持品検査を許容するとすれば，２条１項とは別個の根拠規範が必要になるだろうね。

Ａ君：しかし，学説の中には，判例の見解を是とする所持品検査肯定説もありますね。田口教授は，「任意処分に属する所持品検査については，判例がその適法要件を判例法として形成することも可能であり，このような要件を充足する所持品検査については職務質問に付随するものとしてこれを許容することも可能ではないか」[17)]とされています[18)]。２条１項に根拠を求めるのでなく，判例の法創造機能に根拠を求めるのですね。

教員：「法律の留保」原則は，「一定の行政活動について，国民代表からなる国会の事前承認を義務づけることによって，国民の権利自由を保護するという自由主義の思想に基づいている」[19)]，つまり国民の権利・利益に対する

16）　川出・前掲注 4）78 頁，酒巻匡「行政警察活動と捜査⑵」法教 286 号（2004 年）60 頁など。
17）　田口・前掲注 12）9 頁，田口 62 頁。
18）　そのほか，所持品検査肯定説として，田宮 60 頁は「事態の非常例外性」を根拠に判例の法形成機能を肯定し，渥美 34 頁は，憲法 35 条を根拠に所持品検査を認める。
19）　宇賀克也『行政法概説Ⅰ〔第７版〕』（有斐閣，2020 年）32 頁。

制約は，ほかならぬ国民自身がその代表によりこれを決すべきことを核心とする法原理なのだから，警職法上の強制処分はもとより，任意処分といえども，何らかの権利・利益を侵害し，侵害するおそれがある以上は，「行政警察活動としての任意処分」について，立法府でなく「判例が，その根拠と要件を形成すること」[20]は，「法律の留保」原則に反するのではないだろうか[21]。

A君：上口教授は，行政警察活動のうち，少なくとも司法警察活動（捜査）に接着しかつ両者の限界が流動的な部分については，「法律の留保」原則（行政警察）と強制処分法定主義（司法警察）を「パラレルなものと位置づけ」るとされ[22]，「強制手段」の程度に至らない行政警察活動を，任意捜査とパラレルに考えて，根拠規範を不要とし，所持品検査については根拠規範はいらないとの帰結を導こうとされていますが，どうなのでしょうか。

教員：確かに，行政警察活動のうち強制処分でない処分（任意処分）についてどの程度の権利・利益の侵害にまで根拠規範が必要なのかについては行政法学においても定かでないところはあるけれど，上口教授の見解に立つときは，所持品検査はおろか職務質問やそのための停止までも強制処分でない限り警職法2条1項の根拠規範を要しないこととなりかねないし，また特殊（特異）な行政分野である司法警察の規範を一般的な法分野である行政警察に持ち込むのは，本末転倒であり，むしろ逆に，一般的な行政法の原理によって司法警察をどう説明できるかという視座こそが重要だろう。「法律の留保」原則から行政活動の特殊類型としての任意捜査をみれば，それが何らかの権利・利益を侵害する処分であるときは，強制処分でなくとも，そのための根拠規範を要すると理解すべきだろう（宇藤教授は，捜査のための処分についても授権規定〔根拠規範〕が必要であり，その中には，概括的授権で足る処分〔任意処分〕と，それでは不十分で，個別・具体的な授権規定〔根拠規範〕が必要な処分があり，前者の根拠規範〔概括的規定〕が197条1項本文であるとされるが[23]，筆者もこれに賛同するものである）。昭和53年判決（米子の銀行強盗事件）も，所持品検査に根拠規範が必要なことを前提にして，それを警職法2

20） 田口61頁。
21） 斎藤48頁。
22） 上口73頁。
23） 宇藤崇「強制処分の法定とその意義について」研修733号（2009年）9頁。

条1項に求めていることは前述のとおりだ。

(2)　判断枠組み

Bさん：判例によれば，所持品検査は，警職法2条1項を根拠規範として，許される場合があるということですが，許されるかどうかの判断枠組みは，「①捜索に至らない程度の行為は，強制にわたらない限り，所持品検査においても許容される場合があると解すべきである」「②所持品について捜索及び押収を受けることのない権利は憲法35条の保障するところであり，捜索に至らず強制にわたらない程度の行為であつてもこれを受ける者の権利を害するものであるから，状況のいかんを問わず常にかかる行為が許容されるものと解すべきでないことはもちろんであつて，かかる行為は，限定的な場合において，所持品検査の必要性，緊急性，これによつて害される個人の法益と保護されるべき公共の利益との権衡などを考慮し，具体的状況のもとで相当と認められる限度においてのみ，許容されるものと解すべきである」ということになりますね。いわゆる二段階の判断枠組みですね。

教員：判断枠組みとしては，まずは，所持人の承諾を得て，その限度で行うことが必要ではないかな。

A君：そんなことが，実務で問題になるのですか。

教員：警察官の所持品検査に対して対象者が異議を述べなかったとか，黙っていたといった事案では，検察官は，公判において黙示の承諾を主張することになるから，その点の判断が必要になるだろう。また，対象者が「探すなら勝手に探せ」と言った事案においてさえも，その真意が問題になるだろう[24)25)]。

3　設問の解決

教員：さて，設問についてはどうだろう。

A君：KがXの右手首を摑んだ行為は格別（最決昭和29・7・15刑集8巻7号1137頁参照），手錠を掛けた行為は，短時間ゆえに警職法2条3項の「身柄の拘束」には当たらないとしても，Xの意思を制圧し身体の自由に制約を加える行為であって，2条3項により禁じられる警職法上の強制処分に当たるので，違法です[26)]（大阪高判昭和59・8・1判タ541号257頁参照）。

教員：おっと，A君，強制処分に当たるかどうかの検討の前に，まず職務質問の要件が存するかどうかの検討が必要じゃないのかい。

A君：あっ，確かにそうですね。職務質問の要件は，「異常な挙動その他周囲の事情から合理的に判断して何らかの犯罪を犯し，若しくは犯そうとしていると疑うに足りる相当な理由がある」ことですが（警職法2条1項），設問の事例では，XとYは，制服姿の警察官の姿を見ていきなり走って逃げ出しており，そうすると，警察官との接触を避けたい事情があると認めるのが合理的であり[27]，この要件に該当しますので，職務質問を開始したことは適法です。

Bさん：Lの行った所持品検査については，所持品検査否定説によれば，

24）最決平成7・5・30刑集49巻5号703頁は，警察官から自動車内を検索する旨告げられた際，被告人が「しょうがない」と答えたことが承諾といえるかどうかが問題となった事案であるが，第1審判決が被告人の承諾があったと認定したのに対し，控訴審は，被告人の承諾を否定し，最高裁もこれを是認したものである。今崎調査官は，「本件行為に対し，被告人が明示的に異議を唱えるなどしていないこと……を重視すれば，『しょうがない。』という文言をもって承諾とみることもあながち不当ということはできない」とし，「他方，それまで被告人が自動車内の検査を拒否し続けていたことからすれば，たとえ承諾を外形上うかがわせる言動があったとしても，これを真意に基づくものということはできないという見方にも十分に合理性がある」としたうえ，「承諾を巡る判断にはかなり微妙なものがあった」とされる（今崎幸彦・最判解刑事篇平成7年度225頁）。

25）福岡高判昭和50・6・25刑月7巻6号660頁は，原審証拠決定（熊本地玉名支決昭和49・2・18判時742号147頁）が，被告人が巡査の要求に対して「探すなら勝手に探せ」と答えたことから，同巡査が自動車内を検索した事案において，「被告人が本件車内検査について真摯な意思に基づいて任意の承諾を与えたものと認めることは困難である」としたのに対して，「車内を確認することまで拒否する合理的理由がないため承諾の意を明らかにしたものと認め得るところであって，もとより被告人の自由かつ任意の意思決定に基づくものであることを窺うに足りるから，自棄的に捨て鉢になった気持から真意の伴わない言葉を訳もなく口走ったものと同日に談ずることはできない」としている。対象者が所持品検査を承諾するがごとき発言をしたとしても，「自由かつ任意の意思決定に基づくもの」であるか，それとも「自棄的に捨て鉢になった気持から真意の伴わない言葉をわけもなく口走ったもの」かが問題になるが，その判断は，当該発言のみを捉えるのではなく，その前後の対象者及び警察官の各言動を総合的に考慮して判断すべきであろう（前掲注24)最決平成7・5・30の控訴審参照）。

26）質問のための停止における有形力行使が強制手段に当たるとしたものとして，東京高判平成28・4・15東高刑時報67巻1～12号28頁は，「A警察官らは，……それ以上の職務質問，所持品検査を拒んで逃走しようとした被告人に対し，その首に腕を回して逃走を防止した上，被告人をフェンスから引きはがして通路上に引き倒し，うつ伏せになった被告人の背中に乗って，被告人に暴れないことを約束させるまで，そのまま，1，2分程度，押さえ続けている。この有形力の行使は，被告人の意思を制圧して，その身体を短時間ではあるが拘束したものということができ，停止行為として許容される限度を超えた強制手段に当たるというべきである」とする。

相手方の承諾があれば許されますが，そうでないときは，凶器所持の疑いがない以上，根拠規範がなく，許されません。これに対し，判例の見解を前提にすると，職務質問の要件が存在することを前提に，相手方の承諾があるかどうか，これがないときは，二段階の判断枠組みにより，その適否を決することとなります。設問の事例では，まずもって，Yは当該ポーチを抱え，Lの求めた提示を拒絶したのですから，その所持品検査についてYの明示の承諾はもとより黙示の承諾もないことは明らかです。そして，設問のように，相手方の衣類に手を突っ込んで所持品を取り出す行為は，判例の枠組みによっても，第1段階の判断枠組みにいう「捜索」に当たり，違法だと考えます。

教員：前掲最判昭和53・9・7は，「内ポケットに手を差し入れて所持品を取り出して検査した行為」を第2段階の判断において違法とするけれども，むしろ第1段階の判断で「捜索」に当たるとすべきであったように思われ，本問のLの行為も，第1段階の判断において「捜索」に当たり違法というべきだろう[28]。最高裁が「捜索」に当たるとするケースは，捜査における捜索と同じく，身体や所持品を逐一，丹念に調べる場合に限られるようだね。バッグのチャックを開披して，上からその中を一瞥する行為も，ふくらんだポケットから物をとり出す行為も，これが捜査として行われたとすれば，典型的な「捜索」行為には至っていないということなのだろう。

Question & Answer

Q1　最高裁が所持品検査を捜索・強制として違法としたものか（第1段階

27)　東京高判平成26・5・21高刑速（平成26年）63頁は，「一般的に警察官を前にして急に進路を変更するなどの行為をする者は，警察官との接触を避けたい事情を有することが多く，このような者が何らかの犯罪を犯し，又は犯そうとしていると疑うことは経験則に照らして合理的であり，職務質問の開始は，現場の警察官の判断として客観性・合理性を有する」という。そのほか，職務質問開始（又は継続）の要件に関して，東京高判平成23・3・17東高刑時報62巻1～12号23頁，東京高判平成25・1・23東高刑時報64巻1～12号30頁，札幌高判平成26・12・18判タ1416号129頁，東京地判平成22・7・7判タ1374号253頁など参照。

28)　東京高判平成30・3・2判タ1456号136頁は，「警察官らは，それまで所持品検査を頑なに拒否していた被告人が約4メートルしか離れていない場所にいるのに，被告人の承諾を得ようともせずに本件バッグを開披し」，「しかも中を一べつするに留まらず，全ての内容物を一つ一つ取り出し，取り出した封筒の中に入っていた本件覚せい剤まで取り出して，その写真撮影までし」た行為について，捜索に当たるとしている。

判断），それとも任意処分として相当性を欠くと判断したものか（第2段階判断）の判定は，どのような点に着目すればよいのですか。

A 昭和53年6月判決（米子の銀行強盗事件）は，バッグの施錠されていないチャックを開披して内部を一瞥した行為を適法としているのだから，第2段階判断までしたうえで適法としたことは明らかですが，「重大な犯罪」「濃厚な嫌疑」「緊急の必要」「所持品検査の緊急性，必要性」などの考慮要素は，第2段階判断のためのものです。また，昭和53年9月判決では，「その態様において捜索に類する」と説示してはいますが，「容疑が濃厚」「必要性ないし緊急性」を考慮していますので，「捜索に類する」だけであって，「捜索」（第1段階判断）としたものではなく，第2段階判断において違法としたことは明らかです[29]。

問題は，最決平成7・5・30刑集49巻5号703頁（自動車の座席の背もたれを前に倒すなどして丹念に車内を調べた事案）ですが，控訴審はこれを「その態様，実質等においてまさに捜索に等しい」ので「被告人の承諾がない限り」許されないとしていますから「捜索」と評価していることは明らかですが，最高裁は，「被告人の承諾がない限り，職務質問に付随して行う所持品検査として許容される限度を超えたもの」とだけ説示しているため，その理由付けは必ずしも明らかではなく，最高裁は第2段階判断で任意処分として相当性を欠くとしたものとの見解もあります[30]。しかし，控訴審も最高裁も，第2段階判断において考慮すべき要素には何ら触れることなく，相手方の「承諾」の有無のみを問題にしているのですから，最高裁は，控訴審と同じく，これを「捜索」と評価し，第1段階判断で違法としたものと理解するのが適切ではないでしょうか[31]。

＊　＊　＊

Q2 自動車運転者に対して職務質問を行う際に，エンジンキーを回転させてスイッチを切る行為，エンジンキーを引き抜いて取り上げ保管する行為をいずれも適法とした最高裁判例がありますが，これらの措置は移動の自由を侵害・制約するものであって，警職法2条3項の禁ずる強制処分に当たり

29） 酒巻・前掲注16）61頁。
30） 酒巻・前掲注16）61頁。
31） 今崎・前掲注24）229頁，小島淳「職務質問と所持品検査」新・争点61頁。

違法ではないでしょうか。

🅐　前者は，最決昭和 53・9・22 刑集 32 巻 6 号 1774 頁が，後者は，最決平成 6・9・16 刑集 48 巻 6 号 420 頁が，いずれも，「警察官職務執行法 2 条 1 項の規定に基づく職務質問を行うため停止させる方法として必要かつ相当な行為である」と判示し，これらの行為を 2 条 1 項の「停止」行為の一態様として捉えています。

「停止」行為について有形力行使が許される場合があることは，解説において述べたとおりであり，職務質問対象者の運転車両のエンジンキーを回転させてスイッチを切る行為も，エンジンキーを引き抜いて取り上げ保管する行為も，停止のための有形力行使ということになるでしょう。しかし，これが強制処分（2 条 3 項）に当たるものであってはならないことはいうまでもありません。警職法上の強制処分は，刑訴法のそれと同義と解されるのですから，対象者のいかなる権利・利益が実質的に侵害・制約されるのかを検討しなければなりません。

この点について，大澤教授は，エンジンキーを回転させてスイッチを切る行為について，「対象者の身体に直接有形力を行使して」はおらず，「その身体・行動の自由を直接侵害・制約している」わけではないので，強制処分には当たらないし，「自動車による移動の自由を制約したことは間違いないが」，スイッチを切っただけであればもとより，エンジンキーを引き抜いて取り上げる行為も，一時的なときは，「〔自由の〕制約は一時的であり，限定的である」ので，警職法 2 条 3 項の禁ずる強制処分には当たらないとされています。

また，大澤教授は，エンジンキーを取り上げて運転を阻止してその場に留め置いた措置についても，最高裁平成 6 年決定がこれを強制処分としなかったのは，「直接制約された」権利利益は「自動車による移動の自由」であって「本件程度に継続的に制約されても，重要な権利利益の実質的な制約にはなお当たらないとの評価を前提にする」とされています[32]。

最高裁の前提とする考え方は，これらの行為が，対象者の身柄の拘束のように対象者の移動の自由を直接的に制約するものではなく，「自動車を用いた移動の自由」を制約するに過ぎず，徒歩による移動の自由はなお保持され

32）以上につき，大澤裕「職務質問とその付随措置(1)」法教 440 号（2017 年）117 頁，118 頁。

ていることから，移動の自由の実質的な侵害は存しないとするものでしょう。

「障害物を置く，車両止めを施すなどのより強力な手段を用いて，自動車による移動を阻止する場合」について，大澤教授は，上記と「異ならないとの見方もあり得よう」と聊か慎重な表現をされますが，被侵害法益を「自動車による移動の自由」と把える限りにおいては，障害物，車両止めのケースも，エンジンキー取上げケースと何ら異なるところないといってよいでしょう。そうすると，エンジンキーを取り上げるだけでなく，警察官がドアを押さえるなどして自動車から出ることまで阻止する行為は，移動の自由そのものを制約する行為ですから，強制処分に当たるものと思われます[33)]。

なお，川出教授は，障害物や車両止めケースについて，「移動の自由への制約が大きく，（背後から羽交い絞めやタックルして転倒させたケースと）同様に強制処分と評価されることになろう」[34)]とされていますが，相手方の身体を羽交い絞めにしたり，その身体にタックルして転倒させたケースとは異なって，相手方の移動の自由そのもの（徒歩その他の手段による移動の自由）を侵害・制約する行為ではなく，単に「自動車による移動の自由」の侵害・制約に過ぎないとすれば，羽交い絞めやタックルと同列に論じることはできないように思われます。川出教授の立論は，いわゆる意思制圧説（意思を制圧するような行為態様に着目し，被侵害法益の重要性を問題にしない見解）を前提にしているように推測されます。

*　　　*　　　*

Q3 昭和 53 年 6 月判決（米子の銀行強盗事件）は，携行中のバッグの施錠されていないチャックを開披して内部を一瞥する行為が「捜索」その他の強制処分に当たらないとしているのに，最決平成 21・9・28 刑集 63 巻 7 号 868 頁（エックス線検査事件）が，「エックス線を照射して内容物の射影を観察した」事案について「検証としての性質を有する強制処分に当たる」としたことは，整合性を有するのでしょうか。

A 両者は，行政警察活動と司法警察活動の違いがあるとはいえ，警職法上の強制処分と刑訴法の強制処分とは同義に理解すべきことは解説で述べた

33）　大澤・前掲注 32）118 頁。

34）　川出・判例講座〔捜査・証拠篇〕27 頁。川出教授は，ここでは，前掲注 4）とは異なり，羽交い絞めやタックルを強制処分としている。

とおりであり，平成21年決定については，学説からも，「所持品検査の限界に関する従来の判例の判断が正当性を保ち得るものかを問い直す契機をもはらむもの」との指摘がなされているところです[35]。米子の銀行強盗事件判例とエックス線検査事件判例とを整合的に理解するとすれば，前者は，バッグのチャックを開けて内部を一瞥したにすぎないことから，一瞥により直接に観察することのできる内容物についてはその品目等を特定することが可能であるとしても，一瞥によっては見えない部分にある内容物の有無や品目，形状等をうかがい知ることが困難な手段であるのに対して，後者は，「荷物の内容物の形状や材質をうかがい知ることができる上，内容物によってはその品目等を相当程度具体的に特定することも可能」な手段であり，これを前者にたとえていえば，バッグの中に手を入れて，内容物を逐一確認する，あるいは内容物を取り出して点検するといった手段に匹敵するものであって，後者は，前者に比して，プライバシーの侵害の程度がきわめて高いのだということになるでしょう[36]。

学びの道しるべ

✍ 行政警察活動としての職務質問を論じているのに，何ら理由付けすることなく任意捜査に関する判断枠組みを持ち込む答案が散見される。

このような論述は，行政警察活動と司法警察活動とを混同するものであって，不適切である。警職法の職務質問のための停止や付随措置について，強制が許されないのは，刑訴法197条1項ただし書が存在するからでは断じてない。警職法2条3項が，その明示する「身柄の拘束」，「意に反する連行」，「答弁の強要」のみならず，強制処分（警職法上の強制処分）を禁じているからなのである（米子の銀行強盗事件最高裁判決で，「捜索に至らない程度の行為は，強制にわたらない限り，所持品検査においても許容される場合がある」と説示し，捜索や強制が許されないとしているのは，2条3項を根拠とするものと思われる）。つまり，2条3項の「身柄の拘束」，「意に反する連行」，「答弁の強

35)　井上正仁・百選〔第9版〕71頁。
36)　川出・判例講座〔捜査・証拠篇〕39頁，増田・前掲注9)389頁，青沼潔「強制処分の意義及び任意捜査の限界」法セ712号（2014年）125頁。

要」は例示にすぎないこととなる[37]。

このように，第1段階の判断枠組みは，2条3項が根拠となり，第2段階の判断枠組みは，警察比例の原則（警職法1条2項参照）が根拠となる。そして，前者については，本来は，警職法上の強制処分と刑訴法上の強制処分（197条1項ただし書）とが同じ意義である必要は微塵もないが，2条3項が強制処分は刑訴法の規定によらなければならない旨定め，もしそれが捜査であるとすれば強制処分に当たることとなるような警職法上の処分は，警職法上は許容されないこととしていることから，警職法上禁じられる強制処分は刑訴法197条1項ただし書の定める刑訴法の強制処分と同義に理解されるということなのである。

✍✍　二段階の判断枠組みについて，捜査活動であれ，行政警察活動であれ，必ず最決昭和51・3・16刑集30巻2号187頁の提示した判断枠組み（必要性，緊急性などを考慮し，相当限度内かどうか）を記述する答案が散見される。

しかしながら，行政警察活動に関しては最判昭和53・6・20刑集32巻4号670頁が，同じく捜査活動でも写真・ビデオ撮影に関しては最決平成20・4・15刑集62巻5号1398頁が，それぞれ当該類型に特化した判断枠組みを提示しているのであって，いかなる事例にあっても捜査上の有形力行使についての昭和51年決定の枠組みによって答案を作成するのは差し控えるべきであろう。

✍✍✍　職務質問の対象者を停止させるために有形力を行使できるか否かについて，「職務質問に付随する行為は警職法2条1項が併せ許容している」ことを根拠とする答案を見かけることがある（同様のものとして「停止のために必要な措置は，2条1項が併せ許容している」とするものもある）。

しかしながら，有形力行使の可否について付随行為論を用いることは相当でない。

「停止させ〔ること〕)」それ自体が2条1項の明示する「職務質問に付随する行為」（明示的付随行為）であるが，停止のために行う有形力行使は，職務質問や停止の付随行為ではないし，百歩譲って，付随行為であるとしても，

37）　三井(1)95頁，大澤裕＝辻裕教「ホテルの客室における職務質問とそれに付随する所持品検査」法教308号（2006年）85頁［大澤発言］。

職務質問ないし停止に付随する行為であることが，論理必然的に有形力の行使を許容するものとはいえないからである。付随行為論は，2条に明示する質問，停止（1項），同行（2項）に当たらない行為（例えばドアを閉められないようにドアの下に靴を差し入れる行為）が，2条に明示されたそれらの処分（質問，停止，同行）と同じく2条により許されるかどうかについて，職務質問に付随する行為だから併せ許容されているとするものであって，付随行為として許される行為であって初めて明文のある停止や同行と同じく，2条に黙示的に規定されていると理解する考え方である。付随行為論ですべて解決できるのであれば，昭和53年判決（米子の銀行強盗事件）は，付随行為論だけで，所持人の承諾がなくとも所持品検査が許されるはずであり，「流動する各般の警察事象に対応して迅速適正のこれを処理すべき行政警察の責務」論は蛇足であって，論じるまでもなかったことになろう。

要するに，明示されていない職務質問付随行為（例えば所持品検査など）について，対象者の承諾なくこれを行うことができるか，有形力を行使できるかどうかは，明示的付随行為としての停止や同行について有形力を行使できるかどうかと同じく，付随行為論とは別の理由付けが必要となるのである。

〈参考文献〉

①川出敏裕「行政警察活動と捜査」法教259号（2002年）73頁
②酒巻匡「行政警察活動と捜査⑴〔刑事手続法の諸問題③〕」法教285号（2004年）47頁
③酒巻匡「行政警察活動と捜査⑵〔刑事手続法の諸問題④〕」法教286号（2004年）55頁
④堀籠幸男「職務質問・所持品検査・自動車検問　コメント1」刑事手続㊤119頁
⑤令状基本問題㊦290頁［金谷利廣］
⑥大澤裕「職務質問とその付随措置⑴〔刑事訴訟法の基本問題②〕」法教440号（2017年）112頁
⑦大澤裕「職務質問とその付随措置⑵〔刑事訴訟法の基本問題③〕」法教441号（2017年）88頁

3 任意取調べの限界

【設　問】

警察官Kは，Xに対する殺人罪の嫌疑が固まったことから，午後9時過ぎにX方居宅に赴き，Xに警察署への任意同行を求めたところ，Xは，これに応じて，Kに同行して警察署に出頭した。Kは，直ちに取調室においてXの取調べを開始したが，取調べ室にはKのほか1名の警察官が常時在室し，同警察官は，取調べ室の出入口ドアの前にすわり，Xの用便の際は，同警察官がトイレに付き添った。Kは，午前0時を過ぎたころ，Xに対して，「遅くなったので，今夜は，こちらで用意した宿泊施設に泊まったらどうか」と執拗に申し向けたところ，Xは，渋々これに従って，警察の用意した警察共済施設に宿泊したが，Kが同室し，宿泊室のドアの前には，警察官1名が配置され，用便の際も，同警察官が，トイレに付き添った。Xは，翌日も，警察車両により警察署に出頭し，午前9時から午後11時までの間，前日と同様の態様の下に取調べを受け，夜は，前日と同じ施設に宿泊し，Kの同室および警察官1名の配置は前日と同様であった。3日目，4日目も同様の取調べと宿泊，警察車両による送迎が行われた。Xは，当初の取調べ以降一貫して，犯行を否認していたが，5日目の午後8時過ぎころ犯行を自白したことから，その旨の供述録取書が作成され，Kは，逮捕状の発付を得て，Xを通常逮捕した。このような取調べは適法か。

〔ポイント〕

任意取調べの限界

〔判　例〕

▷最決昭和59・2・29刑集38巻3号479頁（高輪グリーンマンションホステス殺人事件。ケースブック54頁，三井教材4頁，百選〔第9版〕16頁・〔第10版〕14頁）

▷最決平成元・7・4 刑集 43 巻 7 号 581 頁（平塚ウエイトレス強盗致死事件。ケースブック 65 頁，三井教材 104 頁，百選〔第 9 版〕18 頁・〔第 10 版〕16 頁）
▷千葉地判平成 11・9・8 判時 1713 号 143 頁（松戸殺人事件第 1 審判決。三井教材 109 頁）
▷東京高判平成 14・9・4 判時 1808 号 144 頁（松戸殺人事件控訴審判決。ケースブック 70 頁，三井教材 107 頁）

解　説

1　最高裁決定の提示した判断枠組み

Bさん：任意取調べの適否については，2つの最高裁決定があります。ひとつは，最決昭和 59・2・29 刑集 38 巻 3 号 479 頁（高輪グリーンマンションホステス殺人事件）であり，2つ目は，最決平成元・7・4 刑集 43 巻 7 号 581 頁（平塚ウエイトレス強盗致死事件）です。前者は，任意取調べの適否の判断枠組みについて，「任意捜査においては，強制手段，すなわち，『個人の意思を制圧し，身体，住居，財産等に制約を加えて強制的に捜査目的を実現する行為など，特別の根拠規定がなければ許容することが相当でない手段』（最高裁昭和……51 年 3 月 16 日第三小法廷決定・刑集 30 巻 2 号 187 頁参照）を用いることが許されないことはいうまでもないが，任意捜査の一環としての被疑者に対する取調べは，右のような強制手段によることができないというだけでなく，さらに，事案の性質，被疑者に対する容疑の程度，被疑者の態度等諸般の事情を勘案して，社会通念上相当と認められる方法ないし態様及び限度において，許容されるものと解すべきである」と説示し，後者も，強制手段に関する説示はないものの，ほぼ同様の枠組みを提示しています。

A君：昭和 59 年決定がなされるまでの下級審の裁判例は，任意同行と留め置き（被疑者からみると「滞留」である。以下同じ）が実質的な逮捕に至っていないかどうかを検討し，①実質的逮捕と認められるときは，当該身柄拘束は無令状の実質的逮捕であって，その間の取調べは，違法な身柄拘束下におけるものであるので，違法であり，それにより獲得された自白は，違法に収集した自白であって，証拠能力がない（富山地決昭和 54・7・26 判時 946 号

137頁，東京高判昭和54・8・14判時973号130頁。なお，勾留請求を却下したものとして，東京地決昭和55・8・13判時972号136頁，福岡地久留米支判昭和62・2・5判時1223号144頁），他方，②任意同行や留め置きが実質的逮捕に当たらなければ，取調べは適法という枠組みで判断していたんですよね。

教員：そうだね。A君の言う①，②つまり，「強制手段が用いられたか否か」（実質的逮捕か否か）という「二分説的枠組み」[1)]だったわけだ。そのような下級審裁判例に対して，この2つの最高裁決定のもつ意味はどこにあるのだろうか。

Bさん：任意捜査としての取調べであっても，一定の限界があること，すなわち，任意取調べについて，①「強制処分を用いたものであるので違法」類型，②「任意処分なので適法」類型のほかに，新たに，③「任意処分だけれども違法」という第3の類型が存在することを明らかにしたことです[2)]。

教員：なるほど。ところで，これら昭和59年決定・平成元年決定は，強制処分と任意処分の区別に関する最決昭和51・3・16刑集30巻2号187頁とどのような関係にあるのだろうか。

A君：高輪グリーンマンション事件の最高裁昭和59年決定は，最高裁昭和51年決定を引用し，昭和51年決定の採る二段階判断枠組みを任意取調べにも応用し，任意取調べの適否についても，二段階の判断枠組みを提示したものといわれています[3)]。

2 「強制手段」の意義

教員：そうだとすると，従前の下級審が採用していた「実質的逮捕に当たるか否か」のアプローチ（二分説的な枠組み）は，昭和59年決定・平成元年決定の枠組みの中でどのように位置付けられるのだろうか。

Bさん：任意同行や同行・出頭後の警察署等における留め置きが実質的逮捕に当たる場合は，昭和59年決定にいう「強制手段によることができない」との説示部分（第1段階の判断枠組み）に当たり，任意取調べは，強制

1） 酒巻匡「任意取調べの限界について」神戸法学年報7号（1991年）288頁。
2） 佐藤隆之「被疑者の取調べ」法教263号（2002年）139頁。
3） 長沼範良・昭和59年度重判解（ジュリ838号）193頁。

手段を用いたために違法ということではないでしょうか。

教員：酒巻教授が，昭和59年決定の理解としては，「まず第一段階として，……任意同行または同行・出頭後の警察署等における滞留が，違法な『実質逮捕』かどうかを検討する。……仮に当初の任意同行または滞留が，違法な実質逮捕とは評価されない場合であっても，第二段階として，その間に行われた『任意取調べ』が具体的状況の下で，社会通念上相当と認められる方法ないし態様及び限度を越えた『違法な任意捜査』であったと判定評価される可能性・余地があるということになろう」[4)]とされておられるように，これまでの二分説的枠組み（実質的逮捕かどうか）は，昭和59年決定の提示した第1段階の判断枠組みにとり込まれているといっていいだろう。

Bさん：要するに，この判例の理解としては，第1段階の判断枠組みは，任意取調べが強制手段である実質的逮捕（任意同行・留め置き）を用いた取調べかどうかの判断であり[5)]，実質的逮捕を用いた取調べではない場合に，第2段階の判断枠組みは，任意取調べが，事案の性質，被疑者に対する容疑の程度，被疑者の態度等諸般の事情を勘案し，社会通念上相当と認められる方法ないし態様，限度を超えたものかどうかを判断する，という枠組みと理解するわけですね。

教員：一般にはそう解されているけれども，第1段階の判断枠組みにおいて，昭和59年決定のいうところの，任意取調べにおいて用いてはならない「強制手段」は，必ずしも実質的逮捕，すなわち身柄拘束の問題に限定される必然性はないのではなかろうか。取調べにあたって拷問・強制，暴行・脅迫などの「強制手段」が用いられていないかどうか（これが用いられているときは，供述の自由，黙秘権の侵害となろう），あるいは取調べを受けることに同意していないにもかかわらず取調べを行ったかどうか（＝取調べ受忍義務〔出頭滞留義務とは区別された狭義のそれ〕を課した取調べかどうか。この場合は，取調べに応ずるかどうかの意思決定の自由を侵害することになろう）の判断も含まれていると解すべきだろう[6)]。

4）　酒巻匡「供述証拠の収集・保全(2)」法教288号（2004年）76頁，酒巻95頁。

5）　長沼・前掲注3)193頁，大澤裕＝川上拓一「任意同行後の宿泊を伴う取調べと自白の証拠能力」法教312号（2006年）79頁［川上発言・大澤発言］，佐藤隆之「在宅被疑者の取調べとその限界(2)」法学69巻5号（2006年）90頁，リークエ107頁［堀江慎司］。

A君：昭和59年決定の第1段階の判断枠組みとして，任意同行・留め置きが実質的逮捕かどうか（正確にいえば，実質的逮捕による取調べ＝実質的逮捕を用いた取調べかどうか）を判断するとの見解が多数説のようですが，昭和59年決定・平成元年決定は，当てはめにおいて，実質的逮捕に当たるかどうか（第1段階の判断）を判断していないのは，何故なのかな。

Bさん：昭和59年決定は，当てはめの中で，「原判示のように，……被告人が単に『警察の庇護ないしはゆるやかな監視のもとに置かれていたものとみることができる』というような状況にあったにすぎないものといえるか，疑問の余地がある」としたうえで，「……これらの諸事情を総合すると，右取調べにせよ宿泊にせよ，結局，被告人がその意思によりこれを容認し応じていたものと認められる」と判示しており，強制手段に当たる余地もあるとしながら，これを否定したもので，これが，第1段階の判断ではないかしら。

教員：そういう読み方も有力だ[7]。しかし，その直前の段落では，「任意取調べの方法として必ずしも妥当なものであったとはいい難い」としたうえで，「しかしながら」として，Bさん指摘の被告人はその意思により取調べ・宿泊を容認し応じていたと判示しているのだから，第2段階の判断として違法性を打ち消す事情としているようにうかがわれるし，また，その直後の段落には，「被告人に対する右のような取調べは，宿泊の点など任意捜査の方法として必ずしも妥当とはいい難いところがあるものの，被告人が任意に応じていたものと認められるばかりでなく，事案の性質上，速やかに被告人から詳細な事情及び弁解を聴取する必要性があったものと認められることなどの本件における具体的状況を総合すると，結局，社会通念上やむを得なかったものというべく，任意捜査として許容される限界を越えた違法なものであったとまでは断じ難いというべきである」（傍点は筆者による）と判示しており，ここでは，被告人が取調べに任意に応じていたことが，第2段階の判断を行うにあたっての考慮事情とされているので，Bさん指摘の判示部分も，これと同じく，第2段階の判断の考慮要素の1つと理解した方がよいの

6） リークエ108頁［堀江］，斎藤63頁も同旨。堀江教授は，「任意取調べにおいて禁じられる『強制手段』とは，取調べに伴い得る様々な『強制』を包むものと解すべきである」とする。

7） 佐藤・前掲注5)92頁，川出・判例講座〔捜査・証拠篇〕53頁，事例研究Ⅱ634頁注28［小川佳樹］，岡部豪「宿泊に伴う取調べ——高輪グリーンマンション事件」警察基本判例418頁。

ではないかな。いずれにせよ，第1段階の判断をしているのかどうかあまり明確でないのは確かだね[8]。私のような理解によるとしても，この判例が当該事件における任意取調べを適法としているのだから，黙示的には，第1段階の判断，つまり実質的逮捕に当たることを否定している[9]ことは間違いないだろう。

A君：昭和59年決定の第1段階の判断枠組みって，本当に，酒巻教授など多数説のいうような任意同行・留め置きが実質的逮捕に当たるかどうかの判断枠組みなのかな。昭和51年決定だと，警察官が被告人の左手首をつかんだ行為について，強制処分かどうか（第1段階の判断枠組み），強制処分に当たらないとしても任意処分として相当限度を超えるかどうか（第2段階の判断枠組み）を判断するわけであって，第1段階の判断でも第2段階の判断でも，その判断対象は「警察官が被告人の左手首をつかんだ行為」でしょ。でも，ここで問題となっている二段階判断枠組みは，第1段階は，任意同行・留め置き，第2段階は，取調べが判断客体だよね。木に竹を接ぐような違和感があるんだけど。

教員：第1段階の判断枠組みの「強制手段」については，私は，先に述べたように，実質的逮捕だけでなく，任意取調べに伴う拷問・強制，暴行・脅迫などの様々な強制手段もこれに含まれると解しているのだが，そのことはさておき，第1段階判断を，「任意同行・留め置きが実質的逮捕かどうか」などとミスリーディングな言い方をするから，A君のような疑問も生じるわけであって，正確にいえば，「任意取調べが強制手段（つまり実質的逮捕等）を用いたものかどうか」というべきだね。それなら，第1段階の判断枠組みも第2段階のそれと同じく，任意取調べが判断の対象となっていると考えることができるのではないかな。

3　任意取調べの限界

教員：次に，第2段階の判断枠組みについて考えてみよう。この昭和59年決定が二段階の判断枠組みを採用していることは説示自体から疑いのない

8）　三井(1) 130頁。

9）　リークエ107頁［堀江］，斎藤63頁も同旨。

ところだが，本当に昭和51年決定の判断枠組みを任意取調べに応用したもの[10)]なのだろうか。昭和51年決定の第2段階の判断枠組みの応用だというのなら，任意取調べの場合には，捜査の必要（必要性・緊急性）と衡量すべき反対利益としての被侵害法益は何なのだろうか。

Bさん：何が問題なのでしょうか。

教員：被疑者は逮捕・勾留されているわけではないので，取調べ受忍義務がないことに異論はないだろう。そこで，被疑者が取調べに応じないのに取調べを強行するとすれば，それは供述の自由の侵害であって，第1段階判断枠組みの「強制手段による」取調べに当たることになるわけだ。したがって，第2段階判断枠組みでは，被疑者が取調べに同意していることが前提になるのだけれど，被疑者が取調べに同意しているのに，何らかの法益の侵害ないしそのおそれはあるのだろうか。

A君：昭和51年決定が任意処分にも限界があるとした根拠は何らかの法益の侵害すなわち「相手方の意思に反した権利，利益の制約がなされ」たことにある[11)]のであり，昭和51年決定の枠組みを応用するとすれば，任意取調べの場合の「相手方の意思」は「取調べに応じるか否かの意思」であり，被侵害利益は，「取調べに応じるか否かの意思の自由」[12)]ということにならざるを得ないでしょう。

Bさん：酒巻教授は，そのような「意思の自由」は，応じたか応じなかったか，つまり，被疑者は取調べを受けることに同意したか，同意していないかのいずれかであって，これに同意した以上は，被疑者は何らの権利・利益も制約を受けていないとされていますね[13)]。

A君：被疑者が取調べを受けることに同意したといっても，捜査機関の働きかけによって渋々・嫌々ながら同意するといったケースもあるのだから，同意した場合であっても，被疑者の意思の自由はある程度は侵害・制約されているといえるのではないかな[14)]。

Bさん：渋々・嫌々同意説によるときは，被侵害法益は，「（取調べに応じ

---

10) 長沼・前掲注3)193頁など。

11) 川出敏裕「任意捜査の限界」『小林充先生・佐藤文哉先生古稀祝賀刑事裁判論集(下)』（判例タイムズ社，2006年）32頁。

12) 酒巻・前掲注1)291頁。

13) 酒巻・前掲注1)292頁。

るかどうかの）意思決定の自由」といってよいのですね。

教員：渋々・嫌々同意説によるのなら，そうだね。しかし，意思決定の自由は，真意に基づく同意かどうかの問題であり，渋々・嫌々ながらにせよ最終的には真意に基づいて取調べを受けることに同意したと認められるのであれば，取調べに応じるか否かの意思決定の自由は制約されていないといわざるを得ないというのが酒巻教授のいわれるところだ。つまり，真意に基づいて応じたか，応じなかったかの二者択一であり，前者なら権利・利益の制約がなく，後者なら権利・利益の制約がある（この場合は，取調べに応じていないのに取調べを強行することとなり，第1段階判断枠組みの「強制手段による」取調べに当たり違法である）というだけのことであって，昭和51年決定の第2段階の判断枠組みが想定するような，侵害の「程度」の問題は，意思決定それ自体については生じないということだ[15)]。

A君：そうすると，昭和59年決定は，昭和51年決定を強制処分の定義のためにだけ引用したものであって，そもそも，昭和51年決定の枠組みに従うものではないのかもしれませんね。

教員：うん，渋々・嫌々同意説によるのでなければ，昭和59年決定を昭和51年決定の枠組みで理解することには無理があるようだね。昭和59年決定・平成元年決定の提示した第2段階の判断枠組みを正当化するとすれば，被侵害法益が観念できないため，比較衡量的枠組みにはよれないことになる。そこで，比較衡量的枠組みを放棄し，これらの決定は「社会通念上相当」という「行為規範」を設定したものであるとの理解もなされているんだ[16)]。

A君：昭和59年決定が，昭和51年決定の「任意処分であっても何らかの法益を侵害し又は侵害するおそれがある」旨の説示に対応する説示をしていないことは，「行為規範」的理解にとって示唆的ですよね。

Bさん：昭和51年決定の枠組みにはよれないとしても，第2段階判断の比較衡量の判断枠組みには，なお魅力を感じます。そこで，反対利益として，第1段階判断枠組みの被侵害法益とは異なる何らかの被侵害法益を措定する

---

14)　大澤＝川上・前掲注5)82頁［川上発言］，堀江慎司・百選〔第9版〕17頁，リークエ108頁［堀江］。

15)　酒巻94頁。

16)　酒巻95～96頁，酒巻・前掲注1)293頁参照。

ことはできないのでしょうか。

A君：その点については，大澤教授が，第2段階判断枠組みの被侵害法益として，「取調べに応じるかどうかの意思決定の自由」ではなくて，「人格的な価値」としての「他者の干渉を受けることなく自己決定する自由」（取調べに応じることとした意思決定に至る過程における自由）を掲げ，その侵害・制約と捜査上の必要性とを比較衡量する，とされていますね17)。

教員：しかし，出家遁世した鴨長明や兼好法師でもない限り，社会や家族から種々の説得を受けて最終的には自己の責任で決断することは世の常であり（そうだからといって自己決定する自由が侵害されたとは考えられていない），捜査機関が取調べに応じようとしない被疑者を取調べに応じるよう説得することは，合理的時間内である限り許されると解されており，そうだとすると，これを否定するのでない限り，「他者の干渉を受けることなく自己決定する自由」の侵害は認められないだろう。

A君：川出教授は，取調べに応じるかどうかの「意思決定の自由」は二者択一であって程度を観念し得ないこと（酒巻教授の問題提起）を前提にしながらも（つまり昭和51年決定の第2段階の判断枠組みには依拠しない），取調べに応じるか否かの意思決定時点に絞って被侵害法益を考えるのではなく，むしろ意思決定後の法益侵害，すなわち取調べに任意に応じていても（取調べを受けることに同意しても），なお侵害される法益があることを認め，「〔取調べを受ける旨の〕意思決定の結果として被疑者が負うことになる自由の制約，不利益ないし負担」をもって被侵害法益とされています18)。

Bさん：その場合，被疑者は，川出教授の言われる自由の制約，不利益や負担についても同意しているのではないかしら。そうだとしたら，やはり法益侵害はないのでは……。

教員：川出教授は，宿泊を伴う取調べであれば行動を監視された状態に置かれることにより行動の自由が制約され，徹夜の取調べであれば行動の自由の制約とともに睡眠できないことによる精神的・肉体的苦痛や疲労といった

---

17) 演習刑訴法66頁〔大澤裕〕。

18) 川出・前掲注11)36頁。最決平成元・7・4刑集43巻7号581頁が，徹夜で行われた長時間の取調べについて「被疑者の心身に多大の苦痛，疲労を与えるもの」と説示したことも参考になろう。

不利益・負担があるが，そのような自由の制約や不利益・負担（連日の宿泊や夜を徹しての取調べ）に同意していても，「捜査機関からの働きかけをうけて，いわばやむなく同意するというのが通常であ」り，積極的な同意に基づく権利，利益の放棄があったとまでは通常はいいがたい」とされるんだ。このような自由の制約や不利益・負担とそのような態様（例えば連夜の宿泊）を伴った取調べの必要性との比較衡量を行うことになるわけだ[19]。

Bさん：なるほど，川出教授の見解では，渋々・嫌々の同意の場合は，意思決定の自由の侵害ではなく，意思決定後に受ける不利益・負担に対する「積極的な同意」がなかったとするのですね。

A君：そうすると，この川出教授の見解を，任意取調べの問題を離れて，任意同行に応用すれば，被疑者が任意同行に「同意」していたとしても，同行の態様によっては，第2段階の比較衡量の判断が必要になってくるわけですね。堀江教授などの渋々・嫌々同意説も，任意同行・留め置きについても，同様の枠組みによることになるでしょうね（ただし，川出説とは異なり，意思決定の自由の侵害）。

Bさん：昭和59年決定の第2段階の判断枠組みは，取調べそのものだけではなくて，留め置きはもとより，任意同行の相当性（任意同行が実質的逮捕に当たらない場合）の判断枠組みをも包含していると理解してよいのですか。

教員：それはそうなのだろう。昭和59年決定も，二段階の判断枠組みを提示した後で，当てはめとして，「任意同行の手段・方法等の点において相当性を欠くところがあったものとは認め難〔い〕」と判断しているのだから。

4　設問の解決

教員：さて，設問を考えてみよう。

A君：宿泊を伴う取調べにおいて，4泊5日の宿泊や取調べ時等の監視などの状況にかんがみ，それが実質的逮捕に当たる場合や，Xの取調べに応じるか否かの意思の自由を侵害する場合は，昭和59年決定の第1段階の判断枠組みにより，当該取調べは強制手段によるもの（強制手段を用いたもの）

19)　川出・前掲注11)37頁。なお，リークエ109頁［堀江］も参照。

として違法です。さらに，強制手段に当たらない場合には，川出教授の見解によるとすれば，宿泊や取調べを受けることに同意していても，4泊5日にわたる宿泊を伴う取調べがXに及ぼす「行動の自由の制約，精神的，肉体的苦痛や疲労」[20]などの負担・不利益と，設問のような宿泊と監視を伴う取調べの必要性（事案の性質，容疑の程度，被疑者の態度などを考慮して，設問のような4泊5日の宿泊・監視を伴う取調べの必要性がどの程度高かったか）とを比較衡量することによって，その適否を判断することになります。

教員：強制手段といえるかどうかは，設問掲記の事実関係だけでは即断できないものの，第2段階の判断については，4泊5日の宿泊を伴う連日連夜の取調べによる被疑者の行動の自由の制約や精神的肉体的苦痛・疲労は極めて強いものがあったと推察され，被疑者が取調べ・宿泊に同意していると認められる場合であっても，特段の必要性が認められる極めて例外的な場合を除いては，「社会通念上相当と認められる方法ないし態様，限度」を超えており，違法というべきではないだろうか。

〈参考文献〉

①酒巻匡「任意取調べの限界について」神戸法学年報7号（1991年）281頁

②酒巻匡「供述証拠の収集・保全⑵〔刑事手続法の諸問題⑥〕」法教288号（2004年）70頁

③佐藤隆之「被疑者の取調べ」法教263号（2002年）137頁

④大澤裕＝川上拓一「任意同行後の宿泊を伴う取調べと自白の証拠能力〔対話で学ぶ刑訴法判例④〕」法教312号（2006年）75頁

⑤大澤裕・演習刑訴法64頁

⑥佐藤隆之「在宅被疑者の取調べとその限界⑴」法学68巻4号（2004年）1頁

⑦佐藤隆之「在宅被疑者の取調べとその限界⑵」法学69巻5号（2006年）88頁

⑧川出敏裕「任意捜査の限界」『小林充先生・佐藤文哉先生古稀祝賀刑事裁判論集㈦』（判例タイムズ社，2006年）23頁

20） 川出・前掲注11）37頁参照。

4　身柄拘束の諸問題(1)

【設　問】

(1)　司法警察員Kは，深夜2時ころコンビニエンスストアA店において強盗事件が発生したため，同店店員Vから事情を聴取したところ，犯人にナイフを突き付けられて，レジから現金5万円（1万円札5枚）を奪われたこと，犯人は，50歳くらいの男で，身長は170センチメートルくらい，小太り，高級スーパーマーケットZのエコバッグを持っていたことなどの事実が判明した。そこで，Kは，直ちに司法巡査Lとともにパトカーで付近を探索していたところ，事件の約2時間後に，同コンビニエンスストアから約8キロメートル離れた道路上を歩行中の，犯人の人相風体に似た，高級スーパーマーケットZのエコバッグを持った男Xを発見し，上記事件について質問をしたが，Xは犯行を否認した。まもなく駆けつけたVが「Xが犯人に間違いない」旨供述し，Xの同意を得てXのズボンの右ポケットを確認したところ，1万円札5枚が発見された。Xは，この5万円について，自分が稼いだ金で，コンビニ強盗して得たものではない旨弁解した。しかし，Kは，Xが上記強盗事件の犯人であることは明白であると考え，Xを強盗罪により現行犯逮捕し，所定の時間内に検察官に送致し，検察官は，Xの勾留を請求した。

令状裁判官は，いかなる裁判をすべきか。

(2)　また，検察官は，逮捕手続に違法があったとして，Xの勾留を請求することなくXを釈放した場合において，同一の被疑事実によりXを逮捕することは許されるか。

〔ポイント〕

①　現行犯逮捕の適法性

②　違法逮捕と勾留

③　違法逮捕と再逮捕の可否

〔判　例〕

◎現行犯人

▷最決昭和 31・10・25 刑集 10 巻 10 号 1439 頁（ケースブック 111 頁，三井教材 60 頁）

▷京都地決昭和 44・11・5 判時 629 号 103 頁（ケースブック 92 頁，三井教材 57 頁，百選〔第 9 版〕28 頁・〔第 10 版〕24 頁）

▷東京高判昭和 60・4・30 判タ 555 号 330 頁

▷東京高判昭和 41・1・27 判時 439 号 16 頁

▷最判昭和 50・4・3 刑集 29 巻 4 号 132 頁（三井教材 66 頁）

◎準現行犯人

▷東京地決昭和 42・11・9 判タ 213 号 204 頁

▷名古屋高判平成元・1・18 判タ 696 号 229 頁

▷最決平成 8・1・29 刑集 50 巻 1 号 1 頁（和光大学内ゲバ事件。ケースブック 190 頁，三井教材 63 頁，百選〔第 9 版〕32 頁・〔第 10 版〕26 頁）

◎逮捕の違法と勾留

▷東京地決昭和 39・10・15 下刑集 6 巻 9 = 10 号 1185 頁（ケースブック 112 頁，三井教材 75 頁）

▷京都地決昭和 44・11・5 判時 629 号 103 頁（ケースブック 92 頁，三井教材 77 頁）

◎再逮捕の可否

▷東京地決昭和 47・4・4 刑月 4 巻 4 号 891 頁（ケースブック 98 頁，三井教材 81 頁，百選〔第 9 版〕36 頁・〔第 10 版〕32 頁）

◎ 解　説

1　現行犯逮捕の適法性

(1)　要件

A 君：現行犯逮捕（213 条，212 条 1 項）が適法とされるための要件は，①逮捕者にとって，㋐特定の犯罪が行われていることまたは行われたことが明白であること（特定の犯罪の明白性），および㋑被逮捕者がその犯人であることが明白であること（犯人の明白性。以下㋐㋑を併せて「特定の犯罪とその犯人の明白性」ともいう），②犯罪が現に行われていることまたは犯罪と逮捕とが時間的に接着していること，および後者については，それが逮捕者にとって明白であること（現行性・時間的接着性とその明白性），③逮捕の必要性です。これを設問についてみていきますと……。

教員：A君は，いつものことながらせっかちだね。まずは，現行犯逮捕について規定する213条の法解釈から始めようよ。

Bさん：そうですね。現行犯逮捕の根拠規定（197条1項ただし書の意味におけるそれ）は213条であって，その要件事実は，被逮捕者が「現行犯人」であることであり，その「現行犯人」の定義を212条1項（狭義の現行犯人）・2項（準現行犯人）が定めているという法構造なのですね。

A君：そうすると，狭義の現行犯人については212条1項を解釈すればよいわけですね。②の「現行性」は，「現に罪を行い」の文言から導き出される時間的概念でしょうね。「時間的接着性とその明白性」は，「現に罪を行い終った」の文言から導かれるのでしょう。ところで，時間的接着性とともに場所的接着性を現行犯人の要件とする見解もあるようですが[1]，この場所的接着性の要件は，どこからでてくるのかな。

Bさん：「現に罪を行い終った」ことは，時間的概念であって，場所的な限定は本来的に無関係のはずだけど，「一般に犯人が犯行場所から遠く離れるほど，犯行と逮捕の時間的接着性が稀薄になるとともに，犯人がそれ以外の者と混同され犯人の特定性が失なわれるおそれがある。したがって，現行犯人の要件として場所的関係を無視することはできず，……時間的段階の範囲内にあっても，犯人が犯行現場から遠く離れ去った場合には現行犯性を失なうものといわねばならない」[2]といわれているわ[3]。

A君：そうだとすると，時間的接着性は，①の特定の犯罪とその犯人の明白性を担保する機能を有する補充的な要件（①の要件とは別個独立に必要とされる要件）であり，場所的接着性は，独立の要件とはされていないものの，①の要件を担保する補充的な考慮要素ということでしょうね。

教員：そうだね。川出教授が，時間的接着性の要件は，「時間が経つほど

1）　上口100頁。
2）　古城敏雄「現行犯の意義および範囲」判タ296号（1973年）99頁。
3）　令状基本問題(上)138頁［池田修］も参照。

明白性は減少するため，それを客観的に担保する機能を有している」（傍点は筆者による）とされているのは，そのような理解からだろう[4)]。

Bさん：そうすると，①の特定の犯罪とその犯人の明白性が，現行犯人の定義の中核になる要件というわけですね。

A君：逮捕者にとって，特定の犯罪とその犯人の明白性は，212条1項のどの文言の解釈なのかな。

Bさん：これも，「現に罪を行い」「現に罪を行い終った」との文言の解釈でしょう。

教員：うん，①の要件については，文言解釈としてはそうだね。しかし，もっと実質的に，制度趣旨に遡ったらどうなのかな。憲法が逮捕について令状主義を保障するのは，被疑者の逮捕の根拠としての「相当な理由」の有無の判断を捜査官自身に行わせると，誤認のおそれがあるので，この判断を捜査官にゆだねることなく，第三者たる令状裁判官にあらかじめ確認させて，そのおそれを排除しようという趣旨に基づくものだよね。ところが，現行犯人の場合は，そのような誤認のおそれは低いので，令状裁判官による確認の必要性が高くはない。そして，現行犯人の場合は直ちに身柄を拘束する必要性が特に強いので，この緊急の身柄拘束の要請を優先させて，現行犯逮捕を令状主義の例外としたものと理解されているよね[5)]。このような制度趣旨によると，……。

Bさん：現行犯逮捕が無令状で許されるのは，特定の犯罪とその犯人が逮捕者にとって明白であって誤認逮捕のおそれが低く，裁判官の司法審査を経るまでもないためですね。そのような現行犯逮捕の制度趣旨から，①の「逮捕者にとって，㋐特定の犯罪が行われていることまたは行われたことが明白

4） 刑事法辞典212頁［川出敏裕］。これに対して，リークエ72頁［堀江慎司］は，時間的接着性は，逮捕の緊急の必要性を基礎づける要素として要求されるとする。なるほど，時間的接着性が犯罪と犯人の明白性を担保するための要件とすると，時間的接着性は犯罪と犯人の明白性と重複するもののように思えなくもない。しかし，筆者は，犯罪と犯人の明白性の要件が当該事案における個別の具体的要件であるのに対して，時間的接着性の要件は，一般的・類型的にみれば時間が経てば経つほど証拠散逸（記憶の変容を含む）により犯罪と犯人の明白性が希薄になるのが一般的であることから，事件から1年経過しても犯罪と犯人の明白性が肯定できる事案（被害者が犯人と顔見知りなど）であるとしても，なお，あり得るかもしれない誤認逮捕のおそれを防止するため，犯罪と犯人の明白性要件のセーフガードとしての機能を付与された独立の要件なのではないかと考えるものである。

5） 井上・通信会話の傍受197頁など通説。

であること（特定の犯罪の明白性），および㋑被逮捕者がその犯人であることが明白であること（犯人の明白性）」が要求されるというわけですね。

教員：制度趣旨と条文の文言の両者から，①の要件が導き出せるわけだ。

A君：通常逮捕では，逮捕の理由と必要性が要求されますが（199条），現行犯逮捕が令状主義の例外とすると，逮捕の理由と必要性は，どうなのでしょうか。

教員：通常逮捕における「逮捕の理由」とは，「被疑者が罪を犯したことを疑うに足りる相当な理由」（199条1項本文）だよね。これは，(a)特定の犯罪が存在すること，および(b)当該犯罪を被疑者が犯した嫌疑があることと言い換えてもよいだろう。通常逮捕の場合は，この(a)(b)を令状裁判官が審査するわけだが，現行犯逮捕では，司法審査を経ないことから，(a)に対応する①㋐，(b)に対応する①㋑が，裁判官の司法審査を経由する必要がないほど明白でなければならないということだ。要するに，現行犯逮捕もまた，通常逮捕（緊急逮捕も）と同様に，「逮捕の理由」（199条1項本文）に相当する「現行犯逮捕の理由」が必要ということだ。

A君：通常逮捕の要件である「逮捕の必要性」（199条2項ただし書，刑訴規則143条の3。逃亡のおそれまたは罪証隠滅のおそれ等）は，現行犯逮捕についても必要なのでしょうか。

教員：これは，現行犯人の定義すなわち212条の解釈問題ではなく，213条の現行犯人の逮捕について，同条が，逮捕の必要性を黙示的に要件としているかどうかということだ。

Bさん：緊急逮捕の場合は，211条は通常逮捕の199条2項ただし書を準用してはいないものの，必要性が不要とされる合理的理由はなく，刑訴規則143条の3が適用されることから逮捕の必要性が要件となると解されているわね[6]（なお，小林判事は，199条2項ただし書は211条により緊急逮捕の場合に準用されているというが[7]，211条は「前条の規定により被疑者が逮捕された場合」には，「第199条の規定により被疑者が逮捕された場合に関する規定を準用する」と定めているのであるから，緊急逮捕された後の手続について通常逮捕された後の手続を準用するというものと解すべきであり，逮捕の要件についての199

6）　三井(1)14頁など通説。

7）　令状基本問題(上)157頁［小林充］。

条を準用するのは誤りである[8)]。これに対し，現行犯逮捕については，216条が199条2項ただし書を準用しているとは解せられないことは，緊急逮捕の211条と同様ですが，刑訴規則143条の3に相当する規定がないことから，かつては消極説（東京高判昭和41・1・27判時439号16頁）もありましたが，今日では，学説も裁判例も，現行犯逮捕について「逮捕の必要性」を要件とすることで固まっているようですね[9)]。

A君：その理由については，例えば，東京高判平成21・1・20 LLI/DB L06420097は，「現行犯逮捕も逮捕の一類型として，令状による逮捕の場合と同様に，逮捕の必要性を要するものと解すべきである」としていますよね。現行犯逮捕が「逮捕の一類型」であることがどう関係するのかな。

教員：これについては，大澤教授が，現行犯逮捕の目的は，通常逮捕と同じく，被疑者の逃亡と罪証隠滅の防止にあるところ，逮捕は「人の身体の自由という基本的で重要な権利を侵害・制約する処分である以上逮捕の種類にかかわらず，目的にとって必要のない逮捕は許されない」[10)]とされているのが参考になるだろう。逮捕の目的は逃亡・罪証隠滅の防止にあり，そのおそれがなければ，逮捕は必要ないということになるわけだ。なお，「逮捕の必要性」を要件とするといっても，199条2項ただし書と同じく，「明らかに逮捕の必要がない」ときは逮捕の必要性を欠くというにすぎない[11)]のだから，誤解のないように。

⑵ 認定資料

教員：要件論はその程度にして，次に，特定の犯罪とその犯人の明白性は，どのような資料によって認定するのかという困難な問題がある（認定資料の問題）。

A君：逮捕者が犯行の瞬間（例えば包丁で被害者の胸を刺した瞬間）ないし犯行を終えたまさにその瞬間（例えば被害者の胸から包丁を引き抜いた瞬間）

8） 団藤・條解(上)401頁参照。

9） 三井⑴14頁など通説。大阪高判昭和60・12・18判時1201号93頁，東京高判平成20・5・15判時2050号103頁など。

10） 大澤裕「被疑者の身体拘束 —— 概説⑵」法教444号（2017年）123頁。

11） 大澤・前掲注10)124頁注88は，逮捕の必要性の態様と程度について，「通常逮捕の場合と別異に解する理由はないであろう」とする。

を現認（目撃）した場合は，逮捕者にとって特定の犯罪とその犯人は，令状裁判官による司法審査を要しないほどに明白ですね。現行犯逮捕は令状主義の例外なのだから，この場合に限るべきではないかな[12]（現認説）。

Bさん：そうかしら。「現に罪を行い」の方は，逮捕者が犯行を現認（目撃）することが必要だけど，「現に罪を行い終った」は，なにも凶器を引き抜いた瞬間を逮捕者が現認していなくても，例えば被害者が血まみれの腹部を手で押さえながらうずくまっており，そのすぐ前に男が血の滴るナイフを持って茫然と佇っている事例を考えると，犯行ないし犯行をちょうど終えた瞬間を現認（目撃）していないからといって「現行犯人」に当たらないとすることは，現行犯逮捕が令状主義の例外とされた趣旨（誤認逮捕のおそれが低い）に添わないのではないかしら（これについては，212条2項2号により準現行犯人として逮捕すれば足るとの反論もあり得るが，これが犯行直後の場合は，2項の準現行犯人ではなくむしろ1項の現行犯人として捉えるべきである[13]）。逮捕者が犯行を現認（目撃）した場合については異論がないとしても，「現に罪を行い終った」現行犯人については，「犯罪現場や被害者の身体・衣服の状況および相手方の挙動から合理的に認識」できる場合，すなわち，「逮捕者が現場付近の客観的な状況――たとえば，被害者の生々しい負傷，『犯人』の殺気立った挙動など――を直接に認識して，『現に罪を行い終った者』と判断する場合」[14]にも，現行犯逮捕が許されるべきだわ。学説でも，「現行犯人」の判定に用いることのできる資料は，「犯罪現場や被害者の身体・衣服の状況および相手方の挙動」[15]とするのが多数説ですよね（犯罪現場の客観的・外部的状況説）。

教員：確かにそうだが，何も，犯罪現場でなくても，「被害者が血まみれになって交番所に駈けこ」み，そのすぐ後を追ってきた男が「血刀を提げて交番所の前をうろついて」いる事例[16]にあっても，逮捕者自身が認識した客観的状況から判断して，逮捕者が犯行ないし犯行をちょうど終えた瞬間を現認（目撃）した場合に準じて特定の犯罪とその犯人が明白であって，誤認

12）　高田昭正・百選〔第9版〕29頁。
13）　金隆史「供述証拠による現行犯人の認定」判タ296号（1973年）105頁。
14）　松尾(上)57頁，58頁など。同旨の見解として，上口99頁。
15）　松尾(上)57頁，ポイントレクチャー89頁［洲見光男］，川出・判例講座〔捜査・証拠篇〕62頁。
16）　金・前掲注13)105頁。

逮捕のおそれが低いときは，憲法が現行犯逮捕を令状主義の例外とした趣旨に反するところはなく，「現行犯人」と認めることに差し支えはないのではないかな（逮捕現場の客観的・外部的状況説）。このように，実務では，「逮捕の現場における客観的・外部的状況等」（京都地決昭和44・11・5判時629号103頁）とする見解が有力なように思うよ[17)]。

Bさん：確かにそうですね。血刀ケースを考えると，必ずしも犯罪現場でなくても，逮捕現場の客観的・外部的状況から，特定の犯罪とその犯人が明白であって，誤認逮捕のおそれが少ないこともあり得るので，松尾教授など多数説のように「犯罪現場」に限定するよりも，京都地裁決定のいうように「逮捕の現場」とすべきなのでしょうね。

A君：その場合に，逮捕者自身が認識した客観的・外部的状況ではなくて，被害者や目撃者の供述，被疑者の供述（逮捕者自身が当該供述を認識する必要はある）を，「現行犯人」と認定する資料として用いることはどうでしょうか（「供述証拠による現行犯人の認定」の問題）。

教員：現認説によるならば，供述証拠を認定資料に用いることができないことはいうまでもないだろう。

A君：そもそも，逮捕者による現認もなく，客観的・外部的状況も存在しない場合であっても，被害者や目撃者の供述，被疑者の供述が信用できる場合だってあるでしょう。被害者や目撃者の供述さらには被疑者の供述であっても，それが信用できるものである限りは，認定資料として用いてよいと考えられないかな（供述証拠による認定許容説）[18)]。

Bさん：しかし，公判手続における慎重な事実認定の場面なら格別，現行犯逮捕の緊迫した場面で，逮捕者がそれらの者の供述の信用性を瞬時に判断することはとても困難だと思うんだけど。

教員：Bさんのいうとおりだ。供述証拠だけで現行犯人を認定できるとす

---

17) 令状基本問題(上)154頁［小田健司］。なお，リークエ71頁［堀江］が，「現場や被害者の身体・衣服の状況，被逮捕者の挙動等，犯行直後の客観的状況……とする見解も有力である」とするのは，犯行現場の客観的・外部的状況説と逮捕現場の客観的・外部的状況説の両者が存することを考慮したものであろうか。

18) 大コンメ刑訴法(4)506頁［渡辺咲子］，森岡孝介「供述証拠による現行犯人の認定」令状に関する理論と実務Ⅰ72頁，林欣寛「供述証拠による現行犯人の認定」令状実務詳解220頁。林判事は，供述証拠には「高度の信用性が求められる」という。

る見解（供述証拠による認定許容説）は採り得ないだろう。

Bさん：犯罪現場の客観的・外部的状況説や，逮捕現場の客観的・外部的状況説によるときは，供述証拠を用いることは，一切できないのかしら。

教員：逮捕現場の客観的・外部的状況説の論者の中には，客観的・外部的状況に加えて，いわば補充的に被害者・目撃者の供述や被疑者の自白等の供述証拠を客観的状況を補充するものとして認定資料となし得ると解する見解[19]も，有力に主張されているところだ。あくまで逮捕現場の客観的・外部的状況がメインの認定資料であって，供述証拠は，その客観的・外部的状況を補充するためにサブの資料として用いるのであれば，特定の犯罪とその犯人の明白性があって誤認逮捕のおそれが低いとの現行犯逮捕の制度趣旨に反することになるわけではないので，私は，この見解（逮捕現場の客観的・外部的状況説に立ち，補充的に供述証拠を用いることができるとする見解）に賛同したいと思う[20]。

Bさん：もちろん，供述証拠を補充的にならば用いてよいとする見解にあっても，その供述の存在が決定的であってそれがなければ特定の犯罪とその犯人の明白性が認められないような場合には，逮捕者にとって特定の犯罪とその犯人が明白とはいえないですよね。

教員：そのとおりだね。

2　違法逮捕と勾留

A君：刑訴法207条1項は「前3条の規定による勾留の請求」と定め，逮捕が先行しない勾留を認めず，勾留には必ず逮捕が先行していなければな

19)　金・前掲注13)106頁，注釈刑訴法(3)〔新版〕176頁［藤永幸治］。東京高判昭和60・4・30判タ555号330頁もこの見解か。なお，川出・判例講座〔捜査・証拠篇〕62頁は，犯罪現場の客観的・外部的状況説に立ちつつ，被害者・目撃者，被疑者の供述を補充的に用いることを肯定する。

20)　最決昭和31・10・25刑集10巻10号1439頁，最決昭和33・6・4刑集12巻9号1971頁は，いずれも，逮捕者が現認（目撃）していない場合における現行犯逮捕を適法とする。ただし，前者の事案では，逮捕者がガラスの破損個所を見分し，被害者が示した場所で手を怪我して大声で叫んでいる被疑者を発見したのであるから，供述証拠を補充的に用いることができるとする見解によるときも，犯罪と犯人の明白性を肯定してよかろう。これに対して，後者の事案では，供述証拠による認定許容説によらない限り説明困難かもしれない。後者については，特定の犯罪とその犯人の明白性につき疑問がある（百選〔第5版〕280頁〔A1〕参照）。

らないとの原則（逮捕前置主義）を採用していますが，「逮捕前置主義」は，勾留に前置される逮捕は「適法な逮捕」であることを当然の前提とするはずですから，先行する逮捕手続が違法なら，勾留請求は却下されます[21]。

教員：逮捕手続に違法があるときは勾留請求を却下できる場合があることには異論はないのだが，問題はその根拠なんだ。A君の言うように，逮捕前置主義を採用していることから直ちに，「先行する逮捕は適法でなければならない」ことになるだろうか。なぜ勾留には必ず逮捕を先行させることとしたのか，「逮捕前置主義の趣旨」に遡って考えてみる必要がありそうだね。

A君：逮捕前置主義の趣旨は，被逮捕者に二重の司法審査を受けさせることにより，身柄の拘束に慎重を期することにある[22]のではないですか（以下「二重の司法審査説」という）。

Bさん：二重の司法審査説は，司法審査を要しない現行犯逮捕の場合を説明できないわ[23]。通常逮捕や緊急逮捕の場合だけを捉えて，逮捕前置主義の趣旨は「二重の司法審査」を経ることにあるというのは，不十分ではないかしら。

教員：そうだね。それよりももっと根本的な疑問は，二重の司法審査説は，刑訴法が短期の拘束（逮捕）と長期の拘束（勾留）とを組み合わせたこと（２つの身柄拘束の期間に大きな差異があること）を説明し得ていないことにあるんだ。逮捕前置主義の趣旨が「二重の司法審査」を経ることにあるというなら，最初に短期の拘束，次に長期の拘束である必然性はないからね。

Bさん：逮捕前置主義の趣旨は，二重の司法審査説によるべきではなく，「身体拘束の当初は事情変更が生じやすく，犯罪の嫌疑や拘束の必要性の判断が流動的であるため」[24]，「被疑者の身体の拘束に当たり，最初から長期間の拘束である勾留を認めるよりも，まず短期間の拘束である逮捕を先行させ，その間にできる限り捜査を尽くさせ，それでもなお犯罪の嫌疑及び身柄拘束の必要性がある場合に初めて勾留を認めるという慎重な方法をとることにより，被疑者の人身の保護を全うするというところにある」[25]と理解する

21） 浦辺衛『刑事実務上の諸問題』（一粒社，1961年）173頁。
22） 田口76頁など。
23） 松尾(上)110頁。
24） リークエ85頁［堀江］。
25） 刑事法辞典531頁［川出敏裕］。

のが適切だと思います[26)]。

A君：逮捕前置主義の制度趣旨をそのように理解すれば，現行犯逮捕にも当てはまるし，身柄拘束期間を最初に短期，次に長期とした理由を合理的に説明できるね。そうすると，このような理解によれば，逮捕手続が違法であっても，これを先行させることにより，その間に，捜査が行われ，犯罪の嫌疑や身柄拘束の必要性を慎重に判断させることができるので，逮捕前置主義の趣旨は充足されることになるわけだ[27)]。そうだとすると，逮捕前置主義の趣旨からは，先行手続である逮捕は適法であることを当然の前提とするとはいえないわけか。それじゃあ，違法な逮捕に引き続く勾留を認めない根拠は，一体どこに求めたらいいのかな。

Bさん：刑訴法は，正当な理由なく法定の時間制限を超えてなされた勾留請求は，これを却下し被疑者を釈放しなければならないと明定していますが（207条5項ただし書），このような違法に匹敵する程度の違法があった場合には，勾留請求を却下すべきというのが法の趣旨だから[28)]ではないでしょうか。

教員：勾留請求を却下すべき違法の程度については，207条5項ただし書（206条2項）の定める「制限時間不遵守の場合の勾留請求の却下」は，制限時間経過後の法的根拠のない違法な身柄拘束の場合つまり重大な違法を伴う場合で，「その遅延がやむを得ない事由に基く正当なもの」（206条2項）でないときは，勾留請求を却下すべきこととしたものだが（207条5項ただし書に「却下」の文言はないが，所定の事由のあるときは請求を却下することを当然の前提としており，裁判実務は，釈放命令は却下の裁判に含まれると解する），法的根拠のない違法な拘束のうち，制限時間不遵守の場合に限って勾留を許さないこととする合理的理由はないから，207条5項ただし書は重大な違法の例示と解すべきであり，「勾留請求に先行する逮捕手続の瑕疵のうち，明文のある身柄拘束時間の制限超過に匹敵するような重大な違法が認められる

26）　酒巻匡「身柄拘束処分に伴う諸問題」法教291号（2004年）95頁，浦辺・前掲注21）171頁，令状基本問題(上)261頁［金谷利廣］，同274頁［木谷明］，演習刑訴法73頁［佐藤隆之］，リークエ85頁［堀江］など。なお，このような理解と二重の司法審査説の両者を挙げるものとして，上口110頁，酒巻74頁など。

27）　演習刑訴法77頁［佐藤］，令状基本問題(上)274頁［木谷］。

28）　酒巻75頁。

場合には，勾留裁判官はそのような重大な違法手続に基づく勾留請求を却下すべき」[29]と解するのが妥当だろう。裁判例でも，逮捕の違法が重大な場合に限って勾留請求を却下するのが大勢だ（京都地決昭和44・11・5判時629号103頁，東京高判昭和54・8・14判時973号130頁など）。しかし，ここで問題とするのは，なぜ逮捕に時間制限不遵守の違法に匹敵する重大な違法がある場合に勾留請求を却下すべきなのか，その実質的な理由なんだ。

Bさん：逮捕に関する裁判及びこれに基づく逮捕の処分に対して不服申立てができない（最決昭和57・8・27刑集36巻6号726頁）[30]ことを理由とするのはどうかしら（以下，便宜「根拠甲」という）[31]。法の基本的精神である手続の厳格性の要請を考慮すると，法が逮捕状発付の裁判およびこれに引き続く一連の手続自体について被疑者側の不服申立ての手段をまったく認めていないのは，この点に関する違法が，すべて後の勾留の段階で一括して事後の司法審査に服することを当然の前提としていると理解するのです。

教員：その論理によると，逮捕に対して準抗告が許されているとの解釈を採る場合[32]や，逮捕に対する不服申立て制度（準抗告など）を新たに創設する法改正をすれば，違法な逮捕に基づく勾留請求も認容してよいことになるのかな。それに，この論理は，勾留請求を却下すべき場合が逮捕手続に重大な違法の存する場合に限られることを説明できないだろう。

Bさん：うーん。確かに，そうですね。

A君：逮捕の手続に重大な瑕疵がある場合には身柄拘束の法的根拠がなくなり，被疑者は釈放されなければならないのであるから，逮捕を継続する処分としての勾留の請求は許されないとする見解[33]（以下，便宜「根拠乙」という）は，どうかな。

Bさん：東京地決昭和39・10・15下刑集6巻9＝10号1185頁が「逮捕が違法である以上，検察官としては直ちに被疑者の釈放を命ずべきであって勾留の請求をすることができず，たとえ勾留請求がなされても不適法な請求

29）　酒巻・前掲注26）96頁。
30）　三井(1)16頁，光藤Ⅰ66頁など。
31）　令状基本問題(上)274頁［木谷］。
32）　田宮裕『捜査の構造』（有斐閣，1971年）169頁，田宮81頁，田口74頁など。
33）　河村澄夫＝古川實編『刑事実務ノート(3)』（判例タイムズ社，1988年）143頁，145頁［黒田直行］。

であるから，裁判官は勾留状を発付することができない」としているのも，同様の見解なのでしょうね。

教員：おそらくそうだろう。黒田判事は，逮捕と勾留の関係について，「勾留は，逮捕という形式で始められた犯罪捜査のための身柄拘束をそのまま更に継続する処分である」[34]ので，身柄拘束を継続することが許されず被疑者を釈放すべき場合においては，勾留請求も認めることができないとされるのだが，逮捕と勾留は，黒田判事のいうように「犯罪捜査のための身柄拘束」という大枠的な意味においては密接な関係にあるとはいえても，勾留は逮捕の単なる「継続」ではなく，趣旨・性質を異にする手続[35]というべきではないだろうか。そうだとすると，釈放すべき逮捕の違法と勾留請求を却下すべき逮捕の違法とがイコールである必然性はないはずだ。

A君：それじゃあ，いったいどう考えるべきなんですか。

教員：この問題は，前の手続が違法な場合に，それが後の手続にいかなる影響を及ぼすかという一種の「波及効」の問題であり，その意味において，共通の問題である違法収集証拠排除法則では，適正手続論，司法の無瑕性（廉潔性）論，違法捜査抑止論の3つの根拠がいわれているよね（第28講）。適正手続論については，正当な理由なく身柄拘束を受けない権利（憲34条）はその侵害が即成的であって，後の手続を違法にする趣旨までも含むかどうか疑問があるとすると，ここでは，司法の無瑕性論と違法捜査抑止論が援用されるべきだろう[36]（以下，便宜「根拠丙」という）。

Bさん：逮捕が違法な場合に勾留を認めない実質的な理由は，司法の無瑕性（廉潔性）の保持の要請と将来の違法捜査（逮捕）の抑止の要請によると考えるわけですね。

A君：最近では，根拠甲，乙，丙のいずれか1つではなく，そのうち2つを根拠とする見解が少なくないようだね。

Bさん：そうね。酒巻教授は根拠甲と根拠丙を掲げ[37]，光藤教授や上口教授は，根拠乙を主とし，根拠甲を付加的な根拠としているわ[38]。

34）　河村＝古川編・前掲注33）145頁［黒田］。
35）　平野99頁。
36）　松尾(上)98頁，松尾(下)345頁，演習刑訴法78頁参照［佐藤］。
37）　酒巻75頁。
38）　光藤Ⅰ 71頁，上口110頁。

3　違法逮捕と再逮捕の可否

(1)　適法な逮捕と再逮捕

教員：まずは，当初の逮捕が適法であった場合の再逮捕の可否について考えてみよう。

Bさん：刑訴法は，203条以下の規定により，逮捕および勾留による身柄拘束期間について厳格な制限を設けていますので，再逮捕が許されるとすると，厳格な時間制限を定めた意味がなくなることから，同一の事件について再逮捕・再勾留することは原則として許されないと解されています（再逮捕・再勾留禁止の原則）[39]。しかし，① 199条3項は，「同一の犯罪事実についてその被疑者に対し前に逮捕状の請求又はその発付があつたときは，その旨を裁判所に通知しなければならない」と定めており（刑訴規則142条1項8号は，裁判所への通知方法としてその旨を逮捕状請求書に記載することを求める），この規定は，再逮捕が許される場合があることを前提とするものと理解できますし，また，②捜査の流動性にかんがみ，同一の事件についてはいったん逮捕し，釈放した以上，再度の身柄拘束は一切許されないとするのも現実的ではないことから，再逮捕は，例外的に許される場合があると解されています[40]。

教員：だけど，刑訴法199条3項は，「逮捕された場合」ではなく「その〔逮捕状の〕発付があつたとき」と定めているのだから，平場教授のいわれるように，逮捕状は発付されたが逮捕しないまま有効期間を徒過し失効した場合の規定と理解すべきではないのかな[41]。そのように解するならば，199条3項は，再逮捕が許される場合があることを前提とした規定ではなく，逮捕状の再発付を前提とした規定ということになるはずだよね。

A君：そうかなあ。この条文は，「逮捕状が発付されたが逮捕に至らなかつたとき」と規定しているのではなく，単に「その〔逮捕状の〕発付があつたとき」と定めているので，そのように限定的に理解する必要はないし（な

39)　田宮94頁，田口83頁，上口120頁など定説。
40)　田宮94頁，三井(1)32頁，田口83頁，上口120頁など通説。
41)　平場347頁。

お，前に現行犯逮捕された場合を規定していないのは「立法上の過誤」[42]である），また，平場説によると，逮捕・引致後に被疑者が逃走したような場合ですら再逮捕が認められなくなってしまい，実際の結論も相当とは思えませんね。

教員：まあ，そうだろうね。ここは通説によるとして，199条3項の規定は再逮捕を許容する根拠規定（197条1項ただし書の意味におけるそれ）ではなく，単に再逮捕ができる場合のあることを前提にした規定にすぎないのだから，この規定を手がかりに刑訴法がいかなる場合に例外的に再逮捕を許容しているかを合理的に解釈する必要があるわけだ。199条3項が，「逮捕と釈放の繰り返しによる不当な自由侵害が生じるのを防ぐ趣旨」[43]だとすれば，再逮捕が許容されるのは，逮捕と釈放の繰り返しによる自由侵害を凌駕する「合理的な理由」がある場合ということになるだろう[44]。

A君：そうですね。「合理的な理由」がある場合とは，(I)被逮捕者が引致後留置中に逃亡した場合は当然のこととして，(II)被逮捕者をいったん釈放したときは，①重要な新証拠の発見，あるいは逃亡・罪証隠滅のおそれの復活などの新事情が出現し（先の逮捕後の事情の変更），かつ，②事案の重大性，事情変更による再逮捕の必要度，先行逮捕・勾留の身柄拘束期間とその間の捜査状況などの諸事情を勘案して，被逮捕者の不利益と対比してみても再逮捕は真にやむを得ないときをいうものと解するのが適切でしょうね[45]。

教員：そうだね。なお，①と②に加えて，③逮捕の不当な蒸し返しといえないことを含めた3要件とする見解も有力だけど[46]，再逮捕に合理的な理由がある場合とは，即ち不当な蒸し返しでない場合を意味するのであって，①および②の要件が充たされれば，当然のことながら不当な蒸し返しとはいえず，③は「最終的な評価」にすぎないので，不必要だろう[47]。①②が充たされれば，「不当な蒸し返しではなく」「再逮捕に合理的な理由がある」と表現すれば足りるのではないかな[48]。

42）　三井(1)32頁。
43）　酒巻・前掲注26）101頁。
44）　団藤・條解(上)372頁，酒巻・前掲注26）101頁など通説。
45）　酒巻・前掲注26）101頁，榊原敬「同一事件による再逮捕」令状実務詳解139頁。
46）　田宮94頁，三井(1)32頁，リークエ91頁［堀江］。
47）　山崎学・百選〔第8版〕39頁，江見健一「同一被疑事実について再勾留することの可否」令状に関する理論と実務Ⅰ 151頁。
48）　大澤裕＝佐々木正輝「再逮捕・再勾留」法教332号（2008年）88頁［大澤発言］参照。

A君：③の点に独自の意味を見出す見解として，大澤教授は，「前の身体拘束期間中に適切な捜査を尽くしていれば，当然明らかになっていたはずの事情が，適切な捜査が尽くされなかった結果として，前の身体拘束終了後に生じたという場合――換言すれば，再度の身体拘束の必要性が生じたことについて捜査機関に帰責事由が存在する場合――に，そのことを理由として再度の身体拘束を許すとすれば，身体拘束の不当な蒸し返しというほかない」とされ，このような意味においては，③を「①②と並ぶ要件とすることも，無意味ではない」[49]とされておられますね。

教員：そうだね。大澤教授の見解によれば，③は，再度の身柄拘束の必要性が生じたことについて捜査機関に帰責事由がないことを意味することになるわけだ。これに対し，③の要件を不要とする見解は，適切な捜査を尽くしていれば明らかになったはずの事情は，既発の事情であるから，①の新事情にも当たらないし（事情変更は存しない），②の「先行逮捕・勾留の身柄拘束期間とその間の捜査状況などの諸事情を勘案」すれば，再逮捕がやむを得ないということにもならないと考えて，③を不要としていたわけだ。しかし，その点を顕在化するという意味においてならば，③を独立の要件として，捜査機関の帰責事由の有無を検討することは，相応の意味があるだろう。

⑵ 違法逮捕後の再逮捕

Bさん：そうですね。それでは，設問⑵の場合のように，先行する逮捕が違法な場合の再逮捕については，どうなのかしら。

A君：この場合は，先行する逮捕が適法な場合とは異なり，⒜重要な新証拠が発見されたとか，逃亡・罪証隠滅のおそれが新たに生じたなどの事情の変更がないこと，⒝再逮捕を許すと，捜査機関の過誤によって身柄拘束期間が逮捕が適法であった場合よりも長期化すること，⒞違法な逮捕をしても再逮捕が許されるとすると，捜査機関は逮捕要件を慎重に判断しなくなって逮捕の運用がルーズになり，将来にわたって違法逮捕の横行を招くこと[50]にかんがみると，再逮捕はいっさい許されないというべきだね[51]。

49） 大澤裕「被疑者の身体拘束――逮捕・勾留に伴う諸問題⑶」法教453号（2018年）113頁。
50） ⒜⒝⒞につき，大澤・前掲注49）116頁参照。
51） 浦辺・前掲注21）173頁など。

Bさん：でも，裁判実務や通説は，違法逮捕が先行するケースについても再逮捕許容説[52]を採っているんだけど，A君のいう3つの点をどう弁明するのでしょうか。

教員：うん，そうだね。まず，(a)の点については，適法な逮捕後の再逮捕について必要とされる事情の変更の対象は，犯罪の嫌疑や罪証隠滅・逃亡のおそれなど逮捕・勾留の理由・必要性についてだよね[53]。これに対し，違法逮捕に引き続く再逮捕の場合は，先行する逮捕が違法との一事をもって勾留請求が却下されたのだから（検察官が同じ理由で勾留請求をしなかった場合も却下に準じる），犯罪の嫌疑，罪証隠滅や逃亡のおそれなど逮捕・勾留の理由と必要性がなお存続している限り，その点について事情の変更を求めることはそもそも無意味だろう。

A君：(b)の点は，どうでしょうか。

教員：確かに被疑者の立場から見れば，再逮捕を許すと，捜査機関が違法な逮捕をしたばかりに身柄拘束（逮捕）期間が長期化してしまうのは，そのとおりだろう。しかし，再逮捕が許されないとすれば，逮捕前置主義を採用する我が刑訴法のもとでは，再逮捕のみならず，それに引き続く初めての勾留も許されないこととなってしまうよね。捜査機関が違法な逮捕をしたのだから，勾留して捜査することができなくなっても自業自得だといえなくもないけれども，捜査機関の過誤が被疑者にかえって長期の身柄拘束（勾留）をされない利益を与えることになってしまうわけだね。逮捕に違法があったのだから，そのサンクションは，再逮捕だけ許さないというのならバランスはとれているが，逮捕前置主義を採用する結果として，再逮捕のみならず勾留までも許されないという，違法逮捕を契機として被疑者に過剰な利益を与えてしまうわけだが，捜査機関がひとたび違法行為をした以上，再逮捕はもとより勾留まで許さないことをやむを得ないとみるべきかどうかがポイントだろう[54]。この場合に再逮捕を許容する通説や裁判例は，逮捕に違法があるときは，いかなる違法であれ，いっさい再逮捕のうえ勾留を許さないという

52）　松尾(上)114頁，田宮95頁，光藤Ⅰ83頁，田口84頁，上口121頁，酒巻78頁，リークエ92頁［堀江］，ポイントレクチャー107頁［洲見］など。裁判例としては，浦和地決昭和48・4・21刑月5巻4号874頁，京都地決昭和44・11・5判時629号103頁の別紙として添付された勾留状の別紙（勾留状を発付する理由）。

53）　酒巻・前掲注26）101頁など。

までの過大な効果を与えるべきではないと考えているのだろう。

A君：なるほど。最後に，(c)の点は，どうでしょうか。

教員：再逮捕を許すと，捜査機関は，要件に欠ける違法な逮捕をしても，勾留請求却下（あるいは検察官による釈放）の後に再逮捕が許されるのだからと安易に考えて，当初の逮捕においてその要件を緩やかに判断することにより，逮捕の運用がルーズになり，将来にわたって違法逮捕の横行を招くことは，あり得ることだろう。しかし，だからといって，逮捕の違法がどのようなものであれ，常に再逮捕を否定すべきだということにはならないのではないだろうか。後に述べるように，裁判官による違法宣言の存在を考慮するならば，一層そういえるだろう。

A君：再逮捕否定説に対する反論は，分かりましたが，再逮捕を許容する積極的な理由付けは，どこに見出したらよいのでしょうか。

Bさん：違法の程度を問うことなく一律に強制捜査の途を閉ざすのは，事案の真相の解明（実体的真実発見）の見地からみて相当でないからでしょう。

A君：それって，再逮捕が必要だから再逮捕できるというのとあまり変わらないよね。

教員：A君のいうように，事案の真相の解明のために云々と言ってみても，事案の真相の解明は基本的人権の保障を全うしつつという制約があるのであって（1条），所詮は，水掛け論に過ぎないのではないだろうか。

Bさん：じゃあ，どう考えたらいいんですか。

教員：私は，この問題も，違法逮捕に引き続く勾留請求の可否の問題と同じく，先行手続である逮捕の違法が後行の手続にいかなる影響を及ぼすかという観点から検討されるべき問題だと考えているんだ。つまり，司法の無瑕性（廉潔性）の保持や将来の違法捜査（逮捕）抑止の観点から考察してみると，勾留請求が却下されることによって先行する逮捕について司法により「違法宣言」がなされたこととなり（検察官による釈放もこれに準じて考えてよ

54）　松尾(上)114頁は，「当初の逮捕・勾留がいわば未完成に終わっていることも考えあわせなければならない」とするのも，その趣旨であろうか。なお，前掲注52)京都地決昭和44・11・5に添付の勾留状の別紙（勾留状を発付する理由）は，「捜査官においてひとたび逮捕手続についての違法を犯したならば，爾後一切再逮捕ならびにこれに続く勾留が許されず，強制捜査の途が完全にとざされてしまうというのでは，被疑者についての勾留制度が認められている実質的理由があまりにも軽ろんぜられる結果になる場合もあると思われる」とする。

い），それによって司法の無瑕性（廉潔性）の保持の要請や違法捜査（逮捕）抑止の要請は相当程度充たされるので，逮捕の運用がルーズになることを相当程度回避することができ，勾留請求が却下されるような重大な違法の場合であっても再逮捕が認められる場合があり得てよいと考えるべきだと思うよ。

A君：当初の逮捕にどんなに重大な違法があっても，再逮捕が許されるのでしょうか。

教員：いや，先行する逮捕に著しく重大な違法（極めて重大な違法）があるとき（例えば，逮捕の要件がおよそ欠落しているのに逮捕した場合）は，裁判官による「違法宣言」がなされてもなお，司法の無瑕性（廉潔性）の保持（このような違法行為に対して再逮捕を許可することは，国民から，裁判官が捜査機関の著しく重大な違法に加担したとの疑いを抱かれ，司法の無瑕性〔廉潔性〕を害することとなろう），および将来の違法逮捕の抑止（そのような著しく重大な違法行為に対しては，違法宣言だけでは不十分であり，将来の違法逮捕を抑止するためには再逮捕を許容すべきではない）の観点から，再逮捕は許されないだろうね。今日では，「違法の程度が極めて重大（著しく重大）で，当該被疑者に対する身柄拘束処分の続行がおよそ相当でないと認められるような場合」でない限り[55]，再逮捕が許容される場合があるとの見解[56]が通説であり，裁判実務となっているんだ。

Bさん：極めて（著しく）重大な違法でない場合は，逮捕の一般的要件（199条1項，210条）のほかに，どのような特別の要件が必要になるのでしょうか。

教員：いろいろな見解が主張されているけれども，適法な逮捕後の再逮捕の要件になぞらえて考えるのが分かり易いとすれば，①再度の身柄拘束が，それによって被疑者が被る不利益を考慮してもなお，やむをえないものといえること（再度の身柄拘束の必要性とそれによって被疑者が被る不利益との比較衡量），②再度の身柄拘束の必要性と司法の無瑕性の保持・違法抑止の必要

55）　例えば，酒巻79頁は，「先行する逮捕手続の違法が極めて重大である場合（例えば，およそ逮捕の要件が欠如しているのに実質的な身体拘束を行った場合等）には，再逮捕を認めるべきでない」とし（酒巻・前掲注26）97頁も同旨），川出・判例講座〔捜査・証拠篇〕86頁も「著しい違法がある」ときは，再逮捕を否定する。

56）　酒巻・前掲注26）101頁，酒巻78頁，令状基本問題(上)208頁［小林］，村瀬均「逮捕の可否」新実例刑訴法Ⅰ 135頁など多数説。

性を比較衡量しても，再逮捕がやむを得ないものであること[57)]の2要件でよいのではないだろうか。

4　設問の解決

教員：まずは，設問(1)の現行犯逮捕の適法性はどうかな。

A君：犯罪と逮捕との時間的接着性とその明白性は，特定の犯罪とその犯人の明白性を担保する機能を有する独立の要件なので，あてはめは，こちらからするのが適切ですが，設問のケースでは2時間を経ているので，この要件を満たしません。したがって，その余の要件を検討するまでもないのですが，勉強のために，逮捕者にとって特定の犯罪とその犯人の明白性が認められるかを検討してみますと，逮捕現場の客観的・外部的状況としては，Xがポケットに被害金員と金種・金額の合致する5万円を所持したことだけです。店員Vの供述を客観的・外部的状況を補充するものとして認定資料となし得ると解するとしても，特定の犯罪（強盗）が発生したことおよびその犯人がXであることを認めるに足る資料は，Vの供述だけであり（人相風体が似ていること），それだけで特定の犯罪の明白性もその犯人の明白性もともに肯定するわけにはいきません。そうすると，いずれにせよXは212条1項の「現行犯人」には該当しませんね。

教員：「現行犯人」に当たらないというだけで，検討は十分なのかな。

Bさん：いいえ，1項に当たらなくても，2項の「準現行犯人」に当たるかどうかも検討しなければいけませんよね。現行犯逮捕の根拠規定（197条1項ただし書の意味におけるそれ）は213条一本であって，212条1項・2項は，213条によって逮捕できる「現行犯人」を定義したもので，1項（現行犯人）と2項（準現行犯人）の区別に格別の意味があるわけではなく（民事訴訟法学における新訴訟物理論の攻撃防御方法の如きもの），法的効果も同じです

57)　大澤・前掲注49)117頁参照。なお，酒巻・前掲注26)97頁は，「具体的事案の性質（事件の重大性）に加えて，再逮捕による手続のやり直しを認めない結果として被疑者が釈放されることの捜査に及ぼす影響と，当初の逮捕手続の瑕疵の性質・手続違背の程度とを勘案して，再逮捕の可否を判断しなければならない」とする。また，川出・判例講座〔捜査・証拠篇〕86頁は，「身柄を拘束した状態での捜査を行う必要性と，将来の違法逮捕を抑止する必要性とを比較衡量して決定されるべきである」という。

から，２項の準現行犯人として逮捕すべきものを誤って１項の現行犯人として逮捕したとしても，その逮捕は適法であることに異論はありません[58]。緊急逮捕すべきものを現行犯逮捕した場合とはまったく異なります。

A君：なるほどね。そうすると，設問の場合に１項該当性だけでなく，２項の準現行犯人に当たるかどうかも検討しなきゃならないわけだ。しかし，設問の場合は，212条２項の各号のいずれにも当たらないよね。そうすると，準現行犯人にも当たらないから，設問の現行犯逮捕（213条）は違法といわざるを得ないよね（「学びの道しるべ」参照）。

Bさん：私もそう思うわ。

A君：そうすると，設問⑴については，213条の現行犯逮捕の要件を充足しないので，逮捕手続が違法であることを前提にして，勾留の可否を考えてみます。設問の場合は，現行犯逮捕の要件は充足しなくても緊急逮捕（210条）の実体的要件（210条１項の要件から手続的要件〔理由の告知，事後の逮捕状請求〕を除いた，①犯罪の重大性，②嫌疑の充分性，③緊急性と④逮捕の必要性）を充足するので，緊急逮捕の実体的要件は存在し，逮捕手続の種類の選択を誤ったものにすぎないと評価できるようにも思われなくもないけれど，緊急逮捕は，直ちに逮捕状を請求し，令状なき身柄拘束について裁判官の令状審査（追認）を受けるからこそ，憲法35条の令状主義の合理的例外として辛うじて肯認され，正当化されるのであって，設問の場合に緊急逮捕の実体的要件は具備されていたとしても違法の程度を減じることはできず，本件の現行犯逮捕には重大な違法があり[59]，それゆえ，令状裁判官は勾留請求を却下すべきです（前掲京都地決昭和44・11・5）。

教員：そのとおりだろうね。次に，設問⑵はどうかな。

Bさん：本件の現行犯逮捕の違法は重大ではありますが，令状裁判官による勾留請求の却下あるいは検察官による身柄の釈放によって，違法宣言がなされており，司法の無瑕性（廉潔性）の保持の要請，将来の違法捜査（逮捕）抑止の要請は，一定程度充たされているので，再逮捕を一切認めず，ひいてはその後の勾留も認めないことは相当でありません。設問のケースでは，先行逮捕の違法が違法宣言後の再逮捕を一切許さないほど著しく重大とまでは

58）　条解刑訴法407頁など。

59）　演習刑訴法79頁〔佐藤〕，三井⑴21頁。

認められないことや，犯罪の重大性（強盗罪），再逮捕を許さないとすれば，アリバイなどの罪証隠滅，あるいは処罰をおそれて逃亡するおそれがあって，事後の捜査が困難となる蓋然性が高いことなどを考慮すれば，さきほどの①，②の２要件（83頁）を満たし，再逮捕を許容すべきものと考えます。

Question & Answer

Q1 被害者や目撃者が，警察官に犯人の逮捕を求めた場合，警察官にとって特定の犯罪とその犯人が明白でなくとも，被害者や目撃者にとっては犯罪と犯人が明白なときは，警察官は，被害者や目撃者に代わって犯人を現行犯逮捕することができるでしょうか。

A 質問者のいわれるように，「逮捕者が現場の状況等から被逮捕者が現に罪を行い又は行い終ったことを直接覚知しえない場合であっても，他の直接これを覚知した者の要求により，この者に代わって現行犯逮捕することは認められてもよいであろう」としてこれを肯定する見解も見受けられます[60]。この見解は，ご質問のようなケースについて，「被害者が加害者を現行犯逮捕し得る場合であり，かつその者が現行犯人であるという認定は被害者自身によってなされ，警察官はその認定に従って，事実行為としての逮捕に協力するものに過ぎないからである」（傍点は筆者による）とされています[61]。

この問題は，小田判事もいわれるとおり，現行犯人の認定が被害者・目撃者自身によってなされ，警察官はその認定に従って事実行為としての逮捕に協力するという事実関係を前提とする立論であり，畢竟するところ，現行犯人を認定し逮捕を行うのは誰か（逮捕の主体）についての事実認定のいかんによることになると思われます。現行犯人の認定と逮捕権行使の決断（逮捕の意思決定）は被害者・目撃者自身によってなされているのであれば，小田判事のいわれるように，司法警察職員がこれに代わって事実行為としての逮捕を行ったということになり，逮捕者は被害者・目撃者（私人逮捕）という

60）令状基本問題(上)153頁［小田］。柳川重規「刑事裁判例批評」刑ジャ５号（2006年）137頁も同旨。

61）令状基本問題(上)153頁［小田］。

ことになるでしょう（堀江教授が「現認者による逮捕に対する補助ないし協力といえるかぎり許されよう」[62]とするのも同様の趣旨であろう）。

被害者や目撃者が私人に逮捕を依頼したような場合は，事実関係にもよりますが，小田判事のいわれるとおり，被害者・目撃者に代わって逮捕した（「代わって」とは，現認者等による逮捕への補助ないし協力を意味する）との認定は比較的容易だと思われます。

また，これとは別の構成として，事実関係の如何によっては，被害者・目撃者と現実に逮捕行為をした者の共同逮捕とすることもあり得ます。東京高判平成17・11・16東高刑時報56巻1～12号85頁は，原審横浜地判平成17・7・11（公刊物未登載）が本件逮捕を父親のみによる逮捕と認定したのに対して（要件を欠き違法とする），被害者と父親の両名による逮捕と捉えて現行犯逮捕の要件の充足を肯定していますが，被害者・目撃者と逮捕の事実行為を行った者の関係性（父と娘）を理由に共同逮捕としたものと思われます。

しかしながら，被害者や目撃者が捜査機関たる司法警察職員に逮捕を求めた場合については，私人が逮捕行為に既に着手しているような場合は格別[63]（東京高判昭和53・6・29東高刑時報29巻6号133頁），そうでない場合は，一般的にいえば，司法警察職員に逮捕を求めた私人は，自ら逮捕する意思決定をしてそのための事実行為（補助・協力）のみを司法警察職員に依頼したわけではなく（共同逮捕の意思もない），捜査機関たる司法警察職員の有する独自の逮捕権の発動（司法警察職員による逮捕の意思決定とその実行）を促していると認めるべきであって，このような場合には，司法警察職員は独自の逮捕権限を行使したと認定するのが妥当なように思われます[64]。

*　　　*　　　*

Q2　逮捕手続の違法については，勾留請求が却下される違法，再逮捕が許されない違法があるわけですが，わかりやすく説明してください。

A　逮捕手続の違法に関しては，(1)逮捕手続に違法があっても，勾留請求を却下するまでもない違法，(2)勾留請求を却下すべき「重大な違法」であっ

62）　リークエ73頁［堀江］。

63）　松尾(上)58頁。

64）　田宮Ⅰ 175頁［朝岡智幸］，捜査法大系Ⅰ 123頁［増井清彦］。なお，三井(1) 14頁，森岡・前掲注18) 72頁，林・前掲注18) 221頁も参照。

ても，事情により再逮捕を許すことのできる場合もある違法（京都地決昭和44・11・5判時629号103頁），(3)勾留請求を却下すべきはもとより，その後の再逮捕も許すべきでない「極めて（著しく）重大な違法」，の3種があることになります。

これを図示すれば，以下のとおりです。

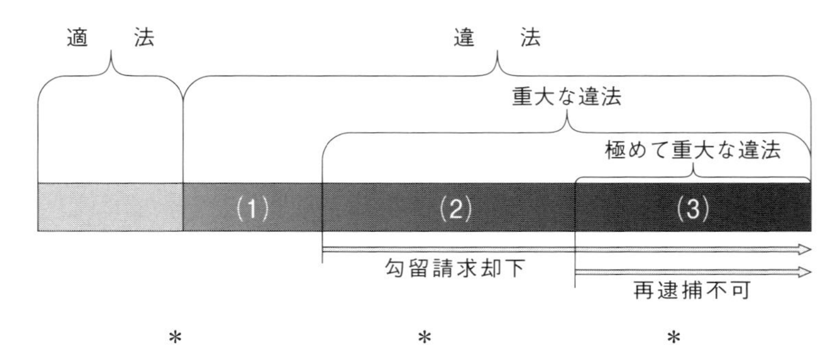

＊　　　＊　　　＊

Q3　先行逮捕が適法な場合の再逮捕後の再勾留について，許されるかどうかの判断は，どのようになすべきでしょうか。

A　基本的には，先行逮捕が適法な場合の再逮捕の場合と同じ基準で判断されます[65]。つまり，解説において述べた，①事情の変更，②諸事情を総合して真にやむを得ないこと，③勾留の不当な蒸し返しといえないことです。ただし，勾留は逮捕と違って身柄拘束の期間が長いので，再勾留については，一般的にいえば「事情変更の内容・程度についてはより慎重な考慮を要」し[66]，「要件はより厳格に判断されるべき」[67]でしょう。そして，先行する勾留において20日間を目いっぱい使い尽くして捜査したときは，いかに事情の変更があろうともそれ以上の期間延長は許されなかったはずであること（208条2項後段）との対比において，再勾留は原則として許されないとの見解も有力です[68]。しかし，裁判実務では，このような場合であっても，再勾留を認めるのが一般的です（先行勾留において20日間の勾留後に釈放された後の再勾留〔10日間〕を例外的に認めた裁判例として，東京地決昭和47・4・4刑

65)　酒巻・前掲注26)102頁，リークエ91頁［堀江］。
66)　酒巻・前掲注26)102頁。
67)　リークエ91頁［堀江］。
68)　三井(1)32頁，酒巻・前掲注26)102頁。

月4巻4号891頁〔百選〔第10版〕32頁〕があります)。

*　　　　*　　　　*

Q4　逮捕者にとって特定の犯罪とその犯人が明白とはいえないとして，212条1項の現行犯人に当たらないときは，2項の準現行犯人の要件としての特定の犯罪と犯人の明白性も否定されるはずですから，準現行犯人に当たるかどうか検討するのは無意味ではないでしょうか。

A　そんなことはありません。

というのは，現行犯人(212条1項)についての特定の犯罪とその犯人の明白性の認定資料と準現行犯人(同条2項)のそれの認定資料とは，範囲が異なるからです。前者の現行犯人の認定資料については，解説で検討したように，現認説，犯罪現場の客観的・外部的状況説，逮捕現場の客観的・外部的状況説，信用できる限りにおいて供述証拠も用いることができるとする供述証拠による認定許容説などがありますが，これに対して，準現行犯人の認定資料については，特段の制限はないと解されている[69]からです(なお，各号要件については，逮捕者が直接覚知しなければならないと解される)。たとえば，木口信之調査官は，「(犯罪と犯人の明白性，時間的接着性の明白性の)判断に当たっては，供述証拠等，逮捕者の現認に係る客観的状況以外の証拠をも資料として用い得ることが，規定〔注：212条2項〕上も当然の前提とされているものと考えられる」としています(最判解刑事篇平成8年度22頁)。

要するに，準現行犯人の場合は，現行犯人よりも時間が経過していること(2項の時間的な限界については，1，2時間，数時間，3，4時間程度などの諸見解がある)を前提とするのであるから，犯罪現場・逮捕現場の客観的・外部的状況(その典型的なものが各号の要件であろう)だけでは，犯罪の明白性，犯人性の明白性が認められることはほとんどあり得ないにもかかわらず，刑訴法が準現行犯人を現行犯人とみなして無令状の逮捕を許しているのは，現場の客観的・外部的状況以外の証拠の使用を前提とするものであるからです。

ただ，準現行犯人の逮捕も，令状主義の例外をなすものですから，特定の犯罪とその犯人の明白性の判断は客観性がなければならないとすれば(判断の客観性を担保する必要がある)，供述証拠による認定を無制限に許容するこ

69)　令状基本問題(上)156頁［小田］，団藤重光「現行犯(1)」警研19巻9号(1948年)23頁，仙波厚「準現行犯の意義及び範囲」判タ296号(1973年)101頁など。

とは相当でないでしょう。たとえば，不審事由がある者を職務質問したところ，犯罪を自白したというケースを考えてみると，自白のほかには，何らの客観的・外部的状況も，被害者等による通報も存しないときは，当該自白が信用できるかどうか判断することは困難であって，準現行犯人といえども，当該自白だけで特定の犯罪と犯人の明白性を肯定することはできないでしょう[70)]。

学びの道しるべ

✍ 「現行犯人」に当たらないからといって直ちに違法とするのではなく，更に「準現行犯人」に当たらないかどうかの検討を忘れてはならない。解説で検討したように，現行犯逮捕の根拠規定（197条1項ただし書のそれ）は213条であり，Xが現行犯人（212条1項）にせよ準現行犯人（同条2項）にせよ，いずれであろうと，213条の要件（「現行犯人」）を充足するので，適法と解されるからである。

✍✍ 解説では省略したが，学生諸君の中には，準現行犯人の要件を，①212条2項各号のいずれかに当たることと，②犯行と逮捕との時間的近接性とその明白性の2つと誤解するものも少なくない。

しかしながら，準現行犯人を現行犯人とみなして逮捕できるとされているのは，準現行犯人もまた特定の犯罪とその犯人とが逮捕者にとって明白であって誤認逮捕のおそれが少ないことから，憲法35条の令状主義の合理的な例外であり得るからであるとすれば，ここでも「特定の犯罪とその犯人とが逮捕者にとって明白であること」が必要となるはずである。212条2項の「罪を行い終つて……明らかに認められる」との文言は，逮捕者にとって特定の犯罪とその犯人が明白であることを含むのである。そうすると，2項の準現行犯人の要件は，①各号のいずれか1つに当たること，②犯行と逮捕との時間的近接性が認められ，逮捕者にとってそれが明白であること[71)]，③逮捕者にとって特定の犯罪とその犯人が明白であることの3つであり[72)]，

70）東京地決昭和42・11・9判タ213号204頁，木口信之・最判解刑事篇平成8年度24頁，仙波・前掲注69)102頁等。

71）犯行と逮捕の時間が客観的に近接していても，逮捕者にとって明らかでなければならない。

準現行犯人の逮捕（213条）の要件は，これに加えて逮捕の必要性（明らかに逮捕の必要性がない場合でないこと）である。

なお，準現行犯人の認定資料については，Q4を参照されたい。

〈参考文献〉

①酒巻匡「身柄拘束処分に伴う諸問題〔刑事手続法の諸問題⑧〕」法教291号（2004年）94頁

②大澤裕「被疑者の身体拘束――概説⑵〔刑事訴訟法の基本問題⑤〕」法教444号（2017年）113頁

③大澤裕「被疑者の身体拘束――逮捕・勾留に伴う諸問題⑶〔刑事訴訟法の基本問題⑪〕」法教453号（2018年）111頁

72）　注釈刑訴法⑶〔新版〕176頁〔藤永幸治〕，木口・前掲注70）17頁。

5　身柄拘束の諸問題(2)

【設　問】

Xは，常習として，V_1に対して暴行を加えて全治まで約3週間を要する傷害を負わせた（A事実）として，常習傷害罪（暴力行為等処罰に関する法律1条ノ3）により逮捕・勾留のうえ，同罪で起訴され，第1回公判期日において公訴事実を認めて，保釈された。しかし，保釈後になって，A事実による上記逮捕の前に犯したV_2に対する傷害行為（B事実）が新たに発覚し，警察は捜査を開始した。その結果，V_2に対する傷害行為も常習として犯したとの嫌疑が濃厚となり，起訴済みのA事実についての常習傷害罪と包括一罪の関係にあると認められた。この場合において，警察は，B事実によりXを逮捕・勾留することができるであろうか。また，Xが，保釈中に，新たに，V_3に対する傷害行為（C事実）を行い，これがA事実に係る常習傷害罪と包括一罪の関係にある場合はどうか。

〔ポイント〕

① 一罪一逮捕一勾留の原則

② 一罪一勾留の原則の適用（第1段階の判断枠組み）

③ 重複逮捕・重複勾留禁止の例外（第2段階の判断枠組み）

〔判　例〕

▷福岡高決昭和42・3・24高刑集20巻2号114頁（ケースブック115頁，三井教材86頁，百選〔第8版〕44頁）

▷岐阜地決昭和45・2・16刑月2巻2号189頁（三井教材86頁）

▷仙台地決昭和49・5・16判タ319号300頁（ケースブック97頁，三井教材85頁）

解 説

1 一罪一逮捕一勾留の原則

(1) 一罪一逮捕一勾留の原則の意義

A君：「一罪一逮捕一勾留の原則」については，その意義そのものが論者によって異なっており，理解が難しいですね。

Bさん：私もそうです。「一罪一逮捕一勾留の原則」を，①「重複逮捕・重複勾留禁止の原則」と②「再逮捕・再勾留禁止の原則」の両者の内容を含むものとして理解する見解[1]のほか，①の「重複逮捕・重複勾留禁止の原則」の意味で用いるもの[2]もあり，用語自体が統一されていませんね。

A君：また，㋐一個の被疑事実について一回の逮捕・勾留が許されることを「一罪一逮捕一勾留の原則」と呼び，その一個の被疑事実は何か（実体法上の一罪か，それとも一罪を構成する単位事実か）を問題にするものと，㋑実体法上の一罪の場合に限って「一罪一逮捕一勾留の原則」の用語を用いるものとがあり[3]，混乱してしまいます。

教員：学生諸君が混乱するのも無理はないね。本書初版の鄙見も，学生諸君を一層混乱させたのではないだろうか。本書初版の見解を直ちに改めるまでの必要はないように思うけれども，結論においては，①②の両者の内容を含むとし，また㋐により論ずる三井教授や川出教授の見解と異なるところはないので，ここでは，「一罪一逮捕一勾留の原則」を三井教授らの見解によって，議論していくこととしよう。

Bさん：所詮は，講学上の概念について，そのネーミングの問題であって，どちらが正しいというわけでもないでしょうからね。

1） 三井(1)30頁，川出敏裕「演習」法教379号（2012年）130頁，刑事法辞典12頁［宇藤崇］，秋葉康弘「一罪の一部についての再逮捕・再勾留」新実例刑訴法Ⅰ 119頁，ポイントレクチャー106頁［洲見光男］，斎藤167頁。

2） 田宮94頁，田口83頁，酒巻79頁，リークエ88頁［堀江慎司］など。

3） 池田公博「逮捕・勾留に関する諸原則」法教262号（2002年）96頁注10は，「手続の単位とされるべき事実（すなわち『一個の被疑事実』）の範囲を画する基準……を実体法上一罪であると解する考え方が，（いわば結果として）『一罪一勾留の原則』という名称が与えられる。『一罪一勾留の原則にいわゆる「一罪」とは何か』という問題の立て方は，このような問題の導出過程を逆転させるもの」という。

教員：そうだね。逮捕・勾留は，事件単位説によれば，事件（被疑事実）ごとに行うことができる，つまり事件（被疑事実）が異なれば，その数に対応する複数の逮捕・勾留が同時にできるとされているよね（事件単位の原則[4]）。そうだとすると，その逆に，事件（被疑事実）が同一であれば，複数の逮捕・勾留を同時に重複して行うことはできないことになるよね。これが①の重複逮捕・重複勾留禁止の原則だね。また，同一の事件（被疑事実）について逮捕・勾留の繰り返しを無制限に許せば厳格な期間の制限が無意味となることから，同一の事件（被疑事実）について時を異にして逮捕・勾留を繰り返すことはできないことになる。これが②の再逮捕・再勾留禁止の原則だ。一罪一逮捕一勾留の原則とは，同一の事件（被疑事実）については，原則として，①１つの逮捕・勾留を②１回のみ行うことができるとする原則であり，①の重複逮捕・重複勾留禁止の原則（１つの逮捕・勾留）と②の再逮捕・再勾留禁止の原則（１回のみ）の双方の内容を含むわけだ[5]。

Ａ君：一罪一逮捕一勾留の原則（以下「一罪一勾留の原則」と略称する）を，①の重複逮捕・重複勾留禁止の原則の関係でのみ捉える見解は，どうなんでしょうか。

教員：例えば常習一罪の一部である甲事実により逮捕・勾留し，期間の満了により釈放した後に（つまり甲事実による逮捕・勾留の失効後に），同じ常習一罪の一部である乙事実により逮捕・勾留することが許されるかどうかは，甲事実による逮捕・勾留が失効しているので重複して逮捕・勾留するものではなく，②の再逮捕・再勾留禁止の原則の問題ということになるところ，再逮捕・再勾留についても，実体法上一罪の関係にある甲事実と乙事実とが「同一の事件（被疑事実）」として再逮捕・再勾留の禁止の原則が適用になるかどうかは，当然に問題となるはずだよね[6]。重複逮捕・重複勾留と再逮捕・再勾留とでは，単に，逮捕・勾留の効力がなおも継続しているか（重複

4）　田宮 92 頁など通説。

5）　川出・前掲注 1)130 頁，川出敏裕「逮捕・勾留に関する諸原則」刑ジャ 4 号（2006 年）144 頁。

6）　川出・前掲注 5)144 頁は，「Ａ事実とＢ事実とが実体法上の一罪を構成する場合，それらをまとめて一つの被疑事実と見るのか，それとも，別々の被疑事実と見るのかという……点は，これまでは，主に，……重複逮捕・重複勾留の禁止との関係で論じられてきたが，その他の場面においても同様に問題となりうる」という。

逮捕・重複勾留），それとも失われているか（再逮捕・再勾留）の違いだけなのに，判断枠組みを異にすることとなるのは，合理的な理由があるとは思われないとすれば，「一罪一勾留の原則」は，①の「重複逮捕・重複勾留禁止の原則」のみならず，②の「再逮捕・再勾留禁止の原則」をも含むものというべきだろう。

Bさん：堀江教授は，一罪一勾留の原則を重複逮捕・重複勾留だけの規制原理とされていますが，今の点については，再逮捕・再勾留の禁止の原則における「同一の事実とは，（先の）逮捕・勾留の基礎となった被疑事実（単位事実）だけでなく，これと実体法上一罪の関係にあるすべての事実を含むと解される」として，実体法上一罪の関係にある事実についても再逮捕・再勾留の禁止の規制は及ぶとされ，その理由として，「〔重複逮捕・重複勾留についての〕一罪一逮捕一勾留の原則が実体法上一罪の範囲内での複数の逮捕・勾留を禁じている（通説）ところ，時間をずらしさえすれば単位事実ごとに逮捕・勾留を繰り返せるというのは不当だからである」としておられますね[7]。

A君：でも，その論理は，川出教授などとは異なって，一罪一勾留の原則を再逮捕・再勾留にも及ぼすということではないようだね。実体法上一罪の場合に，重複逮捕・重複勾留が規制されるとすれば，再逮捕・再勾留についても，単位事実としては異なっても，再逮捕・再勾留禁止の規制が及ぶというものだよね。

Bさん：そうすると，堀江教授の見解では，釈放後に犯した実体法上一罪の関係にある事実についての逮捕・勾留は，再逮捕・再勾留であり，再逮捕・再勾留禁止の原則の例外要件を満たさなければならないとすると，川出教授などの同時処理の可能性で判断する枠組みとはだいぶ違ったものになりますね。

教員：そうだろうね。その点については，本講末尾の Q2 を参照してくれたまえ。ここからの議論は，混乱を避けるため，一罪一勾留の原則の対象であることに異論のない重複逮捕・重複勾留禁止の原則を前提にすることとしよう。

7）　リークエ 90 頁［堀江］。

(2)「一罪」の意味するところ

A君：ところで，この「一罪一勾留の原則」にいう「一罪」すなわち「同一の事件（被疑事実）」とは何かが問題とされているわけですね[8)]。そして，これについては，実体法上の罪数を基準として判断する，つまり「一罪一勾留の原則」における「一罪」とは実体法上の一罪をいうと理解するのが，通説ですね（いわゆる実体法上一罪説[9)]）。

Bさん：一罪一勾留の原則については，以前から違和感があったのですが，いまようやくその違和感の実体が明瞭になりました。実体法上一罪説の論理は，一罪一勾留の原則における「一罪」とは何か，それは「実体法上の一罪」である，というものですが，これは要するに，一種のトートロジー（同語反復）なんですよね。

教員：確かに，学生諸君のもやもやの1つは，Bさんの言う点なんだろうね。Bさんは，一罪一勾留の原則にいう「一罪」は「実体法上一罪」を略して「一罪」と表現したものと誤解しているから（なお，一罪一勾留の原則を実体法上一罪に限っての原則とする見解によれば「一罪」とは実体法上一罪を意味することとなる），トートロジーのように思えるわけだ。しかし，「一罪一勾留の原則」の「一罪」とは，「実体法上一罪」の略ではなくて，実は，「一個の犯罪」（1つの被疑事実）の略なんだよ[10)]。だから，「一個の犯罪」とは，単位事実か，それとも実体法上一罪の関係にある事実を含むかを問題にするのであって，トートロジーじゃないよ。このように「一罪」の用語は多義的なので，「一罪」の表現を避けて，「一事件」一勾留の原則というような名称を付した方がよいとする見解[11)]もあるくらいだが，ここでいう「一罪」の意味が上記のようなものであることを理解して用いるのであれば，あえて「一事件（一被疑事実）」一勾留の原則などと言い換える必要もないだろう。

8） 三井(1) 30頁，川出・前掲注5) 144頁。

9） 松尾(上)113頁，田宮94頁，三井(1) 30頁，田口83頁，酒巻79頁，川出・判例講座〔捜査・証拠篇〕91頁，リークエ89頁［堀江］，新コンメ刑訴法158頁［緑大輔］，494頁［多田辰也］，斎藤168頁など。

10） 三井誠・百選〔第3版〕50頁参照。

11） 小林充「勾留の効力と犯罪事実」判タ341号（1977年）85頁は，「『一罪』という以上当然実体法上の一罪を意味すると解されそうであるが，……そう解することにつき争いがある以上，『一罪』の表現は避け，『一事件』一勾留の原則というような名称を付した方がよいのではないかと思う」とされる。

A君：ところで，通説が，実体法上の罪数を基準にする根拠は，一体どこにあるのかな。

Bさん：刑事実体法は実体法上の一罪に対して一個の刑罰を科すべきものとし，国家の刑罰権は一個しか発生しない以上，刑事実体法の実現手続である刑事訴訟手続においても，これを一個のものとして取り扱うことが要請されるところ，公判手続のみならず，捜査段階の手続も国家の刑罰権実現を目的とする手続の一環にほかならないので，実体法上の一罪の範囲の事実は，捜査段階の逮捕・勾留手続においても一個のものとして取り扱うべきであるからだとされていますね[12)]。

教員：なるほどね。確かに，実体法上一罪を構成する事実に対しては，一個の刑罰が加えられることから，判決においてはもとより，検察官において刑罰権発生の根拠となる犯罪事実を設定する手続（起訴や訴因の追加・変更）が，刑罰権の個数によって律せられる（一刑罰一手続）のは当然のことだろう（一罪一訴因の原則）。しかし，刑罰の対象たる犯罪事実の設定（起訴や訴因の追加・変更）と直接の関係のない手続については，実体法上科せられるべき一個の刑罰と手続法上の複数の手続（例えば複数の身柄拘束）とが両立し得ないといえるだろうか，そうはいえないだろう。刑罰権の個数と逮捕・勾留の個数とは論理必然の関係にはないというべきだ[13)]。実体法上一罪説は，結論として妥当だとしても，刑罰権の個数論にその論拠を求めることはできないように思うのだが……。

A君：身柄拘束の個数が刑罰権の個数に縛られないのであれば，実体法上一罪説にはよらず，（包括）一罪を構成する個々の単位事実ごとに身柄拘束が可能であるとする見解[14)]（単位事実説。福岡高決昭和42・3・24高刑集20巻2号114頁）によることはできないでしょうか。

Bさん：実体法上の罪数を考慮しないとすると（単位事実説），①包括一罪の場合のほかに，科刑上一罪の場合はどうか，結合犯の場合はどうかなど，逮捕・勾留の個数の判断基準が不明確で，恣意的なものになりかねません

---

12)　令状基本問題(上)204頁［小田健司］，三井(1)30頁，酒巻79頁，斎藤168頁。

13)　川出・前掲注5)145頁，安廣文夫「包括一罪の一部についての勾留の可否」判タ296号（1973年）180頁，演習刑訴法86頁［佐藤隆之］参照。

14)　村上保之助「常習一罪の一部についての逮捕，勾留の可否」判タ296号（1973年）82頁，安廣・前掲注13)180頁。

し[15]，また，②既に発生した実体法上一罪の関係にある数個の単位事実について逮捕・勾留を繰り返すことが可能となり，身柄拘束の恣意的な蒸し返しを防ぐことができないので，この見解は，採ることができないわ[16]。

A君：じゃあ，実体法上一罪説によるとすると，刑罰権の個数論以外にどこに論拠を求めればよいのかな。

Bさん：……。

教員：その点については，①「基準の明確性という観点」と，②「逮捕・勾留の蒸し返しの可能性を予め封じておくという観点」から，実体法上の罪数を基準とすべきだとする見解[17]に注目すべきだろう。ただし，前者の「基準の明確性」は，実体法上一罪説を採った場合のメリットとはいえても，論拠としては弱いよね。後者は，実体法上一罪を構成する事実は，一般的にみれば，相互に密接な関係があるため，それを分割して逮捕・勾留することを認めると，一般的には，捜査の重複を招き，実質上逮捕・勾留の蒸し返しになるおそれが高いため，それを予め防止するという趣旨のようだ[18]。

A君：実体法上一罪説の根拠は，つまるところ，不当な蒸し返しの予防（抑止）原則という政策的論拠に尽きるわけですか。

教員：この見解は，そういう政策的な理由から，刑訴法は，身柄拘束の数を，実体法上の罪数によって決めることとしていると解釈するわけだね。

Bさん：重複逮捕・重複勾留のケースについては，被疑者は既にある事実で逮捕・勾留されているのですから，その逮捕・勾留の継続中に，更に実体法上一罪を構成する別の事実での逮捕・勾留を認めても，被疑者にとって特段の不利益はないはずですよね。そうだとすると，逮捕・勾留の不当な蒸し返しという事態はあり得るのでしょうか。

教員：もっともな疑問だね。しかし，前の勾留が取り消されたり，検察官が身柄を釈放するなどして，前の逮捕・勾留が失効する場合もあり得るわけだが，その場合でも重複して逮捕・勾留されていると，後の逮捕・勾留があるため身柄拘束が継続されるのだから，重複して逮捕・勾留されること自体

15） 三井(1) 31頁。
16） 田宮Ⅰ 284頁［田宮裕］，池田・前掲注 3) 93頁。
17） 川出・前掲注 5) 146頁。
18） 川出・前掲注 5) 130頁，池田・前掲注 3) 93頁。

が，被疑者にとって不利益だろう[19]。そうすると，一括して捜査が可能かつ相当なのに捜査機関が敢えて実体法上一罪を分割し単位事実ごとに身柄拘束を繰り返すことは，再逮捕・再勾留の場合はもとより，前の逮捕・勾留が失効していない重複逮捕・重複勾留の場合にも，「逮捕・勾留の不当な蒸し返し」というべきだろうね。

2　一罪一勾留の原則の適用（第1段階の判断枠組み）

Bさん：実体法上一罪説により一罪一勾留の原則を厳格に適用すると，設問のC事実のように，保釈後に新たに行われたものであっても，逮捕・勾留されたA事実と実体法上一罪の関係にあり，既にA事実で身柄拘束された以上，C事実により更に（重複して）逮捕・勾留することはできないことになりますね（厳格適用説。岐阜地決昭和45・2・16刑月2巻2号189頁）。この見解は，Xを身柄拘束する必要があれば，C事実に関する罪証隠滅や逃亡のおそれを理由にA事実の保釈を取り消せばよいと考えるわけですね。

A君：実体法上一罪の関係にあるとはいえ，訴因とされてもいないC事実に関する事由を理由にA事実の保釈を取り消すことはできないでしょう。このような同時処理が不可能な場合について，通説は，C事実について，一罪一勾留の原則をそのまま適用して新たな身柄拘束を許さないことは「結論の妥当性を欠く」とし，一罪一勾留の原則の「例外」として，C事実による逮捕・勾留を認めていますね[20]（例外的許容説）。

Bさん：同時処理が不可能であった場合は，一罪一勾留の原則の「例外」なのかしら。

教員：うん，その点は，松尾教授や川出教授，大澤教授の見解が，通説の見解と理解を異にする点だね。同時処理の可能性がないため，新たに逮捕・勾留が許される場合を，これまでの通説は，一罪一勾留の原則の「例外」と位置付けているのだが[21]（それゆえに「例外的許容説」と呼ばれる），松尾教授や川出教授，大澤教授は，この場合は一罪一勾留の原則が適用されない，つ

19）　小林・前掲注11）87頁。
20）　三井(1)31頁，田宮94頁。
21）　三井(1)31頁，田宮94頁，上口122頁，リークエ89頁［堀江］など。

一罪一勾留の原則の適用

実体法上の一罪
原則　重複逮捕・勾留は許されない。

例外（通説の理解による）
①同時処理の可能性がない場合
②同時処理の可能性はあるが，再逮捕・再勾留が許される場合があるのにかんがみ，同じ要件の下で重複逮捕・勾留が許される場合

松尾・川出・大澤教授の見解
①の場合には，一罪一勾留の原則がそもそも適用されない（①は例外ではなく，不適用）。
実体法の世界では一罪であっても，手続法（身柄拘束）の世界では，一罪として扱わない。

まり一罪一勾留の原則の「不適用」とされるのだね[22]。

A君：どちらであっても，同じことではないですか。

教員：いや，一罪一勾留の原則の「例外」とする通説は，同原則が「適用」されることを前提にして，それでも「例外」が認められる場合があるかどうかを問題とするのだから，松尾教授らの見解とは異なるものだよ。

A君：なんか，伝聞法則の不適用と伝聞法則の例外（伝聞例外）との関係に似てますね。確かに伝聞法則不適用と伝聞例外とは理論的に別のものですからね。

教員：松尾教授らは，同時処理の可能性がないときは，刑事実体法上は一罪であっても，手続法の身柄拘束に関しては，一罪，すなわち同一の被疑事実には当たらない[23]ので，一罪一勾留の原則は「適用」されないと解するわけだね。思うに，同時処理の可能性がないときは，一罪一勾留の原則の適用の前提を欠くというべきだろう。また，通説は，①同時処理の可能性がない場合，②同時処理の可能性はあるが再逮捕・再勾留が許されることとの均衡から重複逮捕・勾留も許される場合の２つを，一罪一勾留の原則の「例外」とするのだけれど[24]，このように観点のおよそ異なるものをひとまとめに構成するのはいかがなものだろうね。

Bさん：確かにそうですね。「不適用」説の方がすっきりとした理論構成

22)　松尾(上)113 頁，川出・判例講座〔捜査・証拠篇〕93 頁，95 頁，川出・前掲注 1)130 頁，大澤裕「被疑者の身体拘束――逮捕・勾留に伴う諸問題(4)」法教 456 号（2018 年）139 ～ 140 頁。

23)　松尾(上)113 頁，大澤・前掲注 22)139 ～ 140 頁。

ですね。

教員：私も，①につき「不適用」説が妥当だと思うよ。ところで，この場合に，実体法上の一罪なのに一罪一勾留の原則が適用されない理由（これまでの通説によれば例外とされる理由）は，どこにあるのかな。

A君：一罪一勾留の原則は，上述のとおり，実体法上一罪の関係にある被疑事実については，1つの逮捕・勾留を一回のみ行うことができるとする原則ですが，そのことは，言い換えれば，捜査機関に対して，逮捕・勾留の不当な蒸し返しを防ぐため，一個一回の身柄拘束の中で実体法上一罪の関係にある被疑事実の全部について同時に捜査することを求めるものです25)。そこで，同時処理がおよそ不可能であった場合は，逮捕・勾留の蒸し返しとはいえず，一罪一勾留の原則は妥当しないからです。そうすると，保釈中に新たに行ったC事実については，捜査機関は当初の身柄拘束により同時処理はおよそ不可能であったので，一罪一勾留の原則の「同一の被疑事実」に当たらず，同原則は適用されません。そこで，実体法上一罪の関係にある事実であっても，同原則の対象としての「同一の被疑事実」ではなく「別個の被疑事実として扱われ」26)，新たな事実での身柄拘束が許されるのです27)。

教員：設問の，身柄拘束前のB事実はどうかな。

Bさん：「同時処理の可能性」（当初の逮捕・勾留中に同時に捜査を遂げ得る可能性のこと）については，B事実は，A事実による身柄拘束よりも前に敢行されたものなので，観念的にみれば，「同時処理の可能性」，つまり捜査機関にとってA事実による身柄拘束中に捜査を行う可能性はあったといえます。しかしまた，当初の逮捕・勾留に際してB事実は捜査機関に発覚していなかったのですから，現実的にみれば，「同時処理」はできなかったともいえま

---

24)　通説（前掲注21)の論者）は，一罪一勾留の原則の「例外」として，①A事実で勾留され，保釈後に，常習一罪の関係にあるC事実を新たに犯した場合（C事実により逮捕・勾留できる），②A事実で勾留され，保釈後に，A事実による身柄拘束前に行ったB事実が発覚した場合（事情によっては，B事実による逮捕・勾留を認めてよい場合がある）を掲げるが（リークエ89頁［堀江］），松尾教授らによれば，①は，一罪一勾留の原則の「例外」ではなく，「不適用」の場合であり，②が「例外」ということになる。

25)　同時処理義務と表現されることが少なくないが，捜査機関に「法的な義務」があるわけではなく，また義務違反のサンクションとして新たな身柄拘束が許されなくなるというわけではないことにつき，川出・前掲注5)147頁注18参照。

26)　川出・前掲注1)130頁。

27)　三井(1)31頁，令状基本問題(上)205頁［小田］など。

すね。

A君：「先の勾留前に発生した事実については，ほぼ例外なく，同時処理の可能性があったとみなす運用が望ましい」[28]との見解が有力ですよね[29]。現実的な同時処理の可能性を基準としないのは何故なんだろう。

教員：三井教授などの見解は，「同時処理の可能性」を観念的（規範的，抽象的）に捉え，当初の逮捕・勾留の前に犯罪が行われたというだけで（捜査機関に犯罪自体が発覚していることすら要しない），「同時処理の可能性」を肯定し，一罪一勾留の原則を適用して，再度の逮捕・勾留は許されないとするものだ（観念的同時処理可能性説）。これに対し，「同時処理の可能性」を現実的な可能性と捉える見解[30]（現実的同時処理可能性説）は，いかなる場合に実際に同時処理の可能性があったと評価できるのか，判断基準として甚だ曖昧であり，妥当な見解とはいえないだろう。

A君：確かに，現実的同時処理可能性説による場合に，想定可能な見解を考えてみると，同時処理の現実的可能性を肯定できるのは，当初の逮捕・勾留前に犯罪が行われていたというだけでは足りず，当初の逮捕・勾留前に，①犯罪自体が捜査機関に発覚していたことが必要であるとする見解，②犯罪自体が発覚していなくとも捜査機関が努力すれば発覚していたことが必要であるとする見解，あるいは，③犯罪自体が発覚していた（予測可能であった）だけでは足りず，被疑者が犯人であることまで捜査機関に判明していたことを要するとする見解（学説上は，このような見解は見当たらないように思われる）など，様々なバリエーションが想定できるものの，そのいずれを採るべきかについて決め手に欠け，また，当初の逮捕・勾留前ではなく，逮捕・勾留中に犯罪や犯人が発覚したときは，発覚した犯罪と残余の身柄拘束期間との関係で，現実的に「同時処理の可能性」があったかどうかを検討することになるのかどうかなど，判断基準として明確とはいえないですね。

Bさん：現実的同時処理可能性説によるときは，当初の逮捕・勾留前に，実体法上の一罪を構成する多数の犯罪が被疑者によるものとして発覚した場

28）　三井(1) 31 頁。

29）　福井厚「いわゆる一罪一勾留の原則」争点〔初版〕71 頁，井上弘通「一罪一勾留の原則」争点〔新版〕71 頁，川出・前掲注 1) 131 頁など。

30）　小林・前掲注 11) 89 頁，演習刑訴法 86 頁［佐藤］など。

合や一罪一勾留の原則を構成する犯罪の数は少なくても複数の事件の捜査の難易度が高い場合に，現実的な「同時処理の可能性」をどのように考えるかという問題もありますね[31)]。

教員：現実的同時処理可能性説は，A君の言う①の理解（犯罪が発覚していたときは犯人まで判明していなくとも同時処理が可能であったとする見解）によることが一般のように思われるけれども（仙台地決昭和49・5・16判タ319号300頁は，警察署を異にし，犯人についてまでは判明していなかった事例について，その犯罪自体が当初の逮捕・勾留の時点において捜査機関に認知されていたかどうか〔つまり犯罪自体の発覚の有無〕を問題にし，それが認知されていたこと〔犯罪自体が発覚していたこと〕を理由に「同時処理の可能性」を認める），捜査機関が捜査を懈怠したり，捜査能力に欠ける方が，かえって犯罪が発覚しないこととなって再度の身柄拘束が許されるという不合理な結果となり[32)]，また，Bさんの指摘するような問題（実体法上の一罪を構成する犯罪が多数，あるいは多数でなくても複雑困難）をどう考えるか，決定的な決め手がなく，その基準は甚だ曖昧であって，妥当とはいえないだろう。

A君：そうすると，観念的同時処理可能性説によるべきなのでしょうね。

教員：そうだと思うよ。現実に同時処理が困難であった点については，次に論じる重複逮捕・重複勾留や再逮捕・再勾留の禁止の「例外」の中で他の諸要素と総合考慮する方が柔軟な対応が可能であって，適切ではないかな（同時処理ができなかったことにつき帰責事由がないなど）。

Bさん：以上をとりまとめると，まず，第1段階の判断枠組みとして，一罪一勾留の原則が適用されるかどうかを検討するにあたっては，実体法上一罪の関係にある被疑事実については，基本的には，一罪一勾留の原則が適用されるものの，同時処理がおよそ不可能な場合は，一罪一勾留の原則は適用されない（不適用）。そして，一罪一勾留の原則が適用されない場合は，実体法上は一罪を構成する事実であっても，こと身柄拘束に関しては，「同一の被疑事実」ではなく，別個の被疑事実として扱われ，改めて逮捕・勾留することができるわけですね。

31）　小林・前掲注11)89頁は，多数の事実が当初の逮捕・勾留前に捜査機関に発覚していた場合も，「同時処理の可能性」がないとする。演習刑訴法86頁［佐藤］も同旨。

32）　三井誠・判評204号（判時798号）40頁参照。

3　重複逮捕・重複勾留禁止の例外（第2段階の判断枠組み）

A君：そうすると，第1段階の判断枠組みで，一罪一勾留の原則が適用されるときは，後の身柄拘束は，同一被疑事実による重複逮捕・重複勾留になり，改めて逮捕・勾留することは許されないという結論に至りますね。

Bさん：その結論っておかしくないかしら。再逮捕・再勾留の場合についてみると，全く同一の事実による再逮捕・再勾留でさえも，一定の要件のもとでなら，再逮捕・再勾留が許される場合があると解されているのに（第4講），実体法上の一罪とはいえ本来的には別個の事実について重複逮捕・重複勾留が許されないのは不合理じゃないかしら[33)]。

教員：そうだね。一罪一勾留の原則が適用されて重複逮捕・重複勾留となる場合，重複逮捕・重複勾留禁止の原則には，再逮捕・再勾留禁止の原則のような「例外」はないのかという疑問だね。

Bさん：前の逮捕・勾留が失効した後に逮捕・勾留を行うときは再逮捕・再勾留の問題であり，保釈中に重ねて逮捕・勾留を行うときは重複逮捕・重複勾留の問題となりますが，再逮捕・再勾留の問題も，重複逮捕・重複勾留の問題も，共に逮捕・勾留の不当な蒸し返しを防止することが求められている点で共通しており[34)]，両者の間で，再度の身柄拘束に関して結論を異にしなければならない合理的理由はないように思われます[35)]。

教員：そうだね。そうすると，重複逮捕・重複勾留禁止の原則の「例外」を認めるのが相当であるということになるが，どんな基準で認めるべきなのかな。

Bさん：再逮捕・再勾留禁止の原則も重複逮捕・重複勾留禁止の原則も共に逮捕・勾留の不当な蒸し返しの防止を企図するものとすれば，重複逮捕・重複勾留の禁止の例外を認める基準も，再逮捕・再勾留の場合と同様の基準でよいと思います[36)]。

---

33)　川出・前掲注1)131頁。
34)　川出・前掲注5)147頁参照。
35)　池田・前掲注3)95頁など。
36)　川出・前掲注1)131頁。

教員：そうすると，第1段階の判断で一罪一勾留の原則が適用（実体法上一罪を構成する事実であって，観念的には同時処理の可能性があるケース）されて，後の逮捕・勾留が重複逮捕・重複勾留となるときは，次に第2段階の判断として，重複逮捕・重複勾留が例外的に認められる場合に当たるか，という二段階の判断枠組みによって判断することになるわけだね[37]（なお，再逮捕・再勾留については，本講末尾の Q1 を参照）。

A君：そうですね。重複逮捕・重複勾留については，①逮捕・勾留の一般的な要件（逮捕・勾留の理由と必要性）が認められることに加えて，大澤教授の見解に従えば[38]，重複を許すための特別な要件として，②㋐新たに生じた事情により，重複して身柄拘束する必要性が生じたこと（事情変更），㋑身柄拘束の重複が，それによって被疑者が被る不利益を考慮してもなお，やむをえないものであること（再度の身柄拘束の必要性とそれによって被疑者が被る不利益との比較衡量），㋒身柄拘束の重複が，逮捕・勾留の不当な蒸し返しに当たらないこと（捜査機関に帰責事由がないこと）が必要ということですね[39]。

教員：②の㋐について付言すると，実体法上は一罪とはいえ，それを構成する個々の事実は本来別個の犯罪事実であり，証拠関係も異なるのだから，事情の変更は，全く同一の事実による再逮捕の場合に比して，緩やかに判断してよいのではなかろうか。したがって，保釈後になって，当初の身柄拘束前に犯した犯罪が発覚したこと自体が，事情の変更ということができることは当然だとしても，当初の身柄拘束前に既に犯罪が発覚していた場合であっても，犯人までは判明していなかったような場合にも，新たに目撃者の発見や被疑者の自白などの証拠により犯人が判明したときは，事情変更があったと認めてよいのではないだろうか[40]。もとより，犯罪が発覚せず，あるいはその犯人が判明しなかった原因が捜査機関の怠慢にあるときは，㋒の帰責事由があることとなろう。

37）　川出・前掲注1）131頁。

38）　大澤・前掲注22）140頁。

39）　なお，酒巻匡「身柄拘束処分に伴う諸問題」法教291号（2004年）101頁，川出・判例講座〔捜査・証拠篇〕94頁も参照。

40）　大澤・前掲注22）140頁は，筆者とは異なり，「A事実による逮捕・勾留時にB事実がすでに判明していた場合には，基本的に……事情変更を認めることは難しいであろう」という。

Question & Answer

Q1 設問の場合において，B事実やC事実が，A事実による逮捕・勾留の失効後に発覚したり，行われた場合は，再逮捕・再勾留の問題となるわけですが，この場合には，どのような枠組みで判断したらよいのでしょうか。

A 解説において述べたように，一罪一勾留の原則は，再逮捕・再勾留の場合をも含むとの理解によると，まず第1段階の判断枠組みとして，一罪一勾留の原則が適用されるかどうかを検討することとなります。この検討にあたっては，①実体法上一罪を構成するかどうか（実体法上一罪でないときは，一罪一勾留の原則は適用されず，後の逮捕・勾留は再逮捕・再勾留ではない），②実体法上の一罪を構成するときは，さらに同時処理の可能性の有無を検討する（同時処理の可能性がないときは，一罪一勾留の原則は適用されず，実体法上一罪を構成する事実であっても別個の事実として扱われる＝再逮捕・再勾留ではない）こととなります。そして，一罪一勾留の原則が適用されて再逮捕・再勾留となるときは，次に第2段階の判断枠組みとして，再逮捕・再勾留が例外的に認められる場合に当たるかどうかを検討することとなります（なお，川出教授は，「通常，再逮捕・再勾留が問題とされる事実は，事実が同じで，新たな証拠が発見されたような場合であるから，同一の被疑事実の内部とはいえ，事実自体も新たに発見された場合は，なおさら再逮捕・再勾留が認められやすい」[41]という）。

* * *

Q2 実体法上の一罪についての再逮捕・再勾留に関して，川出教授の見解と堀江教授の見解の相違点は，どこにあるのでしょうか。

A 甲事件について証拠が十分でなく検察官が勾留満期に被疑者を処分保留で釈放した後に，これと実体法上一罪の関係にある乙事件を敢行した事例について考えてみましょう。

川出教授の見解によれば，乙事件は，甲事件による逮捕・勾留の失効後に敢行されたものであり，甲事件による逮捕・勾留の際に同時処理はそもそも不可能であったのですから，甲事実と乙事実とが実体法上の一罪を構成する

---

41) 川出・前掲注5)147頁。

としても，一罪一勾留の原則は適用されず，別個の被疑事実として取り扱われるので，乙事実による逮捕・勾留は，再逮捕・再勾留ではないことになり，乙事実による逮捕・勾留は，乙事実につき一般的な逮捕・勾留の要件さえ充足すれば，許されることになります[42]。

これに対して，堀江教授の理解によれば，甲事実と乙事実とは実体法上一罪を構成するのですから，再逮捕・再勾留であり[43]，例外的に再逮捕・再勾留が許される場合に当たるかどうかが問題となることになるでしょう[44]。堀江教授など通説は，一罪一勾留の原則は，重複逮捕・重複勾留についてのみ問題となるものであって，再逮捕・再勾留には適用されないと理解するのですから，堀江教授のように，実体法上一罪の範囲の事実（たとえば，牽連犯である住居侵入と窃盗，包括一罪としての常習窃盗）については，二度目の逮捕が再逮捕・再勾留になることを認めても，同時処理の可能性の有無は考慮しないことにならざるを得ません。

このように，川出説では，一般的な逮捕・勾留の要件さえあれば，乙事実による逮捕・勾留は許されるのですが，堀江説によれば，ご質問の場合も再逮捕・再勾留であって，原則として許されず，例外的に許されるとしても，一般的要件のほかに，事情の変更など特別の要件がなければならないこととなり，両者は法律構成を異にすることとなります。

堀江教授も含め通説は，保釈中に敢行された犯罪（当初の逮捕・勾留の基礎となった被疑事実との関係で実体法上一罪の関係にある犯罪）については，重複逮捕・重複勾留禁止の例外として同時処理の可能性を問題にするのに（例外的許容説），同じく実体法上の一罪の関係にある犯罪であっても，それが前の逮捕・勾留が効力を失った後に敢行されたときは，同時処理の可能性を問題とすることなく，再逮捕・再勾留の例外要件に当たらない限り許されないとするのですが，両者の取扱いを異にすることに合理的説明が可能なのでしょうか（そもそも，前者の重複逮捕・重複勾留の場合であっても，逮捕に関しては，既に逮捕の効力は失われているのであって，再逮捕ともいい得るのです）。この点についての通説による合理的な説明は，寡聞にして知りません。

42）　川出・判例講座〔捜査・証拠篇〕95頁。
43）　リークエ90頁［堀江］。
44）　リークエ90頁［堀江］。

〈参考文献〉

①川出敏裕「演習」法教 379 号（2012 年）130 頁
②川出敏裕「逮捕・勾留に関する諸原則」刑ジャ 4 号（2006 年）143 頁
③池田公博「逮捕・勾留に関する諸原則」法教 262 号（2002 年）91 頁
④秋葉康弘「一罪の一部についての再逮捕・再勾留」新実例刑訴法Ⅰ 118 頁
⑤大澤裕「被疑者の身体拘束── 逮捕・勾留に伴う諸問題⑷〔刑事訴訟法の基本問題⑫〕」法教 456 号（2018 年）133 頁

6　身柄拘束の諸問題(3)

【設　問】

(1)　司法警察員Kは，被疑者Xについて，Vに対する殺人罪により逮捕するに十分な証拠の収集ができなかったため，別件の窃盗事件で逮捕したうえで主として殺人について取り調べる目的で，窃盗罪の逮捕状を請求し，逮捕状が発付された。Kは，Xを通常逮捕し，窃盗事件について所要の捜査をして検察官に送致し，検察官は窃盗事件について勾留を請求し，勾留状が発付され，Xは勾留された。Kは，検察官から，勾留中は窃盗事件についてのみ捜査・取調べをするよう指揮を受けたため，予定した殺人事件についての捜査・取調べは，全く行わず，専ら窃盗事件についてのみXの取調べおよびその余の捜査を行った。この場合において，逮捕・勾留は適法か。

(2)　上記事例で，Kは逮捕状請求時においては窃盗のみを取り調べる目的であったが，勾留状発付後に，捜査方針を変更し，Xを主として殺人事件について取り調べた場合はどうか。

〔ポイント〕

①　別件基準説と本件基準説

②　本件基準説の新たな展開

〔判　例〕

●別件逮捕・勾留

▷最決昭和52・8・9刑集31巻5号821頁（狭山事件。ケースブック117頁，三井教材115頁）

▷金沢地七尾支判昭和44・6・3刑月1巻6号657頁（蛸島事件。ケースブック102頁，三井教材88頁）

▷福岡地小倉支判昭和46・6・16刑月3巻6号783頁（曲川事件。ケースブック119頁）

▷東京地決昭和 49・12・9 刑月 6 巻 12 号 1270 頁（都立富士高放火事件証拠決定。三井教材 118 頁）
▷浦和地判平成 2・10・12 判時 1376 号 24 頁（パキスタン人放火事件。ケースブック 129 頁，三井教材 122 頁，百選〔第 9 版〕38 頁・〔第 10 版〕34 頁）
▷福岡地判平成 12・6・29 判タ 1085 号 308 頁（ケースブック 106 頁，三井教材 125 頁）
▷東京地決平成 12・11・13 判タ 1067 号 283 頁（千駄木強盗致傷事件証拠決定。三井教材 94 頁，百選〔第 8 版〕40 頁）

●余罪取調べの限界

▷東京地判昭和 45・2・26 判時 591 号 30 頁（東京ベッド事件）
▷東京地決昭和 49・12・9 刑月 6 巻 12 号 1270 頁（三井教材 118 頁）
▷東京高判昭和 53・3・29 刑月 10 巻 3 号 233 頁（都立富士高放火事件控訴審。ケースブック 121 頁，三井教材 117 頁）
▷神戸地決昭和 56・3・10 判時 1016 号 138 頁（神戸まつり事件証拠決定）
▷大阪高判昭和 59・4・19 高刑集 37 巻 1 号 98 頁（神戸まつり事件控訴審。ケースブック 126 頁，三井教材 91 頁）
▷福岡高判昭和 61・4・28 判時 1201 号 3 頁（鹿屋夫婦殺害事件）
▷福岡地判平成 12・6・29 判タ 1085 号 308 頁（ケースブック 106 頁，三井教材 125 頁）

解　説

1　別件基準説と本件基準説

A君：本件基準説[1)]によると，捜査官が主として殺人事件について取り調べる目的をもって逮捕状を請求している設問(1)の事例は違法な別件逮捕であり，それを前提とする勾留もまた違法です。これに対して，逮捕状請求時に捜査官が殺人事件の取調べ目的を有していなかった設問(2)の事例は，適法な逮捕・勾留です。

1）　田宮 97 頁，松尾(上)111 頁，鈴木 81 頁，三井(1) 34 頁，田口 83 頁，上口 136 頁など通説である。

Bさん：確かに，本件基準説によるとそうなるわね。でも，Kが殺人の取調べをしていない設問(1)の事例が違法で，殺人の取調べをした設問(2)の事例が適法という結論は，逆のように思うんだけど……。

教員：まずは，「別件逮捕・勾留」の概念から検討してみようよ。

A君：「別件逮捕・勾留」とは，身柄拘束するに足る証拠のそろっていない本件について被疑者を取り調べる「目的」で，身柄拘束のための証拠のそろった別件によって被疑者を逮捕・勾留し，その身柄拘束期間を本件の取調べに「利用」する捜査手法です。

Bさん：別件について逮捕・勾留の要件が具備されていない場合は，逮捕・勾留が許されないことは理の当然なので，捜査官の意図が「専ら本件を取り調べる目的」（本件だけを取り調べる目的）の場合には，別件について逮捕・勾留の必要性がないわけですから，逮捕・勾留が許されないことに異論はありません。

A君：最決昭和52・8・9刑集31巻5号821頁（狭山事件）の「専ら……本件について取り調べる目的」との説示の「専ら」が文字どおり100パーセントという趣旨なのか，あるいは「主として」の趣旨なのかは，必ずしもはっきりとはしませんね（刑法230条の2第1項の「専ら」の文言も文字どおりには理解されていない)。

Bさん：狭山決定より以前の裁判例ですが，福岡地小倉支判昭和46・6・16刑月3巻6号783頁（曲川事件）は，「形式的或いは名目的に別件についての取調を併せ行った」場合は，「専ら……目的または意図をもって」に当たるとしていますので，「専ら」とは，文字どおり，ほぼ100パーセント本件取調べの目的があることを意味しているのでしょうね。狭山決定後の東京高判昭和53・3・29刑月10巻3号233頁（都立富士高放火事件）は，本件の取調べが時間的にみて全体の7割を超えていた事案について，狭山決定のいう「専ら」には当たらないとしていますが，狭山決定の「専ら」を曲川判決と同様に理解したのか，それとも「主として」の意味に理解したうえ，未だ「主として」に至っていないという趣旨なのか明らかではありません。

A君：いずれにせよ，文字どおりの「専ら……目的」（別件について全く取り調べる意図がなく，本件だけを取り調べる目的）の場合は，「逮捕・勾留の理由・必要性が全くない」（浦和地判平成2・10・12判時1376号24頁）ので，逮捕・勾留は許されないのですから[2)]，「別件逮捕・勾留」は，捜査官が「主として本件を取り調べる目的」を有する場合を問題とするわけですね。

教員：そうだね。この別件逮捕・勾留の問題について，下級審の裁判例の大勢は別件基準説に立っているのだが[3)]，別件基準説は，「主として本件の取調べを目的」とする場合であっても，別件について身柄拘束の要件が具備されている以上，裁判官の令状発付およびそれに基づく逮捕・勾留は適法であり，あとは別件逮捕・勾留中に本件（＝余罪）の取調べが許されるかどうか，つまり，「余罪取調べの限界」の問題として処理するわけだ（例えば神戸地決昭和56・3・10判時1016号138頁）。実際問題として，令状審査の段階では，請求者から提供される疎明資料（規則143条）は別件に関する資料に限られるであろうから，令状裁判官が捜査官の隠れた意図・目的（本件取調べ目的）を見抜くことは至難だろう。これに対して，本件基準説は，どこに違法根拠を求めるのかな。

A君：本件基準説の根拠は，①別件の逮捕・勾留が本件の取調べを目的とする場合は，実質的には本件についての司法審査を経ることなく本件について逮捕・勾留していることになるので，令状主義を潜脱するものであること，②別件逮捕・勾留後，改めて本件による逮捕・勾留が予定されているため，身柄拘束期間の厳格な制限を潜脱するものであること，③逮捕・勾留の目的は，罪証隠滅の防止と逃亡の防止であって取調べはその目的に含まれないので，取調べを目的とする身柄拘束は違法であること，の3点です[4)]（金沢地七尾支判昭和44・6・3刑月1巻6号657頁など）。

教員：A君の挙げた根拠②については，改めて本件による逮捕・勾留が予定されるとはいえ，これがいまだ行われていない段階なのだから（本件による身柄拘束が必ず行われるわけではない），期間制限の潜脱が予定されているにすぎず，期間制限を潜脱しているというには無理があるだろう[5)]。

Bさん：根拠③についても，この論理によれば，「別件逮捕・勾留」が問題とならない通常の逮捕・勾留であっても，捜査官が取調べを目的として身

2）　なお，川出敏裕『別件逮捕・勾留の研究』（東京大学出版会，1998年）211頁参照。
3）　田村政喜「別件逮捕・勾留と余罪取調べ」実例刑訴法Ⅰ 305頁。
4）　田口83頁。
5）　佐々木史朗「捜査と裁判(上)」警論29巻4号（1976年）42頁，川出・前掲注2)81頁。

柄拘束する以上は，常に違法ということになるわけですか。

教員：そうだね。三井教授が，「〔取調べをその目的とするものでない〕逮捕・勾留につき，主に取調べを目的とした令状請求は認められない」[6)]とされるように，③の論理を突き詰めると，Bさんの言うようにならざるを得ないだろう。確かに，逮捕・勾留の「目的」は罪証隠滅と逃亡の防止にあり，被疑者の取調べは，その意味における「目的」には含まれないことはもとより贅言を要しないところではある。しかし，「取調べを目的とした令状請求」という場合の「目的」は，身柄拘束の要件としての罪証隠滅・逃亡のおそれの存在を前提としたうえで，身柄拘束期間中に取調べを行う意図といったほどの意味にすぎないだろう。そうだとすると，逮捕・勾留中における被疑者の取調べは，取調べ受忍義務の有無については争いがあるものの，本件基準説の論者もその取調べが刑訴法198条1項により許容されていることを認めているのだから[7)]，捜査官が「取調べ」の意図を有していたからといって，身柄拘束が違法となるいわれはないだろう。結局，本件基準説の実質的な根拠は，A君の挙げた根拠①の「本件の取調べを『目的』とする場合は，本件についての司法審査を経ることなく実質的には本件について逮捕・勾留していることになるので，令状主義を潜脱する」という理由だけだね。

Bさん：根拠①については，令状審査の段階で，捜査官が「主として本件取調べ目的」という主観的な意図・目的を有していたというだけで，その逮捕・勾留は，なぜ「実質的には本件について逮捕・勾留していることになる」のかしら。設問(1)の事例のように，逮捕状請求・勾留請求の時点で当該意図・目的を有していたものの，逮捕・勾留中には専ら別件について被疑者の取調べを含む捜査を実施した場合には，「実質的には本件について逮捕・勾留していることになる」とはいえないと思うわ。実質的に本件について逮捕・勾留していることになって，令状主義に反するかどうかは，逮捕状請求あるいは勾留請求時の捜査官の主観的な意図・目的が重要なわけではなくて，設問(2)の事例のように，逮捕・勾留が，別件ではなく主として本件に対する捜査（被疑者の取調べを含む）に用いられたかどうかという「身柄拘束中の捜査の実態」にかかっているのではないかしら。

6）　三井誠「別件逮捕・勾留と自白の証拠能力(4)」法教256号（2002年）89頁。

7）　田宮134頁，三井(1)134頁，田口123頁など通説。

A君：本件基準説も，例えば田口教授が，「①本件についての取調べ状況，②別件についての逮捕勾留の必要性，③本件と別件との関連などの客観的資料から，取調官の主観的『目的』を判断することになる」[8]とされ，「身柄拘束中の捜査の実態」に着目してはいるんだけど……。

Bさん：でも，それは，逮捕状請求・勾留請求時の捜査官の主観的な「目的」がいわば要件事実であって，取調べ状況は要件事実に該当する事実を推認するための間接事実にすぎないという理解よね[9]。

A君：本件基準説は，なぜそんなに逮捕状請求・勾留請求時の捜査官の主観にこだわらなければならないのかな。

Bさん：それは，本件基準説の論者は，主として本件の捜査を目的とする別件逮捕・勾留は，裁判官の令状審査の段階で，「事前抑制」されるべきだと考えるからでしょう[10]。

教員：根拠①については，Bさんの言うように，逮捕状請求・勾留請求時に主観的意図を有していたというだけで，その逮捕・勾留が「実質的には本件について逮捕・勾留していることになる」との論理は成り立たないとしても，捜査官が「主として本件の捜査に利用する目的・意図」を有するときは，別件について逮捕・勾留すれば，本件によって逮捕・勾留したのと同様の状態（本件の取調べができる状態）が作り出されることとなり，それが令状主義の潜脱になるとの趣旨にも善解できなくもない[11]。しかし，「ある被疑事実によって身柄拘束すれば，それ以外の被疑事実によって身柄拘束したのと同様な状態」が，「捜査機関の意図とは関わりなく当然に生じるものであるから」，「被疑者は，捜査機関がそうした意図を持っていなかった場合と比較して，何ら特別な不利益を受けていない」[12]（傍点は筆者による）のであり，このことを理由に令状主義に反するとはいえないよね。つまり，このように善解してみても，この論理によるならば，あらゆる逮捕・勾留が令状主義の潜

8）田口83頁。

9）後藤昭「別件逮捕・別件勾留」争点〔新版〕62頁は，本件基準説の特色を「本件取調べの意図を持っていたことが，別件での逮捕・勾留の適否に影響すると考えることである」とする。

10）田宮Ｉ278頁［田宮裕］，三井誠「別件逮捕・勾留と自白の証拠能力(3)」法教255号（2001年）71頁。

11）川出・前掲注2)219頁。

12）川出・前掲注2)219頁。

脱ということになるわけだ。

Bさん：令状審査の段階では，別件について逮捕状発付・勾留の要件が存する以上，令状の発付は適法といわざるを得ないですね[13]。

2　本件基準説の新たな展開

Bさん：「別件逮捕・勾留」における違法根拠は，かつて別件基準説と本件基準説の主戦場であった令状審査段階における捜査官の内心の意図・目的にではなく，令状発付・身柄拘束後の，別件による身柄拘束期間を本件の捜査（被疑者取調べを含む）に利用したという「身柄拘束中の捜査の実態」にこそ存すると捉え，これを令状主義違反とする論理構成が成り立ち得ないかしら（三井教授も，身柄拘束後の違法根拠を「別件による逮捕・勾留を他目的に活用して主として本件の取調べを実施したことにある」とされ，その判断要素の１つとして「本件取調べの実施時間」を挙げられる[14]）。

A君：東京地決平成12・11・13判タ1067号283頁（中谷雄二郎裁判長）が，身柄拘束中に別件について捜査がほとんど行われなかった事案に関して，「〔別件による〕勾留としての実体を失い，実質上，〔本件〕を取り調べるための身柄拘束となったとみるほかない」としたうえ，「その間の身柄拘束は，令状によらない違法な身柄拘束となった」と説示しているのは，Bさんの言う論理構成だね（実体喪失説）。

教員：これと類似の見解は，川出教授も提示されているね（両者の関係につき佐藤博史弁護士は，「結論的な表現の類似性はともかくとして」，東京地裁平成12年決定およびその裁判長たる中谷雄二郎判事が公刊物に発表した見解は別件基準説を前提とするのに対して，川出教授の見解の「本籍」は本件基準説にあるので，拠って立つ考え方は異なっているとされ，長沼教授もこれに賛意を表されている[15]）。川出教授は，起訴前の身柄拘束期間の趣旨について，「被疑者の逃亡及び罪証隠滅を阻止した状態で，身柄拘束の理由とされた被疑事実につ

13）　川出・前掲注2)231頁。
14）　三井・前掲注6)89頁。
15）　長沼範良＝佐藤博史「別件逮捕・勾留と余罪取調べ」法教310号（2006年）81頁，82頁。斎藤180頁注27もおおむね同旨。

き，起訴・不起訴の決定に向けた捜査を行うための期間である」[16]との理解を前提に，別件を被疑事実とする逮捕・勾留の期間が，主として本件の捜査のために利用されている場合には，「その身柄拘束は，令状に示された被疑事実による身柄拘束としての実体を失い，身柄拘束期間が主として利用された方の被疑事実による身柄拘束となっていると評価すべき」であり，この場合には本件について身柄拘束の要件が欠け，裁判官の審査を経ていないので，違法な身柄拘束となるとされているんだ[17]。その場合の判断要素として挙げられるのは，別件捜査の完了時期，別件・本件の取調べ状況（取調べ時間の比率），取調べの内容，別件と本件との関連性，供述の自発性，令状請求時の捜査機関の意図などだ[18]。

Bさん：川出教授は，なぜ，唐突にも，「起訴前の身柄拘束期間の趣旨」なんて概念を持ち出したのですか。

教員：うん，それこそが川出教授の秀逸な着眼点なんだよ。逮捕・勾留の目的は逃亡の防止と罪証隠滅の防止であって，取調べ等の捜査はその目的ではないことを前提にすれば，逮捕・勾留中の取調べ等の捜査の実態が逮捕・勾留の違法を導くことはない（つまり逮捕・勾留と取調べ等の捜査とは無関係なので，逮捕・勾留の目的論は，取調べ等の捜査の実態と逮捕・勾留の適否を媒介することはできない）。そこで，捜査の実態が逮捕・勾留の適否に影響を及ぼし得る法論理として，別言すれば，身柄拘束期間中の取調べ等の捜査の実態を，逮捕・勾留の適否につなぐために，逮捕・勾留の目的論に代えて，「身柄拘束期間の趣旨」に着目したのだろう。取調べ等の捜査の実態と逮捕・勾留の適否の間に，「起訴前の身柄拘束期間の趣旨」（逮捕・勾留被疑事実について起訴・不起訴を決すべく捜査を尽くすべき期間）を媒介項として入れる（介在させる）ことによって，取調べ等の捜査の実態を逮捕・勾留の適否の判断に反映できるように工夫したわけだね。

A君：川出教授の見解は，本件基準説なのですか。

教員：そうだね，川出教授は，別件について身柄拘束の要件が満たされて

16）　川出・前掲注 2)69 頁。この点については，夙に松尾浩也教授が言及しておられたところである（松尾(上)55 頁，104 頁）。

17）　川出・前掲注 2)221 頁。

18）　川出・前掲注 2)288 頁。

いてもなお，身柄拘束が違法になることがありうること（本件基準説の結論）を正当化するために，それまで主張されていた本件基準説の根拠に代えて，身柄拘束期間の趣旨を介在させたのだから，「別件による身柄拘束がその実体を失い，本件による身柄拘束と評価できるときは，違法である」との論理は，本件基準説に軸足を置くものだね。別件基準説は，別件について逮捕・勾留の要件が備わっている限り，逮捕・勾留を適法とする考え方であり，他方，本件基準説は，視座を別件から本件に転換し，別件について逮捕・勾留の要件が備わっていても，本件に係る事情により違法となる場合があるとの考え方だとすると，川出教授の見解は，本件基準説に属することになるだろうね。その意味では，本件基準説とは，「別件について逮捕・勾留の要件が具わっていたとしても，それを本件についての取調べに利用する意図〔これまでの別件基準説〕あるいは利用の事実〔川出説〕があったことにより，逮捕・勾留自体の適法性が否定されることを認める」見解といっていいだろう[19]。

Bさん：川出教授の見解や前記東京地裁平成 12 年決定（中谷雄二郎裁判長）の論理によれば，身柄拘束を全体として違法とするだけでなく，別件による身柄拘束の実体が失われた以降の本件による身柄拘束を違法とすることも可能であり，1つの身柄拘束を分割して，部分的に違法とすることを認めることも，従前の本件基準説とは異なる点ですね。

A君：別件基準説の側（小林充判事）からも「新しい別件基準説」，すなわち，身柄拘束期間の大半を本件の取調べに費やし，別件取調べは形式を整えるために行われているにすぎないような場合や，身柄拘束の当初においてのみ別件を取り調べ，事後はすべて本件の取調べにあてたような場合は，別件について当初から身柄拘束の要件が欠けていた，あるいは，途中から要件が消滅したと判断され，逮捕・勾留が当初からまたは途中から違法となるとの見解が主張されていますね[20]。

教員：そうだね。思考のスタートラインは違えども，結論は川出教授の見解に似たものとなっているようだ。「新しい別件基準説」は，あくまで別件についての身柄拘束の要件を問題にするので，別件基準説の大本を離れるも

19）　川出・前掲注 2）78 頁。斎藤 179 頁は，川出教授のこの見解を「新しい本件基準説」と呼ぶ。
20）　令状基本問題(上)214 頁［小林充］。

のではないが，別件逮捕・勾留の適法性の判断にあたっては，別件基準説においても，身柄拘束期間中における取調べを中心とする捜査の実態を無視することができないことを示すものといえるだろう。

A君：最後にどうしても聞いておきたいことは，さきほど，佐藤弁護士が，両者は拠って立つ考え方が異なるとされていると紹介されましたが，結局のところ，川出教授の見解と東京地裁平成12年決定（中谷裁判長）の見解とは，同じ考え方ではないでしょうか。

教員：中谷判事は，両者は同じ考え方（実体喪失説）だとしている21)。しかし，中谷判事は，「第1次勾留は，あくまで別件による勾留であるから，別件についての勾留要件の存在が令状発付および執行継続の要件であることはいうまでもない」22)とされており，また，東京地裁平成12年決定も，まずもって別件による逮捕・勾留の理由と必要性の有無を検討し，「（別件による）逮捕勾留に違法はない」と判断した上で，その逮捕・勾留中の被疑者取調状況を検討し，「（別件）による勾留としての実体を失い，実質上（本件）を取り調べるための身柄拘束になったとみるほかはない。したがって，その間の身柄拘束は，令状によらない違法な身柄拘束となった」として，いわゆる実体喪失説を採用するものであり，これらから窺えるのは，中谷判事および平成12年決定は，基本的に別件基準説に立った上23)，その間の余罪取調べが許容限度を大きく超えた場合には，別件による逮捕・勾留としての実体を失い，本件取調べのための身柄拘束となったと評価して，別件による逮捕・勾留を令状によらない身柄拘束として違法とするものだということだ。

Bさん：別件逮捕・勾留の適否という第1段階の判断では，別件基準説に立脚して，適法としておいて，余罪取調べの限界という第2段階判断で，さかのぼって第1段階判断を修正するということですか。

教員：いや，おそらくは，そうではあるまい。中谷判事は，Bさんの言う第1段階の判断である「別件逮捕・勾留の適否」の判断基準として，別件についての逮捕・勾留の要件があるかどうかという観点と，その間の捜査の在り方という観点の，2つの観点から検討するとされ24)，東京地裁平成12年

21） 中谷雄二郎「別件逮捕・勾留――裁判の立場から」新刑事手続Ⅰ 314頁以下。
22） 中谷・前掲注21)314頁。
23） 田村・前掲注3)305頁。

決定も，同様の枠組みで別件逮捕・勾留の適否を判断しているので，別件逮捕・勾留中の捜査（被疑者取調べを中核とする）の在り方も，第1段階の判断として行っているようだね。そして，中谷判事は，Bさんの言う第2段階判断枠組みとしての「余罪取調べの限界」についても，「別件による勾留としての実体が失われたとする実体喪失説」を挙げるので[25]，中谷判事の見解によれば，第2段階判断は，第1段階判断枠組みの「別件による逮捕・勾留中の捜査の在り方」に重なることとなり，第2段階の判断枠組みは実質的には存在しないということになるのではないだろうか。

A君：川出教授の見解は，軸足を本件基準説におくことは明らかですし，また第2段階の判断枠組みである余罪取調べの限界に関しては，本講末尾のQ3の第3分類(2)の「身柄拘束期間の趣旨により余罪取調べの限界を画する見解」ですから，第1段階の判断枠組みとしての実体喪失という意味では類似の見解ですが，実はかなり異なるもののようですね。

教員：川出教授の見解は，第1段階の判断枠組み（別件による逮捕・勾留の適否）として，「起訴前の身柄拘束期間の趣旨」から，①別件による逮捕・勾留中に，その理由とされた被疑事実について起訴・不起訴のための捜査が完了したときは，仮に逃亡または罪証隠滅のおそれがなお存在していたとしても，もはや身柄拘束を継続する必要はなく（川出教授は，これを，逮捕の必要性や勾留の理由・必要性と区別して「起訴前の身柄拘束を継続する必要性」といい，これも逮捕・勾留の要件に含まれるという），それ以後の身柄拘束は違法である，②別件の捜査自体は身柄拘束期間の終了時点まで継続していても，本件についての取調べを介在させたために，別件のみの取調べを行っていた場合よりも，身柄拘束期間が長期化した場合には，別件の捜査のために本来必要であった期間以後の身柄拘束は違法である，さらに①あるいは②に当たらない場合（①につき別件についての捜査が完了していない場合，②につき本件の取調べを介在させたことが身柄拘束期間を延ばすこととなっていない場合）に，③取調べを含めた捜査状況から，当該逮捕・勾留が，別件による逮捕・勾留としての実体を失い，本件による逮捕・勾留であると評価されるときは，本件について逮捕・勾留の要件が充たされていないから，当該逮捕・勾留は違

24）　中谷・前掲注21)314頁。
25）　中谷・前掲注21)319頁。

法である，というものであって[26)]，川出教授は，「これまで裁判例などで問題とされてきたかなりの事例は，少なくとも逮捕・勾留期間の途中から，別件自体について逮捕・勾留の要件が欠けていたと評価できるものであった」（つまり上記の①）とされており[27)]，また，第2段階の判断枠組み（余罪取調べの限界）も，後記 Q3 のとおり，「起訴前の身柄拘束期間の趣旨」から導かれるのだから，川出教授の見解は，「実体喪失説」（中谷判事の命名による）と呼ぶよりも，「起訴前の身柄拘束期間の趣旨説」とでも命名した方が考え方の実体を反映しているのではないかな。

Question & Answer

Q1 別件基準説では，余罪取調べの問題となるのは分かりますが，本件基準説による場合にも，余罪取調べの限界が問題となるのでしょうか。

A 本件基準説に立つ場合であっても，本件の取調べが主たる目的でないときは，別件による逮捕・勾留は適法ですので，次に余罪取調べの限界が問題となるわけです。また，川出説でも，身柄拘束が，令状に示された被疑事実による身柄拘束としての実体を失い，身柄拘束期間が主として利用された方の被疑事実による身柄拘束となっていると評価され得ないときは，余罪取調べの限界の問題となり得るのです[28)]。

* * *

Q2 別件逮捕・勾留が違法かどうかを判断することなく，余罪取調べの限界についてのみ判断した裁判例がありますが（大阪高判昭和 59・4・19 高刑集 37 巻 1 号 98 頁〔神戸まつり事件〕，福岡高判昭和 61・4・28 判時 1201 号 3 頁），なぜ，逮捕・勾留の適否を判断しないのでしょうか。

A この種の事案で争点となるのは，多くの場合，逮捕・勾留の違法性ではなく，その間に得られた本件についての自白の証拠能力です。そこで，自白の証拠能力を否定するのであれば，逮捕・勾留の違法性を問題とすることなく，「余罪（本件）の取調べが違法であったことを認定すれば足り，あえ

26) 川出敏裕「別件逮捕・勾留と余罪取調べ」刑雑 35 巻 1 号（1995 年）5 ～ 6 頁。
27) 川出・前掲注 26) 6 頁。
28) リークエ 114 頁［堀江慎司］。

て逮捕・勾留自体の適法性まで判断する必要はない」[29]からでしょう。したがって，余罪取調べそれ自体について適法と判断するときは，当然のことながら，逮捕・勾留の違法性を問題とせざるを得ません。このような，逮捕・勾留の違法性を問題とせずに，余罪取調べの違法性のみを判断する裁判実務の傾向に批判はありますが（後藤教授は，「令状主義を弛緩させるうえに，別件逮捕・勾留の事前抑制を困難にする」とする[30]），争点が別件逮捕・勾留の適法性ではなくその間の自白の証拠能力にある以上は（争点が自白の証拠能力である以上，後藤教授のいわれる「事前抑制」はこれと無関係であり，「令状主義の弛緩」も考え難い），自白の証拠能力を否定できる限りにおいて，余罪取調べを違法と判断すれば足り，敢えて逮捕・勾留の違法性を判断する（火中に栗を拾う）までの必要はないでしょう[31]。

しかし，上記のとおり，余罪取調べを適法とするときは，逮捕・勾留の違法性を問題とせざるを得ないので，まず逮捕・勾留の違法性について判断し，適法な場合に限って，余罪取調べの適否を検討するのが妥当でしょう。

＊　＊　＊

Q3 余罪取調べの適否についての学説は区々に分かれていますが，多くの教科書が非限定説と限定説に分けて説明しており，とても分かりにくいのですが，どのように整理したらよいのでしょうか。

A 取調べ受忍義務肯定説と否定説，その他の3つに分けて整理するのがよいように思います[32]。

まず，第1分類：裁判実務の大勢である取調べ受忍義務肯定説[33]によって余罪取調べの適否を判断する見解には，次の⑴⑵の2つがあります。ひと

29） 川出敏裕・百選〔第6版〕37頁。

30） 後藤・前掲注9）63頁。

31） なお，余罪取調べの問題は，必ずしも別件逮捕・勾留に伴うものだけではなく，別件逮捕・勾留の問題とは，理論上は別個のものである（リークエ113頁〔堀江〕）。

32） 取調べ受忍義務に関しては，酒巻匡「逮捕・勾留中の被疑者の取調べ受忍義務」争点〔新版〕56頁，リークエ109頁〔堀江〕がよくまとまっており，学生にとって好個の文献である。

33） 鹿野伸二「別件逮捕・勾留」令状に関する理論と実務Ⅰ 39頁は，最大判平成11・3・24民集53巻3号514頁の説示にかんがみると，「実務的には，今後，出頭及び滞留義務としての取調べ受忍義務が否定されることはないものと思われる」とし，裁判実務も受忍義務肯定説により運用されているとする。これに対し，大澤教授は，この判例を厳密に読めば，仮定の判断であって，出頭滞留義務の存在をオーソライズする意味は含んでいないという（大澤裕＝岡慎一「逮捕直前の初回の接見と接見指定」法教320号〔2007年〕129頁）。

つは，(1)本罪（別件）はもとより，余罪（本件）についても取調べ受忍義務が及ぶと解する見解（余罪についても取調べ受忍義務肯定説）です（捜査実務。東京高判昭和 53・3・29 刑月 10 巻 3 号 233 頁）。余罪にも取調べ受忍義務が及ぶ根拠は，㋐ 198 条 1 項ただし書が「逮捕又は勾留されている場合」とだけ定め，身柄拘束されている罪に限定していないこと，㋑ 223 条 2 項が被疑者以外の者（＝当該被疑事実について逮捕・勾留されていない者）の取調べについて 198 条 1 項ただし書を準用していること，㋒事件単位の原則は，身柄拘束を規制する原理であって，逮捕・勾留の目的ではない取調べには適用されないことです（前掲東京高判昭和 53・3・29）。これによれば，余罪について取調べ受忍義務を課した取調べをしても適法となります。

もうひとつは，(2)身柄拘束されている本罪（別件）についてのみ取調べ受忍義務を肯定し，身柄拘束されていない余罪（本件）については取調べ受忍義務を否定する見解[34)]（余罪につき取調べ受忍義務否定説）です（東京地決昭和 49・12・9 刑月 6 巻 12 号 1270 頁，浦和地判平成 2・10・12 判時 1376 号 24 頁など）。本罪については取調べ受忍義務が認められるのに，余罪についてこれが否定される理由として，事件単位の原則があげられる[35)]ほか，(1)説の㋐については，小林充判事は，「被疑者がひとたび身柄拘束を受けたならば，いかなる事実，特に嫌疑がきわめて薄い事実についても出頭を拒んだり，出頭後退去する事由〔筆者注：自由の誤植〕がなくなるということに説得性があるとは思われない。被疑者がこのような義務を負うのは，裁判所の司法的審査により嫌疑の存在が認められた事実，すなわち，勾留の基礎となった事実に限定されるというべきであろう」[36)]とされます。

余罪について取調べ受忍義務がない点では共通しますが（余罪につき取調べ受忍義務否定説），身柄拘束されている参考人にも取調べ受忍義務があるかどうかについては，更に見解が分かれます。参考人につき受忍義務を否定す

---

34)　団藤・條解(上)365 ～ 366 頁，体系コンメ 262 頁［中武靖夫］は，余罪については取調べ受忍義務はないという。

35)　リークエ 112 頁［堀江］。堀江教授は，身柄拘束の原理である事件単位の原則が身柄拘束の目的でない取調べを制約することはないとする川出教授，酒巻教授の批判に対し，「取調べ自体を事件単位で制約する」のではなく，「逮捕・勾留に随伴する効果の射程を事件単位で画する」趣旨だとすれば，川出教授らの批判は当たらないという（堀江慎司・百選〔第 10 版〕37 頁）。

36)　小林充「別件逮捕・勾留中の本件取調べ」研修 683 号（2005 年）7 頁。

る見解（参考人につき取調べ受忍義務否定説）は，⑴説の㋑（223 条 2 項が 198 条 1 項ただし書を準用していること）について，他事件で身柄拘束されている参考人については取調べ受忍義務はないとし，「被疑者が身柄拘束を受けたならば，参考人の立場でも出頭及び取調べ受忍義務を負うというようなことが人権保護上許されるものであろうか。198 条 1 項但書の準用で意味をもつのは，出頭を求められた者が，出頭を拒み又はいつでも退去できることとなっている部分に限られる」[37]とします。これに対して，身柄拘束されている参考人には取調べ受忍義務がある（198 条 1 項ただし書は文字通り準用される）とする見解（参考人につき取調べ受忍義務肯定説）は，その理由につき，身柄拘束中の第三者について自己の刑事責任とは結び付かない事項について，取調べ受忍義務を拡張したとしても不利益はないので，「便宜上拡張したに過ぎない」[38]などと反論します。いずれにせよ，余罪につき取調べ受忍義務否定説によると，余罪について事実上取調べ受忍義務を課した取調べは違法となりますが（被疑者が任意に取調べに応じるときは許される），余罪が本罪と密接な関連がある場合や同種事犯で余罪取調べにより犯行計画や犯罪意図が明らかになるような場合であって，余罪の取調べが本罪の取調べとしての重要な意味をもつ場合は，余罪についても取調べ受忍義務を課した取調べが許されるとされています[39]。

次に，第 2 分類：取調べ受忍義務否定説（本罪〔別件〕であれ，余罪〔本件〕であれ，取調べ受忍義務はない）を前提にして余罪取調べの適否を判断する見解は，次の⑴⑵の 2 つがあります。

ひとつは，⑴本罪（別件）についても余罪（本件）についても，いずれも取調べ受忍義務を課した取調べは違法であるが，本罪はもとより余罪についても取調べ受忍義務を課さない限り（取調べに任意に応じる限り）取調べは許されるとする見解です[40]。

37）　小林・前掲注 36）7 頁。注解刑訴法㊥154 頁［高田卓爾］，植村立郎『骨太刑事訴訟法講義』（法曹会，2017 年）110 頁も同旨。令状基本問題㊤218 頁［小林］は，223 条 2 項による 198 条 1 項ただし書の準用を「法の不備」という。

38）　平良木登規男『捜査法〔第 2 版〕』（成文堂，2000 年）174 頁。鹿野・前掲注 33）39 頁も同旨。

39）　令状基本問題㊤219 頁［小林］。

40）　平野 105 頁，後藤昭『捜査法の論理』（岩波書店，2001 年）193 頁。

もうひとつは，(2)取調べ受忍義務を否定し，本罪については取調べ受忍義務を課さない限り適法であるが，余罪については，事件単位の原則の下，その取調べは取調べ受忍義務を課さなくとも原則として許されず，ただ，余罪が本罪との同種事犯性，密接な関係性，事案の軽微性から，本罪の取調べに付随し併行して余罪取調べがなされる場合に限って，例外を認める見解です[41]。

さらに，第3分類：取調べ受忍義務の有無・範囲を問題とすることなく，余罪取調べの限界を画そうとする見解です。さし当り，次の(1)(2)の2つをあげておきます。

まず，(1)余罪の取調べは原則として禁止されないが，余罪の取調べが具体的な状況の下において実質的に令状主義を潜脱しているときは，違法とする見解（実質的令状主義潜脱説）です[42]（大阪高判昭和59・4・19高刑集37巻1号98頁，福岡高判昭和61・4・28判時1201号3頁）。

もうひとつは，(2)身柄拘束期間の趣旨により余罪取調べの限界を画する見解であり，身柄拘束期間の趣旨（逮捕・勾留の理由とされた被疑事実について，被疑者の逃亡および罪証隠滅を阻止した状態で，起訴・不起訴の決定に向けた捜査を行うための期間である）から，余罪の取調べによって本罪のみの取調べを行った場合よりも，被疑者の身柄拘束期間の長期化をもたらすときは，余罪の取調べはたとえ任意に行われたものであったとしても違法であるとする見解（身柄拘束期間の趣旨説）[43]です（別件逮捕・勾留との関係を説明すれば，A事実による10日間の勾留中に，B事実〔余罪〕を取り調べたために，A事実の取調べが中断された事例を想定すると，仮にA事実のみの取調べならば勾留は7日間で終了していたという場合には，A事実について起訴・不起訴の決定をするための捜査は7日間で足りたわけで，8日目以降の勾留は，違法となり〔身柄拘束自体が違法〕，したがって，8日目以降のB事実〔A事実も〕の取調べは違法となる。これに対し，余罪取調べの限界については，7日目以前のB事実の取調べも，それによって身柄拘束期間を不必要に長期化させ，被疑者に不利益を負わせるもので，当該余罪の取調べは違法であるとするものである）。

41） 鈴木・基本問題71～74頁。
42） 田宮136頁，田口133頁。
43） 川出・前掲注2）253頁以下。

この第3分類の(1)(2)いずれの見解も，取調べ受忍義務を肯定するかどうかの議論とは無関係に成り立つ見解です。

〈Appendix〉 取調べ受忍義務の有無について（頭の整理のために）

	本罪（別件）被疑事実	余罪（本件）被疑事実	参考人（§223 II）	備考
①都立富士高放火事件控訴審判決	有	有	有	中谷雄二郎判事も同旨である。
②平良木判事・鹿野伸二判事	有	無	有	令状に関する理論と実務Ⅰ 37頁参照。
③小林充判事・植村立郎判事	有	無	無	筆者もこの見解に与する。
④学説上の通説	無	無	無	圧倒的な通説である。
⑤川出教授	有	おそらく無	おそらく無	法制審議会新時代の刑事司法制度特別部会分科会第1作業分科会における発言

＊　多くの下級審裁判例は，本罪（別件）につき取調べ受忍義務あり，余罪（本件）について取調べ受忍義務なしとする（ただし，余罪について任意の取調べなら許される）。しかし，参考人について，いかなる見解に立つのか（223条2項の解釈）は明らかでない（上表の②または③のいずれか）。

＊＊　法制審議会新時代の刑事司法制度特別部会分科会第1作業分科会（第8回 平成25年10月23日開催）において，川出敏裕幹事は，「身柄拘束中の被疑者について取調べのための出頭・滞留義務を課す根拠についてですが，先ほど後藤委員から御指摘があったように，逮捕・勾留というのは取調べを目的としたものではありません。そのことを前提に，身柄拘束中の被疑者について取調べのための出頭・滞留義務が課されることを説明するとすれば，被疑者の身柄拘束期間には厳格な制限があり，捜査機関は，その限られた期間内に捜査を尽くして起訴・不起訴を決定しなければならないため，捜査の便宜を考慮して，身柄が拘束されている場合には，法律で特別に取調べのための出頭・滞留義務を認めたということになろうかと思います」と発言され（第1作業分科会第8回会議議事録19頁〔法務省のホームページに登載〕），本罪について取調べ受忍義務が認められる理由を身柄拘束期間の厳格な制限に求めており，そうすると，余罪や被疑者以外の者については，受忍義務はないということになろう。

学びの道しるべ

✍ 別件による違法な逮捕・勾留中の取調べにより本件についての自白を得て，それを疎明資料の1つとして発付された逮捕状に基づき行われた第2次逮捕および勾留の適否については，2つのアプローチが存する。

1つ目は，疎明資料のアプローチである。すなわち，別件逮捕・勾留が違法であれば，その間の本件についての取調べもまた違法であり（別件逮捕・勾留が適法なときは，余罪取調べの限界を超えているとして本件の取調べが違法である場合も同様である），違法な取調べによって獲得された本件についての自白は，違法収集証拠排除法則（公判手続における証拠法則）の類推により（司法の無瑕性・廉潔性の保持，将来の違法捜査の抑制の各要請は令状審査についても妥当するから），第2次逮捕状発付の疎明資料として用いることができないのであるから（「疎明資料能力」〔筆者の造語〕がない），当該自白を除けば逮捕状が発付されなかったであろうときは，本件による第2次逮捕状の発付は違法であり，それに基づく第2次逮捕・勾留もまた違法である，そしてその間の取調べも違法であるというものである（例えば，大阪高判昭和55・3・25高刑集33巻1号80頁は，「本件放火被疑事件の逮捕状は，右供述調書を疎明資料に供して発付を得たものであり，右供述調書を除けば，被疑事実ことに被告人と犯人との同一性に関する疎明のなかったことは明らかであるから，右逮捕状は被疑事実の疎明がないのに発付されたことに帰するものであって，右逮捕状による逮捕もまた違法というべきである」とする）。

2つ目は，実質的な再逮捕・再勾留のアプローチである。すなわち，別件による第1次逮捕・勾留が本件による逮捕・勾留であったと評価されるときは（本件基準説，川出説，実体喪失説に限り，そのような評価がありうる），本件による第2次逮捕・勾留は，実質的には本件による違法な別件逮捕・勾留に引き続く再逮捕・再勾留であって，逮捕・勾留の不当な蒸し返しというべく，第1次逮捕・勾留の違法の重大性が著しいことから，本件による第2次逮捕状の発付は違法であり，第2次逮捕・勾留は，違法である，したがってその間の取調べもまた違法であるというものである。

いずれかのアプローチで第2次逮捕・勾留が違法と評価されるのであれば，もう一方のアプローチを重ねて用いる必要はないが，1つ目のアプローチで，適法な手続により収集した疎明資料がほかにあり，自白がなくても逮捕状が発付されたであろうときは，2つ目のアプローチによらざるを得ないことになる44)。

＊　刑訴法立案過程における取調べ受忍義務に関する議論

198条1項ただし書の立案過程を見ると，法務庁（旧司法省）担当者と連合国総司令部（GHQ）ガバメント・セクション（GS）の担当者の協議の過程で，GSのブレークモア（Thomas Blakemore）から，検察官や司法警察職員による被疑者その他の者の取調べについて，「（供述の）拒絶の点はすべての証人も被疑者もできるが撤回〔筆者注：退去のこと〕の権利は証人だけで，逮捕状の執行を受けた被疑者は含まない」，「検察官や警察官の調を受ける者は誰でも断つて出て行く権利があるが，強制の処分を受けた被疑者には出て行く権利はない」との発言があり45)，その結果，GS作成のプロブレム・シート第10問は「逮捕されていない場合には，何時でも退去することができる」と修正され46)，これが現行法198条1項ただし書の立案に反映されたものである47)。

そうだとすると，立案過程におけるGSの意向は，黙秘権の存在にもかかわらず，身柄を拘束された被疑者について取調べ受忍義務を肯定するものであったことは明らかであろう。

〈参考文献〉

①川出敏裕『別件逮捕・勾留の研究』（東京大学出版会，1998年）
②川出敏裕「別件逮捕・勾留と余罪取調べ」刑雑35巻1号（1995年）1頁
③川出敏裕・百選〔第6版〕34頁
④酒巻匡・百選〔第7版〕40頁
⑤堀江慎司・百選〔第10版〕34頁
⑥長沼範良＝佐藤博史「別件逮捕・勾留と余罪取調べ〔対話で学ぶ刑訴法判例③〕」法教310号（2006年）74頁

44)　川出・判例講座〔捜査・証拠篇〕113頁参照。
45)　制定資料全集⑾289頁。
46)　制定資料全集⑾334頁。
47)　制定資料全集⑾413頁。

7 令状による捜索・差押え(1)

【設　問】

警察官Kは，連続して発生した組織的な強盗殺人・強盗致死事件の捜査において，犯罪を遂行したと思われるA国人グループの常時出入りするX事務所を捜索しようと考えたが，犯人やそこに在所する者の氏名を特定することができなかったことから，裁判官に対して，「捜索すべき場所，身体及び物」を「東京都文京区甲町1丁目2番3号X事務所並びに同所に在所する者の身体及び所持品」とし，「差し押さえるべき物」を「本件に関連する……メモ類など一切の物件」とする捜索差押許可状の発付を請求したところ，裁判官は，その旨の捜索差押許可状を発付した。そこで，警察官Kは，この捜索差押許可状により，X事務所を捜索したところ，本件に関連する記載のあるメモ類を発見したので，これを令状により差し押さえた。併せて，X事務所に在所していたYおよびZの身体および所持品を捜索したところ，令状に記載された差し押さえるべき物は発見できなかったが，Zのポケットから覚醒剤が発見されたので，Zを覚醒剤所持の現行犯人として逮捕し，当該覚醒剤を差し押さえた。本件令状による捜索・差押えは適法か。

〔ポイント〕

捜索すべき場所の特定

〔判　例〕

▷東京地決平成2・4・10判タ725号243頁（ケースブック165頁）

解　説

1　捜索すべき場所の特定

教員：捜査機関が捜索場所を「○○に在所する者の身体及び所持品」とした令状の発付を裁判官に請求するのは，どのような事情によるのだろうか。

Ａ君：場所に対する捜索令状では，そこに居る者の身体や，たまたまそこに居る者の所持品を捜索することはできないのですが[1]，そうだからといって設問のような事例では，そこに居る者の身体等を捜索する必要性は高いのに，そこに居る者をあらかじめ特定することができないことから，特定の者の身体や所持品に対する捜索令状の発付を求めることもできません。それが，捜査機関がこのような変則的な令状の発付を請求する理由なのではないでしょうか。

教員：そのとおりだね。ところで，設問の令状の捜索場所は特定しているといえるだろうか。

Ａ君：設問の捜索差押許可状記載の捜索場所のうち前段の「東京都文京区甲町１丁目２番３号Ｘ事務所」は一個の管理権の下にあると認められますので捜索場所として特定していますが，後段の「同所に在所する者の身体及び所持品」との記載は，捜索場所の特定性に問題があります。

Ｂさん：しかし，捜査機関による捜索実施時点を把えてみますと，Ｋが捜索を実施した際，Ｘ事務所に居たのはＹとＺであり，ＹとＺが令状記載の「同所に在所する者」であることは，捜索を実施する捜査機関にとっても，また身体・所持品に対する捜索の被処分者であるＹとＺにとっても，明らかですから，このような令状の記載であっても，捜索場所は実施機関にも対象者にも識別可能であって（捜索場所の識別可能性を肯定できる），捜索場所として特定しているといってよいのではないでしょうか。

Ａ君：でも，このような記載では，捜索の実施時にその場所に居た者が誰であれその身体等を捜索できることとなり，令状主義の禁ずる一般探索的令状（general warrant）に等しく，捜索場所は特定していないのではないかな。

1）　川出敏裕・百選〔第７版〕49 頁など。

教員：捜索場所の「特定」が必要な理由を検討すれば，解決の糸口がみえるかもしれないよ。

Bさん：そうですね。憲法35条1項は，令状主義を定め，捜索・押収にあたっては捜索場所，押収物を明示した令状の発付を要求していますが，捜索場所や押収物の令状への明示は，①令状に明示する手続を通じて裁判所の判断を慎重に行わせること，②捜査機関に対して裁判所の許可した権限の範囲を明確にすること，③対象者に対して受忍すべき範囲を明らかにし，捜索・押収が許可された範囲外に及ぶときに異議を申し立てることができるようにし，これらの仕組みを通じて，捜索・押収が裁判所の許可の範囲内でなされることを厳格に保障しようとする点にあるとされています[2)]。

教員：それは，捜索場所を令状に「明示」することの趣旨だよね。「明示」の趣旨は，②，③の捜査機関および対象者にとっての識別可能性が主たるものであり，明示の趣旨からは，Bさんの先ほどの見解（捜査機関や対象者にとっては捜索場所を識別できるから特定している）も理解できないではないが，ここで問題とすべきは，捜索場所の「明示」の問題ではなくて，あくまでも捜索場所の「特定」の問題なんだ。捜索場所の「特定」は，令状主義とどんな関係にあるんだろうか。

A君：井上教授によると，令状主義は，(1)「正当な理由」の存在，(2)捜索場所・押収目的物の特定性，(3)捜査機関から独立の司法機関による審査と令状発付の3つを要素とすると理解されています[3)]。

教員：井上教授は，(2)の「特定性の要請」は，①令状審査にあたり，(1)の「正当な理由」の存在について(3)の令状裁判官による実質的認定を確保すること，②捜索の実施にあたり，捜査機関の意のままにあらゆる場所が無差別的に捜索される一般的捜索を防止することを趣旨とする[4)]とされているね。

Bさん：(1)の令状裁判官が審査すべき「正当な理由」（憲35条）とは，何なのでしょうか。

教員：押収の「正当な理由」とは，押収すべき物が，「特定の犯罪の嫌疑が存在する場合において，その犯罪と関連性を有する物（押収目的物）」（刑

2） 令状基本問題(下)234頁［秋山規雄］，三井(1) 36頁。
3） 井上・通信会話の傍受25頁，38頁。
4） 井上・通信会話の傍受39頁。

訴法では，222条１項の準用する99条１項の「証拠物」）であること，捜索の「正当な理由」とは，捜索場所が，「特定の犯罪の嫌疑が存在する場合において，その犯罪と関連性を有する物（押収目的物）がそこに存在する蓋然性のある場所」（刑訴法では，222条１項の準用する102条の「押収すべき物の存在を認めるに足りる状況のある」場所。102条１項でもこれが必要であるが，被疑者の住居等であることから，その存在が推認されている）であることだといっていいだろう[5)]。

Ｂさん：裁判官による令状発付の事前審査の際に，「正当な理由」，つまり特定の犯罪に関連する物（押収目的物）がそこに存在する蓋然性があるかどうか判断するための前提として，捜索場所が特定していなければ，蓋然性の判断ができないということですか。「明示」も重要だけれども，「特定」の方がより本質的な問題なのですね。

教員：そのとおりだね。「特定性の要請」は，捜索・差押えの実施についても，令状への「明示」を通じて重要な役割を演ずるわけだが（Ｂさんの言う識別可能性），そもそも令状裁判官が令状を発付するかどうか審査する段階で，「正当な理由」があるかどうかについて判断するために必要不可欠であって，重要な役割を果たすわけだ。松尾教授が，「対象を特定してはじめて関連性，蓋然性の判断が確実なものになるし，また，これを令状に明示することによって，捜査機関による処分が厳格に枠づけられる」[6)]としているのは，そういう意味だよ。

Ａ君：そうすると，設問の事例の「同所に在所する者の身体及び所持品」は，捜索場所が特定されておらず，したがって，裁判官は，当該捜索場所に押収目的物が存在する蓋然性の有無・程度を判断できないので，この部分を除外して令状を発付すべきであったということですね。

教員：捜査機関の請求した捜索場所が「〇〇に在所する者の身体及び所持品」では，その在所する者が誰だか分からず，したがって当然のことながら，令状裁判官は当該者が押収目的物を所持している蓋然性の有無・程度を判断することはおよそできないからね[7)]。

5）　大澤裕「捜索場所・押収目的物の特定」刑雑36巻３号（1997年）76頁。

6）　松尾(上)73頁。

7）　酒巻116頁参照。

Bさん：そうすると，設問のように捜索の対象として「○○に在所する者の身体及び所持品」と記載された令状の発付を適法とした裁判例（東京地決平成2・4・10判タ725号243頁[8]）がありますが，この判断は誤りなのでしょうか。

教員：捜索場所を「○○に在所する者の身体及び所持品」とする令状請求があった場合には，一般的にいえば，裁判官は，在所する者が個別に特定されていない以上，捜索場所に関する「正当な理由」を判断することはできないが，きわめて特殊なケース，ごくごく例外的な事例では，裁判官が「正当な理由」を判断することが可能な場合があり得ないわけではないだろう。どういうことかというと，「人を個別に特定できなくとも，その場所に所在する人すべてについて捜索の『正当な理由』を認め得る特別な場合」[9]，つまり，その場所にいるすべての者が押収目的物を所持している蓋然性が認められる場合には，「『○○に在所する者』という記載であるからといって，特定性に欠けるといわなければならない理由はない」[10]からね（川出教授が「その場所にいるというだけで，その者の身体及び所持品について，一律に証拠物が存在する蓋然性が認められるという場合」[11]というのも同旨である）。

A君：そんなケースは極く稀でしょうが，Bさんの指摘した東京地裁平成2年の準抗告審決定の事件は，被疑事件が組織的な犯行であり，捜索場所が当該組織の活動拠点であるのみならず，同所への出入りが厳重に監視されていて，その組織に属する者以外の者がそこに居ることはないであろうという事案ですよね。東京地裁が，「右各ビル内の全域並びにそのビル内に居合わせた者全員の身体及び所持品に本件被疑事件に関係する証拠品が隠匿所持されている蓋然性が高い状況にあったと認められる」と判示し，捜索場所の特定に欠けるところはないとしているのは，その場所に居る者全員の身体や所持品に押収目的物が存在する蓋然性が認められるからなのですね。

8）　そのほか，東京地判平成19・2・27 LLI/DB L06230899，東京地判平成20・10・8 LLI/DB L06332488，東京地判平成26・2・10 LLI/DB L06930235の国家賠償訴訟の事案では，捜索場所を「……に在所する者の身体，着衣及び所持品」，「同車両に乗車する者の着衣及び所持品」などとした捜索許可状が発付されていたようである。

9）　大澤・前掲注5)76頁。

10）　大澤・前掲注5)76頁。

11）　川出敏裕「演習」法教381号（2012年）139頁。

Bさん：そうね。「建物一棟3階建まるごと大麻栽培工場」という新聞記事を見たことがありますが，これも同様でしょうね。

教員：そうだろうね。なお，差押え目的物の特定について一言すると，本件はそうではないけれども（メモ類などの例示がある），何らの例示もなく「本件に関連する一切の物」との記載は原則として許されません。それは，捜索場所にあるすべての物が当該被疑事実と関連性を有するものである場合を除いては，捜索場所の特定と同様の理由により，特定性に欠けるからだね[12)]。また，例示はあっても，「本件犯行に用いられた包丁，ナイフなど刃物その他本件に関係のある一切の文書」との記載では，文書について何ら例示するところがなく，準じるべき文書がないのだから，最大決昭和33・7・29刑集12巻12号2776頁のいう「具体的な例示に附加されたものであつて，……例示の物件に準じられるような闘争関係の文書……を指すことが明らか」とはいえないことに注意が必要だろう。何らかの例示があればよいというわけではない。また，設問の場合，「各別の令状」（憲35条2項）に反しないかという問題点もあるが，捜索についての「正当な理由」が一体的に認められる場合は1通の令状で足ると考えてよいだろう。

2　設問の解決

A君：X事務所に在所するすべての者について，「正当な理由」，すなわち，設問の強盗殺人・強盗致死事件に関連する物（証拠物）を所持している蓋然性が認められる特別の事情があれば，このような記載のある捜索差押許可状を発付することができますが，そのような事情がない場合は，裁判官は請求中「並びに同所に在所する者の身体及び所持品」を除いて，X事務所のみを捜索場所とする捜索差押許可状を発付すべきであったのであり，特定性を欠く部分は，その限りにおいて無効です。

Bさん：私も同じ意見です。東京地裁平成2年決定のいうように，令状審査の際に，令状による捜索実施の時点で，X事務所に在所する者全員が証拠物を所持している蓋然性があると認められるかどうかがポイントですね。そ

12）　井上・通信会話の傍受42頁。

して，捜索場所の記載である「同所に在所する者の身体及び所持品」が特定性を欠いている場合は，そのような記載の令状により行われたX事務所に対する捜索は適法ですが，Y・Zの身体に対する本件捜索は違法であり，したがって，本件覚醒剤の差押えもまた違法というべきです。

教員：答案としては，まずは，原則として，令状裁判官が蓋然性の判断をすることができないから，令状の発付は許されないこと（原則論）をしっかり論じたうえで，例外としてこれこれの場合には許されるという判断枠組みを書いたうえで，本件についての当てはめをすることになるだろう。

Question & Answer

Q1　捜索場所と差押目的物について特定・明示の趣旨を3つ挙げる見解（三井教授，秋山判事）と2つだけを挙げる見解（井上教授）があるようですが，どうでしょうか。

A　三井教授などは，解説（130頁）で述べたように，3つ目の「令状の呈示により，被処分者に受忍の範囲を知らせ，範囲外の処分につき，捜査官に異議を申し述べる便を図ること」を挙げています[13)]。

しかし，これを令状主義（憲35条）の内容をなす「特定性」の要請及びその明示の趣旨に含めることには，次の(ア)(イ)に述べるような疑問があり，特定性の要請及びその明示の趣旨は，解説の①②（130頁）の2つと解すべきです[14)]。

(ア)　憲法35条は被処分者に対する令状の呈示を求めておらず（刑訴法は，被処分者不在の場合であっても，隣人などの立会いによる捜索・差押えの実施を許容している），令状の呈示は憲法の令状主義の要請とは考えられない。そして，そうだとすれば，令状の呈示を前提とする③を「令状主義の内容である特定性」とその明示の趣旨に含めることには疑問があること。

(イ)　憲法35条は，令状に捜索場所と押収目的物の明示を求めるが，33条と異なって被疑事実（罪名も）の明示を求めてはおらず，そのことは，とり

13）　三井(1)36頁，令状基本問題(下)234頁［秋山］。なお，川出・判例講座〔捜査・証拠篇〕116頁～117頁も参照。

14）　井上・通信会話の傍受41頁，川出・前掲注11)138頁。

もなおさず，令状記載の押収目的物の特定性は，差押えを実施する捜査機関にとって明白であれば足りることを意味すると解さざるを得ないこと。

*　　　　*　　　　*

Q2　憲法35条2項の「各別の令状」について，説明してください。

A　憲法35条2項は，「各別の令状」を要求していますが（「一捜索場所一令状の原則」と呼ばれる），各別の令状を要求した趣旨について，学説は，捜索場所や機会ごとに「正当な理由」の判断が異なり得ることから，令状裁判官にその都度「正当な理由」を判断させるためであると解しています[15)]。

したがって，管理権が異なる場所ごとに物理的に別個の令状を要すると理解するわけです。ただし，本事例のように，その場にいる複数の者全員について「正当な理由」の判断に異なるところがなく，これを一括して行うことができるときは，すべての者の身体や所持品を1つの令状で捜索することを許しても，憲法35条2項が「各別の令状」を要求した趣旨に反するものではないということになります[16)]。

これに対して，裁判実務では，憲法35条2項について，捜索場所が複数あるときは，場所ごとに発せられた複数の令状によるべきことを要請しているけれども，令状に複数の場所が記載されていても，それぞれの場所が明確に特定され，裁判官がいずれの場所についても捜索を許可することを明示しているときは，憲法35条2項の「各別の令状」の要求に反するものではないとする見解を採用しているようです（東京高判昭和47・10・13刑月4巻10号1651頁，東京地判平成21・6・9判タ1313号164頁）。換言すれば，憲法35条2項の「各別の令状」とは，物理的に別個の令状であることが好ましいが，必ずしも物理的に別個でなくても機能的に別個であれば足りると解するわけです[17)]。このような理解によるときは，憲法35条2項の「各別の令状」の要請に違反するのは，複数の場所が特定されておらず包括的に記載されてい

15)　井上・強制捜査と任意捜査74頁，川出・判例講座〔捜査・証拠篇〕124頁など。

16)　井上・強制捜査と任意捜査75頁，川出・判例講座〔捜査・証拠篇〕124頁，125頁。

17)　三好幹夫「演習」法教441号（2017年）118頁は，「捜索差押許可状の数は管理権の数と一致するのが基本であり，管理権が異なるときは別個の令状が必要である。ただし，物理的に別個の令状であることを要せず，1通の令状であっても，管理権が異なるごとに捜索場所が明示的に区別して記載されていれば，有効と解してよい」とするのも，裁判実務の考え方を示すものであろう。

る場合ということになるでしょう。

* * *

Q3 解説では，「同所に在所する者の身体及び所持品」の記載が捜索場所の特定性の要請を満たしていないときは，その部分は無効であるが，その場合であっても，X事務所の部分は特定性の要請を満たしているので，その部分については有効であり，X事務所の捜索は適法とされていますが，一部に不特定の部分があると，捜索許可状は全体として無効とはいえませんか。

A 確かにご質問のように令状の記載を全部無効とする解釈もあり得ます。例えば，秋山判事は，「不特定部分の記載は，単にその部分が無効となるだけでなく全体にとって有害な記載である，と考えるのが正しい」[18]とされ，渡辺咲子教授は，差押え目的物に関して，「通常は，無意味な記載として，その部分のみを無効とすれば足りようが，特定を欠く記載があることによって実質的に，『一切の証拠物』というような包括的，無限定なものと解される場合には，全体が無効であるといわざるを得ない」[19]とされています。

しかし，不特定部分を切り離しても，残りの部分だけで捜索場所として特定し，その部分に限っても証拠物存在の蓋然性（222条1項，102条）と捜索の必要性（218条1項）が認められるときは，発付された令状の捜索場所の記載のすべてが無効というべきではないように思われます[20]。そうではあっても，捜索の実施に当たって，捜査官が，有効部分の捜索は名目程度に行い，無効部分の捜索が大部分を占めたときは，当該捜索の実施は，有効部分を含めて全体として違法と評価されることはあり得るでしょう。

〈参考文献〉

①大澤裕「捜索場所・押収目的物の特定」刑雑36巻3号（1997年）73頁
②川出敏裕「演習」法教381号（2012年）138頁

18) 令状基本問題(下)242頁［秋山］。
19) 大コンメ刑訴法(2)365頁［渡辺咲子］。
20) 石丸ほか・刑事訴訟の実務(上)383頁［川上拓一］も同旨。不特定部分に限り無効とした裁判例として，佐賀地決昭和41・11・19下刑集8巻11号1489頁，名古屋地決昭和54・3・30判タ389号157頁（ただし差押え目的物）がある。

8　令状による捜索・差押え(2)

【設　問】

(1)　警察は，業として無限連鎖講に加入することを勧誘したとして，A会の代表であるXらに対し，無限連鎖講の防止に関する法律違反（同法6条）の疑いで捜査を開始し，A会の東京本部事務所に対する捜索を実施するため，裁判官から東京本部事務所を捜索場所とする捜索差押許可状の発付を受けた。令状には，「差し押さえるべき物」として，「業として無限連鎖講加入を勧誘したことを明らかにするための帳簿，関係書類，外付けハードディスク，USB メモリ，DVD 等」と記載されていた。司法警察員K，Lらは，上記捜索差押許可状に基づき，東京本部事務所の捜索を開始した。

Kは，同事務所でパソコンの前に座って作業をしていたBが，急にそわそわした態度で立ち上がり，パソコンから何かを取り外してズボンの右ポケットに突っ込んで，事務所入口から逃げ出したのを目撃したので，直ちに後を追いかけ，約100 メートルの地点の公道上において，Bに追い付き，Bを背後から押さえつけて，ズボンの中を捜索したところ，ズボンの中からは，USB メモリ1本が発見された。

(2)　Lは，同事務所において，総勘定元帳などの帳簿類を発見し，内容を確認したところ，上記無限連鎖講の防止に関する法律違反事件に関連する記載があったので，これを差し押さえた。

さらに，Lは，X代表の使用する机の引出しの中にあった「重要資料」と記載された大封筒の中に，USB メモリ2本，DVD 1枚を発見したので，持参していた警察用のノートパソコンにDVD 1枚を挿入してその内容を確認しようとしたところ，「不正な操作を行ったので，データを消去します」とのディスプレイ表示とともに，DVD 内のすべてのデータが消去された。

(3)　そこで，Lは，USB メモリ2本およびBが持ち出したUSB メモリ1本については，いずれもその内容を確認することなく，データが消去された上記 DVD とともに，これらを差し押さえた。
　K において，USB メモリ2本および B が持ち出した USB メモリ1本について，県警本部鑑識課の係員に消去ソフト組込みの有無およびその解除を，またデータが消去された DVD についてデータの復元をそれぞれ依頼したところ，USB メモリ3本中の2本に消去ソフトが組み込まれていたことが判明し，これを解除して，その内容を確認したところ，その2本には，「A 会」の組織構成や会員募集の手口，会員の名簿の記録されたデジタル文書が，また上記の DVD については，データを復元したところ，会員からのクレームに対する対応措置などに関するデジタルの文書が保存されていた。なお，消去ソフトが組み込まれていなかった残りの USB メモリ1本は未使用であることが判明したので，これを A 会東京本部に還付した。
　本件捜査は，適法か。

〔ポイント〕

① 捜索場所に居合わせた者の身体に対する捜索の可否

② 電磁的記録媒体の差押え

③ 差押えに代わる措置

〔判　例〕

● 捜索場所に居合わせた者の身体に対する捜索

▷京都地決昭和 48・12・11 判時 743 号 117 頁

▷東京高判平成 6・5・11 高刑集 47 巻 2 号 237 頁（ケースブック 168 頁，三井教材 152 頁）

● 電磁的記録媒体の差押え

▷最決平成 10・5・1 刑集 52 巻 4 号 275 頁（ケースブック 152 頁，三井教材 155 頁，百選〔第 9 版〕54 頁・〔第 10 版〕48 頁）

▷最判平成 9・3・28 判時 1608 号 43 頁

▷大阪高判平成 3・11・6 判タ 796 号 264 頁（ケースブック 174 頁，三井教材 157 頁）

▷東京高判平成 23・11・29 LLI/DB L06620557（原審東京地判平成 22・8・30 判

タ 1354 号 112 頁)

解　説

1　捜索場所に居合わせた者の身体に対する捜索の可否

教員：設問を検討する前提として，基本的事項を確認しておこう。場所に対する捜索許可状によって捜索場所に居合わせた者が携帯する物に対する捜索の可否に関して，居住者の携帯していたボストンバッグの捜索が許されるとした最決平成 6・9・8 刑集 48 巻 6 号 263 頁については各自勉強してもらうとして[1]（本講末尾の Q4 をみよ），捜索場所に居合わせた者の身体（着衣を含む）を捜索することはできるのかな。

A君：できません。

教員：捜索場所の管理権者（被処分者）やその家族など捜索場所に通常居る者の身体や，被疑者の身体も，捜索できないのだろうか。

A君：確かに，かつては，「捜索場所に通常居る者の身体」については場所に対する捜索許可状によって捜索できるとの見解[2]もあったようですが，今日では，被処分者であれ，その場所に通常居る者であれ，また被疑者であれ，その身体を「場所」に対する捜索許可状によって捜索することはできないと解することに異論はありません。人の身体を捜索する必要がある場合には，「人の身体」に対する捜索許可状の発付を受けて，これを行わなければなりません。

教員：「場所」に対する捜索許可状によって，捜索場所にある箪笥や机などの物は捜索できるよね。

A君：ええ，捜索場所に存する「物」は，「場所」と同一の管理権に属し，「物」に対するプライバシーの利益は，「場所」に対するプライバシーの利益に包摂されているから，「場所」に対する捜索許可状によって，捜索場所にある「物」を捜索することができるわけです。

1）　川出敏裕・百選〔第 7 版〕48 頁，川出・判例講座〔捜査・証拠篇〕128 ～ 137 頁は，学生にとって必読の論考である。

2）　ポケット註釈(上)258 頁［横井大三］。

Bさん：令状主義との関係でいえば，裁判官が，「場所」に対する捜索を許可する場合には，その場所にある「物」（テーブルや机，食器棚，箪笥，鞄など）についても，併せ許可しているのですね[3)]。なぜそのように理解できるのか，その理由は，A君が言ったとおりです。

教員：令状裁判官が「併せ許可している」ということは，「場所」にあるテーブル，箪笥，机などは，219条1項あるいは102条の「場所」ではなく，「物」に当たり，「場所」とは別個の捜索対象だけれども，裁判官が，「××マンション206号室」の捜索を許可しているということは，「場所」とそこにある「物」の捜索を併せ許可しているという意味なのかな。

Bさん：酒巻教授はそのように理解されているように思われますし，それが大方の理解なのではないでしょうか[4)]。

教員：それが大方の理解とはいえないだろう。「場所」に存する物がすべて219条1項あるいは102条の「物」だとすると，219条1項，102条でいう「場所」って，いったい何だい。

Bさん：えっと，そうですね。床と壁と天井，それに，作り付けの箪笥や食器棚とか，シンク下の収納とか……。

A君：それって，まるで僕らが賃貸に入居する前の状態だね。「住居その他の場所」（102条）の「住居」って，本当にそういう意味なのかな。

教員：A君の疑問はもっともだね。「住居」というのは，その中にある物すべてを含む意味だろう。明治刑訴法では，104条において「住居」を，105条において「身体及ヒ之ニ属スル物件」を，それぞれ捜索できる旨定めており，住居内にある物は「住居」の概念に含まれることは自明であったのだが，大正刑訴法では，143条1項において「被告人ノ身体，物又ハ住居其ノ他ノ場所」を，2項において「被告人ニ非サル者ノ身体，物又ハ住居其ノ他ノ場所」を捜索できる旨定め[5)]，これが現行法に引き継がれたわけだ。この経緯にかんがみると，現行法の「物」とは，「住居その他の場所」に在る

3） 酒巻匡「令状による捜索・差押え⑴」法教293号（2005年）84頁，同「令状による捜索・差押え⑵」法教294号（2005年）107頁。

4） リークエ130～131頁［堀江慎司］も参照。

5） 大正刑訴法の規定はドイツ法に倣ったものであるが，ドイツ刑事訴訟法102条は，捜索の対象を「住居その他の場所並びに本人の身体及び本人（の占有）に属する物件」とする（司法省調査課『独逸裁判所構成法及同刑事訴訟法』〔司法研究第193号〕122頁参照）。

ものを意味するものでないことは明らかだろう。

A君：川出教授も，①「捜索場所に置かれた物が，原則として，その場所の概念の中に含まれ，場所に対する捜索令状によって，その物の中を捜索できる」，②「令状を発付する裁判官も，それを前提にして，場所に対する捜索令状を発付している」（傍点は筆者による）とされていますね[6]。

教員：①は強制処分法定主義との関係で，②は令状主義との関係で，それぞれ述べたもので，川出教授の見解が妥当だと思うよ。

Bさん：ところで，捜索場所に存する物であっても，たとえば，第三者から預かったバッグであって，施錠されていて中を開けることができないような場合，すなわち第三者の排他的支配下にある場合は，管理権を異にし，「その物に対するプライバシーの利益が，場所に対するそれに包摂されているとはいえない」[7]ので，これを捜索することはできませんね（京都地決昭和48・12・11 判時 743 号 117 頁）。

教員：そうだね。捜索場所にあっても，居住者，管理者，定常的利用者以外の者の排他的支配に属する物は，管理権を異にし，「場所」の概念に含まれないので，捜索できないけれども，それが居住者等との共同管理（共同占有）ならば，場所のプライバシーに包摂されるので，「場所」の概念に含まれ，捜索可能だね。

A君：それじゃあ，捜索の現場で，居住者など被処分者が，捜査官に対して，部屋にある物はすべて第三者からの預かり物で当該第三者の排他的支配が及んでいると主張したら，いっさい捜索できないのですか。

Bさん：第三者の排他的支配の下にあるか否かは，その場での判別は困難ですが，その場所にある限り，管理権者・居住者等の支配・管理に属すると推定され，それ以外の者の所持・管理に係ることが明らかであるような特段の事情のない限り，捜索は許されると解すべきでしょう[8]。

6）　川出敏裕・百選〔第 7 版〕48 頁。

7）　川出敏裕・百選〔第 7 版〕49 頁参照。

8）　井上・強制捜査と任意捜査 328 頁参照。酒巻匡「刑事判例研究」ジュリ 1147 号（1998 年）129 頁も，「一見明白に捜索場所の管理権者・居住者以外の者の所持・管理に係ることが分かるといった特段の事情がない限り」捜索が許されるという。また，リークエ 132 頁［堀江］も，「ある場所に存在する物は，通常は，その場所において管理・利用されるものと推定してよく，場所に包摂されないのは，第三者の管理・支配下にあることがとくに明らかになった物に限られる」とする。

教員：そうだろうね。ところで，捜索場所にある物は捜索できるのに，「人の身体」は，なぜ場所に対する捜索許可状によって捜索することができないのかな。

Bさん：「場所」に対する捜索許可状によって「人の身体」を捜索することができない理由としては，①刑訴法が，捜索の対象としての「人の身体」と「場所」とを区別して規定している（222条1項で準用される102条）という条文上の理由のほかに，②「身体に対する捜索によって侵害される人身の自由やプライバシーの利益は，場所に対するプライバシーとは異質であって，そこに包摂させることはできない」[9]との実質的な理由が挙げられます[10]。

教員：そうだね。ただ，①については，井上教授が，102条はそこに掲げられたものは捜索の対象にできることを示したにすぎず，これを捜索するためにそれぞれ別個の授権が必要なことまで意味するものではないとして，102条説を批判したうえ，場所に対する捜索許可状によって身体捜索が許されない根拠として，222条1項，102条ではなく，憲法35条の「捜索する場所……を明示する令状」，つまり捜索場所の特定・明示の要請を根拠にすべきであるとし，憲法35条およびこれを受けた刑訴法107条1項，219条1項を根拠とされているんだ[11]。私も，102条は捜索対象のメニューに過ぎないと解すべきものと考えるので，①の「222条1項で準用される102条」の箇所は，「219条1項」とすべきだと思うよ。

Bさん：そうですね。

教員：以上の議論を前提にすると，捜索場所にいる者が，差押え目的物（あるいは捜索の対象物）をその着衣や身体に隠匿所持している疑いがあるときであっても，その者の身体の捜索は許されないのだろうか。

A君：東京高判平成6・5・11高刑集47巻2号237頁は，「場所に対する捜索差押許可状の効力は，当該捜索すべき場所に現在する者が当該差し押さえるべき物をその着衣・身体に隠匿所持していると疑うに足りる相当な理由があり，許可状の目的とする差押を有効に実現するためにはその者の着衣・身体を捜索する必要が認められる具体的な状況の下においては，その者の着

9） 川出敏裕・百選〔第7版〕49頁。

10） 三井(1) 45頁。

11） 井上・強制捜査と任意捜査314頁など。

衣・身体にも及ぶものと解するのが相当である」と説示していますね。

Bさん：この裁判例は，捜索場所に現在する者が差押え目的物を着衣・身体に隠匿所持していると疑うに足りる相当な理由があれば，「捜索差押許可状の効力は，……その者の着衣・身体にも及ぶ」というわけですから，「場所の概念が人の身体にまで拡張するかのような判示」[12]であり，「場所」概念拡張説と呼んでいいでしょうね。

教員：そうだね。しかし，この「場所」概念拡張説[13]に対しては，捜索場所に居る者が差押え目的物をその着衣・身体に隠匿所持している疑いがあるという事実によって，場所のプライバシーと身体のプライバシーの「利益の異質性が解消されるわけではない」との批判[14]を免れないだろう。

A君：「場所」概念拡張説が妥当でないとすると，「場所」に対する捜索許可状によって，「人の身体」を捜索をすることは一切許されないのですか。

教員：いや，そうでもないよ。被処分者であれ被疑者であれ第三者であれ捜索場所に居合わせた者が，捜索中または捜索の開始直前に，捜索場所にあった捜索の対象物あるいは差押え目的物を身体・携帯物に隠匿した疑いが十分に認められるときは，捜索・差押えの権限に当然に含まれる措置あるいは捜索・差押えに「必要な処分」として，直接的な妨害行為を排除して原状に回復するために，合理的にみて必要かつ相当な処分（捜索場所から捜索の対象物あるいは差押え目的物を持ち出した者を追跡し，制止して，その身体や携帯物を捜索することなどの処分）を行うことができると解する見解が有力に主張されているんだ[15]。刑訴法が捜査機関に強制処分である捜索・差押えの権限を与えているということは，すなわち，捜索・差押えの目的を達成するために「合理的にみて必要かつ相当な措置を取ること」[16]も，捜索・差押えの権限に含まれ，法（令状によるときは218条，逮捕に伴うときは220条1項）はこれを許容していると解されるところ，直接的な妨害行為の排除は，捜索・差押えの目的達成のために不可欠な行為であるから許されるというわけだ。

12）川出敏裕・百選〔第7版〕49頁。
13）井上・強制捜査と任意捜査277頁は，「令状の効力」説と呼ぶ。
14）川出敏裕・百選〔第7版〕49頁。
15）井上・強制捜査と任意捜査323～326頁，酒巻匡「押収・捜索とそれに伴う処分」刑雑36巻3号（1997年）93頁，川出敏裕・百選〔第7版〕49頁。
16）井上・強制捜査と任意捜査320頁。

Bさん：妨害排除・原状回復の措置の法的根拠を218条，220条1項ではなく，「必要な処分」に求めることはできますか。

教員：「必要な処分」に関する111条の規定は，「捜索，押収という強制処分の内容ないし本来的な目的を達成・実現するため合理的に必要と考えられる最小限度の付随的な実力行使，強制力の発動が許されるという，法定された強制処分の性質そのものから論理的・合理的に導かれる事柄を確認的に明示した規定」[17]，つまり確認規定であるとすれば，このような妨害排除・原状回復の措置について，捜索・差押えの権限に当然含まれると解するか，それとも「必要な処分」と解するかは，実質的な違いはない。もっとも，注意すべきは，捜索場所にいる者が捜索の対象物あるいは差押え目的物を身体・携帯物に隠匿・所持している疑いがある（前掲東京高判平成6・5・11）というだけでは「妨害行為」とはいえず，捜索中または捜索の開始直前に捜索の対象物あるいは差押え目的物を身体・携帯物に隠匿して捜索・差押えを妨害した疑いが十分に認められる場合（必ずしも妨害行為を目撃した場合に限るわけではない）でなければならないということだ。

A君：捜索場所にいた者が捜索の対象物あるいは差押え目的物を無関係な隣家の庭に投げ込んだのを現認したときも，妨害排除・原状回復の措置として，隣家の庭に立ち入って差し押さえることができるのでしょうか（隣家の庭投棄ケース）。

教員：それは無理だろうね。捜索の被処分者あるいは妨害行為をした者の権利・利益とは全く別個の権利・利益を新たに侵害することとなるような措置は，いかに妨害排除・原状回復措置といえども，許されないだろう[18]。

2　電磁的記録媒体の差押え

A君：次に，設問のケースでは，捜索差押許可状に基づいて，USBメモリやDVDを差し押さえる際に，その記録内容を確認しないで，差押えができるかどうかが問題になりますよね。

Bさん：そうね。最決平成10・5・1刑集52巻4号275頁は，「令状によ

17）　酒巻・前掲注15)88頁。

18）　井上・強制捜査と任意捜査326頁，184頁，酒巻・前掲注15)93頁。

り差し押さえようとするパソコン，フロッピーディスク等の中に被疑事実に関する情報が記録されている蓋然性が認められる場合において，そのような情報が実際に記録されているかをその場で確認していたのでは記録された情報を損壊される危険があるときは，内容を確認することなしに右パソコン，フロッピーディスク等を差し押さえることが許されるものと解される」と説示して，パソコンやフロッピーディスクの内容を確認しなくても，これらの差押えができることを認めています。

教員：そうだね。問題はこの判例をどう理解するかだ。まずは，基本に立ち返って考えてみよう。令状に基づく差押えの実施にあたっては，捜査機関は，当該物が令状記載の差押え目的物に当たるかどうか（令状記載の差し押さえるべき物かどうか）を判断しなければならないことはいうまでもないのだが，そのためには，2点についての判断が必要とされていることは知っているかい。

A君：はい，1つは，(1)令状に記載された物件の類型（品目）に当たること（例えば，令状記載の差し押さえるべき物が「帳簿」であれば，その類型に該当する物であること〔日記は「帳簿」の類型には該当しない〕），もう1つは，(2)被疑事実と関連性を有することであり，(1)(2)のどちらも充足しなければならないとされています[19]。

教員：そのとおりだね。この(1)と(2)がともに充足されて初めて，令状記載の「差し押さえるべき物」に当たるといえるので，捜査機関は，差押えの実施にあたっては，(1)，(2)の各点を点検，確認しなければならないわけだ。

A君：そうすると，パソコンやフロッピーディスク，USBメモリ，DVDなどの可視性・可読性のない電磁的記録媒体が令状記載の差押え目的物の類型に該当する場合であっても（(1)），書類の場合と同様に，その内容を確認して，「被疑事実との関連性」（(2)）の有無を判断しなければなりませんね。

教員：そうだね。問題が多いのは，(2)の「関連性」だ。

Bさん：電磁的記録媒体の内容を確認する方法としては，捜査官が自ら行うか，あるいは被処分者に協力してもらうかして，電磁的記録の内容をディスプレイに表示するか，プリントアウトすることしかないのでしょうね

19）　川出・判例講座〔捜査・証拠篇〕137頁，リークエ132頁［堀江］，酒巻・前掲注3)法教294号109頁，酒巻121頁など。

(222 条 1 項，111 条 1 項)。現に，設問の事例でも，警察官は，パソコンのディスプレイに表示しようとしたのですね。

A君：でも，設問の事例では，ディスプレイに表示するとデータが消去されてしまったのですから，同様の措置により内容を確認することは，もはや困難だよね。

教員：内容の確認が困難な場合であっても，その外形や保管場所あるいは被処分者等の供述等から(2)の「関連性」を肯定できる場合もあるだろう[20)]。

Bさん：そうでないときは，「捜査官らがその場で確認しようとしたのでは情報を消去される危険がある場合」には，「内容を確認せずに差し押さえることを許容し，速やかに内容を確認させて不要な物を還付・仮還付させる（刑訴法 222 条 1 項の準用する 123 条による）という取扱いを是認せざるを得ない」[21)]のではないでしょうか。

教員：確かに設問のような場合に差押えを許さないというのでは，差押えが許されない領域，いわばアンタッチャブルの聖域を認めることになり，好ましくないことは，いうまでもないのだが，必要があれば許されるというのでは，法律なんかいらないことになるよ。

A君：でも，最高裁平成 10 年決定は，①「パソコン，フロッピーディスク等の中に被疑事実に関する情報が記録されている蓋然性が認められる」こと，②「そのような情報が実際に記録されているかをその場で確認していたのでは記録された情報を損壊される危険がある」ことの 2 つを充たすときに，内容を確認することなしにパソコン，フロッピーディスク等を差し押さえることが許されると説示しているのですから，やはり実務上の必要性を実質的な理由としているのではないでしょうか。

教員：そのような場合に差押えができないと捜査に支障を来たすのは，そのとおりだよ。しかし，差押許可状に基づく差押えの実施にあたっては，「関連性」の有無を判断するため，その内容を確認することが必要だったはずじゃなかったかい。それなのに，実務上必要だからといって，「関連性」の有無を判断しなくてよいってことにどうしてなるのだろうか。関連性は，憲法 35 条 1 項の「正当な理由」（差押えに関して）そのものだよ。

20）池田修・最判解刑事篇平成 10 年度 83 頁。
21）池田・前掲注 20）84 頁。

Bさん：最判平成9・3・28判時1608号43頁[22]も，国税査察官が，裁判官から捜索差押許可状の発付を受けて実施した，犯則嫌疑者の取引金融機関に対する捜索において，当該金融機関の職員らが査察官に対して暴行等の激しい妨害行為を繰り返し，捜索・差押えの実施が事実上不可能な状態になったため，帳簿等の内容の確認がその場では困難であったことから，その内容を確認することなく差し押さえた行為について，「本件差押物件の中には，……相当の時間をかけて平穏な状況の下で犯則事実との関連性ないし差押えの必要性を吟味して差押物件の選別を行うことができたならば，右の関連性ないし必要性がないという判断をすることが可能な物件が含まれていたことを否定することができないとしても，本件差押物件の差押えに違法があったということはできない」として，国家賠償訴訟において，当該差押えを適法としていますね。

A君：刑事事件では，大阪高判平成3・11・6判タ796号264頁が，捜索差押許可状により過激派の活動拠点を捜索した際，フロッピーディスク271枚につき，その内容を確認することなく差し押さえた事案について，「捜査機関による差押は，そのままでは記録内容が可視性・可読性を有しないフロッピーディスクを対象とする場合であっても，被疑事実との関連性の有無を確認しないで一般的探索的に広範囲にこれを行うことは，令状主義の趣旨に照らし，原則的には許され」ないとの原則を述べたうえ，「しかし，その場に存在するフロッピーディスクの一部に被疑事実に関連する記載が含まれていると疑うに足りる合理的な理由があり，かつ，捜索差押の現場で被疑事実との関連性がないものを選別することが容易でなく，選別に長時間を費やす間に，被押収者側から罪証隠滅をされる虞れがあるようなときには，全部のフロッピーディスクを包括的に差し押さえることもやむを得ない措置として許容されると解すべきである」と説示していますね。

Bさん：この大阪高裁判決の説示は，平成10年決定との間に，表現上は微妙な違いはありますが，「電磁的記録媒体についてその内容を確認せずにすべて差押が可能であるとするわけではない点，及び内容不明の場合でも一定の条件があれば内容を確認せずに差押が許される場合があるとする点で，

22）　最判平成9・3・28判時1608号43頁（国賠事件）は，平成10年決定と同じく第二小法廷によるもので，裁判官4名の構成は，平成10年決定のそれと全員同じである。

概ね同じ方向の考え方を採っている」[23]のではないでしょうか。

A君：大筋ではそのとおりだろうけど，大阪高裁が「フロッピーディスクの一部に」と説示しているのに対して，平成10年決定が「パソコン，フロッピーディスク等の中に」と説示している点はどうなのかな。大阪高裁の説示は，271枚のフロッピーディスクの中には関連性のないものが存すること を前提にしているようにうかがえるけれど，Bさんの言うように，平成10年決定も同じ趣旨なのだろうか。

Bさん：池田修調査官の言われるように，平成10年決定も，「捜索現場に所在する多数のFD等のいずれかの中に被疑事実に関する情報が記録されている蓋然性がある場合を念頭に置いているもの」[24]（傍点は筆者による）と考えるべきで，この点において，大阪高裁判決と異なるところはないんじゃないかしら[25]。

教員：そのように理解できなくもないけど……。大阪高裁は，確かに「フロッピーディスクの一部に」と明示的に説示しているので，被疑事実に関連する情報が記録されていないフロッピーディスクが存在することを前提にしながら，それらを含めて包括的に差押えが許されるとしたものだろうが，平成10年決定は，明示的に「108枚のフロッピーディスクの一部に……」と説示しているわけではないのだから，無関係なフロッピーディスクが存在することを前提とする説示とは必ずしもいえないんじゃないかな。差押えにあたってはフロッピーディスク1枚ごとに関連性を判断するのが本来の原則であることにかんがみれば，「1台のパソコン，108枚のフロッピーディスクすべて」について①の被疑事実に関係する情報が記録されている蓋然性がある場合との趣旨に理解するのが本来あるべき姿だろう。

A君：そうすると，平成10年決定は，②の情報損壊の危険のある事情（特殊事情）があるときは，パソコンやフロッピーディスクの1枚1枚について，その内容を確認しないで判断できる程度の蓋然性が備っていれば，「関連性」（憲35条1項，刑訴99条1項）が認められるという趣旨なのですね。

教員：そう理解すべきだろうね。なお，「関連性を確認できない」という

23） 甲斐行夫「新判例解説」研修605号（1998年）19頁。
24） 池田・前掲注20）95頁注22。
25） 平木正洋・百選〔第9版〕55頁も同旨。

のは間違いだよ。関連性が確認できないのでは，憲法 35 条の「正当な理由」が認められず，したがって，「証拠物」(222 条 1 項，99 条 1 項) に当たらないことは明らかだからね。「関連性を確認できない」のではなく，「内容を確認」できないため「蓋然性」しか認められないときでも，内容を確認できないことについて特殊事情があるときは，被疑事実との「関連性」を認めて，差押えが許されるというわけだ。

Bさん：①の「蓋然性」が関連性の要件を充たすなら，②の要件は不要なはずだから，①の「蓋然性」は，「関連性」要件を充足しない程度の「蓋然性」ですよね。いったいなぜ，「蓋然性」しかないのに，特殊事情があるからといって(2)の「関連性」を肯定していいのかしら。

A君：これについては，いわゆる関連性変動（緩和）説[26]の考え方が妥当だと思うよ。この見解[27]は，100 条 1 項において，被告人の発信した郵便物又は被告人あての郵便物について，その内容を確認することなく差し押さえることができる旨定めていることから窺われるように[28]，憲法 35 条 1 項の「正当な理由」（差押えにつき関連性）の存否の判断は，捜査の必要性と被処分者の利益との比較衡量[29]に基づく規範的なものであるから，それに必要とされる被疑事実と差押対象物との間の関連性の程度が一義的に決まるものではなく，関連性の程度は，令状執行の際の具体的状況によって変動し得るものであると解すべきである[30]とするものだね。

---

26)　甲斐・前掲注 23) 13 頁，平木正洋・百選〔第 9 版〕55 頁など，実務家の多くが採る。

27)　以下は，川出敏裕・平成 10 年度重判解（ジュリ 1157 号）182 頁の要約による（なお，川出教授自身は関連性変動〔緩和〕説に左袒するものではないことに留意されたい)。

28)　関連性変動（緩和）説は，100 条 1 項について，99 条の要件を緩和したものではなく，本来 99 条 1 項に該当するものを例示的に示したものであると解するわけである（川出・前掲注 27) 182 頁参照)。しかし，100 条 1 項は，99 条に該当するものの例示ではなく，通信の秘密との関係で郵便官署に対する捜索が許されないので，捜索に対応する処分として郵便物の差押えを認めた特別規定と解すべきであろう。このような規定が存しないのに，同様に解することは困難である。

29)　平木正洋・百選〔第 9 版〕55 頁は，「本決定〔筆者注：平成 10 年決定〕は，①と②の 2 つの事情を考慮に入れることにより，捜査の必要性と被押収者の利益の調和を図ったものである」とする。

30)　池田・前掲注 20) 89 頁は，「②のような支障がない場合に，①だけで差押えを許容するのは，関連性の有無の判断を必要とする原則に反することになるから考え難い」「②のような事情が存する場合，それが重大な支障であれば，①の要件は緩和される可能性がある」とし，関連性変動説に拠ったうえ，②の事情の如何によっては，①の蓋然性要件が更に緩和されるという。

Bさん：関連性変動（緩和）説のほか，同じく関連性を緩和する見解として，「明らかに証拠でないもの以外……は，その所在場所，状況等からして，……一応関連性があると疑うに足りる合理的な理由がある」[31]，すなわち「関連性の判断を逆転させることで緩和する」[32]という考え方（捜索場所にある物は原則として関連性があり，明らかに関連性が認められない場合は，その例外であるとする考え方）もありますね。

教員：うーむ，そもそもここでいう「関連性」って，いったい何なんだい。

Bさん：被疑事実との「関連性」は，憲法35条が「正当な理由」として要求するところであり，被疑事実に係る罪体（ここでは，犯罪の客観的要素のみならず，主観的要素，主体的要素をも含む）や動機，背景のほか情状を証明する手段となり得るものであることを意味します[33]。公判手続でいう自然的関連性の捜査版です（捜査では自白法則や伝聞法則のような論理的関連性は問題にならないから，関連性といえば，自然的関連性と同義である）。

教員：そうだとすると，差押え対象物の種類・性質や差押え現場の状況によって，被疑事実に係る罪体等を証明する手段となりうるか否か，つまり関連性が変動（緩和）するはずはないのではないかな。関連性って，被疑事実と当該証拠との関係（当該証拠が被疑事実を証明することのできる関係）なのだから，一義的に決まり，差押えの現場の外部的な状況で変動するはずがないだろう。関連性変動（緩和）説は，「関連性」の意義にかんがみれば，到底採り得ない見解だね[34]。明らかに証拠でないもの以外は，一応関連性があるとする見解（井上弘通判事，寺崎教授）も，関連性を緩和しようとするものであって，関連性変動（緩和）説と同じ理由により採り得ないだろう。

A君：じゃあ，平成10年決定をどのように説明したらいいんですか。訳

31） 令状基本問題(下)336頁［井上弘通］。

32） 寺崎嘉博「電磁的記録に対する包括的差押え」廣瀬健二＝多田辰也編『田宮裕博士追悼論集(下)』（信山社，2003年）252頁。

33） 川出・前掲注27）181頁参照。

34） 笹倉宏紀「刑事判例研究」ジュリ1191号（2000年）82頁は，関連性変動（緩和）説に対して，関連性の要件は，「『固い』基準」であって，個別の利益衡量に依拠して変動させ得るものではないとして批判する。井上正仁＝池田公博「コンピュータ犯罪と捜査」争点〔第3版〕90頁も，平成10年決定の説示について，「特殊な事情の下では，差押えのために要する関連性の程度は通常より低いものでよいというものであるとすれば，便宜的な解釈にすぎる」と批判する。

が分からなくなりました。

教員：うーん。いやはや困ったね。もし平成10年決定を正当化し，理由付けるとするならば，到底適切とは言い難いが，関連性変動（緩和）説ないし一応の関連性説あるいは堀江教授の当面不可分一体物説[35]によるほか方法がないだろうね（本講末尾の**Q3**参照）。裏を返せば，平成10年決定の論理（平成3年の大阪高裁判決の論理も）は，正当化され得ないということだ[36]。なお，最高裁の判断を「関連性確認の合理的な例外」として正当化する見解もあるのだが[37]，なぜこのような場合に関連性確認の例外が認められるのか，その合理的な理由は，必ずしも明らかではないだろう。

3　差押えに代わる措置

Bさん：それじゃあ，このようなケースで，捜査官は，一体どうしたらよかったのかしら。

教員：酒巻教授のいわれるように，捜索場所において，関連性判断のための内容の確認が困難な場合は，その確認のために，捜索の一過程ないし捜索・差押えに「必要な処分」として，その確認に適する場所（警察署など）に当該物を移動したうえで（一時的な占有の取得であって，「差押え」ではない），その内容を確認し，関連性がないものについては直ちに返却し（差し押さえていないので，還付ではない），関連性の認められたものについては，そこで初めて，「差押え」を行うという措置を採ることができるだろう[38]。

A君：なるほど。しかし，酒巻教授の見解には，(a)被処分者が他の場所での内容確認に立ち会うことが刑訴法上保障されていないこと，(b)目録の交付

35）　リークエ138頁［堀江］。
36）　酒巻122頁。
37）　上口161頁。
38）　酒巻・前掲注15)95頁。なお，旧刑訴法下において，大量の文書の差押えについて，樫田忠美『捜査事務提要』（松華堂書店，1934年）74頁は，家宅捜索に際して，「押収すべき文書が非常に大部なる場合に於て一々現場に於て押収すべきや否やを検するときは多くの時間を要し，ために捜査の機を失する虞あれば承諾を得て，全部之を持ち帰り後に検査するを便とする。但し此の場合に其の中に高価品の存する場合などは品目を記載したる目録を交付して後の紛争を防止することを忘れてはならぬ」という。樫田検事は，持ち帰りの法的根拠を，被処分者の承諾に求めるが，捜索の一過程ないし捜索・差押えに必要な処分とすべきではなかったか。

(222条1項，120条）などの占有取得に伴う手続が定められていないこと，(c)不服申立ての権利が認められていないこと（430条参照）など，被処分者の権利保障の点で問題がありますよね[39]（なお，酒巻教授は，(c)について，「押収に関する処分」〔430条1項〕として準抗告ができるとする[40]）。

Bさん：平成10年決定をこの酒巻教授の見解によって理解することはできないのですか。

教員：平成10年決定は，当該事案におけるパソコン，フロッピーディスク等の占有移転を「差押え」とし，一定の要件のもとで「差し押さえることが許される」と説示しているのだから，酒巻教授の見解（差押えではなくて一時的な占有取得）によってこれを説明することはできないだろう。

A君：平成10年決定によって答案を書くとすると，どう書くべきでしょうか。

教員：平成10年決定によるなら，関連性変動（緩和）説ないし一応の関連性説あるいは堀江教授の「当面不可分一体物」説によるほかないよ。例えば，関連性変動（緩和）説によるときは，「正当な理由」（被疑事実との関連性）は，「捜査上の利益と，対象者の不利益のバランスによって決定されるものであり，具体的に必要とされる関連性の程度が一義的に決まるものではな」く，内容確認が困難な事情があるときは，「関連性の程度が低くてよい」と解した上[41]，平成10年決定の判断枠組みを提示することとなるだろう。そして，パスワードがかけられている事例のときは，平成10年決定の判断枠組みを提示した後に，「この理は，その場で内容を確認していたのでは記録された情報が損壊される危険がある場合のみならず，内容の確認に技術的困難がある場合にも同様に当てはまる」としておけば足りるだろう（最決令和3・2・1 LEX/DB 25571273は，リモートアクセスに関連して，「差押えの現場における電磁的記録の内容確認の困難性や確認作業を行う間に情報の毀損等が生ずるおそれ」を理由に，「個別に内容を確認することなく複写の処分を行うことは許される」とする）。

39） (a)(b)につき，川出・前掲注27）183頁，(a)(b)(c)につき，池田・前掲注20）93頁。

40） 酒巻・前掲注15）97頁。

41） 川出・判例講座〔捜査・証拠篇〕144頁。ただし，川出教授は，この見解に左袒するものではない。

4　設問の解決

教員：それじゃまず，Ｂを追跡して，身体を捜索した点はどうだろうか。

Ａ君：設問の場合は，捜索開始後に，Ｂが捜索場所にあった捜索の対象物を持って逃げたのを警察官が目撃していたのですから，「場所」概念拡張説によればもとよりのこと，妨害排除・原状回復説によっても，これが捜索の妨害行為に当たることは明らかであり，そうすると，Ｋが，Ｂを追いかけ，その身体を押さえ付けて，身体を捜索することは許されることとなります。

教員：そうだね。じゃあ，次に，内容を確認することなく行ったUSBメモリ３本とDVD１枚の差押えはどうかな。

Ｂさん：設問の場合も最高裁平成10年決定と同様に，捜索の現場でUSBメモリとDVDを「差し押さえた」のですから，酒巻教授の見解にはよれませんね。そこで，平成10年決定によって考えますと，まず，⑴USBメモリ２本とDVDは，Ａ会のＸ代表の机から発見され，かつ「重要資料」と記載された大封筒の中に保管されていたものであること，また，残りのUSBメモリ１本は，令状による捜索が開始されるや，Ｂがパソコンから取り外して，持って逃げたものであること，DVDには消去ソフトが組み込まれていたことなどの事実に照らすと，USBメモリや消去されたとはいえDVDの中に被疑事実に関する情報が記録されている蓋然性が認められるでしょうし，また，⑵捜索現場で内容を確認しようとしたDVDについては消去ソフトによって情報が損壊されており，USBメモリについても同様の消去ソフトが組み込まれている可能性が高いことから，捜索現場での内容確認作業によってUSBメモリの情報が損壊されるおそれがあると認められます。また，差押えの必要性も認められますので，平成10年決定によれば，設問の差押えは適法といっていいでしょうね。

教員：平成10年決定の見解によれば，そうなるだろうね。関連性の緩和を認めないときは，設問の差押えは違法というべきだろうが，酒巻教授の見解を肯定するなら，法規からの逸脱の程度が実質的に大きいとまではいえないので，その証拠能力を否定するほど重大な違法とまではいえないだろう。

Ａ君：データが消去されてしまったDVDも差し押さえることができるの

でしょうか。

教員：専門家の手にかかれば，多くの場合，消去されたデータの復元は可能である[42]ので，平成10年決定によるのであれば，データを復元すればそのDVDの中に被疑事実に関する情報が記録されている蓋然性が認められ，そのような情報が実際に記録されているかをその場で確認することは困難であることから，差押えは許されると考えてよいだろう。

Question & Answer

Q1 大阪高裁平成3年判決については，271枚の中に関連性のないフロッピーディスクが含まれているのに，それをも含めて差押えができることから，「包括的差押え」の問題といわれていますが，平成10年決定を解説のように理解すると，「包括的差押え」の問題ではないということになるわけですか。

A そのとおりです。大阪高裁平成3年判決は「包括的に差し押える」との表現を用いており，ここから「包括的差押え」の文言が巷間流布したのでしょう。平成10年決定を，この大阪高裁平成3年判決と同じように，108枚のうちの一部に関連性のないフロッピーディスクがあることを前提とした説示と解すれば，関連性のないフロッピーディスクをも含めて差し押さえるという意味において「包括的差押え」といっていいでしょうが[43]，解説のように，108枚のすべてについて蓋然性があり，したがって特殊事情のもとでは，すべてについて関連性を肯定できることを前提とする説示と解するのであれば（筆者はそれが正当だと考えますが），決して関連性のない物をも含めて差し押さえるという意味での「包括的差押え」の問題ではないというべきでしょう。川出教授のいわれるように，「内容を確認せずに差押えが可能かということは1個の記録媒体についても全く同様に問題となる」のですから，「問題の核心は，包括的差押えが認められるか否かではなく，その数を問わず，電磁的記録媒体につき，その内容を確認しないで差押えをすることが許されるかという点にある」[44]のです。

42） 消去データの再現は，捜査実務では，いわゆるデジタル・フォレンジック（Digital Forensics，デジタル鑑識）により行われている。

43） 上口161頁。

＊　　　＊　　　＊

Q2　捜索場所の中にある物（机の引出しや箪笥等）については，証拠物存在の蓋然性があることを確認してからでないと捜索できないのでしょうか。

A　そのような趣旨ではないかと思われる高裁裁判例もないわけではありませんが（仙台高秋田支判平成18・7・25刑集61巻1号12頁），証拠物存在の蓋然性は，捜索場所全体について必要とされているのであって，その中にある机や箪笥，鞄など個々の物品について証拠物存在の蓋然性を確認しなければその中を捜索できないわけではありません[45]。もとより，令状裁判官もまた，捜索場所内に存在するであろう個々の物についてその中に証拠物存在の蓋然性の有無を逐一判断しているわけでも，しなければならないわけでもありません。

ただし，机や箪笥，鞄などに証拠物が存在しないことが明らかなときは，その中を捜索することは，「捜索の必要性」が認められず，許されないことになるでしょう[46]。

＊　　　＊　　　＊

Q3　堀江教授は，複数の電磁的記録媒体について「当面不可分一体の物として」差し押えることができるとされていますが，どう評価すべきなのでしょうか。

A　堀江教授の見解[47]は，複数の電磁的記録媒体のうちのどれか1つに関連性のある媒体が含まれるときは，特殊事情の存在を条件に，関連性の有無を「当面不可分一体の物として」判断することができるというものです（以下「当面不可分一体物説」ともいいます）。

堀江教授は，「本決定〔最決平成10・5・1〕が，記録媒体中に『被疑事実に関する情報が記録されている蓋然性が認められる場合』と述べる趣旨は必ずしも明確でないが，記録媒体の内容確認を困難にする事情（本件では情報損壊の危険）の存在を条件に，差押対象物の関連性判断の基準を通常よりも緩和することを認める――言い換えれば，かかる事情と関連性の程度とを総合

44）　川出・判例講座〔捜査・証拠篇〕143頁。
45）　入江猛・最判解刑事篇平成19年度8頁，池田公博・平成19年度重判解（ジュリ1354号）202頁。
46）　池田・前掲注45）202頁。
47）　リークエ137～138頁［堀江］。

して（相関させて），差押えに必要な『正当な理由』を認定してよいとする——趣旨だとすれば，これを憲法35条との関係で正当化し得るかは議論の余地がある」「100条のような明文規定なしにこのような（探索的）『差押え』を許してよいかは疑問がある」として，関連性変動（緩和）説を批判したうえ，「記録媒体が複数あり，そのうち少なくともどれか1つには被疑事実に関連する情報が記録されていると（保管状況その他の事情から）認められることを前提に，……特殊事情がある場合に，それら媒体を（当面[48)]，いわば不可分一体の物として）『包括的に』差し押さえることを認めるものだと解すれば，辛うじて憲法35条には反しないであろう（なお大阪高判平成3・11・6判タ796号264頁参照）」[49)]とされて，平成10年決定の結論を是認されます。

堀江教授は，この問題について，夙に法学論叢において詳細な論考を物しておられますが，そこでは，上記大阪高裁平成3年判決について，複数の電磁的記録媒体のうちのどれか1つに関連性のある媒体が含まれるときは，特殊事情（記録媒体の内容確認を困難にする事情）の存在を条件に，「それらの媒体を，当面はいわば不可分一体の『物』——物理的には数個だが機能的には一個の物——として『包括的』に差し押さえてよい」（傍点は筆者による）というものと解釈したうえ[50)]，最高裁平成10年決定についても，包括的差押えの語を用いてはいないものの，同様の考え方に立っていると解することを明示的に妨げるものもない[51)]，とされています。

この堀江教授の当面不可分一体物説は，関連性変動（緩和）説のように関連性の基準を緩和することは憲法35条の関係で問題があるので，許されないけれども，特殊事情の存在を条件に，「関連性判断の『単位』を物理的に一個の物単位ではなく，複数の物の総体を単位とし，その総体の一部に関連性のある物があれば全体につき関連性を認める」[52)]とし，「かかる総体をもって99条の『物』とする」[53)]とするのです。

しかしながら，憲法35条，刑訴法99条1項（222条1項）の要求する関

48）「当面」とは，おそらく個々の物について関連性が判明するまでの間という趣旨であろう。
49）リークエ137～138頁［堀江］。
50）堀江慎司「『包括的差押え』について」論叢182巻1・2・3号（2017年）194頁。
51）堀江・前掲注50）195頁。
52）堀江・前掲注50）194頁。
53）堀江・前掲注50）196頁。

連性は，物理的に別個の物は，被疑事実との関連性の有無・程度が異なることから，物理的に別個の物について各別に関連性を判断し，各別に差し押えるべきものであるのに[54]，情報損壊の危険等の特殊事情があれば，何故に，「当面」とはいえ，例外的措置として，憲法 35 条，刑訴法 99 条 1 項の要求する「関連性」について，「不可分一体の物として」判断してよいのか，その理論的な根拠は，必ずしも明らかとはいい難いように思われます（特殊事情は条件であって根拠ではない）。また，「総体をもって 99 条の証拠物とする」ことと「当面」とすることは齟齬しないのか，令状裁判官は，特殊事情の存在を条件として包括的差押えを行うことを許容して令状を発付しているのか等々，種々の問題を孕むように思われます。堀江教授は，特殊事情がある場合に，それらの差押えを一切諦めるよう強いることは，現代における犯罪の証拠の存在形態の変化（書面から電磁的記録媒体へ）に対応するものではなく，およそ受け入れられない[55]，とされますが，当面不可分一体物説の核心は，まさにこの点にあり，差押えを許容しないことは捜査上重大な支障があるというだけの理由で，99 条の解釈を変容させることは，聊か便宜的に過ぎるのではないでしょうか（酒巻教授のいう捜索の一環ないし必要な処分として，差し押さえることなく警察署などに持ち帰ることができるのであれば，敢えてこのような無理な解釈をする必要はないように思う）。憲法 35 条は，正当な理由（差押えについては被疑事実との関連性）に基づき発付された令状がない限り，差押えを受けない権利を保障するものであるのに，当面不可分一体物説は，正当な理由（関連性）の有無が必ずしも明らかでない個別の物の差押えを，当面不可分一体の物として他の物と包括して許す見解であり，憲法 35 条との関係で問題があるように思われます。

*　　　　　*　　　　　*

Q4　場所に対する捜索許可状によりその場にいた者（居住者）の携帯物を捜索できるかどうかが問題になったいわゆる天王寺ボストンバッグ捜索事件（最決平成 6・9・8 刑集 48 巻 6 号 263 頁）について，「もともとその場にあっ

---

54)　笹倉・前掲注 34)82 頁は，「個々の物件が証拠物に当たる蓋然性と，複数の物件の一部に証拠物が含まれている蓋然性とでは，後者を前者に還元できないという意味で内容に質的な差異があり，単なる程度の問題には解消し得ないものと考えられる」とされる。

55)　堀江・前掲注 50)195 頁。

た」ことを理由として許容されるという見解が有力なようですが，そのような理由付けでよいのでしょうか。

▲ 確かに，酒巻教授は，天王寺ボストンバッグ捜索事件について，「この事案では，捜索の対象となったボストンバッグが当初から令状により捜索場所とされていたマンション居室内に存在していたとみられるので，被告人がその場でこれを携帯していたという事情には特段の意味がなく，……捜索場所内に存在する『物』を捜索した場合に他ならないから，これが適法なのは当然であるとの理解が可能である」[56]とされています。

しかしながら，「当初から存在」「もともと存在」していたことを理由にすると，(1) もともと存在せず捜索中に届いた宅配便荷物に対する捜索（最決平成19・2・8刑集61巻1号1頁〔弘前宅配便捜索事件〕）が許されないこととなりかねないこと，(2) 当初から（もともと）存在していた物を「身体」に所持しているときであっても，当初から（もともと）捜索の場所にあった物だから，「身体」に対する捜索も許されるということにもなりかねず，「当初から（もともと）存在していたこと」を理由にするのは，適切ではないように思われます。

天王寺ボストンバッグ捜索事件のように，場所に対する捜索許可状により捜索場所に居る者の携帯する物に対して捜索できるかどうかについては，川出教授のいわれるように，次のように考察するのが適切だと思います。

①場所に対する捜索許可状によってその場所にある物に対する捜索は許されるが，その場に居る者の身体に対する捜索は許されない。その理由は，当該物を身体（衣類のポケットなど）に所持するときは，当該物に対するプライバシーの利益（場所に対するプライバシーの利益に包摂される）のほかに，人身の自由や身体のプライバシーが制約・侵害されることとなるからである（したがって，別途，身体に対する捜索許可状が必要である）。

②そこで，当該物を身体（着衣のポケットなど）に所持する場合ではなく，それを手に持っているときに，「人が携帯することで，物に対して，捜索場所に置かれている場合とは別個の保護すべき利益が付け加わるといえる

56) 酒巻・前掲注3)法教294号108頁。同・前掲注8)130頁も，「決定的に重要な事実は，――筆者の考えるところに拠れば――当該バッグが令状により許可された捜索場所内にもともと存在した物件であることが明らかであったことである」とする。

か」[57]が問題であり，当該物を携帯することによって，身体（着衣の中など）にある場合とは異なり，物に対するプライバシー（場所に対するプライバシーに包摂される）とは別個の保護すべき何らかの利益が付け加わることはない。

最高裁は適法との結論のみを判示しているので，その理由は必ずしも明らかでありませんが，このような理解を前提に，内縁の夫の所持するボストンバッグの捜索を適法としたと解するのが最も合理的なように思います。

なお，「手に持っているか否かは偶然の事情にすぎず，そのような事情がそうした物に対する捜索の可否を左右するのは妥当でない」[58]との理由付けも，相当とは思われません。「偶然の事情」を理由とするのであれば，衣類のポケットなどに入れているかどうかもまた，「偶然の事情にすぎず」，「身体」の一部たる衣類の中を捜索することができることとなるからです。

学びの道しるべ

✍ 被疑事実と関連性の認められる物として差し押さえることのできる物について，学生諸君の一部には，被疑事実（客観的要素のみならず，主観的要素，主体的要素を含む意味で実務上用いられる罪体）そのものの直接証拠に限定されるとの誤解が見受けられる。

関連性のある物，すなわち222条1項で準用される99条1項にいう「証拠物」の意義を上の意味での罪体に限り，背景事情や情状の証拠を含まないとすると，起訴・不起訴の決定にとって重要な証拠を物的強制処分たる差押えによって獲得することができないこととなり，到底妥当とは思われない。ここでいう「証拠物」とは，被疑事実自体（罪体）の証拠（直接証拠，間接証拠，補助証拠）はもとより，罪責の軽重に影響のある情状事実を立証するための証拠（情状証拠）や背景事情の証拠も，これに含まれるのである[59]（仙台高秋田支判平成18・7・25刑集61巻1号12頁は，「被疑事実に関するものであれば，いわゆる罪体に関する直接証拠だけでなく，状況証拠や犯罪行為の情状に関

57）　川出敏裕・百選〔第7版〕49頁。
58）　リークエ131頁〔堀江〕。なお，堀江教授は，有力説として，このような記述をしているものであって，堀江教授の見解というわけではない。
59）　秋葉康弘「差押の対象物と被疑事実との関連性の程度」令状に関する理論と実務Ⅱ80頁。

する証拠であってもよ〔い〕」という。東京地判平成22・8・30判タ1354号112頁なども同旨)。したがって動機に関する証拠(罪体の間接証拠,情状証拠)や情状証拠も被疑事実と関連性が認められるのである[60]。

このことは,令状による差押えのほか,第9講の「逮捕に伴う無令状の差押え」における差押えについても同様であるので,留意されたい。

✍✍ 学生諸君の答案の中には,「その場で確認していたのでは記録された情報を損壊される危険があるとき」と書くべきところを,「差し押さえないで,差押えを終了し,その場を離れた場合には,情報が損壊される危険があるとき」とするものがある。

しかしながら,最高裁平成10年決定は,差押え忘れを奇貨として被処分者等が当該証拠物を破壊するおそれがあることをいうものではない。学生諸君のこのような理解によるのであれば,電磁的記録媒体でない一般的な証拠物(たとえば帳簿類)の差押えについても,差し押さえないままに捜索・差押えを終了すれば損壊の危険があるであろうから,内容を確認せずに差し押さえることができるという不当な結論を導くこととなる。

✍✍✍ 上記の「内容を確認することなしの右パソコン,フロッピーディスク等を差し押さえることが許される」の箇所について,研究者や実務家の書いた論考の中に「内容を確認することなしに」ではなく「関連性を確認することなしに」と記述したものをみかけることがある。しかしながら,「関連性」は憲法35条1項の「正当の理由」の内容をなすものであって,関連性が不明なままで差押えが許されるはずがない。最高裁平成10年決定のいわんとするところは,「内容」を確認しなくても,憲法35条1項及びこれを受けた刑訴法99条1項(222条1項)の要求する「**関連性**」を**肯定できる**ということでなければならないはずである。関連性を肯定する理由付けとして,関連性変動(緩和)説,一応の関連性説,当面不可分一体物説が主張されており,これに対し,平成10年決定の要件では関連性を肯定できないが,内容の確認に適する場所に移動させることができるとするのが酒巻教授の見解である。

60) 田口88頁は情状証拠につき,光藤Ⅰ148頁は背景証拠につき,それぞれ反対。なお上口145頁参照。

〈参考文献〉

①川出敏裕・百選〔第7版〕48頁
②井上・強制捜査と任意捜査276頁
③酒巻匡「押収・捜索とそれに伴う処分」刑雑36巻3号（1997年）86頁
④池田修・最判解刑事篇平成10年度78頁
⑤川出敏裕・平成10年度重判解（ジュリ1157号）181頁
⑥堀江慎司「『包括的差押え』について」論叢182巻1・2・3号（2017年）181頁

9　逮捕に伴う無令状捜索・差押え(1)

【設　問】
　警察官Kは，X方の応接間において，Xを覚醒剤所持の現行犯人として逮捕した。そして，Kは，捜索差押許可状の発付を受けることなく，X方の応接間のほか，書斎・寝室等すべての部屋について捜索を実施し，寝室で，天秤，ビニール袋を発見し，上記覚醒剤とともにこれらを差し押さえた。Kの行ったX方の各部屋の捜索，天秤などの差押えは，適法か。

〔ポイント〕
　①　逮捕に伴う無令状の捜索・差押えが許される理由
　②　捜索の許される場所的範囲

〔判　例〕
▷最大判昭和36・6・7刑集15巻6号915頁（ケースブック180頁，三井教材158頁）
▷東京高判昭和44・6・20高刑集22巻3号352頁（ケースブック184頁，三井教材162頁，百選〔第8版〕58頁・〔第9版〕58頁・〔第10版〕50頁）
▷東京高判平成5・4・28高刑集46巻2号44頁（三井教材164頁）
▷東京高判昭和53・5・31刑月10巻4＝5号883頁（三井教材161頁）

解　説

1　逮捕に伴う無令状の捜索・差押えが許される理由

教員：逮捕に伴う捜索・差押え（220条1項2号）は，なぜ，無令状で（3項）行えることとされているのだろうか。

Bさん：その点については，相当説（合理説）と緊急処分説（限定説）とが対立しています。いずれの見解も，現行犯逮捕はもとより通常逮捕，緊急逮捕の場合であっても，逮捕の現場には，逮捕に係る被疑事実（逮捕事実）に関連する証拠の存在する蓋然性が一般的に高いことを当然の前提としています[1)]。そして，相当説は，そのことのみを根拠として，裁判官による事前の司法審査を経るまでの必要はないからだと考えます。他方，緊急処分説は，被逮捕者によって逮捕事実に関連する証拠が破壊・隠滅されるのを防止し，証拠を保全する緊急の必要性があるからだと考えます。

A君：緊急処分説は，「証拠の破壊・隠滅の防止による証拠保全」のみならず，「逮捕者の身体の安全を図る必要」をも理由としているのではないかな[2)]。米国の連邦最高裁判例（1969 年のチャイメル判決など）も，この 2 つを理由としていたはずだけど。

Bさん：A君の言うとおりよね。しかし，「逮捕者の身体の安全を図る必要」を理由に捜索・差押えが許されるとすれば，捜索・差押えの対象物は凶器等でなければならないはずであり，凶器等は，逮捕事実（設問では覚醒剤の所持）に関連する証拠ではあり得ないわ。そうだとすると，そのような凶器等は「証拠物」（222 条 1 項・99 条 1 項）には当たらず，これを発見するために捜索をし，差し押さえることはできないはずでしょ。そこで，最近では，緊急処分説の論者の中には，220 条 1 項の逮捕に伴う無令状の捜索・差押えが許される理由として「証拠の破壊・隠滅の防止による証拠保全」のみを挙げる見解が有力よね。

A君：緊急処分説に立ちながら，「証拠の破壊・隠滅の防止による証拠保全」のみを挙げる見解を採ると，逮捕者の安全を図るために，身体捜索，凶器等の差押えは，許されないことになるのかな。

Bさん：220 条 1 項 2 号・3 項を根拠としては許されないけれど，「逮捕に対する妨害を排除するための措置として，そもそも逮捕の効力により」，逮捕者の安全を図るための身体捜索・凶器等の保管を行うことができると解されているわ[3)]。

1）　川出敏裕「逮捕に伴う差押え・捜索・検証（220 Ⅰ・Ⅲ）」法教 197 号（1997 年）36 頁，酒巻匡「逮捕に伴う令状を必要としない強制処分」法教 297 号（2005 年）58 頁。

2）　平野 116 頁，鈴木 89 頁，田口 93 頁。

3）　川出・前掲注 1)36 頁，酒巻・前掲注 1)59 頁。

教員：もっともだ。しかし他方で，最近の有力説（酒巻教授，川出教授）のように，かつての緊急処分説の柱の１つであった「逮捕者の身体の安全を図る必要」という理由付けを外すと，令状主義との関係で問題は生じないだろうか。つまり，「逮捕者の身体の安全を図る必要」を無令状捜索・差押えの理由付けとすることは令状主義と抵触することはないけれども，「証拠の破壊・隠滅の防止」との理由だけで，令状主義との関係をうまく説明できるのだろうか。

Ｂさん：酒巻教授は，「緊急の必要性故に事前に裁判官の審査を経ることが困難であるから，例外的にそのような事情がある場合に限り，令状審査を省略することができる」[4]とされていますね。

教員：なるほど。しかし，酒巻教授の言うように「緊急性（緊急の必要性）」が果たして令状主義との関係で正当化事由となるのだろうか。令状主義の本旨は，捜索・差押えの根拠（憲法35条１項の「正当な理由」の存在）をあらかじめ裁判官（司法官憲）に確認させることにあり，具体的には，①特定の犯罪の嫌疑の存在，②当該犯罪と関連性を有する証拠が捜索場所に存在する蓋然性，③捜索・差押えの必要性，の３点について裁判官の事前審査を必要とすることにある[5]。ところが，逮捕に伴う捜索・差押えは，逮捕の要件を充たす場合なので，①については事前の司法審査を省略することに合理性があるけれども，②については，疑義があるのではないだろうか。つまり，令状主義の例外の典型としての現行犯逮捕について考えてみると，現行犯逮捕が令状を要しないのは，確かに「緊急性」が根拠のひとつであるけれど，犯罪の明白性と犯人の明白性のゆえに誤認のおそれがないので，事前の裁判官が行うべき判断を捜査機関（そして私人にも）に委ねることが正当化されるわけだ。そうだとすると，捜索・差押えの場合についても，②の関連性と蓋然性について裁判官の司法審査を不要とするほどの明白性が要求されると解するのが筋というものではないだろうか。酒巻教授のように「緊急性」を令状主義の例外が認められる理由に挙げてみても，緊急性が，②の点（関連性と蓋然性）に関する裁判官の事前審査を不要とし，これに代わる事情となり得るとは到底思われないからね。②の関連性と蓋然性について司法審

4） 酒巻・前掲注 1)58 頁。
5） 井上・通信会話の傍受 40 頁参照。

査を不要とするほどの明白性が存する（捜査機関に判断を任せてよい）といい得るのは，せいぜい現行犯逮捕に伴う捜索・差押えの場合だけであり，通常逮捕や緊急逮捕に伴う場合については，関連性・蓋然性について令状審査に代替し得るほどの明白性を認めるべき事情は見出せないのではないだろうか[6)]。

A君：緊急処分説の論者は，相当説に対して，「証拠存在の一般的蓋然性は，……正当理由に関する裁判官の具体的な事前審査に代替できるとするのは疑問であろう」と批判していますが[7)]，今の議論によると，その批判は，多かれ少なかれ緊急処分説自身にも当てはまり，「緊急性」を持ち出しても裁判官による事前の司法審査に代替できるものではないということですね。

Bさん：それはそうですが，憲法35条が令状主義を原則とする以上は，その例外を限定的に理解する緊急処分説の方が令状主義の趣旨により適合的である[8)]とはいえると思います。それに，相当説は，逮捕場所については類型的にみて令状を請求すれば発付され，捜索等が可能となるのが一般だから，というのですが，それなら，逮捕に伴う場合や逮捕場所でなくとも，類型的にみて令状を請求すれば発付され，捜索等が可能となるのが一般である場所はあり得るのであって（例えば被疑者の自宅），無令状の捜索・差押えを逮捕に伴う場合や逮捕場所に限る必然性はないはずです。類型的に蓋然性が高い場合には，逮捕に伴う場合や逮捕場所でなくても，無令状の捜索・差押えを認めてよいということになりませんか。

A君：Bさんの指摘のうち，令状主義の趣旨にどちらが適合的かという点については，相当説は，米国連邦最高裁のラビノビッツ判決（1950年）の法廷意見（合衆国憲法修正4条に関するもの）に倣って，我が憲法35条1項について，令状による場合と逮捕に伴う場合とのいずれかが原則で他方が例外という優劣の関係になく並列関係と解している[9)]のですから，憲法35条1項をそのように解するなら，令状主義が原則で，無令状捜索・差押えは例外だとはいえないよね。Bさんの後段の指摘，つまり相当説の掲げる論拠によ

6）　堀江慎司「令状主義」法教268号（2003年）18頁，池田公博「身柄拘束に伴い無令状で捜索を行い得る範囲」研修721号（2008年）6頁参照。
7）　酒巻・前掲注1)59頁。
8）　川出・前掲注1)37頁参照。
9）　田宮109頁，田宮Ⅰ 349頁［田宮］。

ると，類型的に証拠物存在の蓋然性が高い場合には，逮捕に伴う場合や逮捕場所でなくても，無令状の捜索・差押えを認めてよいはずではないかというのは，Bさんの言うとおりだよ。しかし，220条1項2号は，立法政策として，そこまで認めているわけではないけれども，相当説を基本としながら，「逮捕によって被逮捕者の身辺の平穏が攪乱されているので，新たな権利侵害の程度が低いこと」を補充的な理由とすることも考慮してよいかもしれないね（東京高判平成5・4・28高刑集46巻2号44頁）[10)]。

教員：ラビノビッツ判決（United States v. Rabinowitz, 339 U.S. 56（1950））の法廷意見が無令状の場合と令状による場合とを並列関係と理解したのは，合衆国憲法修正4条の規定の仕方（無令状の場合と令状による場合とがandで接続されている）による面が大きいのだけれど，我が憲法35条1項の規定の仕方は修正4条とは全く異なるので，35条1項については，並列関係ではなく「令状主義が原則」と解すべきだろうね。その上で，緊急処分説ないし相当説（令状主義を原則と解する場合）を主張するには，令状主義の例外を認めるために事前の司法審査に代替し得る事情（令状主義の趣旨が「別途何らかの形で実質的に満たされる」[11)]こと）を要求することを，こと物的強制処分に限っては，捨て去るほかないように思うのだが，どうだろうか（さもないと，220条1項柱書の明文に反して，捜索・差押えは現行犯逮捕の場合のみ許される[12)]と解さざるを得なくなる[13)]）。

A君：緊急処分説の方がより令状主義に適合的であるとして，令状主義との距離を競ってみても仕方ないですよね。重要なことは，いずれの見解が，令状主義の例外としてより合理的かということです。令状主義により適合的だということは，理由付けの一つにすぎないのではないかな。

教員：ほう，なかなか面白いね。実は，憲法，刑訴法の制定過程をみても，相当説と緊急処分説のいずれの立法趣旨に基づき制定されたものか，定かでないんだ。そしてまた，憲法及び刑訴法の当該条文の文言も一方の見解を採用する決定的な理由とはならないように思われる[14)][15)]。相当説のような理

---

10) 亀山継夫・百選〔第5版〕53頁も同旨。

11) 堀江・前掲注6)16頁。

12) 堀江・前掲注6)18頁。

13) 日本国憲法の施行に伴う刑事訴訟法の応急的措置に関する法律7条2項ただし書，刑事訴訟法改正案第1次案，第2次案は，現行犯逮捕の場合に限定していた。

解が，令状主義の例外として成り立たないものかどうかこそが問題であろう。そして，緊急処分説も相当説も，令状主義の例外としてともに成り立ち得るとすれば，令状主義との距離の観点，結論の妥当性や基準の明確性の観点から検討すべきなのではないだろうか。

Bさん：結論の妥当性は，どうでしょうか。

教員：川出教授は，「実務が相当説的な考え方で運用されているのは，緊急処分説を採用した場合の帰結が，あまりに窮屈に感じられるからであろう」とされ，井上教授も，捜索場所について被疑者の自宅の場合と第三者の住居などの場合とを区別し，前者については，家屋全体について捜索できるとしておられるよね。緊急処分説を採用した場合に，被逮捕者の直接の支配下（the arrestee's person and the area within his immediate control），すなわち手の届く範囲内（grabbing distance）しか捜索できないとすれば，手の届く範囲をほんのわずかでも超えれば捜索できないこととなり，その結論の妥当性には疑問を抱かざるを得ないだろう。そして，この問題を解決すべく，緊急処分説を採用する学説のうちには，被逮捕者以外の者による証拠の破壊隠滅のおそれに言及するものがある。たとえば，川出教授は，「緊急処分説の結論自体，必ずしも明瞭でない点があり，検討すべき課題は残されている。中でも問題なのは，家族や共犯者といった，被逮捕者以外の第三者による証拠湮滅の危険をどのように考慮するかである」として，結論が妥当でないことについて自認する。そして，「逮捕の際の証拠湮滅……の主体を被逮捕者のみに限定する論理的必然性はない」とし，「第三者による証拠湮滅の危険までを考慮できるとすれば，具体的事情によっては，緊急処分説に立っても，捜索・差押えの時間的・場所的限界が，かなりの程度拡張される可能性があ

14）　新コンメ刑訴法560頁［多田辰也］は，「刑訴法の規定だけからでは，いずれの見解が妥当かの答えは出てこない」「令状主義を規定した憲35条の趣旨からすれば，限定説に沿った解釈をすべきである」という。限定説とは，もとより緊急処分説のことである。

15）　合衆国連邦最高裁は，Chimel v. California, 395 U.S. 752（1969）において，United States v. Rabinowitz, 339 U.S. 56（1950）の見解（相当説）を変更して，緊急処分説を採用し（田宮裕『捜査の構造』〔有斐閣，1971年〕215頁以下），以後，緊急処分説が実務を支配しているが，Thornton v. United States, 541 U.S. 615（2004）において，Scalia判事は，「Rabinowitz判決とChimel判決は，憲法の要請についてもっともらしい説明をしているものの，どちらの判決も確立した法に対する例外を正当化するほどの説得力は有していない」と述べている。

る」として，第三者による証拠隠滅の危険を考慮して，捜索の範囲の拡大を企図する[16]。この点は，捜索の範囲の問題として次項において論ずることとしよう。

A君：基準の明確性の観点からはどうか。

教員：この点では，同一管理権でその限界を画する相当説が優れていることは明らかだ。緊急処分説によれば，被逮捕者による証拠の破壊隠滅を防止することを無令状捜索の趣旨とするので，被逮捕者の身体および直接の支配下（すなわち手の届く範囲）に限定されるが，「その具体的な範囲は，それが逮捕の際の被逮捕者の移動可能性に左右される」[17]のであって，被逮捕者の拘束の態様（手錠をかけたか否か），前手錠か後ろ手錠かなどの拘束の程度，被逮捕者と警察官の位置関係，警察官の人数など，変数的要素が多いため，捜索の範囲が一義的に明らかとは到底いいがたく，基準としてははなはだ不明確といわざるを得ず，相当説に軍配を上げることができよう。ところで，Bさん，我が国の裁判例はどうなっているかな。

Bさん：下級審の裁判例は，一般論としては両説の根拠を共に挙げるものが散見されますが（東京高判昭和44・6・20高刑集22巻3号352頁など），具体的事例への当てはめでは，相当説に近いものになっています（東京高判昭和53・5・31刑月10巻4＝5号883頁）。最高裁も，被逮捕者不在のままの「逮捕に伴う無令状の捜索・差押え」を肯認していますので（最大判昭和36・6・7刑集15巻6号915頁），被逮捕者による証拠の破壊・隠滅を理由とするとは考え難く，また，最決昭和40・9・16集刑156号437頁も，被逮捕者が寝泊まりする飲食店の1階で被逮捕者を適法に逮捕した以上，その2階に立入り，差押え，捜索または検証をすることが適法にできた旨説示しており，いずれも相当説に立つことは明らかでしょう。

2　捜索の許される場所的範囲

Bさん：捜索の範囲は，220条1項2号の「逮捕の現場」の解釈によるのですね。

16）川出・前掲注1)37頁。
17）川出・前掲注1)37頁。

A君：そうかなあ。2号は「逮捕の現場で……捜索」であって「逮捕の現場を……捜索」ではないから（逮捕の現場でどこを捜索するかは規定されていない），捜索の範囲が「逮捕の現場」の解釈で決まるというのは，どうもすっきりしないなあ。

教員：確かに「逮捕の現場」は，差押え・捜索・検証を実施する主体である捜査官の居るべき場所であって，差押え・捜索・検証の客体ではないけれども，「逮捕の現場で」捜索できる「場所」は，すなわち「逮捕の現場」ということにならざるを得ない（「逮捕の現場で」逮捕の現場以外の場所を捜索できるというのは，物理的にあり得ない）のだから，「『逮捕の現場』は，場所そのものに対する捜索等の範囲を画する概念でもある」[18]（傍点は筆者による）わけだ。

A君：被逮捕者の身体や所持品は，「逮捕の現場」なのですか。

Bさん：そうじゃないでしょう。酒巻教授は，「法は被逮捕者の身体及び所持品が無令状捜索の対象であることを明記していないが」「法の趣旨から捜索の対象に含まれ得ると解するのが合理的である」[19]とされて，場所とは別に，被逮捕者の身体・所持品を捜索の対象としているわ。

教員：酒巻教授に限らず，学説は，一般にそのように理解するようだ。しかし，ほんとにそうなのかな。酒巻教授は，被逮捕者の身体・所持品は，法が明記していないというが，確かに，220条1項2号が，「逮捕の現場で捜索をすること」と定めていて，捜索の対象として被逮捕者の身体・所持品を明示していないのはその通りだけど，222条1項で102条が準用されているのだから，捜索の対象が「身体，物又は住居その他の場所」であることは法が明記しているというべきだろう。そのことは，218条1項の令状による捜索だって同じことで，218条1項には明記されていなくても，222条1項により102条が準用され，令状による捜索の対象が「身体，物又は住居その他の場所」であることについては，何の疑問も提起されていないことからも明らかだろう（最決昭和44・3・18刑集23巻3号153頁〔国学院大学映研フィルム事件〕は，差押え目的物についてではあるが，「差押は『証拠物または没収すべき物と思料するもの』について行なわれることは，刑訴法222条1項により

18)　大澤裕「逮捕に伴う被逮捕者の所持品等の差押えの適法性」法教192号（1996年）101頁。
19)　酒巻127頁。

準用される同法 99 条 1 項に規定するところであ〔る〕」という)。

Bさん：令状による捜索については，219 条が対象を定めているということではないでしょうか。

教員：219 条は，令状の記載事項を定めるものであって，それ以前に，何が捜索の対象であるかについての定めが必要だろう。それが 222 条 1 項で準用する 102 条ということだよ。

A君：酒巻教授など学説は，220 条 1 項 2 号も 218 条 1 項も，令状の要否を除いて同じ表現振りなのに，無令状捜索については，令状によるそれとは異なり（令状による場合には「法の趣旨から」身体，物，場所が捜索の対象であるとはいえない)，「法の趣旨から」，被逮捕者の身体とその所持品を捜索の対象と理解するのは，なぜなのでしょうか。

教員：これは単なる憶測の域を出ないが，我が国の学説の採る緊急処分説は，米国の判例・学説を移入したものであり，米国のそれは，捜索場所を被逮捕者の身体及びその直接の支配下にある場所に限定するので，我が国でも同様に捜索の範囲を限定するとすれば，102 条の文言と整合しないことから，222 条 1 項による 102 条の準用に敢えて目を瞑っているのではないか。そして，「逮捕の現場で」の文言を，無理を承知で捜索場所の定めとし，これを限定的に解しているのではないだろうか。そしてまた，被逮捕者の身体とその所持品を「逮捕の現場」に含めて解釈することは困難であろうから（酒巻教授のいう「法は明記していない」)，制度趣旨によりこれも捜索の対象に含まれると強弁せざるを得ないのではないか。このことは，差押えの対象についても同様であり，222 条 1 項が 99 条 1 項を準用しているにもかかわらず，米国の判例・学説に倣って，「証拠物又は没収すべき物と思料するもの」のほか，凶器や逃走のための道具も含まれる[20]とするために，法の趣旨（220 条 1 項 2 号の趣旨）を持ち出さざるを得なかったのだろう。そして，今日では，凶器や逃走のための道具は差押えの対象に含まれないと解するのが通説なのだが，それでもいまだに，差押えの対象物について，「明文による限定はない」が，法の趣旨から，証拠物及び没収すべき物と思料するものに限られる[21]とするのは，どうしたことだろう。

20）　松尾(上)75 頁，横川敏雄『刑事訴訟』（成文堂，1984 年）138 頁。

21）　酒巻 128 頁など通説である。

Bさん：先生だいぶヒートアップしていますね。ところで，緊急処分説では，令状主義を原則とし，被逮捕者による証拠の破壊・隠滅の防止を根拠としますので，逮捕に伴う捜索・差押えは，事前に令状をとる時間的余裕がない場合に限られ[22]，捜索の範囲も，被逮捕者が証拠隠滅を図ることができる範囲，すなわち被逮捕者の身体およびその直接の支配下にある場所，別言すれば被逮捕者の手の届く空間に限られることは，先ほど議論しましたね。

A君：相当説では，令状の発付を受ければ捜索できる範囲，言い換えれば，逮捕の場所と「同一管理権」の及ぶ範囲（場所）およびそこにある物について捜索が許されることになります。なお，鎌倉の自宅（逮捕場所）と京都の別荘の管理権者が同一（被逮捕者）であっても，京都の別荘が「同一管理権」の及ぶ範囲には当たらないことは明らかですから（同一人の管理に属しても，二個の管理権である），誤解を避けるため，むしろ「一個の管理権」とか，「単一の管理権」といったほうがいいのかもしれませんね。

教員：「同一管理権」の基準は，場所についてのものであって，被逮捕者の身体および所持品を捜索できることは（相当説であれ緊急処分説であれ異論はない），「同一管理権」とは無関係であることに留意すべきだろう。ところで，Bさんに質問だけど，緊急処分説によれば，逮捕された部屋で，被逮捕者の手の届く範囲外に証拠が存する蓋然性が高い場合であっても，「直接の支配下にある場所」ではないので，捜索はできないし，また，手の届く空間であっても被逮捕者が完全に行動の自由を奪われた場合も，被逮捕者は証拠の破壊・隠滅がおよそできないので，そうでなければ手の届く範囲であるとしても，捜索は許されないよね。被逮捕者を連行した後も，同様だろうね。

Bさん：緊急処分説によれば，いずれの場合も，捜索は許されません。被逮捕者の手の届かない場所を捜索したいのなら，逮捕する前にあらかじめ逮捕場所の捜索差押許可状の発付を受けておけばよいだけのことでしょう。また，逮捕着手後に裁判官に令状を請求し，発付された令状によって捜索・差押えを行うこともできますよね。

A君：それは無理な注文だよ。現行犯逮捕や緊急逮捕の場合はもちろん，

22）　川出・前掲注 1)36 頁，光藤Ⅰ 153 頁，リークエ 141 頁［堀江慎司］など通説。なお，緊急処分説に与する上口教授は，令状をとる余裕があった場合でも，捜索・差押えを許さざるを得ないという（基礎演習刑訴法 42 頁［上口裕］）。

通常逮捕の場合でさえ，どこで被疑者を逮捕するかは事前に明らかなわけじゃないんだから。自宅や勤務場所ならば格別，事前に逮捕場所の捜索差押許可状の発付を受けることは不可能だよ。また，その場で令状の発付を請求するといっても，令状の請求のための疎明資料の作成から令状の発付までには，それ相応の時間（数時間）がかかるよ。その間に，証拠が破壊・隠滅されるおそれが高いのではないかな。

Bさん：それなら，被逮捕者以外の者（家族や共犯者）による証拠の破壊・隠滅を防止するためなら，被逮捕者の直接の支配下以外の場所でも捜索できるのではないでしょうか。

教員：そうだね。被逮捕者以外の者なら，逮捕されているわけではないので，被逮捕者の「直接の支配下」（手の届く範囲）でなくても証拠の破壊・隠滅は可能だから，1階で被疑者を逮捕しても2階も含めてその住居全体を捜索できるということになるだろう。最近では，緊急処分説を基本としながらも，「第三者による証拠隠滅までを考慮」しようとする考え方が少数ながらも有力なようだ[23]（以下「修正された緊急処分説」という。この見解によるときは，制度趣旨に，被逮捕者による証拠の破壊・隠滅の防止のみならず，第三者によるそれをも防止することを含める[24]こととなろう）。

A君：修正された緊急処分説によれば，捜索の範囲はかなり広がり，相当説と同じ範囲で捜索が許されることになりそうですね。

教員：そうもいえるけれども，相当説とは違って，事前の司法審査を経由することができなかったこと（緊急性）を要件とするほか（ただし，上記のとおり，上口教授は反対），第三者による証拠の破壊・隠滅については，「あまりに抽象的な証拠湮滅の可能性を根拠に無令状の捜索・差押えを行うことは認められないであろう」[25]とされているんだ。つまり，事前に捜索許可状の発付を得る暇がなかったことが要件となるし，家族や共犯者等による証拠隠滅の具体的・現実的なおそれが認められる場合にのみ，捜索の範囲が広がるわけだね（ただし，緑教授の言われるように，「最大でも証拠が存在する蓋然性がある同一管理権の範囲にとどまると解すべき」[26]だろう）。

23） 川出・前掲注 1)37 頁，酒巻 126 頁，基礎演習刑訴法 41 頁［上口］，上口 169 頁。
24） 酒巻 125 頁は，「被逮捕者や第三者が証拠の破棄隠滅を行うことを防止……」とする。
25） 川出・前掲注 1)37 頁。

Bさん：緊急処分説の多数説は，依然として，被逮捕者以外の者による証拠の破壊・隠滅の防止を考慮せず，捜索の範囲は，被逮捕者の身体・所持品と「被逮捕者の直接の支配下」に限るのですよね。なぜ，修正された緊急処分説は一部の学説にとどまっているのかな。別言すれば，「証拠の破壊・隠滅」の主体を被逮捕者に限定しなければならない理由は，どこにあるのでしょうか[27]。

教員：それは，被逮捕者以外の者が証拠の破壊・隠滅をする蓋然性は，一般的にいえば，そんなに高いものとはいえないので，憲法35条が，制度的（類型的）に，令状主義の例外として被逮捕者以外の者による証拠の破壊・隠滅の防止までも目的としているとは解せられないからじゃないかな（一般的・類型的に危険があるのは被逮捕者による証拠の破壊・隠滅であるので，それを防止するために無令状の捜索・差押えの制度が設けられたと解するのである）。米国においても，家族等による証拠の破壊・隠滅の危険性については，ヴェイル判決（Vale v. Louisiana, 399 U.S. 30 (1970)）が，「逮捕に伴う無令状捜索」の法理ではなく，「緊急事態の例外（exigent circumstances exception）」の法理（いずれも合衆国憲法修正4条）によっているんだ。ヴェイル判決は，「証拠は破壊過程にはなかった（not in the process of destruction）」としているので（判文からは必ずしも明らかでないが，文脈からは，ヴェイルを玄関の外で逮捕した直後に帰宅した母親と兄弟による証拠の破壊であろう），「証拠隠滅の具体的現実的な危険」[28]があるときに「緊急事態の例外」の法理により無令状の捜索が許容されるとの趣旨だろう。

Bさん：米国では，修正4条が無令状のreasonable searchを許容しているので，判例により，「逮捕に伴う無令状捜索」の法理のほかに「緊急事態の例外」の法理が確立しているけれども，我が国には，「緊急事態の例外」の法理は存在しませんね。でも，家族や共犯者など被逮捕者と特別の関係にある者に限って考えると，逮捕が行われれば，それまでとは違って，証拠の破壊・隠滅のおそれは格段に高くなるのですから，そのような被逮捕者以外

26）　緑142頁注4。

27）　田宮裕『捜査の構造』（有斐閣，1971年）236頁。

28）　緑大輔「合衆国での逮捕に伴う無令状捜索――チャイメル判決以降」一橋論叢128巻1号（2002年）85頁。

の者による証拠の破壊・隠滅に対して対処するためには，修正された緊急処分説によるのが適切なんじゃないかしら。

A君：修正された緊急処分説が，被逮捕者以外の者による証拠の破壊・隠滅について，その現実的な危険を要求することは，緊急処分説が，個別具体の事案において，被逮捕者による「証拠の破壊・隠滅の現実的なおそれ」のあることを要件としていないこと（本講末尾の Q2 参照）と整合するのかな。

教員：確かにそうだね。被逮捕者については，類型的に「証拠の破壊・隠滅のおそれ」が認められるけれども，第三者については，それが認められないから，個別具体の場面において，後者について証拠隠滅の具体的・現実的なおそれを要求すると説明するほかないだろう。

A君：ところで，井上教授は，修正された緊急処分説には左袒しないようですね。

教員：そうだね。井上教授は，正当化根拠を一元的に捉えるのではなく，緊急処分説をベースにして，二分論的アプローチを採るべきであるとされ，⑴①被疑者の身体・携帯品や②被疑者の住居のすべての部屋について，無令状の捜索・差押えが許されるとし（その理由付けは，①について緊急処分説，②のうち，「逮捕行為の着手後完了までの間に被疑者が現にいるか，いたと認められる部屋」について緊急処分説により，その余の部屋については，逮捕のための立入りや捜索によって既に住居の平穏やプライバシー等の権利・利益が相当程度侵害されているので，これに付随して行うことが正当化される〔いわゆる付随処分説〕とする。その余の部屋について修正された緊急処分説のような「共犯者や家族による証拠隠滅の具体的・現実的なおそれ」を要求しない），⑵被疑者以外の者（第三者）の住居については，「逮捕行為の着手後完了までの間に被疑者が現にいるか，いたと認められる部屋」に限り，無令状の捜索・差押えが許され（その理由付けは，緊急処分説による），その余の部屋や被疑者以外の者（第三者）の身体や携帯品については，無令状の捜索・差押えは許されないとする，注目すべき見解を提示されている[29]。

Bさん：修正された緊急処分説は，⑴はもとより，⑵についても，被逮捕者以外の者による証拠の破壊・隠滅の現実的なおそれがあるときは，捜索を

29） 井上正仁「逮捕に伴う無令状捜索・差押え」新・争点85頁（井上・強制捜査と任意捜査358頁）。

許容するので，井上教授の二分説とは接点がありませんね。

3　設問の解決

教員：以上の検討を前提にすると，設問の捜索・差押えは適法だろうか。

A君：相当説に立つと，設問のケースでは，書斎・寝室等は逮捕場所である応接間と「同一管理権」（一個の管理権）に属するので，捜索は適法です。相当説によれば，Kらが裁判官の捜索差押許可状の発付を受ける時間的余裕がなかったことが，捜索・差押えの適法要件となるわけではありません。差し押さえた証拠は，いずれも逮捕事実に関連する証拠であり，この点でも問題はありません。

Bさん：緊急処分説によれば，現行犯逮捕の事例ですので，事前にX方の捜索差押許可状の発付を受ける時間的余裕はなかったでしょうから，この点はクリアされますが，設問の場合，「直接の支配下（手の届く範囲）」しか捜索は許されませんので，X方の応接間のうちXの手の届く場所の捜索は適法ですが，応接間以外の場所はもとより，応接間であってもXの手の届かない範囲に対する捜索は違法です。ただし，修正された緊急処分説によるならば，家族や共犯者等による証拠の破壊・隠滅の具体的・現実的なおそれの有無いかんによっては，適法とされる余地があります。なお，差し押さえることのできる証拠物は，逮捕事実に関連する証拠に限られることはA君の述べたとおりです。

教員：Xを第三者Y方で逮捕した場合は，222条1項により準用される102条2項により，「押収すべき物の存在を認めるに足りる状況のある場合に限り」Y方の捜索が許されることとなることに留意してください。

Question & Answer

Q1　逮捕に伴う無令状の捜索・差押えにより差し押さえることのできる物は，逮捕事実に関連する物でなければならないことに異論はないようですが，その理由付けとして，「事件単位の原則」を掲げる文献がありますが，事件単位の原則は，捜索・差押えにも関係する原則なのでしょうか。

A 逮捕の現場には被疑事実に関連する証拠が存在する蓋然性が高いことを前提とするので（本講 163 頁），逮捕に伴う無令状の差押えの対象は，逮捕被疑事実と関連性を有する証拠物に限定されるとするのが通説的見解です[30)]。

これに対して，田口教授は，捜索差押許可状による捜索中に別罪証拠が発見された場合について，「令状記載物件に含まれないかぎり捜索差押えの対象とはなりえないとするのが通説・実務である（事件単位の原則）」[31)]とし，さらに，「220 条の場合にも事件単位の原則は維持すべきである」[32)]とされています。

しかし，事件単位の原則とは，「逮捕も勾留も事件（被疑事実）ごとに行われる」[33)]ことをいうのであって[34)]，「現在では，それを逮捕・勾留に関わるあらゆる問題を規律する一般原則であるかのようにとらえる見解も少なくなく，その内容については，必ずしも考え方が一致していない」[35)]とはいえ，「逮捕・勾留に関わるあらゆる問題」を超えて，物的強制処分たる捜索・差押えについてまで「事件単位の原則」の用語を用いるのは，事件単位の原則の本来の意味を大きくはみ出すものです。田口教授は，ここでは，逮捕・勾留に関する「事件単位の原則」とは異なる意味合いにおいて「事件単位の原則」の用語を用いているのであり，学生諸君は，混同しないようにする必要があります。

* * *

Q2 緊急処分説によるときは，逮捕に伴う無令状の捜索・差押えの要件として，「証拠の破壊・隠滅のおそれ」が必要でしょうか。

A 確かに「証拠隠滅のおそれ」が必要とする見解[36)]もあります。しかし，制度趣旨として，証拠の破壊・隠滅の防止による証拠保全を掲げることと，それを要件とすることとは，自ずから別個の問題です。緊急処分説の論者の

30）池田・前掲注 6）4 頁。
31）田口 88 頁。
32）田口 93 頁。
33）田宮 92 頁。
34）光藤Ⅰ 79 頁，刑事法辞典 333 頁［川出敏裕］。
35）刑事法辞典 333 頁［川出］。
36）上口 168 頁。

多くが，これを要件として明示しないことから[37]，おそらくは，これを無令状の捜索・差押えの要件とするものではなく，証拠の破壊・隠滅の「現実的危険性」を，「直接の支配下にある場所」の範囲を決定する考慮要素として用いている（証拠の破壊・隠滅の抽象的な危険のある範囲ではなく現実的な危険のある範囲としての「直接の支配下」とする）ように思われます[38]。これは，いわば緊急処分説の母国たる米国の判例の影響が大きいのではないでしょうか。1973年のロビンソン判決（United States v. Robinson,414U.S. 218 (1973)）では，逮捕に伴う無令状の身体捜索にあたって，逮捕者の生命・身体への危険について，個別の事案ごとに検討する必要性はなく，無条件で捜索ができるとし，また1982年のクリスマン判決（Washington v. Chrisman, 455 U.S. 1 (1982)）でも，逮捕する際は，逮捕者に対する潜在的な危険性が常に存在するという推定が働くとしています[39]。

*　　　*　　　*

Q3　緊急処分説による場合において，「被疑者が現場から連行されるか，あるいはそれ以前に，もはや身動きできなくなった状態になれば，以後の捜索・差押えはできないはずである」[40]としても，ただ手錠をかけられただけで，「身動きできなくなった状態」に至っていないときは，捜索の範囲はどうなるのでしょうか。

A　この点については，川出教授は，「〔手の届く〕具体的な範囲は，それが逮捕の際の被逮捕者の移動可能性に左右されるため，被逮捕者の拘束の態様・程度，被逮捕者と捜査官との位置関係といった事情を考慮して，個々の事例ごとに決定せざるをえない」[41]とされています。我が国では判例が相当説に立つため，適切な裁判例はありませんが，判例が緊急処分説を採る米国では，下級審裁判例で，「直接の支配下」＝「手の届く範囲」についての裁判例が集積されており，それによれば，⑴被逮捕者が手錠をかけられるなど物理的拘束がなされているかどうか（手錠をかけられた場合は，捜索の範囲は非常に狭くなり，被逮捕者のnear-byのみに限られるとする裁判例や，被逮捕者

37）田宮109頁，田口94頁，川出・前掲注1)37頁，リークエ142～143頁［堀江］など。
38）リークエ143頁［堀江］。
39）緑・前掲注28)77頁，81頁。
40）川出・前掲注1)36頁。
41）川出・前掲注1)37頁。

から約1メートルの距離にあるクローゼットを捜索した事案について，被逮捕者が身体の背面でなく前面で手錠をかけられていたことを考慮して，当該捜索を適法とした裁判例も存する），⑵捜査官と被逮捕者が捜索場所に対していかなる位置関係にあるか，⑶捜索の対象となった容器や閉鎖的空間の内部を見ることがどの程度容易か，⑷被逮捕者やその関係者の人数と捜査官の人数，などの諸事情を斟酌して個別具体的な事案に応じて判断されているようです[42]。

* * *

Q4 修正された緊急処分説によるときは，共犯者や家族による具体的な証拠隠滅のおそれについて，どのような要素を考慮するのでしょうか。

A 被逮捕者と当該者との関係（例えば，共犯の疑いがある者については，証拠隠滅のおそれは特に強いと思われる），捜索時における当該者の言動，犯罪の重大性，証拠物の性質（破壊・隠匿の容易性）などを総合的に考慮することになるでしょう[43]。

〈参考文献〉

①川出敏裕「逮捕に伴う差押え・捜索・検証（220 Ⅰ・Ⅲ）」法教 197 号（1997 年）36 頁

②酒巻匡「逮捕に伴う令状を必要としない強制処分〔刑事手続法の諸問題⑫〕」法教 297 号（2005 年）55 頁

③令状基本問題㊦275 頁［小林充］

④井上正仁「逮捕に伴う無令状捜索・差押え」新・争点 80 頁（井上・強制捜査と任意捜査 331 頁）

42） 以上につき，村上祐亮「逮捕に伴う捜索・差押えと逮捕後の移動」東京大学法科大学院ローレビュー１巻（2006 年）132 頁，緑・前掲注 28)76 頁，佐藤文哉「刑事司法に関する米連邦最高裁判例の動向⑴」判タ 270 号（1972 年） 8 頁など。

43） 緑・前掲注 28)87 頁参照。

10 逮捕に伴う無令状捜索・差押え(2)

【設　問】

(1)　警察官Kは，被疑者Gに対する覚醒剤取締法違反罪による逮捕状の発付を得て，Gの所在を探していたところ，Nホテルの411号室に宿泊していることが判明したので，直ちに同ホテルに赴き，411号室において，Gを通常逮捕し，逮捕に伴う捜索として，同室内の捜索を開始した。同室には，Gの友人Xも同宿していたが，Gを逮捕し，室内を捜索する間，Xは，右手をズボンのポケットに差し入れたまま出そうとしなかったことから，Kは，XがGの被疑事実に関連する証拠を所持しているものと考え，Xの抵抗を排除して，Xのズボンのポケットに手を入れるなどしてその身体を捜索したところ，ズボンの右ポケットから大麻草が発見されたので，Kは，Xを大麻取締法違反罪（大麻所持）の現行犯人として逮捕し，上記大麻草を差し押さえた。Xの身体に対する本件捜索および大麻草の差押えは適法か。

(2)　警察官Lは，公道上において，窃盗罪による逮捕状によりYを通常逮捕したが，その場では捜索することなく，約1キロメートル離れた最寄りの警察署にYを連行したうえ，同警察署において，逮捕に伴う捜索として，Yの身体および所持品を捜索し，逮捕事実に係る盗品の一部を発見し，これを差し押さえた。Yの身体および所持品に対する本件捜索および盗品の差押えは適法か。

〔ポイント〕

①　逮捕の現場に居合わせた第三者の身体に対する捜索の可否

②　最寄りの場所に連行後の被逮捕者の身体・所持品に対する捜索・差押えの可否

〔判　例〕

▷函館地決昭和55・1・9刑月12巻1＝2号50頁（ケースブック188頁，三井教

材 168 頁）

▷最決平成 8・1・29 刑集 50 巻 1 号 1 頁（和光大学内ゲバ事件。ケースブック 190 頁，三井教材 163 頁，百選〔第 9 版〕62 頁・〔第 10 版〕54 頁）

解　説

1　逮捕の現場に居合わせた第三者の身体に対する捜索の可否

A君：刑訴法 220 条 1 項 2 号は，捜索・差押えの実施場所を「逮捕の現場」とし，222 条 1 項は，捜索の対象につき 102 条（「場所」「物」「人の身体」）を準用しているので，「逮捕の現場」に居合わせた第三者の身体の捜索は許されますが，被逮捕者以外の者については，「押収すべき物の存在を認めるに足りる状況」（102 条 2 項）が必要とされていますので，設問(1)の X の身体の捜索は，222 条 1 項，102 条 2 項の要件を充たす限り，許されます。

教員：確かに積極説が有力のようだね1)。積極説の解釈論的根拠は，必ずしも明らかではないけれども，A 君の言うとおり，222 条 1 項が 220 条 1 項 2 号の逮捕に伴う捜索についても 102 条 1 項（被疑者の身体・物等）だけでなく 2 項（第三者の身体・物等）をも準用しているのであるから，220 条 1 項 2 号の規定による捜索の対象から第三者の身体・所持品を除外することはできないということなのだろう。そして，第三者の身体・所持品については，222 条 1 項・102 条 2 項により，「押収すべき物の存在を認めるに足りる状況」（証拠物存在の蓋然性）が認められる場合に限って捜索できるという制約が働くことになる，ということだね。

Bさん：消極説2)もあるようですね。どのような理由なのかしら。

教員：酒巻教授は，「人の身体を場所内に存在する物と同一視することはできない」3)ことを理由としておられるんだ。しかし，消極の結論を採るのであれば，その理由は，逮捕に伴う捜索・差押えを無令状で行える正当化根

1）　田宮 112 頁，令状基本問題(下)279 頁，281 頁［小林充］，上口 168 頁，新コンメ 562 頁［多田辰也］，令状実務詳解 679 頁［金子大作］など。

2）　松尾(上)75 頁，酒巻匡「逮捕に伴う令状を必要としない強制処分」法教 297 号（2005 年）61 頁，リークエ 144 頁［堀江慎司］。

3）　酒巻・前掲注 2)61 頁。

拠に遡って考えるべきではないだろうか。無令状捜索・差押えの正当化根拠は，緊急処分説であれ相当説であれ，一般的・類型的にみて，「逮捕の現場」には逮捕事実に関連する証拠が存在する蓋然性が高いことだったよね（第9講参照）。ここで問題となっている逮捕の現場に居合わせた「被逮捕者以外の第三者の身体」について，果たして，証拠存在の蓋然性が「一般的・類型的にみて」高いといえるだろうか[4)]。

Bさん：逮捕現場に居合わせた第三者が逮捕事実に関連する証拠を所持している蓋然性は，「一般的・類型的に」高いとはいえないと思います（堀江教授も，証拠の存在する蓋然性が一般的に高いとはいえないことを理由とする[5)]）。

A君：しかし，積極説においても，証拠の存在する蓋然性は102条2項（222条1項により準用される）の要件（証拠の「存在を認めるに足りる状況」）の中で考慮されるのですから，それで足るのではないでしょうか。

教員：220条1項2号の捜索は，令状主義の例外なのだから，その対象は正当化根拠である「一般的・類型的にみて証拠の存在する蓋然性が高い」場所・身体・物に限定されるのではないか，換言すれば，個別・具体の事案（一般的・類型的ではない）において「証拠の存在する蓋然性が高いこと」は，第三者の身体に対する無令状捜索・差押えを正当化できないのではないか，が問題なんだ。102条2項の要件を充たすかどうかを問題とするより前に，第三者の身体はそもそも220条1項2号による捜索の対象となり得ないのではないかな。

A君：でも，そのように解すると，222条1項が102条2項を準用していることが無意味となるのではありませんか。

教員：そうでもないよ。被逮捕者を第三者の家で逮捕した場合は，そこには一般的・類型的にみて逮捕事実に関する証拠の存在する蓋然性が高い（そういえるかどうかも一個の問題ではあるが）ので，220条1項2号による捜索の対象として許容されており，その場合には222条1項が102条2項を準用していることに意味があるだろう。

A君：消極説によるとすると，逮捕場所に居合わせた第三者が逮捕事実に関連する証拠を警察官の目の前で隠匿したような場合であっても捜索できな

4）　酒巻教授は，酒巻128頁においては，筆者と同様の観点からこの問題を検討している。

5）　リークエ144頁［堀江］。

いことになって，不都合ではないですか。

Bさん：それは，「場所に対する捜索許可状に基づいて，その場所に居合わせた者の身体を捜索できるか」という問題とパラレルではないかしら。

A君：でも，「場所」に対する捜索令状では，そこに居る者の「身体」を捜索することはできないとされているよ（第8講）。

Bさん：原則はそのとおりよね。しかし，例外的に，捜索の最中またはその直前にその場にあった捜索または差押えの目的物件を身体や着衣に隠匿した疑いが十分に認められるときは，場所に対する捜索令状による捜索の場合には，その場に居る者の「身体」について，捜索の効力あるいは捜索の「必要な処分」として，妨害を排除して原状に回復するために合理的にみて必要かつ相当な処分を行うことができるとされているわ（第8講参照）。そのことは，逮捕に伴い無令状で適法に「場所」や「被逮捕者の身体・所持品」の捜索を行う場合でもパラレルに考えていいのではないかしら。消極説の論者が，「〔第三者が〕証拠物を身体に隠匿している高度の蓋然性が認められる場合には，場所に対する無令状捜索に必要な付随的措置として，その人の身体に有形力を加えて妨害排除・原状回復の措置を行うことが可能であろう」[6]としているのは，正当だと思います。

教員：ところで，逮捕場所に居合わせた第三者の「所持品」については，積極説では，「身体」の捜索の場合と同様に取り扱われるのだろうが，消極説にあっても，身体捜索が許されない理由を「人の身体を物と同一視できない」ことに求める見解の下では，第三者の「所持品」については，「法102条2項の制約の下で，捜索が許される」[7]ことになるだろうね。しかし，これを証拠存在の蓋然性が一般的・類型的に高いとはいえない点に求めるならば，第三者の「所持品」もまたその「身体」と同じく証拠存在の蓋然性が一般的・類型的に高いとまではいえないだろうから，「身体」と区別して考える理由はないことになるだろう[8]。

6） 酒巻・前掲注2)61頁。
7） 酒巻・前掲注2)62頁。
8） リークエ144頁［堀江］も同旨。

2　最寄りの場所に連行後の被逮捕者の身体・所持品に対する捜索・差押えの可否

教員：設問(2)に移ろうか。まず，「被逮捕者の身体・所持品」が220条1項2号による捜索の対象に含まれることについては，相当説によろうと緊急処分説によろうと，異論はないだろう。そのことを前提にして，ここでは，捜索・差押えを「逮捕の現場」でなく，被逮捕者をその身体・所持品に対する捜索・差押えに適する最寄りの場所に連行したうえで，これを行うことが許されるかどうかが問題とされるわけだ。

Bさん：連行先でも被逮捕者の身体・所持品に証拠が存在する蓋然性は，逮捕した場所と変化はないし，逮捕の現場で行おうが連行先で行おうが被逮捕者にとって格段の不利益はないので[9]，逮捕場所が捜索・差押えに適さない場合にこれが許されるとの結論自体にあまり異論はないようですね。

A君：しかし，220条1項2号が「逮捕の現場で」と定めていることから，この文言との整合的解釈が求められます。この点については，最決平成8・1・29刑集50巻1号1頁は，「被疑者の身体又は所持品に対する捜索，差押え」の場合に限って，「逮捕現場付近の状況に照らし，被疑者の名誉等を害し，被疑者らの抵抗による混乱を生じ，又は現場付近の交通を妨げるおそれがあるといった事情のため，その場で直ちに捜索，差押えを実施することが適当でないとき」は，「速やかに被疑者を捜索，差押えの実施に適する最寄りの場所まで連行した上，これらの処分を実施することも，同号にいう『逮捕の現場』における捜索，差押えと同視することができ，適法な処分と解するのが相当である」と説示しています。

Bさん：原審の東京高判平成5・4・28高刑集46巻2号44頁は，「逮捕の現場」の概念を柔軟に「ある程度幅を持たせて」解釈し，連行した最寄りの場所も「逮捕の現場」に含めてよいと解していますが，この「現場」拡張

9）　和光大学内ゲバ事件の東京高判平成5・4・28高刑集46巻2号44頁は，「所持の状況に特段の変化はなく，逮捕の地点でこれらを差し押えた場合と比べてみても，被疑者に格別の不利益を与えるおそれはなく，証拠存在の蓋然性，押収の緊急性，必要性等は依然として存する」という。

説は，問題があるのでしょうか。

教員：目的的解釈により，連行した最寄りの場所までも「逮捕の現場」に含まれるとすると，そこでの捜索・差押えの対象は，被逮捕者の身体・所持品に限定されず，最寄りの場所それ自体に対する捜索までも許されるといわざるを得ないことになり，不合理だろう[10]。

Bさん：身体という「現場」には実質的に変更がない，あるいは実質的に現場性は継続しているという点を理由に挙げて，連行後の身体に対する捜索・差押えもまた，「逮捕の現場」におけるものに当たるとする見解[11]もありますが，被逮捕者の身体が「現場」であると解するのは，文理上相当に無理がありますね。その上，このような解釈によると，逮捕場所において捜索・差押えを行うことが不適当な事情がなくとも，「逮捕の現場」である被逮捕者の身体を捜索することができることとなり，また必ずしも最寄りの場所である必要もないこととならざるを得ませんね。

教員：ほかにも「逮捕」概念の拡張によって解決しようとする考え方[12]もありますが，いずれの考え方も解釈論として難があるため，最高裁は，新たな解釈論を定立したのだろうね。

A君：しかし，「逮捕の現場」での捜索・差押えと「同視」できるとの最高裁の論理は，「強制処分法定主義に反する解釈」ではないかという疑問があります[13]。

Bさん：そうよね。最高裁のいう「同視」が，異なるが類似するものを同じに扱うという意味だとすれば，「逮捕の現場」以外の場所での無令状の捜索・差押えを明文規定なく許容することとなり，強制処分法定主義との関係で問題が生じるわね。

教員：連行後の場所における捜索・差押えが「逮捕の現場」における捜索・差押えに当たらないのに，「同視できる」ので許されるという意味だとすると（このように解すると実質的には連行先を「逮捕の現場」と同視するのと同じことになる），強制処分法定主義との抵触は避けがたいだろう。

10） 大澤裕「逮捕に伴う被逮捕者の所持品等の差押えの適法性」法教192号（1996年）101頁。

11） 田宮111頁。

12） 亀山継夫・百選〔第5版〕53頁。

13） 大澤・前掲注10）101頁，川出敏裕「逮捕に伴う差押え・捜索・検証（220Ⅰ・Ⅲ）」法教197号（1997年）37頁。

A君：平成 8 年決定は，どう理解したらいいんでしょうか。

教員：220 条 1 項 2 号が，「逮捕の現場」における無令状の捜索・差押えを許容しているのであるから，同号は，これを実施するために必要な付随的措置を行うことも併せ許容しており，平成 8 年決定のいう特殊事情（その場で直ちに捜索・差押えを実施することが適当でない事情）があるときは，当該捜索・差押えの権限をその場で行使することなく，必要な付随的措置として，速やかに捜索・差押えの実施に適する最寄りの場所まで連行することができ，移動先である連行場所において，留保されていた「逮捕の現場」における捜索・差押えの権限を行使することをも許容していると解するほかないだろう。すなわち，連行場所における身体・所持品に対する捜索・差押えは，「逮捕の現場」における捜索・差押えの権限とは別個の権限に基づくものではなく，同一の権限の行使にすぎないわけだ[14)]。

A君：被逮捕者の身体・所持品の捜索・差押えについては，証拠存在の蓋然性に変化がなく，被逮捕者にとって特段不利益もないのに，220 条 1 項 2 号が「逮捕の現場」に限定している理由はどこにあるのでしょうか。

教員：もっともな疑問だね。「今後は，むしろその前提自体を再検討する必要があろう」との川出教授の指摘[15)]は，そのとおりだろう。そうだとしても，これが逮捕に伴うものである以上，被逮捕者の身体・所持品に対する捜索を実施する場所が無制限であってよいということにはならないだろう。米国の判例[16)]のように，捜索・差押えの遅延が合理的かどうかで判断する方が妥当なように思うが，220 条 1 項 2 号に「逮捕の現場で」との文言がある以上，これを無視するわけにはいかないだろう。

Bさん：話を戻して恐縮ですが，警察官が被逮捕者を最寄りの場所まで連行できる法的根拠は，220 条 1 項 2 号と言わなくても，直截に逮捕の効果と

---

14)　斎藤 120 頁。川出・判例講座〔捜査・証拠篇〕167 頁，酒巻・前掲注 2)63 頁，木口信之・最判解刑事篇平成 8 年度 33 頁も参照。

15)　川出・前掲注 13)37 頁。

16)　米国では，unreasonable search and seizure（合衆国憲法修正 4 条）かどうかが問題であり，「逮捕の現場」の制限はないものの，Preston v. United States,376 U.S.364（1964）は，警察署の駐車場に牽引した後に被逮捕者の自動車を捜索したケースについて，逮捕に伴うものというには，時間と場所が離れすぎているとして違法とし，United States v. Edwards,415,U.S.800（1974）は，拘束場所での被逮捕者の身体・所持品の捜索押収について，遅延は合理的であり，被逮捕者は逮捕現場で強いられる以上のことをされたわけではないとする。

して被逮捕者を連行できるというのではいけないのでしょうか。

教員：そのような理解もあり得ないわけではないけれども[17]，必ずしも引致すべき場所に移動するわけではなく，捜索・差押えに適する最寄りの場所への移動の法的根拠を問題としているのであるから，いったん逮捕すれば，その効力として，逮捕とは別個の捜索・差押えのために適当な場所に移動できるという理解は，いかがなものだろうか。

A君：連行の法的根拠を「必要な処分」に求めることはどうですか。

教員：必要な処分（222条1項，111条1項）を本体的処分の付随処分の確認規定と解するのであれば，法的根拠を必要な処分に求めることもできるだろう。ただ，令状による捜索・差押えに関して，最高裁は，強制採尿のための連行を令状の効力と解しているので[18]，この場合も，令状による場合とパラレルに，220条1項2号に根拠を求めるのが相当だろう[19]。

3　設問の解決

教員：さて，そろそろ，設問の解答に移ろうか。

A君：設問(1)については，積極説によれば，102条2項（222条1項）により，Xの身体について，Gの逮捕事実に関連する証拠の「存在を認めるに足りる状況」があるかどうかが問題となります。XとGの間に特殊の関係があるようなケース（函館地決昭和55・1・9刑月12巻1＝2号50頁は共犯者の事案）は格別，Gの友人であってホテルの同じ部屋に泊まっているとはいえ，ポケットに手を突っ込んだまま出さないという設問の事実だけでは，「Gの逮捕事実に関連する証拠」の存在を認めるに足りる状況があるとまでは認め

---

17)　木口・前掲注14)34頁は，「この場合は対象者は逮捕されているのであるから，この移動自体については，独自の根拠があることになる」とするのは，移動の法的根拠を逮捕の効力に求めるものであろう。

18)　強制採尿令状による強制連行についての最決平成6・9・16刑集48巻6号420頁は，「強制採尿令状の効力として，採尿に適する最寄りの場所まで被疑者を連行することができ，その際，必要最小限度の有形力を行使することができるも」と説示する。有形力行使の限度については，この場合も，比例原則が適用されるが，逮捕されているときは，強制採尿令状による連行とは異なり，より強い有形力を行使することも許されよう。

19)　東京高判令和元・8・28高刑速（令和元年）243頁は，「刑訴法220条1項の効力として，速やかに捜索差押えの実施に適する最寄りの場所まで連行することは可能と解される……（刑訴法222条1項，111条）」と説示する。

られず，本件捜索は違法であり，したがって差押えも違法です。

Bさん：消極説によると，Xが，捜索目的物または差押目的物（Gの逮捕事実に関連する証拠）を捜索直前や捜索中に身体に隠匿したと認めるに足りる充分な理由がない限りは，妨害排除・原状回復の措置として，Xの身体を捜索することはできません。

教員：次に，設問(2)は，どうかな。

A君：最高裁平成8年決定のいう「逮捕現場付近の状況に照らし，被疑者の名誉等を害し，被疑者らの抵抗による混乱を生じ，又は現場付近の交通を妨げるおそれがあるといった事情のため，その場で直ちに捜索，差押えを実施することが適当でないとき」に当たるかどうかが問題になります。設問では，そのような事情があるかどうか定かでありませんが，これが肯定されるときは，Yを速やかに最寄りの警察署に連行して，その身体・所持品につき捜索・差押えを実施した限りにおいて，適法であるということになります。

教員：そのとおりだね。被逮捕者の身体・所持品の捜索について「逮捕の現場」に限定する立法政策の合理性に問題があるとすれば，「最寄り」も直近を意味するわけではなく，いささかなりとも緩やかに理解してよいかもしれないね（最高裁平成8年決定は，逮捕の現場から3キロメートル離れた警察署における捜索・差押えを適法としたものである）。

Question & Answer

Q1　220条1項2号と102条との関係が釈然としないのですが。

A　消極説は，220条1項2号を「逮捕の現場で，その現場並びに被逮捕者の身体及び所持品を捜索し，逮捕被疑事実に関連のある物を差し押さえ，その現場を検証することができる」と解釈するわけです。つまり，逮捕の現場である第三者の居宅は，一般的・類型的に証拠物存在の蓋然性が高いことから，220条1項2号がその捜索を許容しているものの（個別具体の事案では，さらに，222条1項により準用される102条2項の制限がかかることにはなる），第三者の身体・所持品は，一般的・類型的に証拠存在の蓋然性が裁判官の事前審査を不要とするほど高いとはおよそいうことができないので，それに対する捜索は，220条1項2号がそもそも許容していないと解釈するのです。

そうだとすれば，220条1項2号が許容していない以上，222条1項で102条2項を準用する余地はないわけです。

*　　　　　*　　　　　*

Q2　函館地決昭和55・1・9刑月12巻1＝2号50頁は，逮捕の現場で第三者の身体に対する捜索を適法としたケースですが，どのような見解によっているのでしょうか。

A　この函館地裁決定については，220条1項2号は逮捕の現場に居合わせた第三者の身体・所持品に対する捜索を許容しており（積極説），具体的事案においては，222条1項で準用する102条2項により，「押収すべき物の存在を認めるに足りる状況のある場合」でなければならないとの趣旨に理解できなくもありません（上口教授は，この裁判例をそのように理解するようである[20]。このように理解するとすれば，この決定のいう「218条，222条，102条2項の趣旨にかんがみ」の「218条」は「220条1項2号」の誤りということになろうか）。

しかしながら，この函館地裁決定が，「220条1項2号，222条，102条2項により」ではなく，「218条，222条，102条2項の趣旨にかんがみ」（傍点は筆者による）と説示していることに着目すると，この決定は，220条1項2号の解釈としては第三者の身体・所持品に対する捜索について消極説を採ることを前提にして，場所に対する捜索許可状によりその場に居合わせた第三者の身体の捜索が許されるかという問題についての「102条2項の趣旨を尊重して，捜索の対象となっている物の存在（所持）を認めるに足りる状況のあるときに限って，当該場所（事務室）に準じてその身体につき捜索することができると解するのが妥当」[21]（傍点は筆者による）との見解，すなわち，捜索許可状による場所の捜索に際して，その場に居合わせた者の身体捜索に関する「場所」概念拡張説（東京高判平成6・5・11高刑集47巻2号237頁など。第8講参照）の論理を，場所に対する無令状捜索の場合に援用し，場所に対する無令状捜索の場合にも，同様に，「物の存在を認めるに足りる状況がある場合」は，捜索が許される場所が第三者の身体にまで拡張するとの見解に立つものと思われます[22]。しかし，「場所」概念拡張説に関しては

20）　上口168頁。

21）　注解刑訴法(上)357頁［高田卓爾］。

既に指摘されているように，場所と身体とは異質のプライバシーであり，場所の捜索権限が身体にまで拡張するとの理解は困難でしょう（第 8 講参照）。

要約すると，この問題に関しては，積極説のほか，消極説の中にも，2 つの異なる見解，すなわち，(a)「場所」概念拡張説，(b)妨害排除・原状回復説があるわけですが，この函館地裁決定は，積極説あるいは消極説の(a)のいずれかの見解によるものと思われますが，筆者は，上記の理由から，この決定は消極説の(a)の見解によっているのではないかと推測しています（もとより筆者自身は消極説の(b)を妥当と考えています）。

学びの道しるべ

✍ 「逮捕の現場」には当たらない近隣の派出所での被逮捕者の身体・所持品に対する捜索・差押えが特殊事情の存在を条件に 220 条 1 項 2 号によって許される理由はどこにあるのかについて，「必要があるから」とか「証拠存在の蓋然性は変わらないから」といった理由を挙げたり，「『逮捕の現場』と同視できる」との判例の文言と似て非なる言葉を用いる答案が散見される。また，捜索・差押えではなく，最寄りの派出所に「連行できるかどうか」をもっぱら問題にする答案も目につく。「必要があるから」との理由付けは，法律論における理由付けとはいえない。「証拠存在の蓋然性は変わらない」との理由付けは，無令状の捜索・差押えは「逮捕の現場」で行わなければならないと明示する 220 条 1 項 2 号の立法政策を批判する議論にすぎないし，また証拠存在の蓋然性が変わらないことから，何故に「逮捕の現場」でない場所で捜索・差押えを実施できるのかを何ら説明するものでもない（堀江教授も，理由としては不十分という[23]）。また，最高裁の「同視」論は，逮捕の現場と連行先とを同視するものではなく，連行先における捜索・差押えを逮捕の現場におけるそれと同視するものである。また，強制処分法定主義との関係で何故同視できるのかを説明できていない。

この問題については，捜索許可状による身体・所持品に対する捜索の場合

22）　函館地裁決定をこのように理解するのは，令状基本問題(下)231 頁［島田仁郎］，川出敏裕・百選〔第 7 版〕49 頁。

23）　リークエ 145 頁［堀江］。

においても，対象者に出会った場所が捜索の実施に適しない場合には，当該処分に適する最寄りの場所で処分を行うことは，法の予定するところであると解され，そうだとすると，無令状の捜索・差押えの場合においても，被逮捕者の身体・所持品に対する捜索・差押えの実施に限っては，逮捕現場付近の状況に照らして，被逮捕者の名誉などを害するなど平成8年決定所掲の事情のため，その場で直ちに捜索・差押えを実施することが適当でない場合においては，令状による場合とパラレルに理解するのが相当であり，その場合の法論理は，先に述べたとおりである（185頁）。

ちなみに，最寄りの場所まで連行することの可否については，解説で述べたように，①逮捕の効力説[24]，②捜索・差押えの付随処分説[25]の2つがある。逮捕の効力に，逮捕に伴う捜索・差押えのために最寄りの場所に連行することまで含まれるかどうかについては疑義があり，付随処分説（捜索の実効性を確保するための付随措置として許されるとの見解）が妥当であろう。

これに関連して，連行について付随処分説に立ったうえ，「連行先での捜索・差押えも付随処分として適法である」とする答案を見受けることがあるが，この論理は，連行について，本体的処分である「捜索・差押え」の付随的処分（あるいは必要な処分）であるとしながら，本体的処分であるはずの連行先での「捜索・差押え」が付随処分（あるいは必要な処分）として許されるとするものであって，到底首肯することはできない。

〈参考文献〉

①酒巻匡「逮捕に伴う令状を必要としない強制処分〔刑事手続法の諸問題⑫〕」法教297号（2005年）55頁
②川出敏裕「逮捕に伴う差押え・捜索・検証（220 Ⅰ・Ⅲ）」法教197号（1997年）36頁

24）　木口・前掲注14)34頁。
25）　酒巻・前掲注2)63頁，酒巻127頁。

11　おとり捜査

【設　問】

警察官Kは，「Xが覚醒剤数十キログラムを我が国の沖合で瀬渡しの方法により受け取り，密輸入したものの，売却先として予定していた密売人は，既に警察に検挙され組織は壊滅状況にあったため，密輸入した覚醒剤の大口売却先を見つけることができず，新たな売却先を探している」との確度の高い情報を得て，Xの現在の住所や立ち回り先，覚醒剤の隠匿場所を鋭意捜査したが，これを把握することはできなかった。そこで，Kは，かつて覚醒剤取締法違反（密売）で検挙したことのあるSに依頼して，SをしてXに対して5キログラムの覚醒剤の注文をさせ，Xが注文を受けた覚醒剤5キログラムを所持して待ち合わせホテルに現れたところを，待機していた警察官Kほか数名がXを覚醒剤所持の現行犯人として逮捕した。このような捜査手法は適法か。

〔ポイント〕

① おとり捜査の違法の実質

② 判断枠組み

〔判　例〕

▷最決平成16・7・12刑集58巻5号333頁（新大阪ホテル大麻樹脂事件。ケースブック74頁，三井教材46頁，百選〔第9版〕26頁・〔第10版〕22頁）

▷東京高判昭和62・12・16判タ667号269頁

解　説

1　おとり捜査の違法の実質

教員：設問は，おとり捜査の適否を問題とするものだが，「おとり捜査」

を直接に規制する刑訴法上の明文規定はなく，論者によってその意味するところが異なるときは議論がかみ合わないこととなるので[1)]，まず「おとり捜査」の意義について検討しておこう。

A君：最決平成16・7・12刑集58巻5号333頁は，「おとり捜査は，捜査機関又はその依頼を受けた捜査協力者が，その身分や意図を相手方に秘して犯罪を実行するよう働き掛け，相手方がこれに応じて犯罪の実行に出たところで現行犯逮捕等により検挙する」捜査手法としています。

教員：そうだね。刑訴法で問題となる「おとり捜査」は，既発犯罪の犯人検挙の捜査手法（脚注1）の「縛られ地蔵」ケース）を含むものではなく，いまだ犯罪を行っていない者に新たに犯罪を実行させて検挙する捜査手法なのだね。このようなおとり捜査が違法と評価される場合があることは，ほぼ異論はないようだが，おとり捜査は，なぜ違法なのだろうか。

A君：国家（捜査機関）には犯罪を抑制すべき責務がありますが，その国家（捜査機関）が自ら犯罪を新たに創り出して処罰することはそのような責務に反するのみならず，トリック（詐術）を用い，相手方を「わな」にかけて検挙する捜査手法は不公正だからです。おとり捜査は，そのように「国家の責務」に反し，「捜査の公正」に反するから違法なのです（捜査の公正説）。

教員：A君の考えでは，おとり捜査は，対象者その他の者のいかなる法益をも侵害しないということかな。

A君：そうです。最決平成8・10・18 LEX/DB 28080113の大野正男，尾崎行信裁判官の反対意見も，「人を犯罪に誘い込んだおとり捜査は，正義の実現を指向する司法の廉潔性に反する」としています。

Bさん：私は，A君の理解に反対です。確かに，かつては，おとり捜査は，何ぴとのいかなる法益をも侵害するものではなく，国家の行為規範違反だから違法だと理解されていたようですが，何らかの法益侵害やそのおそれがあるからこそ，それを規制し，行為規範が必要なのではないでしょうか。何ぴとのいかなる法益侵害も存しないのであれば，行為規範による法的規制の必

1）　大岡政談で人口に膾炙した「縛られ地蔵」のケースも，社会一般的な意味においては，「おとり捜査」であるが，既に発生済みの犯罪について犯人検挙のための捜査手法であるから，ここでいう「おとり捜査」ではない。また，捜査機関の積極的な働きかけがない場合（警察官が仮睡者を装って仮睡盗の犯人を現行犯逮捕するケースなど「なりすまし捜査」と呼ばれる）を「おとり捜査」として規制するかどうかについては，議論の余地がある。

要はないはずです。

教員：おとり捜査が，強制処分に当たるとすればもとよりのこと，任意処分だとしても，最決昭和51・3・16刑集30巻2号187頁によれば，「何らかの法益を侵害し又は侵害するおそれがある」から違法となり得るわけだよね。A君の説明では，おとり捜査は任意処分であるうえ，公道における実況見分のように何ぴとの法益も侵害しないというのであれば，確かに，Bさんの言うように，法的に規制する必要はないのではないかな。

A君：僕はそうは思いません。誰かの法益を侵害しまたは侵害するおそれがなくても，捜査機関に対して，「捜査の公正」や「司法の廉潔性」を損なう捜査手法を用いてはならないとの義務を課し，その違反を違法と考えること（いわば行為無価値論）は，十分に成り立ち得るのではないでしょうか。

Bさん：もちろん，A君のように考えることもできないわけではありませんが，もし誰かの法益を侵害しまたは侵害するおそれがあるのであれば，その点に違法の実質を求めた方が昭和51年決定と整合的です。そう考えると，誰のどのような法益が侵害されるのかが問題となりますね。

A君：そうだね。もし昭和51年決定の枠組みで考えるとするのであれば，侵害されるのは，おとり捜査の対象となった者（以下「対象者」という）の法益でしょう。そして，侵害される法益の内容は，対象者の「意思決定の自由」しかないのではないかな。

教員：学説においても，おとり捜査によって侵害されるのは対象者の法益であり，その被侵害法益は，「公権力から干渉をうけない権利（人格的自律権）」[2]とか，「国家の干渉を受けることなく独自に意思決定する自由という……意味での人格的価値」[3]と捉える考え方が有力だね（対象者法益侵害説）。

Bさん：三井教授のいわれる「公権力から干渉をうけない権利（人格的自律権）」って，どういう意味なんでしょうかね。

教員：私にもよくは分からないけれど，憲法学の佐藤幸治教授の言われる

2）　三井(1)89頁，91頁。田口46～47頁も同旨。三井教授は，犯意誘発型のおとり捜査を強制捜査という（三井(1)89頁）。

3）　演習刑訴法180頁［大澤裕］は，「意思決定の自由は確保されていますが，意思決定の至る過程で，国家の働きかけがあることも確かです。……国家の干渉を受けることなく独自に意思決定する自由というものが存在するとすれば，少なくともそのような意味での人格的価値が制約を受けることは否定できないように思います」という。

ところの「人格的自律権（自己決定権）」のことではないかな。佐藤教授が，人格的自律権（自己決定権）について，「個人は，一定の個人的事柄について，公権力から干渉されることなく，自ら決定することができる権利を有すると解され，この権利は『幸福追求権』の一部を構成する」[4]とされておられることは，私よりも君たちの方がよく知っているだろう。

A君：三井教授の見解って，公権力から干渉を受けることなく，犯罪を行うかどうかの意思決定（自己決定）をする自由ということだとすると，そんな自由ってあるのかな。

Bさん：そうよね。佐藤教授も「一定の私的事柄について」人格的自律権（自己決定権）があるとしているのであって，犯罪を行うかどうかについての決定は含まないんじゃないかしら。

教員：確かに，山田卓生教授（民法学）は，「自己決定権とはいっても，あらゆる事柄についての一般的な自己決定権ではなく，私事，すなわち他人に危害を与えない分野におけるもの」[5]とされているんだ。したがって，犯罪については，自己決定権を云々すること自体が適切でないわけだ。百歩譲って，犯罪について自己決定権を論じることができるとしても，犯罪を行うことについての自己決定権は，法的保護に値しないだろうし，犯罪を行わないことについての自己決定権については，おとり捜査は，犯罪遂行の意思決定の動機への干渉は認められても，強要・脅迫などにより対象者の意思決定の自由そのものが侵害・制約されて否応なく犯罪を実行させられたといった特殊例外的な場合（この場合はまさに意思決定の自由の侵害として強制処分となろう）を除けば，犯罪の遂行自体の意思決定については対象者自身が自律的に自己決定しているというほかないだろう[6]。

Bさん：大澤教授のいわれる「国家の干渉を受けることなく独自に意思決定する自由という……意味での人格的価値」は，意思決定に至る過程に対する国家の干渉を問題とする見解ですよね（脚注3)参照）。三井教授のいわれ

4） 佐藤幸治『憲法〔第3版〕』（青林書院，1995年）459頁，同『日本国憲法論〔第2版〕』（成文堂，2020年）212頁。

5） 山田卓生『私事と自己決定』（日本評論社，1987年）344頁。佐藤幸治「日本国憲法と『自己決定権』」法教98号（1988年）18頁も，人格的自律権の制約理由として「他者加害」（harm or offense to others）が考えられるとする。

6） 酒巻匡「おとり捜査」法教260号（2002年）105頁。

る人格的自律権論も，あるいは大澤教授のいわれるところと同じ意味なのかもしれないですね。

教員：犯罪遂行の意思決定自体は対象者が自ら決定しているとすると，制約・侵害される法益については，大澤教授のいわれるように，「国家の干渉を受けることなく独自に意思決定をする自由」つまり犯罪遂行の意思決定そのものでなく，犯罪遂行の意思決定に至る過程において干渉を受けることのない自由をもち出すよりほかはないのだけれど，国家機関を含む他人から干渉を受けないで意思決定するなどということは，山中に隠遁幽居する世捨て人であれば格別，人間社会で他人と交わりながら生活している以上，およそあり得ないことであって，川出教授のいわれるように，「他人（国家）から干渉を受けないで意思決定する自由」が果たして「法的に保護される権利といえるのかという疑問」[7]であって，採用することはできないだろう。

A君：そうだとすると，対象者の法益を侵害するから違法という見解（対象者法益侵害説）は，採り得ないですね。

教員：そうすると，おとり捜査は，A君の言うように，何ぴとのいかなる権利・利益も侵害・制約しないけれども，捜査機関はそのようなことを行ってはいけないのだという見解（捜査の公正説）によらざるを得ないのかな。

Bさん：そうとも限りません。対象者の何らかの法益に対する侵害は考えられないとしても，おとり捜査の違法の実質は，「国家機関が犯罪の教唆・幇助等を行い，犯罪結果（法益侵害）発生の危険，本来国家が刑事実体法により保護すべき法益侵害の危険をみずから惹起ないし創出する点」，つまり「おとりの働きかけ行為により対象者が実行しようとする犯罪の法益侵害性，言い換えれば対象者を介したおとりの活動自体の違法性」にこそ実質があると捉える学説[8]がもっとも説得力があると思うのです（保護法益侵害危険惹起説）。

教員：なるほど。この見解は，捜査機関が，おとり捜査の対象者を介して刑事実体法により保護される法益の侵害の危険を創り出す点に，おとり捜査の違法の実質を見出すものだね。おとり捜査の対象となることの多い薬物事

7）　川出・判例講座〔捜査・証拠篇〕198頁。酒巻・前掲注6)106頁，酒巻175頁も同旨。

8）　酒巻・前掲注6)106頁，佐藤隆之・百選〔第7版〕27頁。ただし，佐藤教授は，「捜査の公正さの侵害」も併せて考慮する。

犯についてみると捜査機関のおとり捜査によって，薬物の散逸・濫用による使用者の心身がむしばまれる危険，つまり公衆の健康が危険にさらされるということだろう[9]。

2　判断枠組み

教員：おとり捜査が強制処分に当たるとすれば，刑訴法上，おとり捜査を許容する「特別の定」は存しないので，これを行うことは許されないこととなるのだが（強制処分法定主義），おとり捜査においては，前に述べたように，その対象者は，働きかけをした者が捜査機関やその協力者である点について錯誤があるにすぎず，犯罪それ自体は自己の意思に基づいて行うものであるから，おとり捜査は，意思決定の自由を侵害するものではなく，公権力から干渉を受けない権利（人格的自律権）などの人格的権利・利益や[10]，国家から干渉を受けることなく意思決定する自由[11]があるとしても，既に述べたとおり，そのような権利・利益や自由は，法的に保護される権利・利益とはいい難いだろう。そうすると，おとり捜査の対象者について，法的に保護すべき権利・利益の制約を想定することは困難であり[12]，強制処分には当たらないと解するのが相当だろう。

Bさん：任意処分としての適否についての判断枠組みは，どうですか。

A君：おとり捜査が対象者の何らかの法益を侵害するという考え方は，少数説（三井，大澤）にとどまりますが[13][14]，仮にその見解（対象者法益侵害説）に立つのであれば，昭和51年決定の判断枠組みに従って判断すべきこ

9）　佐藤隆之・百選〔第7版〕27頁。

10）　三井(1) 89頁，田口46頁。

11）　演習刑訴法180頁［大澤］。

12）　川出・判例講座〔捜査・証拠篇〕198頁，高田340頁。

13）　多和田調査官は，任意処分として相当かどうかを検討する中で，「国家が犯罪を創出するという点に違法性の実質があり，対象者の利益（行動の自由，プライバシー等）との関係で適否が問題となるものではない」という（多和田隆史・最判解刑事篇平成16年度286頁）（傍点は筆者による）。

14）　リークエ182頁［松田岳士］は，「通説によれば，強制・脅迫等の手段が用いられないかぎり，……対象者個人の権利・利益の侵害・制約を伴わないものとされる」「通説によれば，おとり捜査は，強制・脅迫等の手段が用いられる場合以外は，任意処分として，法律の根拠規定がなくても許容されることになる」という（傍点は筆者による）。

とになるでしょうから,「必要性,緊急性なども考慮したうえ,具体的状況のもとで相当と認められる限度において許容されるもの」かどうか,つまり,おとり捜査によることの「必要性・緊急性」と,おとり捜査によって「侵害される対象者の法益の性質・法益侵害の程度」を衡量して,「社会通念上相当と認められる方法・態様・限度」内にあるかどうかが,判断枠組みとなるでしょうね。法益侵害の程度に関しては,捜査機関の働きかけの態様,程度(人格的自律権の侵害の程度)が重要な要素でしょう。

Bさん:保護法益侵害危険惹起説によるときは,対象者の権利利益の侵害はないので,昭和51年決定の提示した判断枠組みによることはできないけれども,対象者が実行しようとする犯罪の法益侵害に着目すれば,なお衡量的枠組みもあり得るところであり,おとり捜査によることの「必要性・緊急性」と,「惹起・創出される犯罪がもたらす法益侵害の性質・程度」とを衡量して相当限度内かどうかを判断する枠組みが考えられます[15)]。ただ,酒巻教授のように,国家が犯罪結果発生の危険を惹起・創出するおとり捜査は原則として違法であることを前提にするならば,おとり捜査という手法を用いざるを得ない「高度の必要性」と「不可欠性(補充性)」とが要求されることになるでしょう[16)](なお,酒巻教授は,「侵害が生命・身体の安全という価値の高い法益に向けられている場合」については,さらに「特別に高度の必要性と補充性」,または「確実な実害発生防止の対応」が認められない限り,「権衡状態が認められることはあり得ない」とされる)。

教員:君たちは,かつて裁判実務を支配していた二分説を知っているかな。

A君:多くの下級審裁判例(東京高判昭和62・12・16判タ667号269頁等)の採る判断枠組みで,おとり捜査を「犯意誘発型」と「機会提供型」の2類型に分け,「犯意誘発型は違法,機会提供型は適法」とする見解ですね。

教員:そうだね。最近までの裁判実務では,二分説が支配的だったのだけど,なぜなのだろうか。

Bさん:米国連邦最高裁の判例の採る主観説(対象者のpredisposition〔事前の犯罪的性向〕の有無により有罪かどうかを決する実体法的な解決を志向する

15) 大澤裕「おとり捜査の許容性」平成16年度重判解(ジュリ1291号)192頁,伊藤栄二・百選〔第10版〕23頁。
16) 酒巻・前掲注6)108頁,酒巻176頁。

見解）の影響が大きいのでしょう。また，単純明快な判断枠組みが，第一線の捜査機関に明確な基準を提供するものとして有用だったからではないでしょうか。

A君：二分説は，違法の実質をどのように捉えているのだろうか。なぜ，機会提供型と犯意誘発型とで，適法・違法の結論が違ってくるのかな。

教員：もともと「犯意」（事前の犯罪性向）を有する者に働きかけて犯行の機会を提供した場合には，国家が犯罪を創り出したとはいえないけれど，「犯意」のない者に働きかけて犯罪を実行させた場合には，犯罪を抑制すべき国家が犯罪を創り出したという点で，両者が結論を異にするということだろう[17)]。つまり，違法の実質を犯罪抑制という国家の責務に反する点に求めているのだろう。

Bさん：しかし，国家が犯罪を創り出すのは，なにも犯意誘発型に限りませんよね。機会提供型だって，捜査機関の働きかけがなければ，当該犯行は行われなかったはずであり，国家が犯罪を創り出した点において，両者の間に径庭はないと批判されています[18)]。

教員：それでは，保護法益侵害危険惹起説の判断枠組みにおいては，犯意誘発型か機会提供型かという観点を考慮できるだろうか。

A君：保護法益侵害危険惹起説では，犯意誘発型か機会提供型かは，「必要性・緊急性」を正当化する事情として位置付けられるでしょう。犯意誘発型は「必要性・緊急性」が高くないのに対し，機会提供型はそれが高いといえるからです。

教員：最初に挙げた最高裁判例（最決平成16・7・12）やその第1審判決，控訴審判決は，これまで議論したどの見解に立ったものなのだろうか。

A君：第1審判決は，「まず，犯意誘発型か機会提供型かを検討し，次に機会提供型であっても捜査機関側の働きかけが相当性を逸脱しているかどうかを検討し，機会提供型で働きかけが相当である場合におとり捜査の適法性が認められる」と説示していますので，典型的な二分説ではなく，二分説を基本としながら，働きかけの相当性（機会提供型につき）を適法要件とする見解ですね。

17）　佐藤隆之・百選〔第7版〕26頁。

18）　佐藤隆之・百選〔第7版〕26頁，酒巻・前掲注6)107頁。

Bさん：控訴審判決は，「おとり捜査の適否については，おとり捜査によることの必要性とおとり捜査の態様の相当性を総合して判断すべきものと解される」としたうえで，「本件おとり捜査は，証拠収集の必要性の強い事案において，相当な態様で行われたといえるから，何ら違法な点はな〔い〕」と判示していますので，おとり捜査の「必要性と態様の相当性の相関関係」説[19)]を採用したもののように思われます[20)]。相関関係説は，おとり捜査が適法とされるためには，(ア)「おとり捜査による必要性」と，(イ)「おとり捜査の態様の相当性」の双方が存在することを要するとし，「必要性が弱くても相当性に問題がない場合や，相当性に多少問題はあっても必要性が強い場合には，両者が補完することにより，適法となり得る」とするものです[21)]。そして，控訴審判決は，犯意誘発型か機会提供型かの点は，(イ)のおとり捜査の態様の相当性において考慮することとしています。

A君：相関関係説は，おとり捜査の違法の実質をどのように把えているのでしょうね。

教員：この枠組みは，昭和 51 年決定によるものではないので，対象者法益侵害説によるものでないことは確かであり，保護法益侵害危険惹起説と親和性があるのではないかな。

A君：最高裁は，「少なくとも，①直接の被害者がいない薬物犯罪等の捜査において，②通常の捜査方法のみでは当該犯罪の摘発が困難である場合に，③機会があれば犯罪を行う意思があると疑われる者を対象におとり捜査を行うことは，刑訴法 197 条 1 項に基づく任意捜査として許容されるものと解すべきである」（①②③は筆者による）と説示していますが，どのような立場に立っているのでしょうね。

教員：③の要件のほかに①②の要件を提示しているので，典型的な二分説ではないことは明らかだね[22)]。しかし，その他のいかなる見解に立つものか，したがってまた，おとり捜査の違法の実質をどのようにとらえるのかに

19)　令状基本問題(上)39 頁［池田修］。

20)　多和田・前掲注 13) 285 頁。

21)　令状基本問題(上)41 頁［池田］。

22)　川崎英明「おとり捜査の適法性」法時 78 巻 11 号（2006 年）102 頁は，平成 16 年決定は，二分説的構成の枠組みに立脚し，機会提供型〔③要件〕という枠組みの下で，犯罪類型〔①要件〕や補充性〔②要件〕の絞りをかけたとする。

ついては，必ずしも明らかとはいえないだろう[23]。

Bさん：平成16年決定については，「基本的には，控訴審と同様の枠組みを採っていると考えてよい」とする理解[24]もあるようです。

教員：必ずしもそうは言えないように思うのだけれども，さし当たり，控訴審判決の枠組み（必要性と態様の相当性の相関関係）によって平成16年決定の説示を眺めれば，①「直接の被害者がいない薬物犯罪等の捜査」であることとの点は，このような犯罪は被害者がいないために一般的・類型的に証拠の収集や犯人の摘発が困難である点で，(ア)おとり捜査を行う「必要性」を基礎づける事情だろうが，併せて，おとり捜査によって引き起こされる犯罪による「直接の被害者がいない」ことから，(イ)おとり捜査の「態様の相当性」を基礎づける事情でもあるといっていいだろう[25]。また，②「通常の捜査方法のみでは当該犯罪の摘発が困難である場合」であることとの点については，同じく(ア)おとり捜査による「必要性」を基礎づける事情ではあるが，①とは異なり，「補充性ともいうべき特別の必要性」[26]，また，おとり捜査の個別具体の必要性を意味するのだろう[27]。なお，②の通常の捜査方法のみでは検挙が困難な「当該犯罪」とは，当然のことながら，おとり捜査によって摘発しようとしている犯罪（現行犯逮捕等により検挙するその犯罪）ではなく，おとり捜査の前に捜査してきた過去の犯罪（平成16年決定の事案でいえば，捜査協力者の情報から疑われる既に行われた大麻樹脂の不法所持や密売）のことを指す[28]ことは言うまでもなかろう。最後に，③「機会があれば犯罪を行う意思があると疑われる者を対象」とすることとの点は，いわゆる機会提供型を意味しており，(ア)おとり捜査の「必要性」と(イ)おとり捜査の「態様の相当性」とを基礎づける事情だろう。この③の説示からは，犯意誘発型は許されないとしたもののようにも思われるけれども，この3点の提示の前に，この判例は「少なくとも」との文言を置いており，この文言は，①だけではなく，②③にもかかっていると解するのが素直な読み方だろうから，犯

---

23) 後藤昭・百選〔第9版〕27頁，大澤・前掲注15)192頁。
24) 川出・判例講座〔捜査・証拠篇〕206頁。
25) リークエ183頁［松田］など。
26) 大澤・前掲注15)192頁。
27) リークエ183頁［松田］。
28) 多和田・前掲注13)289頁。

意誘発型であっても許容される場合があり得る，ということになるといわれているね[29]。なお，「少なくとも」の文言が②にも係ることから，②に関しても，多和田調査官は，通常の捜査方法のみで当該犯罪の摘発が可能である場合であっても，おとり捜査が許される場合があり得る[30]とされていることは注目されるべきだろう。

A君：平成 16 年決定が犯意誘発型のおとり捜査を否定するものではないとしても，それが許容される余地は，きわめて小さいのではないでしょうか（後藤教授は，「厳しく審査される」[31]という。また大澤教授は，③の事情だけでなく，②の事情が欠けるときも，適法とされることは考えがたい[32]という）。

教員：犯意誘発型の場合は，対象者には「事前の犯罪性向」がおよそ存しなかったわけだから，わざわざ捜査機関がおとり捜査を行って犯罪を実行させ法益侵害の危険を惹起させてまで対象者を検挙する「必要性」が認められることは，現実にはほとんどあり得ないのではないだろうか。また，そのような「事前の犯罪性向」のない者に対しては，かなり強い働きかけが必要だろうから，「態様の相当性」の点でも問題があるだろう。その意味では，「機会提供型」か「犯意誘発型」かというメルクマールは（これだけでおとり捜査の適否を判断する二分説は妥当ではないが）「必要性」，「相当性」などの考慮要素として重要な意味をもつということは否定することができないだろう[33]。なお，「事前の犯罪性向」の立証に関連して，平成 16 年決定が「機会があれば犯罪を行う意思がある者」ではなく「意思があると疑われる者」としているのは，対象者の犯罪性向は，「事後的な資料から客観的に」判断するのではなく，「捜査時点での合理的な嫌疑を基準とする」ことを意味するのだろう[34]。事後的な資料により客観的に判断するときは，対象者が犯罪の実行に至ったという客観的事実から，対象者が「事前の犯罪性向」を有していたことが安易に認定されかねず[35]，妥当でないからだろう。

---

29)　リークエ 183 頁［松田］など。
30)　多和田・前掲注 13)290 頁。
31)　後藤昭・百選〔第 9 版〕27 頁。
32)　大澤・前掲注 15)192 頁。
33)　多和田・前掲注 13)284 頁，後藤昭・百選〔第 9 版〕27 頁。
34)　多和田・前掲注 13)284 頁。平成 16 年決定以前のものとして，島田仁郎「英国におけるおとり捜査について」司法研修所論集 56 号（1975 年）67 頁，三好幹夫「判例にみるおとり捜査について」中山善房判事退官記念『刑事裁判の理論と実務』（成文堂，1998 年）90 頁など。

Bさん：ところで，おとり捜査が違法である場合の訴訟法上の効果については，傍論ではありますが，平成16年決定も，違法収集証拠排除論の中で検討されると理解するようですね。

3　設問の解決

教員：以上を前提にして，設問の場合はどうかな。

A君：二分説によれば，設問のおとり捜査は，機会提供型ですから，それだけで適法であるということになるでしょう（平成16年決定の第1審判決の枠組みによると，さらに，捜査機関の働きかけの相当性を考慮することになる）。対象者法益侵害説によれば，設問の場合に，おとり捜査の必要性は高度であり，Xの意思決定の自由侵害の程度も比較的軽微ですので，これらを衡量すれば，適法といえるでしょう。

Bさん：保護法益侵害危険惹起説によりますと，設問の場合は，(ア)おとり捜査によるべき高度の必要性と不可欠性（補充性）が認められ，他方，(イ)覚醒剤所持という本件犯罪がもたらす法益侵害（一般公衆の健康への危険）に関しても，犯人検挙に失敗して違法薬物が流出する危険（法益侵害）を現に生じさせないための態勢も十分であったものと思われますので，法益侵害の危険は比較的弱く，また，働きかけの手法も特段不相当というべき事情は認められませんので，これらを衡量すれば，本件のおとり捜査は適法ということができると思います。

A君：相関関係説によっても，Bさんが言ったように，(ア)おとり捜査による必要性は高く，(イ)おとり捜査の態様の相当性も，特段の問題はありませんので，設問のおとり捜査は，適法といえるでしょうね。

教員：平成16年決定の提示した3要素を是とするのであれば，本設問のケースは，①おとり捜査の対象犯罪については，類型的に捜査の困難な「直接の被害者のいない薬物犯罪」に対する捜査であり，特段の問題はないでしょう。②の補充性については，設問では，SがXに働きかける以前に，警察

35)　堀田周吾「おとり捜査における違法性判断の基本構造——アメリカ合衆国の規制アプローチを題材として」東京都立大学法学会雑誌46巻2号（2006年）332頁（ただし，主観説に対する批判としての米国の議論である）。

官Kが，Xが密輸入した覚醒剤の大口売却先を探しているとの確度の高い情報から，覚醒剤の不法所持，密売の疑いがあったとのことであり，また，Xの住居や立ち回り先，覚醒剤の隠匿場所などを把握することは困難であり，おとり捜査以外の捜査手法によって既発の覚醒剤の不法所持や密売の証拠を収集し，Xを検挙することが困難な状況にあったと認められ，この点も充足するだろう。そして，③については，上記のとおり大口売却先を探していたのだから，Xは，機会があれば犯罪を行う意思があると疑われる者に当たるでしょう。そうすると，「少なくとも」がかかっているので，これに当たらなくても適法とされる余地はあるけれども，設問のケースは，3点すべてを充たすので，おとり捜査として適法といってよいだろう。

Question & Answer

Q　いわゆる「なりすまし捜査」については，どのように考えるべきでしょうか。

A　例えば，任意捜査として，仮睡者を狙う窃盗事件の犯人検挙のため，警察官が仮睡者を装って横臥し，相手方が財布等の窃取の犯行に出たところで検挙したり，スリ犯罪や痴漢犯罪が多発する電車に警察官が通常の乗客を装って乗車し，スリや痴漢の実行に出たところで検挙したりする捜査手法（脚注 36）掲記の加治木支部判決は「なりすまし捜査」と名付ける）は，最高裁平成 16 年決定のいう「働きかけ」が積極的働きかけを意味すると思われることから，「おとり捜査」には当たらないというべきでしょう[36]。

しかし，このような「なりすまし捜査」の有する問題点が，⑴国家が犯罪を創出して，刑罰法規が保護する法益を侵害するおそれがあること，また，⑵国家が積極的なものでないとはいえ詐術を用いて犯罪を行わせるもので，「捜査の公正」を害するおそれがあることの 2 点にあって，おとり捜査と同様であるとすれば，おとり捜査の適否に関する判断枠組みと同じく，なりすまし捜査の必要性とその態様の相当性を総合して判断すべきこととなりま

36)　令状基本問題(上)47 頁［池田］，三好・前掲注 33)85 頁～ 86 頁，鹿児島地加治木支判平成 29・3・24 判時 2343 号 107 頁。これに対して，大阪高判昭和 63・4・22 判タ 680 号 248 頁は，通常の客を装ってホステスの接待を受ける捜査につき，これが「おとり捜査」に当たるという。

す[37)]。

〈参考文献〉

①酒巻匡「おとり捜査」法教 260 号（2002 年）102 頁
②佐藤隆之「おとり捜査の適法性」法教 296 号（2005 年）37 頁
③大澤裕「おとり捜査の許容性」平成 16 年度重判解（ジュリ 1291 号）190 頁
④大澤裕・演習刑訴法 178 頁
⑤三好幹夫「判例にみるおとり捜査について」中山善房判事退官記念『刑事裁判の理論と実務』（成文堂，1998 年）65 頁
⑥多和田隆史・最判解刑事篇平成 16 年度 262 頁

37) 令状基本問題(上)47 頁［池田］，川出敏裕『刑事手続法の論点』（立花書房，2019 年）91 頁。なお，川出教授は，積極的な働きかけがない点で態様の相当性を肯定する方向に働き，また第三者法益侵害も，人の生命，身体のような重大なものでない限り，直ちに相当性が否定されることはないとし，「実際に問題となるのは，……当該事案において，こうした捜査を行う必要性がどの程度認められるかであろう」とされる。なお，福岡地小倉支命昭和 46・5・1 判タ 264 号 349 頁，前掲鹿児島地加治木支判平成 29・3・24 も参照。

12　接見交通

【設　問】

　弁護士甲は，収賄事件の被疑者乙の妻により被疑者の弁護人に選任され，勾留2日目に，勾留場所のA警察署留置場に赴き，乙との初めての接見を申し出たが，乙がB地方検察庁において検察官Pの取調べを受けていることが判明したため，Pに対して乙との接見の申出をした。Pは，乙を収賄事件について現に取調べ中であったことから，甲にその旨説明し，接見の日時等について協議しようとしたが，甲は協議に応じようとしなかった。そこで，Pは，甲と協議することなく，接見日時等を「翌日午前10時から12時までの間の60分間」などとする指定をした。乙には甲のほかに弁護人は選任されていなかった。Pの上記接見指定は適法か。

〔ポイント〕

　①　接見指定の要件

　②　指定内容の適否と初回接見

〔判　例〕

●接見指定の要件

▷最判昭和53・7・10民集32巻5号820頁（杉山事件。ケースブック254頁，三井教材230頁）

▷最判平成3・5・10民集45巻5号919頁（浅井事件。ケースブック256頁，三井教材214頁）

▷最大判平成11・3・24民集53巻3号514頁（安藤事件。ケースブック231頁，三井教材210頁，百選〔第9版〕76頁・〔第10版〕74頁）

●初回接見

▷最判平成12・6・13民集54巻5号1635頁（ケースブック246頁，三井教材222頁，百選〔第8版〕78頁〔第9版〕80頁・〔第10版〕78頁）

解　説

1　接見指定の要件

A君：接見指定の要件は，「捜査のため必要があるとき」（刑訴39条3項本文）ですが，この解釈については，①被疑者を現に取り調べているときや，実況見分，検証等の立会いのため捜査官が被疑者の身柄を現に利用しているときに限られるとする限定説[1]，②上記の場合に加えて，取調べを開始しようとしているとき，被疑者が実況見分，検証等の立会いのため当該場所に赴こうとしているときをも含むとする準限定説[2]，③上記①②の場合に加えて，弁護人等（弁護人または弁護人選任権者の依頼により弁護人となろうとする者）を通じた罪証隠滅，共犯者との通謀の防止等をも含めて広く捜査全般の必要性をいうとする捜査全般必要説[3]の３つの見解が対立していましたよね。

Bさん：最高裁は，最判昭和53・7・10民集32巻5号820頁（杉山事件）を経て，最判平成3・5・10民集45巻5号919頁（浅井事件）が準限定説を採り，最大判平成11・3・24民集53巻3号514頁（安藤事件）も，「『捜査のため必要があるとき』とは，右接見等を認めると取調べの中断等により捜査に顕著な支障が生ずる場合に限られ〔る〕」，「弁護人等から接見等の申出を受けた時に，捜査機関が現に被疑者を取調べ中である場合や実況見分，検証等に立ち会わせている場合，また，間近い時に右取調べ等をする確実な予定があって，弁護人等の申出に沿った接見等を認めたのでは，右取調べ等が予定どおり開始できなくなるおそれがある場合などは，原則として右にいう取調べの中断等により捜査に顕著な支障が生ずる場合に当たる」と説示して，上記判例の見解（準限定説）を確認しています。

A君：判例は捜査全般必要説を否定し去ってはいないとの見解も検察実務家から主張されているようだね。

Bさん：それは無理でしょう。最高裁は，昭和53年の杉山事件判決以来

1）　平野105頁など。
2）　青柳文雄ほか『註釈刑事訴訟法(1)』（立花書房，1976年）151頁［柏木千秋］など。
3）　出射義夫・法律事務講座(3)620頁，注解刑訴法(上)112頁［中武靖夫］など。

一貫して，接見指定制度の趣旨を「身柄拘束の期間に厳格な時間制限があることなどにかんがみ，被疑者の取調べ等の捜査の必要と接見交通権の行使との調整を図る趣旨で置かれたもの」とし，「接見指定制度を，1つしかない被疑者の身柄を対象とした捜査機関と弁護人それぞれの活動を時間的に調整する規定と見ている」[4]のだから，「捜査のため必要があるとき」とは，被疑者の身柄を利用した捜査に限られ，罪証隠滅などを含むとはいえないわ。

教員：最高裁判例の理解は，Bさんの言うとおりだろうね。でも，そもそも，なぜ，39条3項の趣旨を「被疑者の身柄利用の時間的調整」に限定しなければならないのだろうか。単に，「接見交通権の行使と捜査の必要の調整」だけではいけないんだろうか。

A君：接見交通権が憲法の保障する弁護人依頼権（34条）に由来する最重要の基本的権利であり，その制限は例外的な場合に限られるからでしょう。

教員：そうだろうか。捜査全般必要説だって，近頃じゃあ，「捜査のため必要があるとき」とは，「捜査機関が現に実施し，又は今後実施すべき捜査手段との関連で，事案の真相解明を目的とする捜査の遂行に支障が生ずるおそれが顕著と認められる場合」を意味する（浅井事件における国の上告理由）として，絞りをかけているんだ。接見交通権が憲法に由来する重要な権利であるというだけでは，この修正された捜査全般必要説を否定する理由として薄弱じゃないかな。

Bさん：立法者意思は，「立法資料からはあまり明瞭でない」ようですね[5]。

教員：39条3項本文が「取調べ等のため必要」ではなくて，「捜査のため必要」と規定していることも，捜査全般必要説の根拠とされているよね。

A君：39条3項本文が「捜査のため必要」と規定したのは，「実況見分や検証への立会い，あるいは間近い時期に確実に予定があるとき」を含む意味とも理解できますよ。「捜査」の文言が捜査全般必要説にとって決定的とも思えませんがね。

4）川出敏裕「飲酒運転死亡事故事件」平川宗信＝後藤昭編著『刑事法演習〔第2版〕』（有斐閣，2008年）107頁。

5）大坪丘・最判解民事篇平成11年度(上)271頁。なお，三井誠「接見交通権規定の成立過程——立法者意思の解明」『平野龍一先生古稀祝賀論文集(下)』（有斐閣，1991年）284頁も参照。

教員：刑訴規則 30 条は，裁判所構内における弁護人等と被疑者との接見等について罪証隠滅等を防ぐ必要があるときは，裁判所が接見等の日時等を指定できる旨定めているが（同 302 条 1 項により裁判官に準用される），この規定の存在は，捜査全般必要説の根拠とならないかな。

A君：刑訴規則 30 条（302 条 1 項）は，刑訴法 39 条 2 項に基づく旧監獄法の定める接見等の制限（逃亡や罪証隠滅，戒護上の支障を防止するための措置）が監獄ではない裁判所構内ではそのままの形で適用されないことから，旧監獄法と並んで，39 条 2 項に基づき定められたものであり，刑訴規則制定時の逐条解説においても，「接見室の如き設備のない裁判所でこれ〔筆者注：接見等〕を自由にするときは，種々の不都合を生ずる虞があるので，新法第 39 条第 2 項に基いて本条が規定された」[6] とされており，39 条 3 項の「捜査のため必要があるとき」とはおよそ無関係であることは明らかです。

教員：A君の言うとおりだね。ところで，限定説・準限定説は，刑訴法 81 条との関係も根拠に挙げているようだが[7]，81 条がどう関係するのかな。

Bさん：身柄拘束された被疑者は，家族などの一般人と接見できますが（207 条 1 項・80 条），207 条 1 項の準用する 81 条は，逃亡または罪証隠滅を疑うに足りる相当な理由がある場合に限り，裁判官が，被疑者と一般人との接見を禁止することができることとしています。このように，一般人との接見でさえも，理由を逃亡と罪証隠滅に限定したうえ，司法機関たる裁判官でなければ禁止できない（弁護人等との接見は 81 条により禁止できない）のに対し，「身体を拘束された被疑者が弁護人の援助を受けることができるための刑事手続上最も重要な基本的権利に属する」（杉山事件判決）はずの弁護人等との接見交通は，捜査官が（事件送致前は捜査主任官，送致後は検察官と限定的に解釈されているが，法文上は検察事務官や司法巡査ですら），捜査全般の必要性を理由として制限できるというのでは，接見指定が一時的な制限にすぎないことを考慮してもなお，あまりにも均衡を失するからでしょう[8]。

A君：それに，81 条の接見禁止が公訴提起の前後を問わないのに対し，

6） 最高裁判所事務局刑事部『刑事訴訟規則説明書（刑事裁判資料第 14 号）』（1948 年 12 月）20 頁。
7） 演習刑訴法 198 頁［大澤裕］。
8） 令状基本問題(下)174 頁［神垣英郎］。

39条3項の接見指定は，「公訴の提起前に限り」行えるとされているけれど，罪証隠滅の防止のためにも接見指定ができるのなら，公訴提起前に限る必要はないのではないかな。「公訴の提起前に限」るのは，公訴提起前は，被疑者の身柄拘束について厳格な時間的制約があるからでしょう。

Bさん：そのほか，「判断基準の明確性・客観性を失わないためにも」[9]，捜査全般必要説（その修正説も）は採り得ないわ。

教員：「判断基準の明確性・客観性」は独立の根拠とはなり得ないだろう。しかし，「81条との均衡」論は，説得的だね。ところで，捜査全般必要説の論者からは，「被疑者が重要な証拠物の所在場所を供述したため，令状の発付を請求して押収手続を行おうとしているときに，被疑者の供述内容が占有者等に伝わると，押収前に証拠隠滅されてしまうおそれがあるなどの場合には，捜査に顕著な支障が生じ，接見交通権との調整が必要になる」との指摘がなされているのだが[10]，限定説や準限定説ではこれを防止できないよね。

Bさん：そうだからといって，「接見指定」に証拠隠滅の防止の役割まで負わせることはできません。証拠隠滅の防止は，39条2項に基づく法令の制限のほか，刑罰法規や弁護士倫理，弁護士法による懲戒処分に委ねたものとみるほかないでしょう[11]。

教員：ところで，平成11年大法廷判決は，上記のとおり，現に被疑者を取調べ中などの場合には，「原則として」捜査に顕著な支障が生ずる場合に当たるとするわけだが，それはあくまで「原則として」であって，現に被疑者を取調べ中などの場合であっても，「それを一時中断し，あるいはその開始を若干遅らせることが著しい支障に結びつかないと認められるときには，接見指定の要件を欠く」[12]ことは，判例の予定するところだろう。

A君：たしかに「現に取調中」とはいっても，取調べの内容はさまざまであって，犯行後の逃走の状況とか，若年期の生活の状況などを現に取り調べている最中であっても，「取調べの中断等により捜査に顕著な支障が生ずる場合」には当たらないでしょうね。

9）　演習刑訴法200頁［大澤］。

10）　大野重國「判例研究」警察学論集52巻6号（1999年）45頁。

11）　泉山禎治「弁護人と被疑者の接見交通をめぐる諸問題」司法研修所編『創立20周年記念論文集(3)』（1967年）374頁。

12）　井上正仁・百選〔第6版〕44頁。

教員：なお，「現に取調中」とか「捜査に顕著な支障」というのは，当該身柄拘束の基礎となった被疑事実についてであって，厳格な時間的制約のない余罪の取調べや捜査はこれは含まれないことに留意してほしい。

2　指定内容の適否と初回接見

A君：接見指定の適法性については，まず，(1)接見指定の可否（39条3項本文の「捜査のため必要があるとき」という要件に該当するかどうか）を検討し，指定要件が具備されれば，更に，(2)指定内容の適否（指定内容が同項ただし書の被疑者の防御準備権を不当に制限するものでないかどうか）を検討することになるのですね（なお，手続的には(2)の指定に当たって，前掲最判昭和53・7・10の説示する「弁護人等と協議」を尽くしたか否かも問題となる）。

Bさん：それはそのとおりね。ところで，弁護人選任権者の依頼により弁護人となろうとする者と被疑者との「逮捕直後の初回の接見」について説示した最判平成12・6・13民集54巻5号1635頁は，(1)の問題なのか，(2)の問題なのか分かりにくいですよね。この判決が，「捜査に顕著な支障が生じるのを避けることが可能かどうか検討し」などと判示しているのは，平成11年大法廷判決が39条3項本文の「捜査のため必要があるとき」の意義としていう「捜査に顕著な支障が生ずる場合」かどうかを検討せよということなのかしら。

A君：いや，そうじゃないと思うよ。平成12年判決は，弁護人となろうとする者との逮捕直後の初回の接見は，「身体を拘束された被疑者にとっては，弁護人の選任を目的とし，かつ，今後捜査機関の取調べを受けるに当たっての助言を得るための最初の機会であって，直ちに弁護人に依頼する権利を与えられなければ抑留又は拘禁されないとする憲法上の保障の出発点を成すものである」のだから，「これを速やかに行うことが被疑者の防御の準備のために特に重要である」ことから，(a)「接見指定の要件が具備された場合でも」（すなわち，平成11年大法廷判決のいう「〔弁護人等の申出に沿った〕接見等を認めると取調べの中断等により捜査に顕著な支障が生ずる場合」であっても），(b)「その指定に当たっては，弁護人となろうとする者と協議して，即時又は近接した時点での接見を認めても接見の時間を指定すれば捜査に顕著な支障が生ずるのを避けることが可能かどうかを検討し，これが可能なときは，留置施設の管理運営上支障があるなど特段の事情のない限り，……たとい比較的短時間であっても，時間を指定した上で即時又は近接した時点での接見を認めるようにすべきであ〔る〕」（傍点は筆者による）と説示しているのだから，(a)が39条3項本文の問題であり，(b)は接見指定の要件を充たす場合の指定内容の適否，つまり39条3項ただし書の問題なのだと思うよ。

教員：「捜査に顕著な支障」という接見指定の要件論（39条3項本文）で用いられたのと同じ文言がここでも用いられているので，Bさんが混乱するのも無理はない[13)]。しかし，A君の理解が正しいだろう。つまり，接見指定の要件は，平成12年判決のいう「弁護人等の申出に沿った接見等を認めたのでは捜査に顕著な支障が生じるとき」（ケースブック248頁，三井教材223頁の各説示の冒頭部分）であり，初回接見についての指定の適否の方は「接見の時間を指定すれば捜査に顕著な支障が生じるのを避けることが可能」（ケースブック249頁11行目，三井教材223頁下から5行目），つまり接見指定（日時，場所は申出に沿ったものとするが，時間は例えば30分間というように指定する）をすることによって捜査に顕著な支障が生じないようにできるということであって，「捜査に顕著な支障が生じる」という同じ文言を用いていても，前者は弁護人等の接見の申出をそのまま認めるとした場合の捜査の顕著な支障であり，後者は接見指定（接見時間を指定）した場合における捜査の顕著な支障であって，その前提が異なっているんだね。平成12年判決は，「被疑者と弁護人となろうとする者との逮捕直後の初回の接見」を，上記(1)の接見指定の要件の問題ではなく，(2)の指定内容の適否の問題として捉えているわけだ。

A君：そこで，この判決は，接見の時間さえ指定すれば捜査に顕著な支障が生じるのを避けることが可能なときは，留置施設の管理運営上支障があるなど特段の事情がない限り，犯罪事実の告知，弁護人選任権の告知，弁解の録取，さらには指紋採取・写真撮影等所要の手続の後，「たとい比較的短時間であっても，時間を指定した上で即時又は近接した時点での接見を認めるようにすべき」であるとしていますね。

---

13)　条解刑訴法83頁が平成12年判決を「指定の要件」の項目で取り扱っているのは，誤解を生むおそれがある。

Bさん：⑵の指定内容の適否（39条3項ただし書）については，「捜査機関は，弁護人等と協議してできる限り速やかな接見等のための日時等を指定し，被疑者が弁護人等と防御の準備をすることができるような措置を採らなければならない」（平成11年大法廷判決）のですが，平成12年判決は，逮捕直後の初回接見の事案においては，①「即時又は近接した時点において短時間でも〔弁護人となろうとする者と〕接見する必要性が大きかった」こと（申出に係る接見の重要度），②「比較的短時間取調べを中断し，又は夕食前の取調べの終了を少し早め，若しくは夕食後の取調べの開始を少し遅らせることによって，〔接見〕目的に応じた合理的範囲内の時間を確保することができた」こと（短時間の接見のための時間の捻出可能性），他方，このような短時間の接見による捜査への顕著な支障の有無について，③「取調べの経過に照らすと，……接見時間をやり繰りすることにより，捜査への支障が顕著なものになったとはいえない」（捜査への支障の程度）ことを挙げ，これらの事情があったのであるから，捜査機関は，弁護人となろうとする者と協議して，希望の接見時間（たとえば1時間）を聴取するなどし，時間を指定（たとえば接見時間を30分間と指定）したうえで即時または近接した時点で接見させるべき義務があるのに，当該事件の捜査官は，弁護人となろうとする者と協議する姿勢を示すことなく，一方的に接見の日時を翌日に指定したものであって，防御の準備をする権利を不当に制限したもので，39条3項ただし書に違反するとしていますね[14)]。

教員：この平成12年判決は，初回接見のときは，時間の指定はしてよいが，即時・近接した時点で必ず接見させよということなのかな。

A君：いえ，そうではありません。平成12年判決は，「時間を指定すれば捜査に顕著な支障が生じるのを避けることが可能かどうかを検討し，これが可能なときは……」と説示しているのですから，矢尾調査官のいわれるように，「逮捕直後の初回の接見であれば，およそ即時又は近接した時点での接見を許さなければならないとしたものではな〔く〕」，「（弁護人等との）協議と検討を行った上で，即時又は近接した時点での接見を認めれば接見時間の指定をしても捜査に顕著な支障が生じると合理的に判断される場合にまで，

14）　矢尾渉・最判解民事篇平成12年度547頁。

本判決の射程が及ぶものではない」のです[15]。

教員：そのとおりだね。例えば，「被疑者が重要な証拠物で未押収のものの所在を自供し，それに基づいて引き当たり捜査を実施しようとしている場合」[16]は，被疑者を速やかに当該証拠隠匿場所に連行して捜査を実施する必要性が高いので，即時または近接した時点での短時間の接見を認めると捜査に顕著な支障が生じることになるだろうから，逮捕直後の初回の接見申出であっても，即時または近接した時点ではなく，それよりも後の日時を指定することが許されるだろう。

Bさん：これに対して，「重大事件につき，被疑者がまさに真相に迫る供述を始めたときなどに」，即時または近接した時点での接見を認めず，「供述が一段落して調書が作成され〔た〕」後の時刻を接見指定することができるかどうかという問題[17]は，きわめて難しいですね。

A君：捜査機関にとっては，そんな重大な局面にある時に，いかに逮捕直後の初回接見とはいえ，即時または近接した時点での接見を認める（接見指定をする）とすれば，被疑者が自白を止めまたは撤回するおそれがあり，捜査に顕著な支障が生ずるでしょうから，先ほどのケースと同じく，即時または近接した時点での接見を認める必要はないのではないかな。

教員：そのような見解もあり得るとは思うが，初回の接見は，平成 12 年判決の説示するように，「捜査機関の取調べを受けるに当たっての助言を得るための最初の機会であって，……憲法上の保障〔34 条〕の出発点を成すもの」なのだから，被疑者にとっては，先ほどの引き当たり捜査のケースとは異なって，「まさにそのときこそが，弁護人の助言が必要とされる場合」[18]であり，このような場合，捜査機関としては，即時または近接した時点における短時間の接見をさせなければならず（時間を指定する），供述が一段落つき供述調書が作成された後の時刻を指定するときは，「被疑者が防禦の準備をする権利を不当に制限するようなもの」（39 条 3 項ただし書）として違法であると解する余地も十分にあるのではないだろうか。

---

15)　矢尾・前掲注 14)548 頁。
16)　川出敏裕・百選〔第 8 版〕81 頁。
17)　川出敏裕・百選〔第 8 版〕81 頁。
18)　川出敏裕・百選〔第 8 版〕81 頁。

3　設問の解決

A君：設問の場合は，検察官Pにおいて被疑者乙を勾留の基礎となった収賄事件について現に取調べ中だったのですから，原則として「取調べの中断により捜査に顕著な支障が生ずる場合」に当たりますが，取調べの内容が必ずしも明らかでないので，現に取調中であっても，例外的に，取調べを一時中断しても実質的には捜査に顕著な支障が生じない場合であったかどうか（その場合には，39条3項本文の要件を欠き，接見指定はできない）は，設問の事実関係からだけでは明らかではありません。

Bさん：39条3項本文の指定の要件を満たす場合において，同項ただし書の指定内容の適否については，まず，弁護人甲と協議が整っていないのに接見指定したことは，同弁護人が協議に応じなかった以上やむを得ないものと思われます[19]。次に，甲は被疑者の妻によって既に弁護人に選任されていて，設問の接見は，「弁護人の選任を目的」とするものではないようであり（重ねて被疑者からも選任されることもあり得る），また，「逮捕直後の接見」でもありません。しかし，平成12年判決の趣旨は，逮捕直後でなくとも，「弁護人となろうとする者による初回の接見であるかぎりは妥当する」と解されており[20]，被疑者にとっては弁護人等との初めての接見であり，「今後捜査機関の取調べを受けるに当たっての助言を得るための最初の機会」であることにかわりはなく，接見の重要性は大で，接見の必要性が高く，平成12年判決の趣旨にかんがみ，即時でなくとも，少なくとも近接した時点での接見（例えば，直近の休憩時の接見）を認めるべきであったのであり，検察官Pが翌日の接見日時を指定したことは，被疑者の防御準備権を不当に制限するものであって，違法な措置というべきです。

Question & Answer

Q　取調べ受忍義務否定説（学説上の通説）に立つならば，弁護人等の接

19)　時岡泰・最判解民事篇昭和53年度277頁。
20)　川出敏裕・百選〔第8版〕81頁，矢尾・前掲注14)548頁。

見申出を知った身柄拘束中の被疑者が弁護人等との接見を希望するときはいつでも取調べを中断して接見させせなければならないはずですから，被疑者を現に取り調べていることは接見指定の理由とはなり得ないとの見解がありますが，どのように考えたらよいでしょうか[21]。

▲ この見解は，平成 11 年大法廷判決の原告の上告趣意において主張されており，後藤教授の説くところです[22]。この見解によると，接見指定が可能なのは，「拘禁施設に弁護人が出向いたが，被疑者が捜査のため連れ出されていて，帰って来るまで一定の時間がかかる場合」などであり，これらの場合は明文規定がなくとも接見の申出に対する制約が許されるのは当然のことですから，39 条 3 項は単なる注意規定ということになります[23]。

しかし，この見解は，被疑者の取調べ中に，弁護人等が接見の申出をしていることを被疑者が知ったことを前提にする議論であり[24]，問題は捜査機関にそのような伝達義務があるかどうかにかかっているわけです。

この点に関しては，福岡高判平成 5・11・16 判時 1480 号 82 頁[25]が，身柄拘束されていない被疑者の取調べ中に弁護人等から被疑者との面会の申出があったときは，捜査機関はその旨を被疑者に伝達する義務があると説示していますが，被疑者が身柄拘束されていない場合は，捜査機関には 39 条 3 項による接見指定は許されず，弁護人等は，「何時でも自由に被疑者に面会することができる」のですから，身柄拘束されている場合と自ずから別論ということになります。

身柄拘束された被疑者については，岡慎一弁護士は，上記の伝達義務が被疑者の有する「弁護人の援助を受ける権利」（憲 34 条前段）から導かれるとされますが[26]，憲法 34 条前段が接見交通権の行使と捜査権の行使との間の合理的調整のための規定を設けることを否定するものではなく，刑訴法 39 条 3 項の制度趣旨を「被疑者の取調べ等の捜査の必要と接見交通権の行使と

21） リークエ 198 頁［堀江慎司］参照。

22） 後藤昭「取調べ受忍義務否定論の展開」『平野龍一先生古稀祝賀論文集(下)』（有斐閣，1991 年）300 頁。斎藤 210 頁も同旨。

23） 後藤・前掲注 22)301 頁。

24） 大澤裕 = 岡慎一「逮捕直前の初回の接見と接見指定」法教 320 号（2007 年）129 頁［岡発言］。

25） 杉田宗久・百選〔第 9 版〕82 頁。

26） 大澤 = 岡・前掲注 24)129 ～ 130 頁［岡発言］。

の調整を図る趣旨」（平成11年大法廷判決）と捉えるとすれば，取調べ受忍義務否定説を採ったとしても，39条3項は，上記接見の申出を取調べ中の被疑者に伝えることなく，接見指定をして，取調べを継続することを許容していると解することができるでしょう[27]。

後藤教授らの見解は，39条3項の接見指定制度を，身柄を利用した捜査と接見との時間的な調整（身柄をめぐる調整）を図るために設けられた制度と捉える平成11年大法廷判決の解釈を是認することなく，接見交通権の行使が取調べ等に優先することを前提とする見解というべきでしょう。

学びの道しるべ

✍「接見等指定」と「接見等禁止」とを混同する学生がまま見受けられる。両者の異同は，下表のとおりである。被疑者と弁護人または弁護人選任権者の依頼により弁護人となろうとする者との接見等は，検察官ら捜査機関がその日時，場所および時間を指定をすることはできても，接見等を禁止することはできない。裁判所（官）といえども，被疑者と弁護人等との接見等の禁止はできないことに留意してほしい。

	法的根拠	主　体	客　体	要　件	内　容
接見等指定	39条3項（接見等の根拠39条1項）	検察官等	弁護人・弁護人選任権者の依頼により弁護人となろうとする者	捜査のため必要があるとき	接見等の日時等を指定。禁止はできない。
接見等禁止	207条1項・81条（接見等の根拠80条）	裁判官（第1回公判期日後は裁判所）	上記以外の者（一般人。民事の訴訟代理人弁護士も対象となる）	逃亡のおそれ，罪証隠滅のおそれがあるとき	接見等の禁止

✍✍ 39条3項本文の「捜査のため必要があるとき」の文言解釈に当たり，「『捜査のため必要があるとき』とは，弁護人等から接見等の申出を受けた時に，捜査機関が現に被疑者を取調べ中である場合や実況見分，検証等に

27）　大澤＝岡・前掲注24）130頁［大澤発言］，田中開＝成瀬剛・百選〔第9版〕79頁。

立ち会わせている場合など取調べの中断等により捜査に顕著な支障が生ずる場合をいうものと解する」とする答案が散見される。

しかしながら，解説でも述べたように，「弁護人等から接見等の申出を受けた時に，捜査機関が現に被疑者を取調べ中である場合や実況見分，検証等に立ち会わせている場合など」は，「原則として」取調べの中断等により捜査に顕著な支障が生ずる場合に当たるにすぎないのであり，このような答案の記載では，現に被疑者を取調べ中である場合などは常に「捜査に顕著な支障が生ずる場合」に当たることとなり，相当ではない。答案では，接見等指定制度の趣旨を述べた上，「39 条 3 項本文の『捜査のため必要があるとき』とは，弁護人等の申出に沿った接見等を認めると取調べの中断等により捜査に顕著な支障が生ずる場合をいうものと解する」旨の法解釈を示した上で，上記の例示の場合は「原則として」これに当たることを記載すべきなのである。

〈参考文献〉

①井上正仁・百選〔第 6 版〕40 頁
②矢尾渉・最判解民事篇平成 12 年度 522 頁
③川出敏裕・百選〔第 8 版〕78 頁
④大澤裕＝岡慎一「逮捕直前の初回の接見と接見指定〔対話で学ぶ刑訴法判例⑧〕」法教 320 号（2007 年）117 頁
⑤川出敏裕「刑事裁判例批評」刑ジャ 1 号（2005 年）165 頁

13 一罪の一部起訴

【設　問】
　被告人は，老齢のＶから委託されてＶ所有の土地の権利証，実印を預り管理していたが，自己の経営するＡ株式会社の資金繰りに窮したため，Ａ株式会社が金融機関から融資を受けるに際して，Ｖの承諾を得ることなく，Ｖの上記土地につき，Ａ会社を債務者として債権額5000万円の抵当権を設定し，その旨の登記を了した。さらに，被告人は，Ｖに無断で，上記土地を１億円で売却し，その旨の登記を了し，代金はＡ株式会社の資金繰りに充てた。検察官は，被告人を，上記土地を売却してこれを横領したとして，横領罪により公訴提起した。被告人は，公判で，上記土地については抵当権を設定し，登記を了したことにより横領罪が成立しているので，売却行為はその不可罰的事後行為であって犯罪は成立しないと主張した。
　⑴　一罪の一部起訴は許されるか。
　⑵　裁判所は，売却行為に先立って抵当権設定行為があったかどうかについて審理判断すべきか。

〔ポイント〕
　①　一罪の一部起訴の可否
　②　訴因と裁判所の審理判断の範囲
　③　一部起訴につき合理的理由がない場合と裁判所の採るべき措置
　④　被告人に不当に不利益をもたらす一部起訴

〔判　例〕
▷最決昭和59・1・27刑集38巻1号136頁（千葉2区宇野亨派選挙違反事件。ケースブック307頁，三井教材260頁）
▷最大判平成15・4・23刑集57巻4号467頁（西明寺横領物の横領事件。ケースブック278頁，三井教材258頁，百選〔第9版〕90頁）

▷最判平成15・10・7刑集57巻9号1002頁（八王寺常習窃盗事件。ケースブック677頁，三井教材261頁・622頁，百選〔第9版〕208頁・〔第10版〕222頁）
▷東京高判平成17・12・26判時1918号122頁（三井教材261頁）
▷最決平成21・7・21刑集63巻6号762頁（ケースブック308頁，三井教材260頁）

解　説

1　一罪の一部起訴の可否

教員：一罪について，その一部だけを起訴するケースとして，どのような場合があるだろうか。

Bさん：実務では，①単純一罪の一部起訴（窃盗の被害品の一部を除外して起訴），②結合犯の一部起訴（強盗を窃盗で起訴），③強盗を恐喝，殺人を傷害致死，共同正犯を幇助犯として起訴，④既遂を未遂として起訴，⑤加重犯の一部起訴（業務上横領を単純横領，常習窃盗を単純窃盗で起訴），⑥科刑上一罪や包括一罪の一部起訴（住居侵入・窃盗について窃盗だけで起訴）など，種々のケースがあるようですね[1]。

A君：もちろん，反抗抑圧程度の暴行・脅迫の嫌疑が十分でないため強盗罪を恐喝罪で起訴するとか，業務上横領罪で業務性の立証が困難なので単純横領罪で起訴するのは，起訴するに足る嫌疑に到達していない以上は当然のことであって，「一罪の一部起訴」の問題ではありませんよね。

教員：そのとおりだね。その点は誤解のないようにして欲しいところだ。ここで議論する「一罪の一部起訴」とは，A君の例でいうと，検察官が強盗罪や業務上横領罪により起訴すれば有罪判決が得られるとの確信に達する程度の心証を得るだけの証拠があるのに，敢えて恐喝罪や単純横領罪で起訴することが許されるかということなんだ（後に検討する最高裁の一連の判例のいう「立証の難易」は，起訴するに足る嫌疑に至っていないという意味ではあるまい）。一罪の一部起訴は，一体どこに問題があるのだろうか。

1）　石井・諸問題145頁，三井II 152頁。

A君：検察官は，単なる一当事者ではなく，公益の代表者として公訴権を行使すべきなのだから，一罪の立証が可能なのにその一部のみを起訴するのは，実体的真実に反するから問題とされているわけであり[2)]，このような実体的真実に反する起訴は許されないのではないでしょうか。

教員：なるほど，そのような実体的真実に反する起訴は，訴因の拘束力により，ひいては実体的事実に反する裁判に至るおそれがあるからね。

Bさん：確かに刑訴法は実体的真実の発見をその目的としてはいますが（1条），当事者主義を強化し，訴因制度を採用することによって，裁判所は実体的真実の如何にかかわらず訴因の範囲内でしか審判できず，裁判所が実体的真実は別のところにあると認めて訴因変更命令を発しても，その命令には形成力がない（最大判昭和40・4・28刑集19巻3号270頁）のですから，刑訴法は，職権主義を採っていた旧刑訴法とは異なり，訴因と実体的真実との乖離を予定しているというべきです。だから，A君の言う実体的真実に反することは，一部起訴を否定する根拠にはならないと思います。

教員：一部起訴肯定説に対してなされる「実体的真実主義に反する」との批判に対しては，Bさんの言うように，裁判所は訴因の範囲内でしか審判できないという制約がある以上，実体的真実に反する一部起訴であっても許容せざるを得ないという，いわば背面からの反論があり得るだろう。また，検察官には，犯罪の全部について不起訴の裁量権が認められているのだから，犯罪の一部起訴についてだけは，「実体的真実を貫徹しなければならないとする必然性はない」[3)]という正面からの反論もなされているんだ。

Bさん：いずれにせよ，学説の大勢は，一部起訴を肯定するようですね。

教員：そうだね。一部起訴肯定説は，現行法が当事者主義に立ち，訴因制度を採用しているので，審判の対象（訴訟物）をどのように構成するかは，訴追官たる検察官にゆだねられており（検察官の訴因構成権），検察官が一罪の一部のみを起訴することも許されると考えるのだね（論拠①）[4)]。また，刑訴法が検察官に起訴猶予の裁量を肯定していること（248条。一部起訴は，そ

2） 岸・要義53頁。

3） 香城・構造297頁。

4） 名古屋高判昭和62・9・7判タ653号228頁は，「専権的に訴追権限を有する検察官が，審判の直接的対象である訴因を構成・設定するにあたつて……」というので，これを根拠とするものである。

の余の部分の不起訴である）も肯定説の理由とされているよね（論拠②）[5]。これに対して，先ほどBさんが実体的真実主義との関係で言及した反論，つまり裁判所は訴因を離れて自由に犯罪事実を認定することはできない（訴因に拘束される）ことの「反面として」[6]，検察官は一部起訴ができるとする論拠も挙げられているんだ（論拠③）。

A君：そういわれているのは知ってはいますが，現行法において当事者主義が強化されて訴因制度が採用され，訴因の構成権が検察官にある（論拠①）とはいえ，検察官は起訴の権限を独占する公益の代表者なのですから，好き勝手に訴因構成してよいわけではないし，また，裁判所が訴因に拘束され，訴因外の事実を認定できないからこそ，公益の代表者としては，できる限り実体的真実に沿う訴因の構成によって起訴をすべき職務上の義務を負担する，というべきだと思うんだけどなあ。

Bさん：しかし，A君の言うように，起訴に可及的な実体的事実を求めるならば，捜査機関に今以上の捜査権限を付与しなければならず，捜査の肥大化を招くおそれがあるので，賛同できないわ。一部起訴を肯定するとすれば，論拠②の刑訴法248条の起訴便宜主義が真の意味の根拠になる[7]のかな。検察官は，当該犯罪の全部についてさえも起訴しない権限（起訴猶予権限）を有するのだから，その一部について起訴しない（その残りを起訴する＝一部起訴）ことも当然に許されるという論理よね。

教員：判例は，一部起訴に対してどんな態度を採っているのかな。

Bさん：最高裁も，学説の大勢と同様に，一部起訴肯定説を採っています。最決昭和59・1・27刑集38巻1号136頁は，公職選挙法の交付罪と供与罪に関して，供与罪が成立するときは交付罪は供与罪に吸収されることを前提に，「検察官は，立証の難易等諸般の事情を考慮して，甲を交付罪のみで起訴することが許される」と説示しています。また，最近でも，最大判平成15・4・23刑集57巻4号467頁は，いわゆる「横領物の横領」事案において，「所有権移転行為について横領罪が成立する以上，先行する抵当権設定

5）　川出・判例講座〔公訴提起・公判・裁判篇〕71頁。

6）　石井・諸問題147頁。

7）　田宮170頁，酒巻匡「公訴の提起・追行と訴因(1)」法教298号（2005年）67頁，光藤Ⅰ223頁など。なお，川出・判例講座〔公訴提起・公判・裁判篇〕71頁は，検察官の訴因（訴訟物）設定権，起訴猶予権を根拠とするので，根拠①と根拠②によるものであろう。

行為について横領罪が成立する場合における同罪と後行の所有権移転による横領罪との罪数評価のいかんにかかわらず，検察官は，事案の軽重，立証の難易等諸般の事情を考慮し，先行の抵当権設定行為ではなく，後行の所有権移転行為をとらえて公訴を提起することができるものと解される」と説示しています（なお，最判平成15・10・7刑集57巻9号1002頁も「実体的には常習特殊窃盗罪を構成するとみられる窃盗行為についても，検察官は，立証の難易等諸般の事情を考慮し，常習性の発露という面を捨象した上，基本的な犯罪類型である単純窃盗罪として公訴を提起し得ることは，当然である」という）。

A君：最高裁のいう「事案の軽重，立証の難易等諸般の事情」って，具体的には，どんなケースを想定しているのだろうね。

Bさん：(a)「事案の軽重」の例としては，住居侵入・窃盗の事案で，昼間の侵入であってしかもガラスを壊して鍵を開けるなどしていない比較的悪質性の低い侵入行為について，住居侵入を「呑んで」，窃盗罪のみで起訴する場合，(b)「立証の難易」の例としては，有罪の確信は得ているものの，被告人が犯行の一部を頑強に否認するのでその立証には多数の証人の尋問が予想されるため，これを「呑んで」（被告人の否認する犯行の一部を除外して）起訴する場合，(c)「諸般の事情」の例として，①刑事政策的配慮による場合，例えば，強盗致傷罪につき有罪の確信があるものの，受傷が比較的軽微であること，被告人が初犯であること，被害弁償がなされていること，深く反省していること等を理由として，強盗罪と傷害罪（あるいは強盗罪だけ）で起訴する場合，②訴訟経済的考慮による場合，例えば，審理の長期化が予想される多数回にわたる窃盗事件のうち，被害の比較的多額に及ぶもののみを起訴する場合などがあるといわれていますね。

教員：そのこと自体には何の異存もないのだけれども，最高裁昭和59年決定や平成15年大法廷判決の事案では，「一罪の一部起訴の適法性」が争点となったのかな。

A君：どうでしたかね……。改めて読み直してみますと，この2つの判例の事件の被告人は，一部起訴が違法で無効だから公訴棄却の判決をすべきだと主張していたわけではないですね。

教員：実はそうなんだよ。最高裁は，一部起訴が許されると説示しているのだけれど，昭和59年決定，平成15年大法廷判決のいずれにおいても，被告人は「一罪の一部起訴だから違法，したがって公訴棄却の判決をすべし」との主張はしていないよね。その点が争点になっていたわけじゃないのだから，厳密にいえば，「一罪の一部起訴の可否の判例」とはいえないわけだね。

Bさん：それじゃあ，最高裁は，何のために，こんな説示をしたのかしら。

教員：さあ，それが問題だ。昭和59年決定の事案では，被告人の主張は，選挙の買収資金交付罪（訴因事実）は，その後に行った供与者・受供与者の共謀による当該資金の第三者への供与罪（訴因外の事実）に吸収されて交付罪（訴因事実）は成立しないので，裁判所は，「訴因外の事実」である供与行為について検察官に求釈明あるいは訴因変更を促すなどして審理しなければならないというものであり，平成15年大法廷判決の事案では，被告人は，訴因外の事実である，占有する不動産に抵当権を設定したことにより横領罪が成立している以上，当該不動産の売却行為（訴因事実）は，不可罰的事後行為であって，横領罪は成立しない（したがって無罪である）と主張していたんだね。どちらも，畢竟，裁判所が「訴因外の事実」（昭和59年決定に関しては，共謀による供与行為があったかどうか，平成15年大法廷判決に関しては，抵当権設定行為があったかどうか）に立ち入って審理判断すべきかどうかが問題とされたわけだ。

Bさん：これらの判例の一罪の一部起訴に関する説示部分は，当該起訴の適法性についての理由付けではなくて，裁判所が「訴因外の事情に立ち入って審理判断すべきものではない」ことの理由付けとして用いられているようですね。

2　訴因と裁判所の審理判断の範囲

教員：そうだね。昭和59年決定と平成15年大法廷判決は，いずれも「訴因と裁判所の審理判断の範囲」（訴因外の事情に立ち入って審理判断すべきか）が争点となった判例なんだ。

A君：この2つの判例の論理は，一罪の一部起訴が許されるのなら，裁判所は，訴因事実だけを審理すべきであり，被告人に「訴因外の事情」の主張立証を許すべきではなく，逆に，一部起訴が許されないときは，裁判所の審理判断は「訴因外の事情」に及んでよいということですね。つまり，審理判断の範囲は，一部起訴が許されるかどうかが決定的なのですね。

教員：少なくとも昭和59年決定に関しては，そのように理解する向きが多かったようだね。現に，この事件の担当調査官であった木谷明判事も，「一部起訴が適法とされる場合には，裁判所の審理は，当然，当該訴因に制約される。従って，訴因外の事実が認められれば当該訴因が独立しては処罰の対象とならない場合であっても，裁判所は，当該訴因事実自体について犯罪の成否を判断すれば足り，訴因外の事実の存否を審理したり，検察官に対し，訴因の追加・変更を促したりする義務はないし，そのような措置をとることは，適当でもない。59年判例は，そのことを明らかにしたが，右の結論は，一部起訴を適法と認めたことから生ずる当然の帰結というべきであろう」（傍点は筆者による）とされているんだ[8)]。

A君：現行法は訴因制度を採用していることから，審判の対象（訴訟物）は訴因であり，その設定権限は検察官にあり，裁判所は訴因の範囲で審判をしなければならないのですから，検察官による一罪の一部起訴が適法である限り，裁判所は，訴因事実が訴因外の事情の存在により実体法上は犯罪を構成しない可能性があるとしても，訴因である一罪の一部について審判しなければならず（訴因の拘束力），訴因外の事情を考慮すべきではないので，木谷判事のこのような理解は，訴因制度を採る以上は当然のことでしょうね。

Bさん：そうかなあ。どうも納得できないわ。たとえば，盗品等関与罪について，共罰的事後行為説（包括一罪の一種）によらないで，不可罰的事後行為説（法条競合）[9)]によって考えてみてよ。不可罰的事後行為説だと，実体法上は，窃盗本犯については盗品等運搬罪は成立しないよね。それなのに，これが訴訟法の世界に入ると，盗品等関与罪（運搬罪）の訴因によって一罪の一部起訴がなされた場合[10)]に，被告人が窃盗本犯であるという「訴因外

8） 木谷明・百選〔第6版〕101頁。同・最判解刑事篇昭和59年度30頁も，訴因として掲げられていない供与罪の成否につき審理したり，供与罪への訴因の変更を促す義務はないとの結論は，一罪の一部起訴が許されることの「当然の帰結であって，とくに解説の要をみない」とする。

9） 西田典之〔橋爪隆補訂〕『刑法各論〔第7版〕』〔弘文堂，2018年〕298頁，今井猛嘉ほか『刑法総論〔第2版〕』（有斐閣，2012年）436頁［島田聡一郎］。

10） 木谷判事は，このような不可罰部分の起訴も，一罪の一部起訴として検察官の裁量により許されるとするのであろう（木谷・前掲注8)最判解26頁）。

の事情」が認められれば実体法上は盗品等運搬罪は成立しないはずなのに，一罪の一部起訴が適法であっても，「被告人は窃盗本犯であるから盗品等関与罪は，不可罰的事後行為であって，犯罪が成立せず無罪である」との主張立証を被告人に許さないって，おかしくないかな。実体法の世界で犯罪不成立なのに，訴訟法の世界では，その主張立証を許さないなんて……[11]。

教員：確かに，以前は，検察官による一部起訴が許されれば，裁判所の審理は訴因に限定され，訴因外の事情の存在により訴因事実が実体法上は犯罪を構成しない可能性があるとしても，訴因外の事情について審理判断する必要はない（一部起訴の適否と訴因外の事情の審理判断の要否は，表裏の関係にある）と理解されていたけれども，平成15年大法廷判決を契機に，このような訴訟法優先の見解に対して，疑問を呈する学説が有力になりつつあるようだ。たとえば，菊池判事は，「一部起訴が許されることと，それ以外の犯罪事実の主張・立証を許さないことは必ずしも直接には結びつかない。審理の最終目標・命題がそのような検察官提示の訴因であれば，訴訟対象設定権限が侵されるとは必ずしも言えないからである」[12]とされ（傍点は筆者による），川出教授も，訴因事実についての審理は「訴因記載の犯罪の成否を判断するための審理」にほかならないから，一部起訴が許されるからといって，訴因にかかる犯罪の成立を否定する訴因外の事実の有無について，「裁判所が……審理することは否定されないし，むしろ，それを審理しなければならない」[13]とされているんだ。訴因の犯罪成立を否定する事実なのだから，「訴因外の事情」のようにみえても，実は訴因に係る犯罪の成否を決する「訴因内の事情」というわけだね。

Bさん：平成15年大法廷判決はどう理解したらよいのでしょうか。

教員：先行の抵当権設定行為により横領罪が成立する場合には，後行の売却行為は不可罰的事後行為であって横領罪は成立しないとの判例（最判昭和

11）　最判昭和31・6・26刑集10巻6号874頁の刑法解釈が仮に正しいとすれば，抵当権設定行為について横領罪が成立する以上，その後の売却行為は，実体法上は，横領罪を構成するものではないのに，検察官が，売却行為を捉えて横領罪で起訴した以上，被告人は，抵当権設定行為により横領罪が成立していることを主張立証することが許されないことになる。

12）　菊池則明「被告人側が主張する訴因外犯罪事実の審理について」新報112巻1＝2号（2005年）263頁。

13）　川出敏裕「訴因による裁判所の審理範囲の限定について」『鈴木茂嗣先生古稀祝賀論文集㈦』（成文堂，2007年）322頁。

31・6・26 刑集 10 巻 6 号 874 頁）を変更し，先行行為（抵当権設定）後も，後行行為（売却による所有権移転）について，「横領罪の成立自体は，これを肯定することができ」，「先行の抵当権設定行為が存在することは，後行の所有権移転行為について犯罪の成立自体を妨げる事情にはならない」としているので，後行行為を不可罰的事後行為ではなく，共罰的事後行為（包括一罪）と解したということだろう（刑法の解釈）。これを不可罰的事後行為（法条競合）と捉えると，この大法廷判決とは逆に，後行行為について横領罪の成立を肯定することができず，先行の抵当権設定行為の存在が後行の所有権移転行為について犯罪の成立を妨げる事情になるということだ。

A君：2つの横領行為が共罰的行為であることを前提にすれば，後行行為についても犯罪が成立し，先行行為の存在が後行行為の犯罪成立を妨げる事情にならないのであれば，検察官が後行行為について起訴している限り，先行行為（訴因外の事情）の存在に立ち入って審理判断すべきでないことは当然ですよね[14]。罪数論だけで済むのに，平成 15 年大法廷判決は，なぜ，一罪の一部起訴の可否論，すなわち検察官は事案の軽重，立証の難易等諸般の事情を考慮し，後行行為をとらえて起訴できるという，余計な説示をしているのでしょうか。

教員：この点について，福崎調査官は，「本判決は，本件のような事案の審理方法について，……後行の所有権移転行為のみが横領罪として起訴されたときは，裁判所は，所有権移転の点だけを審判の対象とすべきであり，犯罪の成否を決するに当たり，所有権移転行為に先立って横領罪を構成する抵当権設定行為があったかどうかといった訴因外の事情に立ち入って審理判断すべきではない旨……判断を示した」[15]（傍点は筆者による）と解説するだけで，一罪の一部起訴については何ら言及していないし，刑集でも，一罪の一部起訴についての説示は，判決要旨とはされていないんだ。

A君：大法廷の判決ですから，何の意味もないということはないでしょう。

教員：大法廷が一罪の一部起訴の可否に言及したのは，後行の売却横領だけを起訴すること（一罪の一部起訴）が裁量権の逸脱であって許されないときは，裁判所は，検察官に対して訴因変更を促すなどの措置をとらなければ

14） 菊池・前掲注 12)257 頁，川出・前掲注 13)323 頁。
15） 福崎伸一郎・最判解刑事篇平成 15 年度 291 頁。

ならず，そうすると，訴因外の事情の審理判断の問題は生じないことになるから，まずは，本件において後行行為たる売却横領を起訴することが許されることを述べたのではないだろうか。

Bさん：大法廷判決は，そのような意味で，訴因の選択が検察官の合理的な裁量権の範囲内にあることを前提にしたのでしょうね16)。

A君：平成 15 年大法廷判決は，罪数論のほかに，そのような主張立証を許すことは，「訴因制度を採る訴訟手続の本旨に沿わない」との理由を挙げています。罪数論について売却行為を不可罰的事後行為と理解すると，被告人が抵当権設定行為について横領罪の成立の証明を，検察官がその不成立の証明をそれぞれ志向する訴訟活動を行わせることとなってもそれは「不自然な訴訟活動」ではなく，本来あるべき訴訟活動であって17)，被告人に対しては，犯罪成立阻却事由たる先行行為の存在の主張立証を許さざるを得ませんから，そうすると，この説示箇所は，あくまで両者を共罰的行為と理解することを前提にするものであって，「一般化すべきではない」18)のですね。

教員：ここは，いかにも取って付けたような説示で違和感があるよね。川出教授は，この説示は，共罰的事後行為についてだけ意味があるというのだけれども，果たしてそうだろうか。共罰的事後行為であれば，被告人が共罰的事前行為（抵当権設定による横領行為）を主張立証してみても，事後行為（売却による横領行為）の犯罪の成立を妨げることにはならないのだから，被告人がそのような主張立証をするはずもなく，また検察官も，事前行為が犯罪として成立しないことを主張立証する必要はなく，大法廷判決にいう，抵当権設定行為につき，「被告人が犯罪の証明を，検察官が犯罪不成立の証明を志向する」などという事態は，あり得ず，この説示部分は，共罰的事後行為を前提とする説示と理解するときは，意味がないように思うのだが……。

A君：結局，この箇所の意味が不明ということですね。

教員：そうだね。この普遍的な説示にみえる箇所と，一罪の一部起訴の可否について言及する箇所とを併せ考慮すると，最高裁は，かつての通説的理

16)　川出・前掲注 13)323 頁。田口守一・百選〔第 9 版〕91 頁は，一部起訴が合理的裁量権の範囲を逸脱する場合については，この判決の「射程外」という。

17)　川出・前掲注 13)317 頁は，訴因外の犯罪事実の存在が訴因事実の不成立を導く場合は，「不自然・不合理」とはいえないという。

18)　川出・前掲注 13)323 頁。

解である訴訟法優先の考え方（一部起訴が許されるときは，裁判所は，訴因事実が訴因外の事情が存在するために実体法上は犯罪を構成しない可能性があっても，訴因に拘束され，訴因外の事情を考慮してはならないとの考え方）を捨てたわけではないとの理解[19]も成り立ちえないわけではないように思うのだが……。その場合は，「訴訟手続の本旨に沿わない」との箇所は，訴因外の事情が存在するために実体法上は犯罪を構成しない場合にこそ意味がある説示であるということになろう。

3　一部起訴につき合理的理由がない場合と裁判所の採るべき措置

A君：平成 15 年大法廷判決は，「事案の軽重，立証の難易等諸般の事情を考慮」して，一罪の一部起訴が許されるとしており，検察官の訴追裁量を認めているわけですが，その裁量が合理的なものでなければならないのは当然のことでしょうね（最判平成 4・9・18 刑集 46 巻 6 号 355 頁）。そこで，一部起訴が裁量権を逸脱する不合理な裁量であった場合には，裁判所はどう対処すべきなのでしょうか。

Bさん：一罪の一部起訴について検察官の合理的裁量が要求されるのだから，裁量権の逸脱・濫用の場合には違法であって，公訴提起は無効になり得るのかしら（338 条 4 号）。

教員：この点については，公訴権濫用論が参考になりそうだね。公訴権濫用論は，嫌疑なき起訴，起訴猶予相当事案の起訴，違法捜査に基づく起訴の 3 類型があるとされてきたが[20]，起訴猶予相当事案の起訴に関し，最高裁は，検察官の訴追裁量権の行使が違法となり得ることがあることを認めたものの，それは「公訴の提起自体が職務犯罪を構成するような極限的な場合」に限られるとしたんだ（最決昭和 55・12・17 刑集 34 巻 7 号 672 頁）。

A君：一罪の一部起訴って，全部が成立するのに一部だけ起訴するというわけだから，公訴権濫用論の場合とは逆に，被告人にとっては有利な方向に裁量権を逸脱した場合ですよね。被告人に有利な方向への裁量権の逸脱が違

19）　高木俊夫「刑事判例研究」ジュリ 1281 号（2004 年）170 頁。

20）　田口 194 頁など。

法になるのは，杉田判事の言われるように，公訴権濫用論の場合にいう「職務犯罪を構成するような極限的な場合」よりも更に「一層極限的な場合」に限られるのではないでしょうか[21]。杉田判事は，その例として，「検察官が賄賂を収受し，又は，被疑者との親密な個人的関係ゆえに，一部起訴に止めたような場合」を挙げておられます。

教員：そうだね。一部起訴が不合理な裁量による場合には公訴棄却の判決（338条4号）をすべきであるとの見解が通説[22]なのだが，川出教授は，一部起訴が不合理な裁量であるということは「本来，起訴の範囲を限定することなく，より広い犯罪事実で起訴すべきだった」ということを意味すること，また検察官が意図的に一罪の一部起訴を行ったのではなく審理の過程で一部起訴であったことが判明した場合（この場合は，訴追裁量権の濫用とはいい難い）とのバランスの観点から，公訴棄却にするのは不合理だとして，通説を批判しているんだ[23]。

Bさん：じゃ，川出教授の見解によれば，裁判所はどうするのですか。

教員：裁判所は，「検察官に対し訴因に関する釈明を求めるとともに，判明した事実に沿う形で訴因変更の勧告や命令を行う」[24]ことになるだろう。杉田判事のいうように，極めて極限的な場合に限って公訴棄却すべしとする見解に立つ場合でも，その程度に至らない程度の合理的裁量権の逸脱の場合は，川出教授のいわれるような措置を採ることになるだろう。

4　被告人に不当に不利益をもたらす一部起訴

教員：「被告人に不当に不利益をもたらす一部起訴」は，なぜ問題になるのかな。

Bさん：たとえば，住居侵入したうえ，被害者2名を殺害したケースにお

21）　杉田宗久・百選〔第8版〕91頁。白取233頁注5は，前掲最決昭和55・12・17の考え方を「推及すれば，一罪の一部起訴が違法となるのも極限的場合のみということになろう」とされる。

22）　田口守一「訴因と審判の範囲」新・争点131頁など。

23）　川出・前掲注13)324頁。なお，同325頁注22は，杉田判事の挙げる，賄賂を収受して一部起訴にとどめた場合には，公訴棄却とする余地もあり得る，という。

24）　川出・前掲注13)324頁。

いて，殺人罪2件とともに住居侵入罪を起訴するときは，いわゆるかすがい理論によって科刑上一罪となるのに（処断刑は，有期懲役刑については5年から20年まで），かすがい部分（この例では住居侵入）を除いて起訴すると（一罪の一部起訴），2件の殺人罪が併合罪（処断刑は，刑法47条，14条2項により有期懲役刑については5年から30年まで）となることから処断刑が重くなって，被告人に不利益となることから問題となるのです。

A君：この場合は，かすがい部分を除いた起訴は，被告人に不利益であるので，検察官の訴追裁量権の逸脱であり，起訴は違法なのでしょうね[25]。裁判所が検察官にかすがい部分の訴因の追加を促しても，検察官がこれに応じないときは，公訴棄却の判決（338条4号）をすべきでしょうか。

教員：さあ，それはどうかな。かすがい部分を除いて起訴した場合でも，常に被告人に不利益なわけじゃないよ。つまり，死刑や無期刑，あるいは20年以下の懲役刑を宣告するときは，被告人にとって何の不利益もないんだよね（20年を超え30年までの懲役刑を言い渡す場合だけ被告人に不利益になる）。裁判所の言い渡す宣告刑によっては不利益になる場合もあり得るというだけで，宣告刑の決定に至るはるか前の，冒頭手続の段階で公訴棄却判決をすることは妥当なんだろうか。裁判実務家の間では，このかすがいケースについては，一部起訴を違法として公訴棄却判決をするのではなく，刑の量定（宣告刑の決定）に限って，かすがい部分（訴因外の事情）に立ち入って審理判断し，かすがい理論により科刑上一罪として宣告刑を決めるとの考え方が有力[26]なようだ。この問題は，判例の採るかすがい理論によると，路上における2名殺害よりも，より犯情の重いと思われる住居侵入の上の2名殺害の方が処断刑が軽いことこそが問題なのだから，判例理論（かすがい理論）に代わる実体法上の罪数論を再構築するのでなければ[27]，訴訟法限りでは，このような変則的な解決法を取るよりほかはないだろう。

25）三井Ⅱ 158頁，後藤昭・百選〔第5版〕109頁など。

26）香城・構造298頁，大澤裕＝今崎幸彦「検察官の訴因設定権と裁判所の審判範囲」法教336号（2008年）85頁［今崎発言］，東京高判平成17・12・26判時1918号122頁参照。

27）中谷雄二郎「訴因と罪数」争点〔第3版〕131頁。

5　設問の解決

A君：占有する土地について抵当権を設定する行為が横領罪に該当するとしても，それにより，その後の売却行為について，横領罪の成立が妨げられることにはなりません。そうすると，検察官は，事案の軽重，立証の難易等の諸般の事情（とりわけ，売却横領の方が抵当権設定による横領よりも犯罪としては重大・悪質であること）を考慮して，売却行為を捉えて横領罪により公訴提起することは訴追裁量権の逸脱には当たらず，その場合においては，裁判所は，訴因である売却横領行為の点だけを審判対象とすべきであり，抵当権設定行為があったかどうかというような訴因外事情を考慮して審理判断すべきではありません。

Question & Answer

Q　昭和59年決定は，公職選挙法上の交付罪と供与罪の関係について，供与罪が成立するときは交付罪はこれに吸収されて犯罪として消滅するのか（犯罪吸収説。法条競合の吸収関係），あるいは，交付罪は消滅しないが重複処罰は許されないのか（処罰吸収説），明らかでありませんが，どちらを前提にしているのでしょうか。

A　谷口正孝裁判官の補足意見が処罰吸収説を採ったことは明らかですが，法廷意見がいかなる立場に立つのか必ずしも明らかではありません[28)]。仮に法廷意見が犯罪吸収説を採っているのだとすると，交付罪について犯罪が成立しなくても（消滅していても），検察官は，交付罪で起訴することができ（交付罪と供与罪をともに起訴することはできないであろう），検察官が交付罪で起訴した以上，裁判所は，訴因外の事情である供与の事実について審理判断すべきでないということになり，実体法上犯罪が成立していなくても，検察官が交付罪で起訴した以上，裁判所はそれに拘束されるという，いわば訴訟法優先の考え方ということになります[29)]。そしてこの訴訟法優先の理屈を

28)　大澤＝今崎・前掲注 26) 80 頁［今崎発言］。
29)　木谷明・百選〔第 6 版〕101 頁は，このような理解によっているように思われる。

平成15年大法廷判決の事例に当てはめてみますと，売却横領が不可罰的事後行為であったとしても（＝犯罪が成立しないとしても），検察官は犯罪不成立の売却行為を横領罪で起訴することができ，裁判所は，抵当権設定という訴因外の事情に立ち入って審理判断すべきでないということになり，平成15年大法廷判決がわざわざ売却行為について横領罪が成立すると説示したことが，無意味になってしまいます30)。

平成15年大法廷判決の調査官解説のいうように，「訴因の制約の下にあるといっても，裁判所が，実体法上犯罪として成立しないものについて有罪判断を下すことができるはずはない」から，昭和59年決定にいう「『吸収』は，吸収される犯罪の消滅等を来すようなものでないことが明らか」31)であり，交付罪と供与罪とは，「包括一罪」32)の関係にあり，交付罪は供与罪の共罰的事前行為であると考えるべきでしょう。

〈参考文献〉

①酒巻匡「公訴の提起・追行と訴因(1)〔刑事手続法の諸問題⑬〕」法教298号（2005年）65頁

②川出敏裕「訴因による裁判所の審理範囲の限定について」『鈴木茂嗣先生古稀祝賀論文集(下)』（成文堂，2007年）313頁

③杉田宗久・百選〔第8版〕90頁

④大澤裕＝今崎幸彦「検察官の訴因設定権と裁判所の審判範囲〔対話で学ぶ刑訴法判例⑯〕」法教336号（2008年）72頁

⑤菊池則明「被告人側が主張する訴因外犯罪事実の審理について」新報112巻1＝2号（2005年）253頁

30) 川出教授らの見解によるとこのように理解することになろうが，これとは逆に，大法廷判決は，罪数論について判例変更をし，抵当権設定行為が後行の売却行為について横領罪の成立を妨げないケースについて説示したにすぎず，犯罪の成立を妨げるケースについては，射程外にあり，昭和59年決定（木谷調査官の理解による）がなお生きていると解する余地があり得ないわけではなかろう（高木・前掲注19)参照）。

31) 福崎・前掲注15)290頁。

32) 岩瀬徹・最判解刑事篇昭和61年度197頁，200頁。

14 訴因の特定

【設　問】

令和２年５月３日，東京都西多摩郡内の山林で，通行人により，Ｖの白骨死体が発見された。警察は，ＸとＹが金銭関係のもつれからＶをひどく憎んでいたことや，Ｙが友人に対してＶに暴力をふるったとの口吻を洩らしていたとの情報をつかんだため，ＸとＹを取り調べたところ，Ｘは，黙秘し，犯行について一切語ることはなかったが，Ｙは，「昨年12月30日，Ｘとともに，Ｖを自動車で西多摩郡の山林に連れ出し，午後10時ころ，その山林の中で，Ｘが，自動車に積んでいた木刀でＶの頭部を数回殴ったところ，Ｖが頭から血を流し，ぐったりした様子だったので，怖くなり，そのまま放置して逃げた」旨供述した。しかし，その後，Ｙは，取調べに対し，「山林に着くと，Ｖが逃げ出したので，Ｖを追いかけ，Ｘと一緒になって，Ｖの頭部を手拳で何度も何度も殴打したところ，Ｖが転倒した。木刀は用いてはいない」と述べて，前の供述を翻した。検察官から鑑定嘱託された医師は，死体に残る頭蓋底骨折は致命傷となり得るが，死体が白骨化しているため，正確な死因は不明であり，また，頭蓋底骨折以外の傷害が存在したかどうかも不明である旨，また，頭蓋底骨折は，木刀によって生じ得るが，手拳による強打だけでは生じがたいものの，被害者が転倒して頭部を岩などにぶつけたときには生じる可能性がある旨鑑定した。

検察官は，この鑑定結果も踏まえ，Ｙの当初の供述が信用できると考えて，ＸおよびＹ両名について，「被告人Ｘおよび被告人Ｙは，共謀の上，令和元年12月30日ころ，東京都西多摩郡内の山林において，Ｖ（当時40歳）に対し，その頭部を木刀で数回殴打し，頭蓋底骨折の傷害を負わせ，よって，そのころ，同所において，同人を上記傷害に基づく外傷性脳障害により死亡させたものである」との傷害致死罪の訴因で起訴した。

ところが，公判において，Ｙは，またもや供述を翻し，「山林でＶが逃げ出したので，Xとともに，Vの胸部や腹部，腰部，頭部等を革靴で数十回蹴った」旨供述した。そこで，検察官は，裁判所に対し，「被告人Xおよび被告人Yは，共謀の上，令和元年12月30日ころ，東京都西多摩郡内の山林において，V（当時40歳）に対し，その頭部等に手段不明の暴行を加え，頭蓋底骨折等の傷害を負わせ，よって，そのころ，同所において，同人を上記傷害に基づく外傷性脳障害または何らかの傷害により死亡させたものである」との訴因への変更を請求した。意見を求められたXおよびYの弁護人はいずれも，新訴因は，犯行の方法，傷害の内容，死因はすべてあいまいな記載であって，訴因不特定であるので裁判所は訴因変更を許可すべきでない旨の意見を述べた。

裁判所は，訴因変更を許可しなければならないか。

〔ポイント〕

① 訴因の特定

② 訴因の特定と求釈明

③ 日時，場所，方法の概括的記載

〔判　例〕

訴因の特定

▷最大判昭和37・11・28刑集16巻11号1633頁（白山丸事件。ケースブック333頁，三井教材287頁）

▷最決昭和56・4・25刑集35巻3号116頁（吉田町覚せい剤事件。ケースブック339頁，三井教材288頁，百選〔第8版〕100頁・〔第9版〕96頁・〔第10版〕98頁）

▷最決昭和58・5・6刑集37巻4号375頁（ケースブック342頁，三井教材647頁）

▷最決平成14・7・18刑集56巻6号307頁（前原白骨化事件。ケースブック343頁，三井教材290頁）

▷最決平成17・10・12刑集59巻8号1425頁（ケースブック345頁，三井教材293頁）

▷最決昭和61・10・28刑集40巻6号509頁（ケースブック346頁）

▷最決平成 26・3・17 刑集 68 巻 3 号 368 頁（三井教材 292 頁）
▷東京高判平成 20・9・25 東高刑時報 59 巻 1〜12 号 83 頁

解　説

1　訴因の特定

A君：「訴因」と「罪となるべき事実」，「日時・場所・方法」との関係がよく理解できないのですが……。

教員：256 条 3 項からは，訴因は，罪となるべき事実と日時・場所・方法とにより構成される，つまり「訴因＝罪となるべき事実＋日時・場所・方法」ということになるだろう。ただし，＋（プラス）といっても，両者が対等な関係ではなく，「犯罪の日時，場所及び方法は，これら事項が，犯罪を構成する要素になつている場合を除き，本来は，罪となるべき事実そのものではなく，ただ訴因を特定する一手段として，できる限り具体的に表示すべきことを要請されている」（白山丸事件についての最大判昭和 37・11・28 刑集 16 巻 11 号 1633 頁）とされているように，訴因の中核的要素は「罪となるべき事実」であり，日時・場所・方法は，これを特定するための一つの手段にすぎないと理解されているんだ。もとより，罪となるべき事実の特定に資する要素は「日時，場所，方法」に限られるわけではないので，これら（日時・場所・方法）は例示というべきだろう[1]。

Bさん：「日時，場所及び方法」が「罪となるべき事実」の特定のための「一手段」にすぎないという考え方には賛同できませんね。「罪となるべき事実」は犯罪構成要件に該当する具体的事実なのですから，「日時，場所及び方法」の記載は，「罪となるべき事実」の不可欠の要素というべきです[2]。

A君：そうだろうか。256 条 3 項を素直に読めば，「日時，場所及び方法」は「罪となるべき事実」そのものではなく，その外にあって，これを特定するための手段であり，できる限り記載すべきとされているように思うのだけど。

1）　田宮 178 頁。
2）　三井Ⅱ 162 頁，宇藤崇「演習」法教 295 号（2005 年）186 頁。

教員：「日時，場所及び方法」等は，罪となるべき事実を特定するための「手段」の意味しかなく，訴因の特定にとって不可欠の要素ではないだろう。ただ，「犯罪の日時，場所及び方法は，……できる限り具体的に表示すべきことを要請されている」（前掲白山丸事件判決）のであるから，訴因の特定にとって不可欠でないとしても，これを記載すれば訴因の一部を構成すること（訴因＝罪となるべき事実＋日時・場所・方法）は否定できないよね。

Bさん：ところで，訴因の特定について，識別説と防御権説の対立があることは周知のとおりですが[3)]，訴因の機能は，「裁判所に対し審判の対象を限定すること」（審判対象の画定）と，「被告人に対し防禦の範囲を示すこと」（防御範囲の明示）にあるのに（前掲白山丸事件判決），裁判実務の大勢である識別説は，訴因の特定の基準として，罪となるべき事実が「他の犯罪事実と区別（識別）できる程度に特定されているかどうか」という「審判対象の画定」の点だけを問題にし，もう１つの機能である「防御範囲の明示」の点を無視するのは，いったいなぜなのでしょうか。

教員：識別説も，「防御範囲の明示」の機能を考慮していないわけじゃないんだ。「審判対象の画定」がなされれば，それは同時に，「防御範囲を明示する」こととともなると理解するわけだ。訴因の２つの機能を，いわばコインの表と裏の関係（表が「審判対象の画定」，裏が「防御範囲の明示」，つまり審判対象の画定＝防御の範囲の明示）として理解するから，審判対象が画定されれば，あえて防御範囲の明示の観点を考慮する必要がないんだよ。これに対して，防御権説は，「審判対象の画定」と「防御範囲の明示」とは表裏の関係にはなく，後者は前者より広い要請と理解するわけだね（同心円的な関係）。

A君：そうすると，識別説によるときは，(1)他の犯罪事実と区別（識別）し得る程度に事実が記載されているかどうかだけを検討すれば足るわけですね。

教員：それだけでいいのかな。例えば，「被告人は，Ｖを死亡させた」との訴因は，「被害者の死亡という事実は１回限りのもの」[4)]だから，他の犯罪事実との区別（識別）は可能だよね。しかし，このような訴因の記載では，そもそも，特定の構成要件（例えば殺人，傷害致死あるいは過失致死など）に

３） 田口 226 頁など。

４） 平木正洋・最判解刑事篇平成 14 年度 154 頁。

該当することを明らかにする具体的事実が記載されていないよね。このような訴因でも，他の犯罪事実と識別できればそれだけで訴訟物として十分なのかな。

Bさん：いえ，「罪となるべき事実」は，「刑罰法令の構成要件に該当する具体的な事実」[5)]ですから，特定の構成要件に当たる具体的事実が記載されていないようでは，審判の対象（訴訟物）として不十分です。

教員：そのとおりだね。識別説であれ防御権説であれ，訴因が特定しているといえるためには，(1)に加えて，(2)被告人の行為が特定の犯罪構成要件に該当するかどうかを判定するに足る程度に具体的事実を明らかにすることが必要なんだね（最判昭和24・2・10刑集3巻2号155頁，最決昭和58・5・6刑集37巻4号375頁）。これらの判例は，判決書の「罪となるべき事実」に関するものだけど，必要とされる特定の程度に関しては訴因の場合と同様に理解されているんだ[6)]（名古屋高判昭和28・11・12高刑集6巻13号1821頁参照）。

A君：もう少し説明してください。

教員：(2)の被告人の行為が特定の構成要件に該当するかどうかを判定するに足る程度の具体的事実を明らかにすべきであるとの要請は，①当該罪となるべき事実がどの構成要件に該当するものかを明らかにする事実が示されていなければならないこと，②「特定の構成要件を充足する事実を洩れなく示すものでなければならない」こと[7)]に因数分解できるだろう。

A君：どの構成要件に当たるか判断できないようでは，また，構成要件に当たる個々の事実が洩れなく記載されてないようでは，どちらも訴因が特定しているとはいえないことは納得できます。

Bさん：防御権説は，訴因が特定しているといえるためには，(1)，(2)（①と②）に加えて，(3)被告人の防御権の行使に十分な事実が示されていることが要求されるのですね。

A君：裁判実務が識別説を採り，防御権説を採らないのは，(3)が基準とし

5）　酒巻匡「公訴の提起・追行と訴因(1)」法教298号（2005年）65頁。

6）　平木・前掲注4)149頁。

7）　川出敏裕「訴因の構造と機能」曹時66巻1号（2014年）9頁。②についての裁判例として，東京高判平成20・5・20高刑速（平成20年）96頁（窃盗未遂につき，実行の着手を示す具体的事実が摘示されていなかった事例），福岡高判平成23・4・27判タ1382号366頁（傷害致死につき，受傷の事実（部位・種類・程度）が摘示されていなかった事例）がある。

て不明確なうえ，「〔冒頭手続の〕段階においては，被告人・弁護人が被告事件に対して陳述を行うために必要ないし有益かどうかが重要であり，しかも，この後に予定される検察官の冒頭陳述で被告人らの防御に必要な情報もより詳細な形で得られること」[8)]からですね[9)]。

教員：そうだね。白山丸事件（最大判昭和37・11・28刑集16巻11号1633頁）や吉田町覚せい剤事件（最決昭和56・4・25刑集35巻3号116頁）は，(1)の「他の犯罪事実との区別」が問題となる事案だが，これに対し，暴行の態様，傷害の内容，死因等の表示が概括的な傷害致死罪の訴因について，特定に欠けるところはないとした最決平成14・7・18刑集56巻6号307頁は，被害者の死亡は1回限りで他の犯罪事実との識別が可能だから(1)の点に問題はなく，(2)の被告人の行為が特定の構成要件に該当するかどうかを判定するに足る程度に具体的事実を明らかにしているかどうかが問題となる事案といえるだろう（最決平成17・10・12刑集59巻8号1425頁，最決昭和61・10・28刑集40巻6号509頁〔ただし，有罪判決についてのもの〕も同様に(1)の問題である）。

〔以下の議論は，アドバンストな内容を含むものであり，読み飛ばして，次の第2項に移って差支えない〕

Bさん：川出教授が識別説に立ちながら，(2)について別異の見解を主張しておられるようですね。

教員：川出教授は(2)について，上記の①②に加えて，さらに3つ目の因数として，③「訴因記載の『罪となるべき事実』についても，仮にその事実が認定されたとすれば，裁判所が公訴事実について合理的疑いを超える心証を得ることができる程度の具体性が要求されることになる」（傍点は筆者による）とされている点だね[10)]。川出教授は，この③は，①②の要請とは別個の第3の要請とされ，上記の最高裁昭和24年判決も，「この趣旨をも含むものだと考えられる」とされているんだ[11)]。

Bさん：川出教授の理解によると，最高裁昭和24年判決の説示は，(2)に

8）岩瀬徹「起訴状に関する求釈明」争点〔第3版〕118頁。
9）田口226頁参照。
10）川出敏裕「演習」法教384号（2012年）135頁。
11）川出・前掲注7)11頁。

ついて①特定の構成要件に該当する事実を，②洩れなく，かつ③裁判所に対して合理的な疑いを超える心証を抱かせうる程度に具体的に記載すること[12]と言い換えることができるわけですね。堀江教授が，訴因の特定のためには，他の犯罪事実との識別とは別個に，「特定構成要件に該当することの確信を裁判所に抱かせるに足るだけの（最低限の）具体性を備えた事実」を摘示しなければならないとされている[13]のも，同様の見解のようですね。

A君：そうだね。しかし，③は，分かりにくいですね。裁判所に合理的疑いを超える心証を抱かせることができれば，訴因が特定してるって……。

教員：いや，そういう意味ではないんだよ。③は，仮に検察官主張の訴因事実が証拠によって認定できたとしたら裁判所が犯罪事実全体について合理的疑いを超える心証を得ることができる程度の具体性が訴因にあるかどうかを問題にしているわけだ[14]。訴訟物としての訴因の特定の問題なんだから，「裁判所が当該訴因についての審理を終えた段階において，現実に訴因記載事実につき確信を抱いたか否か」とは，無関係なんだよ[15]。川出教授は，③の要請の対象として，犯行の日時，場所，方法を想定しているようであり，その挙げる例である，「被告人は，不詳の日時・場所において，不詳の方法により，Aを殺害した」との訴因記載を考えてみると，仮に証拠により訴因記載どおりの日時，場所，方法が認定できたとしても，裁判所は「被告人がAを殺害したことにつき合理的疑いを超える心証を得られることは，通常ありえないがゆえに，『罪となるべき事実』の記載として不十分であるということになる」[16]とされているんだ。

A君：訴因事実が認定されれば，そのまま有罪とできるような事実が訴因に記載されていないならば，民事実務でいう「主張自体失当」[17]ということですかね。

12）　川出・前掲注 7)14 頁。

13）　堀江慎司「訴因の明示・特定について」研修 737 号（2009 年） 7 頁。

14）　川出・前掲注 7)13 頁。

15）　堀江・前掲注 13)17 頁。

16）　川出・前掲注 7)13 頁。

17）　田中豊『法律文書作成の基本〔第 2 版〕』（日本評論社，2019 年）80 頁は，請求が「主張自体失当」とは，「訴状に記載されている事実をすべてそのとおり真実であると仮定しても，請求の趣旨として記載されている請求権が発生しない場合」をいうとする。高橋宏志『民事訴訟法概論』（有斐閣，2016 年）145 頁も，この実務用語に言及する。

教員：そうだね。訴因事実が証拠により認定できても，被告人について刑罰権の発生を肯定できないのなら，審判を行うこと自体が無意味だから，審理に入ることなく公訴棄却すべきなのはそのとおりであって，観念的には理解できるのだけれども，しかしながら，「被告人は，不詳の日時・場所において，不詳の方法により，Aを殺害した」との訴因[18]についてみると，例えば，日時・場所，方法が不詳であっても，DNA型の一致から，犯人が被告人以外の者である確率が極めて低く（出現頻度565京人あるいは4兆7000億人に1人），被告人の犯人性について合理的な疑いを容れない心証が得られることも，あり得なくはない[19]。そうすると，上記のような訴因の記載であっても，犯人性について上記の心証が得られることがあり得る以上，訴因不特定とはいえず，川出，堀江教授の見解には，俄かに左袒することができないだろう。なお，川出教授によると，日時，場所，方法について，どの程度具体的な記載がなされていれば，裁判所に合理的疑いを超える心証を抱かせることができるかは，事件の具体的事情によって異なり，犯行の日時，場所について幅のある表示がなされ，犯行の方法が不詳であっても，③の要請を充たすこともあり得るとされていることに留意すべきだろう。

Bさん：⑵の③の要請をめぐっては，川出教授と堀江教授とでは，それが必要とされる理由を異にしているようですね。

教員：実はそうなんだ。川出教授は，③の要請は，裁判所が合理的な疑いを超える心証を得られるようにするために，①②に係る事実をより具体化したにとどまるのであって，検察官が審判を求めている事実（審判対象）を限

18） 殺人罪について公訴時効が廃止される以前においては，日時が不明の訴因は，あり得なかったであろう。また，殺人罪について国外犯処罰規定（刑3条7号）が存するものの，訴因では「本邦内において」とされるのが通常であろう。

19） 英国では，倉田靖司「イギリスにおける否認事件の捜査・起訴の実態及びその前提となる諸条件に関する一考察」司法研修所論集創立50周年記念特集号第3巻刑事篇476頁，492頁によれば，Murderの起訴状（Indictment）には，「ウェイン・サミュエル・ポール・ダブルトンは，1991年9月4日から1991年9月7日までの間のある日に，リンダ・ジョージナ・ロールベリーを殺害した（murdered）」と記載され，犯行の場所，手段・方法は明示されず，また，米国でも，松田章「アメリカ合衆国における殺傷事犯の捜査・公判の実情」判タ560号（1985年）47頁によれば，「1978年9月10日ころ，スティーブン・ロイ・ハーパーは，タグラス・カウンティ内において，デュアン・ジョンソンを，目的的にかつ熟慮した予謀的悪意をもって，または毒薬を与え，または与えたと同様に評価される方法で殺害した」といった程度の記載しかないようである。これらの英米における訴因に対しては，いかなる評価が与えられるのであろうか。

定するものではないとされるのだが[20]，これに対して，堀江教授は，検察官が裁判所に確信を抱かせるに足るだけの具体的事実として主張している以上，検察官が審判を求めている事実（審判対象）はそれによって限定されるとされているんだ[21]。

A君：川出教授の理解では，③の要請に相応する事実は，いうなれば必要的記載事項として訴因の特定にとって不可欠ではあっても，審判対象（訴訟物）を画定するために不可欠な事実ではないのですね（審判対象は①②により限定される）。

教員：そうだね。川出教授によると訴因の特定にとって不可欠な事実と審判対象の画定にとって不可欠な事実とは，食い違うこととなり，堀江教授の見解では，両者は一致するということだ。

Bさん：このような見解の相違は，訴因変更の要否（第 15 講）の第 1 段階判断（審判対象画定の見地からの訴因変更の要否）に影響しますよね。

教員：まさにそうだね。

A君：川出説だと，③の要請に沿う事実は訴因の特定にとって不可欠ではあっても（いわば必要的記載事項），審判対象の画定にとって不可欠ではないので，訴因変更の要否の枠組みでは，第 2 段階の被告人の防御権保障の見地からの訴因変更の問題であるのに対して，堀江教授の見解では，第 1 段階の枠組みである「審判対象の画定の見地」からの訴因変更の要否の問題になるのですね。

教員：そういうことだね。なお，学説の大勢，裁判実務は，川出教授や堀江教授の見解に賛同しておらず[22]，従前の識別説によっており，訴因の特定のためには，(1)他の犯罪事実と区別（識別）できること，(2)被告人の行為が特定の犯罪構成要件に該当するかどうかを判定するに足る程度に具体的事実を明らかにしていること（上記①②のみ）が必要であるとしているんだ[23]。

20）　川出・前掲注 7）15 頁。

21）　堀江・前掲注 13）10 頁。

22）　稗田雅洋「訴因の特定」新・争点 117 頁は，「検察官の主張としての訴因の特定に，立証や心証の問題を取り込んでいるのではないかという疑問がある」として，批判する。また，池田公博「演習」法教 411 号（2014 年）163 頁も，「なお判然としない点が残るようにも思われる」という。

23）　平木・前掲注 4）148 頁。

2 訴因の特定と求釈明

A君：訴因が特定していないときは，裁判所としては，どのように対応すべきなのでしょうか。

Bさん：そのような公訴提起の手続は256条3項の規定に違反して無効であり，直ちに公訴棄却の判決（338条4号）をすべきです。

教員：確かに，「被告人は，人を殺したものである」というように，犯罪構成要件を引き写しただけで，およそ具体的事実を記載したとはいえない場合には，Bさんの言うとおりだ。しかし，その程度にまでは至らないときは，裁判所は検察官に釈明を求める義務があり（義務的求釈明[24]），釈明を求めても（裁判所の求釈明に対しては，検察官は，釈明の義務を負う），なお検察官がこれに応えて訴因の特定をしないときに初めて，公訴棄却の判決をすべきこととなるだろう（最判昭和33・1・23刑集12巻1号34頁参照）。

A君：公訴棄却判決は，確定しても，一事不再理効は生ぜず，再訴が許されるので，訴訟経済を考慮すると，およそ「補正」の余地がない場合を除き，裁判所は，求釈明により，検察官に対して「訴因の補正」を促すべきなのですね。

教員：そうだね。「訴因の補正」とは，訴因の特定が不十分であるなど訴因の記載に瑕疵があって，そのままでは起訴が無効となる可能性があるときに，その瑕疵を除去して完全なものにする訴訟行為をいうのであるが[25]，「訴因の補正」は，瑕疵の内容にもよるだろうが，一般的には，「訴因変更と同様の手続」によることが適切とされているんだ（最判平成21・7・16刑集63巻6号641頁参照）。

A君：「被告人は，人を殺したものである」との訴因であっても，裁判所は検察官に「訴因の補正」を求めればよいようにも思うのですが。

教員：A君の挙げるケースには，補正を許さないほど欠陥が致命的であって，「訴因の補正」の限界を超えているからだよ。「補正」ではなく，検察官は，再度の起訴をすべきだろうね。

24） 裁判長が合議体の代表者として釈明を求める（刑訴規則208条1項）。
25） 入江猛・最判解刑事篇平成21年度280頁。

Bさん：ところで，共謀共同正犯の共謀のみに関与した被告人の弁護人が，防御権説に立って，訴因の「共謀の上」との記載について，共謀の日時，場所および内容が記載されていないから，訴因不特定であるとして，この点を明らかにさせるよう求釈明の申立てをすることが実務では行われているようですね。

教員：そうだね。この問題は，共謀共同正犯が成立するためには謀議行為が必要と解するかどうかで，解決の筋道が異なってくるんだ。

A君：共謀共同正犯の成立のためには，単なる意思連絡ないし共同犯行の認識を超えた「謀議」または「通謀」が必要で，これが実行共同正犯における実行行為の分担に比すべき客観的要件だといわれているのではないですか（客観的謀議説[26]）。

教員：それがそうでもないんだ。最近の裁判実務では，主観的謀議説，つまり，共謀共同正犯における共謀は，実行共同正犯における共謀が実行行為の時点における共同実行の意思連絡と解されているのとパラレルに，謀議行為ではなく，「犯罪の共同遂行の合意」と理解する見解[27]が一般的とさえいわれているんだ[28]。つまり，故意が実行行為と同時存在であるのと同様に，「共謀」も，実行行為時に存在すれば足り，謀議行為は，実行行為時の「共同遂行の合意」を推認させる間接事実にすぎないと理解するわけだ。この見解に立つならば，間接事実である謀議行為の日時，場所，内容が訴因の特定にとって不可欠であるはずがないこととなり，裁判所は，検察官に釈明を求める必要がないことになるね。

A君：共謀共同正犯も共同正犯である以上，判例においては，「自ら当該犯罪を行う主体として，いわば『自己の犯罪』として関与した」ことが必要であるとされ，学説においても，「実質的な寄与・役割の重要性」を基準とするといわれていますが[29]，訴因には，「共謀のうえ」とは別個に，「寄与・役割の重要性」に関する事実の記載が必要になるのでしょうか。

教員：いや，そうじゃないと思うよ。「実質的な寄与・役割の重要性」は，

26）　岩田誠・最判解刑事篇昭和 33 年度 405 頁。
27）　小林充「共謀と訴因」公判の諸問題 31 頁など。
28）　村瀬均「共謀(1)―― 支配型共謀」小林充 = 植村立郎編『刑事事実認定重要判決 50 選(上)〔第 2 版〕』（立花書房，2013 年）265 頁。
29）　山口厚『刑法〔第 3 版〕』（有斐閣，2015 年）164 頁。

主観的謀議説のいう「犯罪の共同遂行の合意」の存在を認定するための事情であって，「共謀」とは別個に存在するものではないだろう。

A君：なるほど。裁判実務は主観的謀議説を採り，共謀の日時，場所，内容について記載がなくとも，訴因は特定しているということができるわけですね。

Bさん：でも，裁判実務では，弁護人から「求釈明の申立て」を受けた裁判長が検察官に「求釈明」することもあると聞きますが，どうなのですか。

教員：訴因の記載にとって必要不可欠でない事項については，訴因は特定しているのだから，裁判所としては，検察官に対する求釈明の義務はないのだが，被告人の防御の観点から，裁量的に検察官に釈明を求めることもないわけではないね（裁量的求釈明）。

A君：訴因が特定しているのだから，裁判所から求釈明があっても，検察官に釈明義務はありませんよね。

教員：それは違うよ。裁判所にとっては求釈明が裁量的であっても，裁判所が求釈明をした以上，検察官は裁判所の訴訟指揮に従う訴訟法上の義務を負うから，検察官には釈明義務があるんだ30)。もっとも，共謀の日時，場所，内容について記載がなくとも訴因が特定している以上，検察官が釈明義務に違反して釈明しなくても，裁判所は公訴を棄却することはできないんだ。

Bさん：検察官が求釈明に応じて（または求釈明がないのに自発的に），訴因について釈明したときは，釈明内容は「訴因の内容」になるでしょうか。

教員：これも，訴因の特定にとって不可欠な事項かどうかで異なるだろう。訴因の特定にとって不可欠な事項（裁判所の義務的求釈明の対象）については，検察官の釈明は訴因の内容をなし（訴因の内容にならないとすると訴因は不特定のままである），裁判所が判決で当該釈明と異なる事実を認定するためには，訴因の変更手続を経ることが必要だね（第15講）。これに対して，訴因の特定に不可欠とはいえない事項（裁判所の裁量的求釈明の対象）は，検察官が釈明しても，訴因の内容となることはなく（訴因の内容にするためには，別途訴因変更手続によらなければならない），釈明が訴因の内容とならない以上，裁判所がこれと異なる認定をするためには訴因変更手続を経る必要はないんだ

30） 演習刑訴法218頁［酒巻匡］。

（第15講）。ただ，この場合でも，「争点顕在化の措置」（よど号ハイジャック事件・最判昭和58・12・13刑集37巻10号1581頁）が必要になることはあり得るだろうね。

3　日時，場所，方法の概括的記載

Bさん：設問のように，日時，場所および方法につき幅のある（概括的な）記載の訴因について，白山丸事件大法廷判決（前掲最大判昭和37・11・28）は，「犯罪の種類，性質等の如何により，これ〔日時・場所・方法〕を詳らかにすることができない特殊事情」があるときは，幅のある表示であっても罪となるべき事実は特定していると説示したものの，その後の最高裁は，「検察官において起訴当時の証拠に基づきできる限り特定した」（前掲最決昭和56・4・25）とか，「検察官において，当時の証拠に基づき，できる限り……特定して訴因を明示した」（前掲最決平成14・7・18）と説示して，白山丸事件大法廷判決の用いた「特殊事情」の文言を用いたものはありませんが，これらの判例も，「特殊事情」に当たることを前提にしていると理解されていますね[31]。

A君：そうだとすると，概括的記載の訴因については，「特殊事情」がないと，訴因は不特定ということなのかな。

Bさん：そのとおりよ。(1)他の犯罪事実と区別（識別）できること，(2)特定の犯罪構成要件に該当するかどうかを判定するに足る程度に具体的事実を明らかにしていること（川出・堀江教授の見解によるときは，裁判所に対して合理的な疑いを超える心証を抱かせ得る程度に具体的に記載されていることをも含む），の2つが必要なことはいうまでもないけれど，平成14年決定の調査官解説によれば，訴因の記載が概括的であるときは，これにプラスして，(3)特殊事情が存在すること（十分な供述や証拠が得られないため概括的表示がやむを得なかったときは，「犯罪の種類，性質等の如何により，犯行の方法等を詳らかにすることができない特殊事情がある場合」に当たる）が必要になるのよね。このような概括的記載の場合は，被告人の防御の観点も考慮し，(4)当該概括的

31）　平木・前掲注4)161頁。

訴因が被告人に防御の範囲を示すという刑訴法256条3項の目的を害さないこと（被告人において弁解が可能であり，弁解に対応する防御の方針を立てることができること）が必要だとされているわ。そして，(1)(2)(3)(4)をすべてを充たすときは，「検察官は，（起訴または訴因変更請求）当時の証拠に基づき，できる限り日時，場所，方法等をもって……罪となるべき事実を特定して訴因を明示したもの」と評価されることになるということのようね[32]。

教員：平成14年決定についての平木調査官の見解はBさんの言うとおりだけど，(4)を要件とすることは，識別説からは，どう説明するんだろうか。識別説は他の犯罪事実と区別できれば，それは同時に被告人の防御の範囲を明示することになるとして，防御範囲の明示を独立の要件に掲げていなかったはずだよね。概括的記載の訴因の場合は，審判対象の限定と防御範囲の明示とが表裏の関係にあるとはいえないのだろうか。そうではなくて，むしろ，概括的訴因については，(1)(2)(3)の要件を充たせば訴因は特定しているが，そのうち(1)(2)のいわば検証作業として，被告人の防御範囲の限定という機能を害さないことを確認すべきだということではないだろうか（白山丸事件大法廷判決の「被告人の防禦に実質的の障碍を与えるおそれはない」との判示も，そのようなものとして理解できなくはなかろう）。もし当該概括的訴因では被告人の防御に支障をきたすのであれば，(1)(2)の要件を充足するようにみえただけで，実はいずれかの点に疑問があったということになるのではないかな。

A君：(3)の要件についてですが，訴因の特定のために，いったいなぜ，「特殊事情」が必要なのでしょうか。訴因が特定しているか否かの判断は，訴因の記載それ自体によりなされるべきものであって，「特殊事情」という訴因外の事情の存否によって訴因が特定したり，不特定となったりするのは，不合理だと思うのですが。上記の(1)と(2)を充たす限り，つまり，白山丸事件大法廷判決のいう「前記法の目的〔審判対象の画定と防御範囲の明示のこと〕を害さない」限り，「特殊事情」があろうがなかろうが，訴因は特定しているというべきだと思います（酒巻教授は，真に検討されるべきは「法の目的である審判対象の識別・画定と防禦目標の告知機能が害されていないかどうか」という点に尽きる[33]，とされる）。

32）平木・前掲注4）154頁。佐藤隆之・平成14年度重判解（ジュリ1246号）183頁も同旨。

教員：A君の言うことも，もっともだね。「特殊事情」がないのに訴因に概括的記載をした場合は，256条3項の「できる限り」との要請に反し，同項に違反することにはなるけれども，それによって訴因が不特定＝公訴提起が無効となるわけではなく，上記(1)(2)の観点から訴因が特定していないと判断される場合に限り公訴提起が無効となるというべきだろう34)。結局のところ，256条3項の趣旨は，訴因の特定の要求を充たしている（訴因が特定している）場合であっても，審判対象のなお一層の具体化と，防御の範囲のより一層の明確化のために，訴因の特定のための必要最低限の要求を超えた具体的な事実の記載を「できる限り」の限定のもとに要求しているものと解するほかないだろう35)。このような理解を是とするときは，判例のいう（あるいは前提とする）「特殊事情」は，256条3項の「できる限り」の要請に違反しないために必要な要件であって，本来の意味での訴因特定のための要件ではないということになるわけだ（これに対し，調査官は，「特殊事情の存在」を訴因の特定の要件とすることは前述のとおりである）。

4　設問の解決

A君：公訴事実の同一性（312条1項）があることについては異論はないと思いますが，不特定の訴因への訴因変更は許されない36)ところ，変更しようとする訴因は，暴行の態様，傷害の内容，死因等が概括的記載であることから，訴因として特定しているのかどうかが問題となります。まず，上記(1)の他の犯罪事実との区別については，犯行の日時・場所，被害者について具体的な記述がなされており，被害者Vが死亡したのは1回限りですから，他の犯罪事実との区別は可能であり，この点は異論はないと思います。

Bさん：仮にVが死亡していなかったらどうなのかしら。

教員：その場合でも，日時，場所が具体的に記載され，暴行の態様も一応記載されているので，他の犯罪事実との区別（識別）は可能だよ（最決昭和

---

33)　酒巻匡「公訴の提起・追行と訴因(2)」法教299号（2005年）76頁。

34)　酒巻・前掲注33)76頁。

35)　川出敏裕「訴因の機能」刑ジャ6号（2007年）123頁参照。

36)　松尾(上)307頁，酒巻291頁，321頁，リークエ281頁［松田岳士］など。訴因に関する適法性維持の原則と呼ばれる。

58・5・6 刑集 37 巻 4 号 375 頁)。

A君：次に，上記(2)の特定の犯罪構成要件に該当するかどうかを判定するに足る程度に具体的事実を明らかにしているかどうかについて検討すると，新訴因は，「……等に手段不明の暴行を加え，……等の傷害を負わせ，……何らかの傷害により死亡させた」，言い換えれば，「Vの身体のいずれかの部位に何らかの暴行を加えて，何らかの傷害を負わせ，何らかの傷害により死亡させた」という内容を含むものであり[37]，傷害致死罪の犯罪構成要件を記載したにすぎず，構成要件に該当する具体的な事実が記載されていないのではないでしょうか。そうすると，(2)の点において，訴因は不特定であり[38]，裁判所は，訴因変更請求に対しては，不許可決定をすべきです。

Bさん：そうかしら。このような概括的記載については，概括的記載部分だけに着目するのではなく，概括的記載部分と明確に記載された部分とが相まって(2)の要件を充たせば足るのではないでしょうか[39]。確かに，「Vの身体のいずれかの部位に何らかの暴行を加えて，何らかの傷害を負わせ，何らかの傷害により死亡させた」というだけの訴因だったら，A君の言うとおりだけど，新訴因には，犯行の日時，場所，犯行の客体が明示されているし，暴行の部位として「頭部」，Vが負った傷害として「頭蓋底骨折」，死因として「外傷性脳障害」が記載されているんだから，これらの記載と相まって(2)の要件を充たすのではないかしら[40]。

教員：平成 14 年決定は，Bさんのような考え方に立って，上記(2)の要請を認めたのだろうね。

Bさん：概括的な記載の訴因については，調査官の理解によると，さらに，上記(3)の「犯行の方法等を詳らかにできない特殊事情」が必要になるので，この点について検討しますと，訴因変更請求時までに取り調べられた証拠によって，新訴因記載の日時，場所において，被害者Vに致死的な暴行が加えられたことは明らかであるものの，暴行の態様，傷害の内容，死因について十分な供述や鑑定が得られず，不明瞭な領域が残ったというのですから（平

---

37) 井上和治「刑事判例研究」ジュリ 1299 号（2005 年）178 頁，平木・前掲注 4)154 頁。
38) 井上・前掲注 37)179 頁。
39) 龍岡資晃・最判解刑事篇昭和 58 年度 99 頁，平木・前掲注 4)149 頁。
40) 佐藤・前掲注 32)183 頁。

成 14 年決定の原審判決参照)，検察官が新訴因のような概括的な記載をしたことはやむを得なかったというべきです[41)]。そうすると，「犯罪の種類，性質等の如何により，犯行の方法等を詳らかにすることのできない特殊事情」があったといえます。

教員：(3)についてはそのとおりだろう。ところで，上記(4)を訴因の特定の要件とみるかどうかは別にして，検討の必要はあるだろう。このような概括的記載の訴因であっても，被告人らは，犯行現場に行ってはいないとか，暴行は行っていないといった弁解と，それに対応する弁護方針を立てることができる以上，被告人に対し防御の範囲を示すという刑訴法 256 条 3 項の目的を害することはないといってよいだろう。

A 君：そうすると，これらの事情（(1)(2)(3)および(4)）から，検察官は，訴因変更請求当時の証拠に基づき，できる限り，日時，場所，方法等をもって傷害致死の罪となるべき事実を特定して訴因を明示したものと評価できるわけですね。

教員：このような理解を前提にすれば，設問のケースでは，裁判所は，検察官の本件訴因変更を許可しなければならないだろう（312 条 1 項。訴因変更許可決定)。

Question & Answer

Q　覚醒剤取締法違反（自己使用）事件において，被告人が覚醒剤使用を否認したため，検察官が覚醒剤の使用日時，場所，使用方法に関して幅のある記載の訴因により起訴したところ，公判で，被告人が覚醒剤使用の日時，場所，使用方法などを自白したり，自白しなくても他の証拠からそれらが明確になった場合には，訴因の補正をしなければ，訴因は不特定となるのでしょうか。

A　まずもって，訴因は，公訴提起の時点で，特定していればよいというわけのものではなく，訴因が審判対象である以上，「公訴審理の間を通じて要求される」[42)]ことは贅言を要しません。これを前提に，最高裁昭和 56 年

41)　平木・前掲注 4) 154 頁。
42)　後藤昭・百選〔第 8 版〕101 頁。

決定（吉田町覚せい剤事件）の原審広島高判昭和 55・9・4 刑集 35 巻 3 号 129 頁は，「起訴状記載の公訴事実が，特殊な事情から訴因の具体的表示ができない場合であっても，右特殊な事情が解消し，これが可能となり，可能となった訴因により有罪判決をする場合には，裁判所は訴因変更の手続をとって訴因を特定しなければならない」と説示しています（大阪高判平成 2・9・25 判タ 750 号 250 頁，東京高判平成 6・8・2 判タ 876 号 290 頁も，同様の理解に立つように思われる）。このような見解は，訴因の特定に関して，概括的記載の場合には，解説で述べた(1)＋(2)のほかに，(3)「特殊事情」が必要であり，公判の途中において「特殊事情」が解消された以上，訴因は不特定となると理解するものです。

しかし，解説で述べたように，「特殊事情」がないのに，検察官が覚醒剤使用の日時，場所，使用方法について概括的な記載をした場合において，256 条 3 項に違反するとはいえても，(1)と(2)が充足される以上，訴因は特定されているというべきでしょう（「特殊事情」は訴因の特定のための要件ではないと解する）。このような見解に立つならば，公判審理の中で，具体的な日時，場所，方法等が明らかになったからといって，訴因が不特定となるものではないことになります（金築調査官は，「起訴状よりも具体的，詳細な認定ができるようになったとしても，それだけでは訴因の特定を害する事由になるとはいえないであろう」[43]とされる）。もとより，そのような場合に，訴因が不特定ではなくとも，256 条 3 項の要請がありますので，具体的日時，場所，方法等につき訴因変更手続を経るべきであることはいうまでもありません。

学びの道しるべ

✍ 初学者の中には，訴因の特定に関して，識別説は，(1)他の犯罪事実と区別（識別）できること，防御権説は，(3)被告人の防御権の行使に十分であることと理解するものが散見される。

しかし，防御権説に立つ場合でも，他の犯罪事実と区別（識別）できなくともよいはずがない。また，訴因とは特定の構成要件に該当する具体的な事

43） 金築誠志・最判解刑事篇昭和 56 年度 113 頁。

実なのであるから，識別説にせよ防御権説にせよ，⑵特定の犯罪構成要件に該当するかどうかを判定するに足る程度に具体的事実を明らかにしていること（川出・堀江教授の見解は本文解説を参照のこと）は，当然のことである。要するに，識別説は⑴＋⑵，防御権説は⑴＋⑵＋⑶なのである。

〈参考文献〉

①酒巻匡「公訴の提起・追行と訴因⑴〔刑事手続法の諸問題⑬〕」法教298号（2005年）65頁
②酒巻匡「公訴の提起・追行と訴因⑵〔刑事手続法の諸問題⑭〕」法教299号（2005年）74頁
③後藤昭・百選〔第8版〕100頁
④平木正洋・最判解刑事篇平成14年度141頁
⑤堀江慎司「訴因の明示・特定について」研修737号（2009年）3頁
⑥川出敏裕「訴因の構造と機能」曹時66巻1号（2014年）1頁

15 訴因変更の要否

【設　問】

検察官の「被告人は，甲と共謀の上，令和２年８月１日午前２時ころ，金品窃取の目的で，横浜市西区の乙百貨店１階非常口の電気錠に暗証番号を入力するなどして同百貨店に侵入し，同所において，宝石10点を窃取した」との訴因に対し，裁判所は，審理の結果，甲との共謀は認められず，被告人の弁解どおり，同年７月30日，鎌倉市内の甲宅で，甲に乙百貨店の警備に関する情報を漏示して甲の犯行を容易にしたとの建造物侵入・窃盗の各幇助事実が認められるにすぎないとの心証を得た。

裁判所は，訴因変更手続を経ることなく建造物侵入・窃盗の各幇助の事実を認定することができるか。

〔ポイント〕

① 訴因変更の要否

② 第２段階の判断枠組みの有する意味

③ 過失犯と訴因変更の要否

④ 縮小認定と訴因変更の要否

〔判　例〕

◉訴因変更の要否

▷最決平成13・4・11刑集55巻3号127頁（青森口封じ殺人事件。ケースブック350頁，三井教材302頁，百選〔第8版〕102頁〔第9版〕98頁・〔第10版〕102頁）

▷最決平成24・2・29刑集66巻4号589頁（長崎ガス爆発事件。ケースブック380頁，三井教材305頁）

◉過失犯と訴因変更の要否

▷最判昭和46・6・22刑集25巻4号588頁（鴨川クラッチペダル事件。ケースブック357頁，三井教材308頁）

▷最決昭和63・10・24刑集42巻8号1079頁（高知五台山石灰スリップ事件。ケースブック387頁，三井教材314頁）

縮小認定

▷最判昭和26・6・15刑集5巻7号1277頁（ケースブック378頁，三井教材311頁）

▷最決昭和55・3・4刑集34巻3号89頁（ケースブック354頁，三井教材312頁）

▷最判昭和29・1・21刑集8巻1号71頁（ケースブック378頁）

▷東京地判平成2・3・19判タ729号231頁

▷浦和地判平成3・3・25判タ760号261頁（ケースブック548頁）

▷名古屋高判平成18・6・26判タ1235号350頁（三井教材309頁）

▷福岡高判平成20・4・22 LEX/DB 25421350

▷東京高判平成21・3・6判タ1304号132頁（三井教材316頁）

解　説

1　訴因変更の要否

A君：「訴因として掲げられた事実と，裁判所が証拠により心証を得た事実とが喰い違ったとき，裁判所はいかなる場合に，この事実をそのまま認定することができ，いかなる場合に訴因を変更しなければこの事実を認定できないか」[1)]，これが「訴因変更の要否」の問題ですね。

Bさん：審判対象は訴因であり（訴因対象説），訴因は罪となるべき事実の記載である（事実記載説）とすれば，訴因事実と心証事実との間に「事実の食い違い」があれば，たとえそれが僅かであっても，訴因変更手続を経なければ裁判所は心証事実を認定できないと考えることが，訴因対象説と事実記載説の1つの帰結ではあります。しかし，今日このような厳格な見解は見受けられません。そのような僅かな食い違いでも常に訴因変更手続を経なければならないとすると，例えば，窃盗の被害金額や受傷の程度の僅かな食い違いでさえも訴因変更手続を経なければ裁判所が認定できないというのでは，

1）　平野・訴因と証拠112頁。

煩瑣に堪えませんし，被告人の防御に実質的な不利益を及ぼすものとも思えませんので，訴因変更手続を経なくても心証事実の認定を許してよいはずです。そこで，「事実に重要なあるいは実質的な差異が生じた場合に訴因変更が必要である」と解されています2)。

A君：訴因変更手続を経ることを要する「重要な」または「実質的な」事実の食い違いに当たるのはどのような場合かが問題となるわけですね。

教員：そのとおりだね。「訴因変更の要否」に関する基本判例である最決平成13・4・11刑集55巻3号127頁は，実行行為者につき訴因変更手続を経ずに訴因と異なる認定をすることができるかどうかが問題となった事案において，(1)「審判対象の画定という見地から」，訴因変更の要否を検討し（それが明示されていなくとも訴因の記載の特定に欠けるものとはいえない事実の食い違いは，「審判対象の画定という見地から」は訴因変更手続は不要とする），それが訴因の特定にとって不可欠な事項でない場合であっても，(2)訴因事実と異なる認定事実が，「一般的に，被告人の防御にとって重要な事項である」ときは，「検察官が訴因において〔それを〕明示した以上」，「原則として，訴因変更手続を要するものと解するのが相当である」が（原則），「被告人の防御の具体的な状況等の審理の経過に照らし，被告人に不意打ちを与えるものではないと認められ，かつ，判決で認定される事実が訴因に記載された事実と比べて被告人にとってより不利益であるとはいえない場合には，例外的に，訴因変更手続を経ることなく訴因と異なる実行行為者を認定することも違法ではない」（例外）と説示し，二段階の判断枠組みの判断構造（上記(1)および(2)の原則・例外）を提示したんだ。

A君：判例は，かつて具体的防御説に立ち，昭和36年ころから，抽象的防御説に転じたといわれていますが，具体的防御説や抽象的防御説と，平成13年決定の提示した「二段階の判断枠組み」の構造とは，どういう関係にあるのですか。

教員：平成13年決定の第1段階の判断枠組み（上記(1)）である「審判対象の画定の見地から」の訴因変更の要否は，抽象的防御説の観点と実質的には異ならないだろう。

2）　大澤裕「訴因の機能と訴因変更の要否」法教256号（2002年）28頁。

A君：えっ，それって本当ですか。抽象的防御説って，「訴因事実と認定事実を対比して，抽象的・一般的に被告人の防御に不利益を及ぼすような性質のくい違いがある」ときに，訴因変更を要するとの見解ですよね[3)]。具体的防御説にせよ抽象的防御説にせよ，被告人の防御にとって不利益かどうかを基準にしているんでしょ。抽象的防御説は，事実の食い違いが，当該事件の審理における防御の状況（審理経過）を離れて，一般的・抽象的にみて被告人の防御に不利益を及ぼす性質の，換言すれば，一般的に防御の方法に差異を生じさせるような食い違いかどうかにより判断するというものですから，平成 13 年決定にいう「審判対象の画定の見地」とは，関係がなさそうに思えるのですが。

教員：そうだろうか。訴因の機能に立ち返って考えてみたらどうだい。困ったときは，制度趣旨に立ち返るのが，法解釈の常道だよ。訴因の機能は，①審判対象の画定と，②被告人の防御範囲の明示にあったよね。

A君：あっ，そうか。平成 13 年決定の第 1 段階の判断枠組みは，訴因の第 1 の機能（審判対象の画定）に基づくものなのですね。抽象的防御説は，訴因の第 2 の機能（被告人の防御範囲の限定）に着目した見解であり，識別説によると，①審判対象の画定と②被告人の防御範囲の明示の両機能は，コインの表裏の関係にあり（第 14 講参照），そうすると，識別説に立つ限り，抽象的防御説がコインの裏面に着目した枠組みだとすると，コインの表面に着目したのが，平成 13 年決定の「審判対象の画定の見地から」の訴因変更の要否の枠組みなのですね[4)]。

2　第 2 段階の判断枠組みの有する意味

Bさん：そうだとすると，第 2 段階の判断枠組み（原則と例外）は，どのように位置付ければよいのかしら。

A君：識別説に立つと，訴因の第 1 機能と第 2 機能はコインの表裏であり，その観点からの訴因変更の要否が平成 13 年決定の第 1 段階の判断枠組みな

3）　田宮 198 頁。

4）　岩瀬徹・百選〔第 6 版〕88 頁，酒巻 299 頁，小林 145 頁など。酒巻教授は，「審判対象画定の見地（すなわち，その反射効である『抽象的防御』の見地）」という。

のだから，第２段階の判断枠組みは，訴因の機能とは別個の根拠に基づくものじゃないかな。

教員：そうだね。平成13年決定は，第２段階の判断枠組みについて，実行行為者は訴因の特定に不可欠な事項ではないので訴因に明示することを要しないが，「訴因に明示した以上，……訴因変更手続を要する」と説示しているのだから，識別説に立つ限りは，訴因の機能とは関係のない判断枠組みなのだろう。第２段階の判断枠組みの，「一般的に，被告人の防御にとって重要な事項である」ときは，「原則として，訴因変更手続を要する」との説示箇所は，大澤教授が喝破されたように，訴訟の全過程を通じて広く求められる「争点明確化による不意打ち防止の要請」が「訴因の記載にもあてはまる結果，訴因として拘束力がない事項についても，訴因変更手続をとることが問題となる場合」[5]と理解するのが適切だろう。そうすると，第２段階の判断枠組みの原則部分は，抽象的防御説を意味するものではないだろう（なお，本講末尾のQ1参照）。

Bさん：第２段階の判断枠組みの例外部分は，具体的防御説に似てますよね。

教員：確かにそうだね。しかし，具体的防御説は，抽象的防御説によって克服されたことからも窺われるように，基本的には，第１段階の判断枠組みに関する見解（審判対象〔訴訟物〕を異にする場合であっても，審理において防禦が尽くされているときは訴因変更手続を不要とするもの）というべきだろう。したがって，第２段階の判断枠組みの例外部分は，用いられた文言の類似性にもかかわらず，具体的防御説とは似て非なる基準だろう[6]。

A君：第２段階の判断枠組みが，訴因の機能とは関係がなく，「争点明確化による不意打ち防止」の要請に基づくものだとすると，何も「訴因変更手続」などという大仰な手続を経るまでの必要はなく，検察官の釈明だけで足るのではないでしょうか（最判昭和58・12・13刑集37巻10号1581頁参照）。

Bさん：確かに，不意打ち防止のためならば，「必ずしも同等の手続によらなければならないわけではない」[7]，つまり訴因に記載されているからと

5）大澤・前掲注2)32頁。

6）これに対して，小林145頁は，第２段階の判断枠組みの例外について，「具体的防御の意味に解すべきであろう」という。

いって訴因変更手続を経なければならないというわけではないでしょうね。そうだとすると，平成13年決定は，一般的に被告人の防御にとって重要な事項であって，訴因に明示されたときは，「同等の手続」である訴因の変更手続によって不意打ちを防止すべきとする「厳格な態度をとった」[8]と理解すべきなのですね。

教員：「審判対象の画定」という訴因の表の機能に由来する第1段階の判断枠組みは，訴訟物の設定は，検察官の専権であって，検察官による訴訟物の変更を経ることなく，裁判所がその心証に従って訴訟物を変えることはできないのが道理であり，そのことは，審理の具体的な経過とは無関係であって，必ず訴因変更手続を要し，例外はあり得ないのだが，これに対して，第2段階の判断枠組みは，訴因の機能（訴訟物）とは直接の関係のない，被告人の防御権の保障の見地[9]，すなわち「争点明確化による不意打ち防止」の要請に基づくものなのだから，具体的な審理の経過の中で，争点が明確化されることにより，不意打ちにならず，かつ，認定される事実が訴因事実に比して被告人にとってより不利益とはいえない場合には（第2段階の判断枠組みの例外要件），訴因変更手続を経ることなく心証事実を認定できるというのが，平成13年決定の考え方のようだ。

Bさん：第2段階の判断枠組みについて，最決平成24・2・29刑集66巻4号589頁も注目すべき判例ですね。事案は，現住建造物等放火事件ですが，被告人が充満したガスに引火，爆発させた方法について，訴因は，「ガスコンロの点火スイッチを作動させて点火し」とし，第1審判決も，「ガスコンロの点火スイッチを頭部で押し込み，作動させて点火し」たと認定したのに対し，控訴審判決は，このような被告人の行為（ガスコンロの点火スイッチを作動させた行為）を認定できないとして第1審判決を破棄し，訴因変更手続を経ることなく，「何らかの方法により」ガスに引火，爆発させたと認定したことから，被告人は，訴因変更手続を経ないで訴因と異なる上記認定をしたことは違法であると主張して上告したものです。

7）　池田修・最判解刑事篇平成13年度79頁。
8）　大澤・前掲注2)32頁。
9）　池田・前掲注7)71頁は，第2段階の判断枠組みについて，「被告人の防御権の保障の見地から訴因変更が必要となる」という。

A君：訴因と第1審判決とを比較すると，ガスコンロの点火スイッチを作動させて点火したことに変わりはなく，第1審判決は，スイッチの作動方法を補充したに過ぎないので，訴因変更手続は不要ですね。

教員：そのとおりだね。問題は控訴審判決の認定が訴因変更手続を経ないでなされた点にあるわけだ。訴因と控訴審判決の認定事実とを比較して，変動のない部分はどこで，変動のある部分はどこなのか分析してくれるかな。

A君：はい，訴因と控訴審判決の認定事実との間には，犯行の日時・場所，目的物，生じた焼損の結果についても，また充満したガスに引火，爆発させたことには変動はありませんが，引火，爆発させた方法についてだけ変動があります[10)]。そうすると，変動のある引火，爆発させた方法は，識別説によれば，「訴因の記載として不可欠な事項」には当たらないので，第1段階の判断枠組みである「審判対象の画定の見地からの訴因変更」は，必要ではありません[11)]。

Bさん：そうね。この平成24年決定は，第1段階の判断枠組みについては何ら言及していないので，審判対象の画定の見地からの訴因変更手続は不要であることを当然の前提としている[12)]のでしょう。

教員：そうすると，第2段階の判断枠組みの問題となるよね。放火の方法は，一般的にみれば被告人の防御にとって極めて重要だから，「一般的に，被告人の防御にとって重要な事項」に当たるといっていいだろう。しかも，検察官が，訴因において，放火の方法について明示しているときは，判決において訴因と実質的に異なる認定をするには，原則として訴因変更手続を経ることが必要だよね。さて，この事件をみると，検察官は，放火の方法を明示しており，控訴審判決は，訴因と実質的に異なる認定をしたものというべきだから（ガスコンロによる点火とガスコンロ又はガスコンロ以外の方法による点火とでは，一般的・類型的にみて防御の方法が全く異なることとなろう），原則として，訴因変更手続が必要だろう。

Bさん：平成24年決定も，「被告人が上記ガスに引火，爆発させた方法は，本件現住建造物等放火罪の実行行為の内容をなすものであって，一般的

---

10) 岩﨑邦生・最判解刑事篇平成24年度185頁。
11) 岩﨑・前掲注10)185頁。
12) 岩﨑・前掲注10)176頁。

に被告人の防御にとって重要な事項であるから，判決において訴因と実質的に異なる認定をするには，原則として，訴因変更手続を要する」としていますね。

教員：第2段階の判断枠組みの例外については，審理の具体的経過に照らして判断されるのだけど，この事例では，どのような審理経過だったのかな。

A君：審理の経過は，まず，被告人は，故意にガスコンロの点火スイッチを作動させて点火したことはなく，また，ガスに引火，爆発した原因は，台所に置かれていた冷蔵庫の部品から出る火花その他の火源にある可能性があると主張したようです。それに対して，①検察官は，「ガスに引火，爆発した原因が同スイッチを作動させた行為以外の行為であるとした場合の被告人の刑事責任に関する予備的な主張は行っておらず」，また，②裁判所も，「そのような行為の具体的可能性やその場合の被告人の刑事責任の有無，内容に関し，求釈明や証拠調べにおける発問等はしていなかった」ようです。

Bさん：そのような審理の経過に照らして，平成24年決定は，「原判決が，同スイッチを作動させた行為以外の行為により引火，爆発させた具体的可能性等について何ら審理することなく『何らかの方法により』引火，爆発させたと認定したことは，引火，爆発させた行為についての本件審理における攻防の範囲を越えて無限定な認定をした点において被告人に不意打ちを与えるもの」とし，控訴審判決が訴因変更手続を経ずにこのような認定をしたことには違法があるとしたのですね。

教員：そうだね。平成24年決定は，第2段階判断枠組みのうち例外要件の「不意打ちを与えるものでない」要件についてだけ判断し，「より不利益でない」要件について検討してはいないけれども，両者が重畳要件であってみれば，不意打ちを与えるものである以上，「より不利益でない」要件に当たるかどうかを判断するまでもないということなのだろう[13]。いずれにせよ，不意打ちを与えるかどうかの判断要素として，平成24年決定が，①検察官の予備的主張の有無，②裁判所の求釈明，証拠調べにおける発問の有無

13）　例外則の第2要件である「被告人にとってより不利益であるとはいえない」に当たるかどうかについて，岩﨑・前掲注10）190頁は，「原判決の認定事実は，充満したガスに引火，爆発させた方法の点で訴因と異なるだけであり，被告人の刑事責任が訴因よりも重くなるものではないから，『認定事実が訴因と比べて被告人に不利益でないこと』の要件は満たすことになると思われる」とする。

を挙げているのが参考になるだろう。

3　過失犯と訴因変更の要否

Bさん：過失犯について訴因と異なる認定をするには，最判昭和46・6・22刑集25巻4号588頁は，訴因変更手続を経なければならないとしたのに対して，最決昭和63・10・24刑集42巻8号1079頁は，訴因変更手続を経る必要はないとしています。両者は矛盾しているように思えますが。

教員：過失犯の訴因における「過失」の構成は，(a)注意義務を課す根拠となる具体的事実，(b)注意義務の内容，(c)注意義務に違反する具体的行為，の3つからなるのが一般ですが[14)]，昭和63年決定は，(a)についての判断であって，「一定の注意義務を課す根拠となる具体的事実」については，訴因としての拘束力は認められず，平成13年決定が新たに提示した二段階の判断枠組みに引き直して考えてみると，少なくとも第1段階の判断枠組みによる訴因変更手続は不要だとしたわけだね。これに対して，昭和46年判決は，(c)つまり過失の態様に関するもので，「起訴状に訴因として明示された態様の過失を認めず，それとは別の態様の過失を認定するには，被告人に防禦の機会を与えるため訴因の変更手続を要する」としているから，この2つの判例は矛盾しているわけではないよ[15)]。

A君：昭和46年判決は，過失の態様の変動について，訴因変更手続を要する理由として「防禦の機会を与えるため」と説示しているので，平成13年決定の判断枠組みの目でみれば，第1段階の枠組みではなく，第2段階の判断枠組みにおいて訴因変更手続を要するということになるのでしょうか。

教員：それはどうかな。当時の判例は抽象的防御説に立っていたのだから，「防禦の機会を与えるため」との文言だけから第2段階の判断枠組みと同様の考え方によったものと即断することはできないだろう。過失の態様を記載することが過失犯の訴因の特定にとってどのような意味を有するのかという

---

14)　過失犯の訴因は，過失の構成(a)(b)(c)の3つのほか，(d)死傷の結果，(e)過失と結果との因果関係も，もとより要求されるが，これについては故意犯の場合と異なるところはない。

15)　(a)については，筆者は，平成13年決定で新たに創出された第2段階の判断枠組みの原則である「一般的に，被告人の防御にとって重要な事項」に当たると考える。

観点から考えてみる必要があるだろう。

Bさん：過失犯はいわゆる開かれた構成要件（offene Tatbestand）であって，過失の態様（注意義務違反）は，過失犯の構成要件要素であり，罪となるべき事実を記載するためには過失の態様（注意義務違反）を記載することが不可欠であるという考え方（以下「構成要件要素説」という）が，これまでの通説であったのではないでしょうか[16]。

A君：そのような通説の理解によると，同一の法条であっても，過失の態様が異なれば構成要件的に別個の法規範違反であり[17]，したがって，過失の態様が異なれば，審判の対象（訴訟物）は別個のものとなるのですね。

教員：そうだね。通説（構成要件要素説）によれば，過失の態様が実質的に変動する場合は，平成 13 年決定に引き直せば，第 1 段階の「審判対象の画定の見地」から訴因変更手続が必要となるだろう[18]。

〔以下の議論は，アドバンストな内容を含むものであり，読み飛ばして，次の第 4 項に移って差し支えない〕

Bさん：川出教授が通説とは異なる見解を発表されたと聞いたことがあるのですが。

教員：うん，川出教授は，過失の態様は過失犯の構成要件要素ではないと理解するようだ（構成要件要素としては「漫然と」で足る）。

Bさん：過失の態様は，構成要件要素でないとすると，過失犯の訴因の特定にとって不可欠の要素ではないということですよね。

教員：いや，どうもそうではないようだ。過失犯の訴因に過失の態様の記載が求められること（過失の態様の記載がないと訴因不特定であること）は，通説（構成要件要素説）と異なるところはないようだ。

A君：過失犯の構成要件要素ではない過失の態様が，一体なぜ訴因の特定のために不可欠なのでしょうか。川出教授の考え方，よく理解できません。

教員：川出教授は，過失の態様の記載が訴因の記載として不可欠なのは，過失の態様が構成要件要素であるからではなく，「訴因における罪となるべ

16）　田宮 197 頁，注釈刑訴法(4)〔第 3 版〕506 頁［小林充 = 前田巌］，石井・諸問題 246 頁，鬼塚賢太郎・最判解刑事篇昭和 46 年度 138 頁，大澤裕 = 植村立郎「共同正犯の訴因と訴因変更の要否」法教 324 号（2007 年）95 頁［大澤発言］など。

17）　注釈刑訴法(4)〔第 3 版〕506 頁［小林 = 前田］。

18）　平良木Ⅱ 49 頁，石井・諸問題 246 頁，緑 260 頁。石井は，「この点は異論がない」という。

き事実の記載は，仮にその事実が認定されたとしたら，裁判所が公訴事実につき合理的な疑いを超える心証が得られる程度に具体的なものでなければならないこと」（第 14 講）からであるとされているんだ[19]。

Bさん：この見解は，過失の態様を故意犯における「犯行の方法」に対応するものと理解するようですね[20]。

A君：通説によろうと川出説によろうと，訴因には過失の態様の記載が不可欠であることに変わりはないのだから，第 1 段階の判断枠組みによって訴因変更手続を要するという結論になるのでしょ。議論の実益があるのかな。

教員：確かに，通説（構成要件要素説）によると，過失の態様は，構成要件要素なので，過失の態様が異なると，審判対象（訴訟物）も異なってくるわけだから，第 1 段階の判断枠組みである「審判対象の画定の見地」から訴因変更手続が必要であることは問題がないだろう。これに対して，川出教授のいう「合理的な疑いを超える心証が得られる程度に具体的でなければならない」との要請は，訴因の機能である「審判対象の画定」の要請とは関係がないのであって（第 14 講），過失の態様の記載は，訴因の特定にとって不可欠ではあっても，「審判対象の画定」のために記載されるわけではないのだから（過失の態様が変わっても，審判対象〔訴訟物〕には変動はない），第 1 段階の判断枠組みの問題にはならないとされるんだ[21]。過失の態様が変動しても，「審判対象の画定の見地」からの訴因変更は，不必要というわけだ。

Bさん：平成 13 年決定のいうように，「審判対象の画定という見地から」の訴因変更が「訴因の記載として罪となるべき事実の特定に欠ける」かどうかによるものだとすれば，川出教授も「過失の態様」を訴因の特定にとって不可欠であるというのですから，第 1 段階の判断枠組みによるべきとするのが素直なように思いますが。

教員：川出教授の理解によれば，訴因変更の要否に関する第 1 段階の判断枠組みは，「訴因の特定に不可欠な事項の変動」を基準とするものではなく，

19） 川出敏裕「演習」法教 385 号（2012 年）149 頁，同「訴因の構造と機能」曹時 66 巻 1 号（2014 年）25 頁。大澤 = 植村・前掲注 16)95 頁［大澤発言］も同旨。

20） 川出・前掲注 19)「演習」149 頁。

21） 川出・前掲注 19)「演習」149 頁。なお，堀江慎司「訴因変更の要否について」『三井誠先生古稀祝賀論文集』（有斐閣，2012 年）597 頁，同「訴因の明示・特定について」研修 737 号（2009 年）10 頁も参照。

「審判対象の画定に不可欠な事項の変動」を基準とするものということになるだろう。つまり，過失の態様は，訴因の特定にとって不可欠な事項ではあっても，審判対象の画定にとって不可欠な事項とはいえないとするわけだ。

A君：平成 13 年決定は，第 1 段階判断枠組みにおいて，「殺人罪の共同正犯の訴因としては，その実行行為者がだれであるかが明示されていないからといって，それだけで直ちに訴因の記載として罪となるべき事実の特定に欠けるものとはいえないと考えられるから，訴因において実行行為者が明示された場合にそれと異なる認定をするとしても，審判対象の画定という見地からは，訴因変更が必要となるとはいえない」と説示しているのですから，「審判対象の画定にとって不可欠な事項」＝「訴因の特定にとって不可欠な事項」と理解すべきですよね[22]。

教員：そうだね。一般にはそう理解されている[23]。これに対して，川出教授の理解は，訴因の特定にとって不可欠な事項の中に，①審判対象の画定にとって不可欠なものと，②そうでないものがある，とするもので，「審判対象の画定にとって不可欠な事項」＜「訴因の特定にとって不可欠な事項」というわけだ（前者は後者に包含される）。A 君の言うように，平成 13 年決定は，「実行行為者がだれであるかが明示されていないからといって，それだけで直ちに訴因の記載として罪となるべき事実の特定に欠けるものとはいえない」ことを理由に，「審判対象の画定という見地から」の訴因変更を不要としているのだから，川出教授の新たな見解は，平成 13 年決定とは異なる見解と評価することもできそうだが，平成 13 年決定は，実行行為者の変動という事案に即した事例判断をしたに過ぎないので，必ずしも汎用的な判断枠組みを示したものではないと理解すれば，川出教授の見解が，平成 13 年決定と齟齬するとまではいえないだろう。

A君：そうすると，川出教授の見解によれば，訴因の特定にとって不可欠な事項ではあっても審判対象の画定にとって不可欠な事項でない「過失の態様」の変動（上記の②に当たる）は，第 1 段階の判断枠組みの問題ではないけれども，「過失の態様」は，一般的に被告人の防御にとって重要であり，

22）　岩﨑・前掲注 10）178 頁，180 頁。

23）　岩﨑・前掲注 10）のほか，大コンメ刑訴法(6) 415 頁［高橋省吾］，酒巻 300 頁，リークエ 257 頁［松田］など。

それが訴因に明示されているのだから，第２段階の判断枠組みの原則に当たり，あとは，具体的な審理経過にかんがみ，例外要件に当たるかどうかを検討することになるのですね[24]。

教員：そういうことになるだろう。

4　縮小認定と訴因変更の要否

Ａ君：設問は，縮小認定のケースですね。縮小認定については，最高裁も，「強盗の起訴に対し恐喝を認定する場合の如く，裁判所がその態様及び限度において訴因たる事実よりもいわば縮少〔ママ〕された事実を認定するについては，敢えて訴因罰条の変更手続を経る必要がないものと解する」（最判昭和26・6・15刑集５巻７号1277頁）と説示して，縮小認定の理論を肯認しているのだけれど，縮小認定の場合には，なぜ訴因変更手続が不要なんだろうか。

Ｂさん：縮小認定は，検察官の設定した訴因事実が裁判所の認定事実を包摂する関係（包摂・被包摂関係，大小関係）にある場合だから，縮小認定の場合に訴因変更手続を要しない理由は，①被包括事実は検察官により黙示的・予備的に主張されているとみられること，②被包括事実を認定しても，定型的に，被告人の防御に不利益を与えることがないと考えられることでしょう[25]。

Ａ君：要するに，裁判所が認定しようとしている事実は，検察官の設定した訴因の中に黙示的・予備的に主張されているのだから（黙示的な予備的訴因），両者の事実の間に「食い違い」がないということだよね。「食い違い」がないのなら，訴因変更は問題とならず，Ｂさんの言う②の定型的に被告人の防御に不利益を与えることがないとの理由は不要ではないかな。

教員：検察官が明示的に予備的訴因（256条５項）を掲げているときは，②が問題となることはないから，明示的な予備的訴因と全く同じと理解するならば，②の理由は不要だろう。しかしながら，訴因には明示されておらず，黙示的な主張であることを考慮すれば，②も理由付けになるだろう。

Ａ君：確かにそうですね。ところで，判例によって形成されてきた「縮小

24）　川出・前掲注19)「演習」149頁。
25）　井上弘通・百選〔第８版〕103頁。

認定の理論」について，平成 13 年決定は，何も言及していませんが，平成 13 年決定が提示した「二段階の判断枠組み」との関係では，縮小認定は，どこに位置付けたらよいのでしょうか。

教員：縮小認定は，平成 13 年決定の出るまでは，抽象的防御説の帰結と理解されていたのだが，平成 13 年決定との関係でこれを改めて捉え直してみると，「認定される縮小犯罪事実は，当初から検察官により黙示的・予備的に併せ主張されていた犯罪事実と考えることができるので，縮小認定は，そもそも訴因の記載と『異なる』事実認定の問題ではなく，訴因の記載どおりの認定の一態様である」[26]とすれば，縮小認定は，第 1 段階の判断枠組みの「例外」というよりも，第 1 段階の判断が問題となり得ない「埒外」といっていいだろう。

A君：つまり，縮小認定の場合は，訴因変更の要否は問題にならないというわけですね。

Bさん：ところで，最決昭和 55・3・4 刑集 34 巻 3 号 89 頁は，酒酔い運転の訴因に対し訴因変更手続を経ることなく酒気帯び運転の事実を認定できるかどうかが争われた事案で，厳密には酒酔い運転は酒気帯び運転を包摂しないが（酒酔い運転に該当しても，法定のアルコール濃度に達せず，酒気帯び運転には当たらないことも論理的にはあり得る），①行為の共通性，②酒酔い運転の訴因に対する防御は「通常の場合」は酒気帯び運転の防御を包摂すること，③法定刑が酒酔い運転より軽いこと，④防御が尽くされていることを理由に，訴因変更手続を不要としていますね。

教員：うん，昭和 55 年決定は，縮小認定を認めたものと理解されているのだが，Bさんのいう④「アルコール保有量の点につき被告人の防禦は尽されている」との説示の位置付けについては議論のあるところだ。縮小認定自体が第 1 段階の判断枠組みの「埒外」にある（つまり訴因変更は問題にならない）とすれば，この説示部分が第 2 段階の判断枠組みを意味するはずはないよね。しかし，第 2 段階判断のベースにある「争点明確化による不意打ち防止」の要請は，訴因変更の問題とはならない縮小認定の場合にも働き得るので，その観点から，当該事案において具体的な防御に支障がなかったか否か

26)　酒巻匡「公訴の提起・追行と訴因(3)」法教 300 号（2005 年）129 頁。上口 363 頁も参照。

を判断したものと考えるべきだろう[27]。すなわち，裁判所による縮小認定が，具体的な審理の経過の中で不意打ちに当たる場合には，訴因変更手続を経由することを要するわけではなく，争点として顕在化させたうえで十分な審理を遂げ（最判昭和 58・12・13 刑集 37 巻 10 号 1581 頁・よど号ハイジャック事件。いわゆる争点顕在化の措置），これを認定すれば足ることとなろう。

5　設問の解決

A君：共謀事実も幇助事実も訴因の特定にとって不可欠な事実であり，両者の食い違いは構成要件を異にすることとなるので（共謀共同正犯は，刑法 60 条による基本的構成要件〔刑 235 条〕の修正形式，幇助は刑法 62 条による基本的構成要件〔刑 235 条〕の修正形式），「実質的な食い違い」ということができ（平野教授は，裸の事実としては極めて僅かな事実の食い違いでも，それが構成要件的評価を変えさせるようなものであるときは，「重要な変化」という[28]），本来であれば第 1 段階の訴因変更手続を要するはずのものですが，共同正犯事実と幇助事実とは，包摂・被包摂の関係にあるので，「食い違い」があるとはいえず，設問については「縮小認定」が許される場合であって，訴因変更手続を経ることなく幇助事実を認定できます（最判昭和 29・1・21 刑集 8 巻 1 号 71 頁，東京地判平成 2・3・19 判タ 729 号 231 頁，浦和地判平成 3・3・25 判タ 760 号 261 頁など）。そしてまた，被告人の弁解どおりに認定するのだから，争点顕在化による不意打ち防止の措置も不要でしょう。

Bさん：でも，訴因に窃盗幇助に当たる事実が記載されていれば格別，「共謀の上」としか記載されていないのでは，共謀共同正犯の事実が幇助事実を包摂するとはいえないのではないかしら[29]。

A君：そうかな。「共謀の上」との訴因事実は抽象的であって，共謀の日時・場所・方法等の具体的な記載がないのだから，いかなる形態の幇助や教唆であっても，これに包摂されているといえるのではないかな。「『共謀のう

27）　岩瀬徹・百選〔第 6 版〕89 頁参照。

28）　平野・訴因と証拠 152 頁。

29）　平野・訴因と証拠 121 頁，三井誠「共同正犯・幇助犯の限界と訴因変更の要否」研修 544 号（1993 年）11 頁。

え』実行したという抽象的事実の中に，共謀に至らない教唆又は幇助により正犯者を通じて実行させたという事実が含まれている」[30]と考えるべきだよ。

教員：裁判実務の大勢は，A君の言うとおりなんだ。しかし，幇助犯の訴因であれば，幇助に当たる具体的事実の記載が必要とされているので（最決昭和 33・3・27 刑集 12 巻 4 号 697 頁），「共謀の上」との事実が，考えられるありとあらゆる幇助の態様を黙示的，予備的に主張しているとみることは，訴因のいずれの機能との関係でも問題を孕み，妥当とは思われないので，縮小認定を認めることは許されず，第 1 段階の審判対象の画定の見地から訴因変更手続を要するのではなかろうか（ただし，裁判実務の大勢に従うならば，縮小認定を認めてよいこととなろう）。

Bさん：福岡高判平成 20・4・22 LEX/DB 25421350 は，殺人の共同正犯の訴因に対して，第 1 審が殺人幇助の事実を認定して有罪としたのに対して，いわゆる縮小認定として訴因変更手続を要しないことがあるとしても，当事者の攻防の対象（有形的・物理的関与）となっていなかった黙示の無形的・心理的幇助を認定するのは被告人の防御が尽くされないままなされた不意打ち認定であるので，訴訟手段の法令違反に当たる，としていますね。

教員：福岡高裁平成 20 年判決は，第 2 段階の枠組みによって訴因変更手続を要するとしたもののようですが，共同正犯の訴因に対して，訴因変更手続を経ることなく，縮小認定理論の安易な適用により幇助犯を認定する裁判実務の大勢に一石を投じる裁判例といってよいのではないかな。

Question & Answer

Q1　従来通説であった抽象的防御説の射程は，平成 13 年決定の提示した第 1 段階判断枠組みだけでなく，第 2 段階の判断枠組みの原則部分も含むものであったと考えることはできますか。

A　抽象的防御説による訴因変更手続の要否の枠組みは，審判対象の画定の見地からの訴因変更に対応すると解するのが一般的な理解[31]といってよいでしょう。しかし，学説の中には，上口教授のように，実行行為者が誰で

30）　香城・構造 307 頁。
31）　酒巻・前掲注 26）127 頁，酒巻 298 頁＊＊，299 頁，田口 345 頁など。

あるかは，抽象的防御説によれば，訴因変更を要すると考えられ，「『審判対象の画定』のための訴因変更が必要とされる範囲は，抽象的防御説によれば訴因変更が必要とされる範囲よりも相当限定され〔る〕」とする見解もあります[32]。このような見解によれば，平成13年決定は，抽象的防御説が訴因変更を要するとしていた事項について，審判対象の画定の見地からの訴因変更をはみ出す部分について，被告人の防御権の保障の見地からの訴因変更（例外を許す）に格下げしたということになるでしょう。また，解説で述べたように，注意義務違反の行為（過失の態様）について川出教授のいうように故意犯の「方法」に匹敵するものであって，構成要件要素ではないと理解するのであれば，抽象的防御説が訴因変更を要するとしていた過失の態様の変動は，審判対象の画定の見地からの訴因変更ではなく，被告人の防御権の保障の見地からの訴因変更の問題となりますので，このような理解を前提にすれば，過失の態様に関しては，抽象的防御説は，第2段階の判断枠組みをも包含するものであったということになるでしょう[33]。

*　*　*

Q2　平成13年決定は，第2段階の判断枠組みの例外として，①「被告人に不意打ちを与えるものではない」こと，かつ，②「認定事実が訴因事実と比べて被告人にとってより不利益であるとはいえない」ことを要件としていますが，①を充たすときは，被告人の防御は尽くされており，防御権の保障は全うされているのですから，②の「より不利益である」場合であっても，訴因変更手続を経ることなく認定してよいように思うのですが，いかがでしょうか。

A　平成13年決定が，第2段階の判断枠組みの例外として，この2つの要件を「かつ」で結んでいる理由は，必ずしも明らかではありません。現に，池田調査官も，「この点〔被告人にとって訴因に比べてより不利益な認定でないとの点〕は本件事案に即した判示と解され〔る〕」とし，「ここで指摘された不利益とは当該事案における具体的な不利益をいうもの」[34]とされていましたが，平成24年決定も，同様の説示をしており，「〔平成13年決定の〕事案

32）　上口361頁。
33）　川出敏裕「訴因の機能」刑ジャ6号（2007年）125頁参照。
34）　池田・前掲注7）72頁。

に即した判示」ではなかったことが明らかになりました。

思うに，「一般的に，被告人の防御にとって重要な事項」については，「検察官が訴因において明示」した以上は，明示した事実を巡って攻撃防御がなされるわけですから，仮に訴因事実よりもより不利益な事実の有無が争われていたとしても（不意打ちにならない），被告人としては，訴因において明示された以上に不利益な認定を受けることはないと期待して訴訟活動を行うものと思われるので，訴因に明示した事実を上限として，不意打ちにならないことを求めていると解するほかないでしょう。

最高裁の見解はこのように理解するとしても，平成 13 年決定や平成 24 年決定が，被告人に不意打ちを与えるものでないのに，より不利益であるというだけで，例外要件を満たさず，訴因変更手続を必要とすることには批判があるところです[35]。筆者も，第 2 段階の判断枠組みの例外要件は不意打ちを与えないことだけで十分ではないかと考えています。

*　　　　*　　　　*

Q3　過失犯の訴因における「過失」の構成は，(a)注意義務を課す根拠となる具体的事実，(b)注意義務の内容，(c)注意義務に違反する具体的行為の 3 つからなり，最高裁の判例は，(a)については拘束力がないので，訴因と異なる認定をするとしても訴因変更手続を要しない（最決昭和 63・10・24 刑集 42 巻 8 号 1079 頁），(c)については，過失の態様について訴因と異なる認定をするときは訴因変更手続を要する（最判昭和 46・6・22 刑集 25 巻 4 号 588 頁）としていますが，(b)については，訴因と異なる認定をするためには，訴因変更手続を要するのでしょうか。

A　(b)の注意義務の内容は，それが訴因に記載されていても，あくまで法規範そのものであって（例えば「前方左右を注視しながら進行しなければならない注意義務」は，殺人罪でいうならば「人を殺してはならない」というがごとし），「事実」ではありません。それゆえ，訴因が犯罪事実を記載すべきものであるならば，訴因に記載する必要のない事項というべきでしょう[36]（法規範説）。

35)　宇藤崇「判例セレクト 2012 Ⅱ」法教 390 号別冊付録（2013 年）38 頁など。

36)　小泉祐康「訴因の変更」公判法大系Ⅱ 262 頁，鈴木勝利「訴因の変更」荒木友雄編『交通事故〔刑事裁判実務大系第 5 巻〕』（青林書院，1990 年）271 頁，毛利晴光「訴因変更の要否」新実例刑訴法Ⅱ 47 頁，辻本典央「過失犯における訴因変更の必要性 —— 最二決平成 15 年 2 月 20 日判時 1820 号 149 頁」近畿大学法学 54 巻 3 号（2006 年）323 頁。

そうすると，(b)の注意義務の内容が変わっても，事実の変動ではないので，訴因変更の問題は，そもそも起こり得ません。もとより，(b)の注意義務の内容が変われば必然的に(c)の過失の態様が変わり，(b)でなく(c)の変動のゆえに訴因変更手続を要することになります。

なお，(b)注意義務の内容は，(c)過失の態様と不可分一体（裏表）と解すべきであって，そのいずれも訴因としての拘束力を有すると解する見解（過失の態様と不可分一体説）も主張されています[37)]。百歩譲って，この見解に立つとしても，注意義務の内容が変動するときは，必然的に，(c)の過失の態様も変動することとなりますので，(b)について，その訴因としての拘束力を単独で論じる意味があるか疑問でしょう。

*　　　　　＊　　　　　＊

Q4　平成 13 年決定のいう第 2 段階の判断枠組みの原則部分は，「一般的に，被告人の防御にとって重要な事項」ですが，ここにいう「一般的に」とはどのような意味でしょうか。

A　ご指摘のように，平成 13 年決定は，「一般的に，被告人の防御にとって重要な事項」とし，平成 24 年決定も，同じく，「一般的に被告人の防御にとって重要な事項」と判示しています。ここにいう「一般的に」の意味は，「被告人の防御の具体的状況等の審理の経過に照ら」して判断するものではなく，審理の経過を離れて，抽象的，類型的に，当該事項が被告人の防御にとって重要かどうかという趣旨であろうと思われます。

なお，平成 24 年決定の調査官解説においては，判断枠組みの説明の箇所で，平成 13 年決定，平成 24 年決定がともに用いた「一般的に」の文言が欠落しており[38)]，また，当該事件について，「被告人は，充満したガスに引火，爆発させたことを争い，無罪を主張しているのであって，被告人が充満したガスに引火爆発させた方法は，被告人の防御にとって重要な事項であることは明らかと思われる」とされています[39)]。調査官が，なぜ「一般的に」の文言を外したのかその意図は定かではありません。

しかしながら，調査官のこのような理解によると，平成 13 年決定の事案

37）　注釈刑訴法(4)〔第 3 版〕507 頁［小林 = 前田］。
38）　岩﨑・前掲注 10）170 頁(イ)，186 頁。
39）　岩﨑・前掲注 10）186 頁。

を例にとれば，被告人が実行行為者は共犯者であって自分ではないと争っていたから，「被告人の防御にとって重要」ということになり，逆に，被告人が，訴因記載の実行行為者（共犯者が実行行為者とされていたケース）については争わず，その他の点について争っていた場合において，裁判所が，証拠関係にかんがみ，訴因と異なる実行行為者（被告人が実行行為者）を認定するときは，被告人が争っていないのだから，「被告人の防御にとって重要」とはいえないということになるのでしょうか。仮にそうだとしたら，被告人にとって不意打ちでもあり，より不利益でもあるのに，裁判所は，訴因変更手続を要しないで，その旨認定できることとなってしまいます。そうすると（調査官のいうように被告人が当該事項を争っているときに限るならば），最高裁が，審判対象の画定の見地からの訴因変更のほかに，被告人の防御権の保障の見地からの訴因変更という新たな判断枠組みを設けた趣旨は，半減してしまうでしょう。

平成13年決定も，平成24年決定も，第2段階判断枠組みの原則部分においては，訴因と裁判所の認定事実との実質的な食い違いが生じた原因を問題にすることなく，両者が食い違っている事実のみに焦点を当て，「実行行為者がだれであるかは，一般的に，被告人の防御にとって重要な事項」，「ガスに引火爆発させた方法は，……一般的に被告人の防御にとって重要な事項」とするものです。被告人がこの点を争っているから云々との表現は見当たらず，かえって被告人がどのような主張をしていたかは，第2段階判断枠組みの例外のあてはめにおいて考慮しているのです。

最高裁の説示は，川島准教授のいわれるように，「ある事項につき訴因と実質的に異なる認定がされるとなれば，被告人の防御活動に変更が生じる可能性が一般的・類型的に認められる否かにより，……判断されている」（傍点は筆者による）と理解すべきでしょう[40]。

＊　　　＊　　　＊

Q5　解説では，縮小認定は，訴因変更の要否の問題ではないとされていますが，縮小認定を平成13年決定の判断枠組みの中で検討することはでき

40）川島享祐「刑事判例研究」論ジュリ14号（2015年）208頁。池田公博・新・判例解説Watch 13号（2013年）162頁も，「少なくともその文理においては，具体的な訴訟経過のいかんにかかわらないという意味で，抽象的ないし類型的な評価による旨を示すもの」という。

ないのでしょうか。

▲ 縮小認定を，平成 13 年決定との関係において，どのように位置付けるかは，大変難しい問題です。

一つの考え方は，解説において述べたように，検察官の訴因の中には，黙示的な予備的訴因が存在（潜在）するのだとすると，そもそも訴因と認定事実との間に事実の食い違いがなく，訴因変更の要否の問題は生じないとするものです[41]。そして，縮小認定は，一般的・類型的には，被告人の防御に不利益を与えることがないと考えられますが，具体的に防御に不利益がある場合も考えられますので（最決昭和 30・10・19 刑集 9 巻 11 号 2268 頁は，共同して被害者の足を蹴り，顔面を殴打して傷害を負わせた旨の同時傷害の訴因に対し，控訴審が同時傷害は成立しないとして，訴因変更手続を経ることなく，被害者の腰を下駄履きの足で蹴上げて暴行した事実を認定したのに対し，最高裁は，縮小認定として訴因変更手続は不要とした），そのようなケースについては，縮小事実を争点として顕在化し，被告人に防御の機会を与えるべきこととなります[42]。

＊　この見解も，「裁判所としては，検察官の訴追意思を打診する必要が生じる場合はありえよう」というが（酒巻 301 頁），後記の大澤教授のいう訴追意思の確認とは異なって，縮小事実が黙示的な予備的訴因として当初訴因に含まれているかどうかの意思の確認である。

もう一つの考え方は，訴因と認定事実との間では，訴因の特定にとって不可欠な事項が変動しているので（事実の変動がある），本来は，平成 13 年決定のいう第 1 段階の「審判対象の画定の見地」からの訴因変更が必要であるところ，縮小事実にも検察官の訴追意思が及んでいるので，「審判対象の画定の見地」からの訴因変更は不要であるけれども，縮小認定であっても，被告人に第 2 段階の「被告人の防御権の保障の見地」からの訴因変更が必要になる場合があるとするものです[43]。

いずれの考え方を採るかによって，最決昭和 55・3・4 刑集 34 巻 3 号 89

41）　酒巻 301 頁は，「縮小認定は，訴因の記載と『異なる』事実認定の問題ではなく，訴因の記載どおりの認定の一態様である。したがって，一般には，……訴因変更の問題は生じない」という。筆者も，解説で述べたように，縮小認定は訴因変更の要否の問題の「埒外」であると考えるものである。

42）　酒巻 301 頁，斎藤 271 頁。

頁の「被告人の防御は尽くされている」との説示部分の理解が異なってくることになるでしょう。すなわち，前者の見解によれば，この説示は，平成13年決定の第2段階判断とは無関係であって，訴訟を通じて要請される一般的な「争点明確化，不意打ち防止の要請」の表れということになるでしょう[44]（問題となるのは，訴因変更手続ではなく争点顕在化の措置である）。これに対して，後者の見解によれば，昭和55年決定のこの説示部分は，平成13年決定にいう第2段階判断の例外部分ということになるでしょう[45]。

後者の見解に立つ川出教授も言われるとおり，平成13年決定の第2段階判断は，「第1段階（審判対象画定の見地からの訴因変更）の対象とはならない事項（訴因に記載することが不可欠ではない事項）」についてのものですから，縮小認定については，「厳密にいうと，平成13年決定が想定されているものとは異なる」のです[46]。川出教授は，縮小認定の場合には，第1段階判断の対象となる事項であっても，縮小事実を検察官が潜在的に主張していることから例外的に訴因変更が不要になるのだから，審判対象画定に不可欠な事項に変動がない場合に準じて，第2段階の枠組みによってよいとするもののようです。

学びの道しるべ

✍ 第1段階の判断枠組みに関して，審判対象の画定の見地からの訴因変更の要否について，「訴因の特定ができているかどうか」の問題とする誤解が少なからず見受けられる。訴因が特定されていないのであれば，訴因変更の要否の問題以前に，訴因不特定により公訴棄却すべきかどうかの問題にな

43）　大澤＝植村・前掲注16）97頁［大澤発言］，川出・判例講座〔公訴提起・公判・裁判篇〕95頁，96頁。

44）　酒巻301頁。

45）　大澤・前掲注2）33頁注23は，「『被告人の防御は尽くされている』という部分も，……本決定〔平成13年決定〕と整合的に理解できる」という。岩瀬徹・百選〔第6版〕89頁も，「〔昭和55年決定の〕判示のうちの前段が……審判対象範囲を確定する機能を営むべきものとして論じたところに関係する部分であり，後段が具体的な防御権に関係する部分である。典型的な縮小の理論が当てはまる場合であっても，具体的な防御権を害することがないわけではない」としており，大澤教授の見解と同旨であろう。

46）　川出・判例講座〔公訴提起・公判・裁判篇〕96頁。

るはずである。

訴因変更の要否の問題は，訴因が特定されていることを前提にして，裁判官の心証が訴因（もとより特定されている）と齟齬する場合に，訴因変更手続を経る必要があるかどうかの問題なのである。

✍✍　解説で述べたように，「争点明確化による不意打ち防止」の措置は，訴因変更の問題に限定されず，訴訟の全過程を通じて要請されるものであるから，事実に食い違いがなく訴因変更の問題とはならない縮小認定の場合にも問題になるし，また，訴因の罪となるべき事実の特定にとって不可欠でない事項について検察官が釈明をした場合に，その釈明は訴因の内容にならないと解するのが通説であるが（第14講），その場合においては，訴因の内容となっていない以上，訴因変更の要否を問題にする余地がないが，その場合であっても，縮小認定の場合と同様に，争点明確化による不意打ち防止の要請は，働くのである。

したがって，この場合も，不意打ちのおそれがあるときは，争点顕在化の措置（争点として顕在化させたうえ十分な審理を遂げること）が必要になる場合があり得る（争点顕在化の措置を取らないと，被告人に不意打ちを与え，被告人の防御権を不当に侵害するものとして，訴訟手続の法令違反となることにつき，最判昭和58・12・13刑集37巻10号1581頁参照）。

〈参考文献〉

①大澤裕「訴因の機能と訴因変更の要否」法教256号（2002年）28頁

②酒巻匡「公訴の提起・追行と訴因⑶〔刑事手続法の諸問題⑮〕」法教300号（2005年）121頁

③池田修・最判解刑事篇平成13年度57頁

④岩瀬徹・百選〔第6版〕86頁

⑤三井誠「共同正犯・幇助犯の限界と訴因変更の要否」研修544号（1993年）3頁

16　訴因変更の可否

【設　問】

Ｙは，交通信号のない交差点を直進するにあたり，左方向から交差点に進入しようとしていたＺ運転の車両に気を取られ，交差点入口に設置された横断歩道を右方から左方に横断中の歩行者Ｖにまったく気付かないまま，時速約60キロメートルで同交差点に進入したため，自車の前部をＶの左腰部に衝突させ，Ｖを約10メートル跳ね飛ばす交通事故を起こしたが，Ｙは，これに気付いたものの，停止することなく，そのまま逃走した。

Ｖは，Ｚの119番通報により現場に到着した救急車により直ちに近隣の病院に搬送されたが，同病院において，内臓破裂により死亡した。

警察においてひき逃げ死亡事故として捜査していたところ，事故の翌日になって，Ｙの弟であるＸが犯人として自首してきたため，Ｘを通常逮捕した。Ｘはその後勾留され，検察官は，Ｘを過失運転致死罪および道路交通法違反罪（不救護・不申告）により公訴提起した。

Ｘは，第１回公判期日における罪状認否において，公訴事実をすべて認め，弁護人も争わない旨陳述した。ところが，第１回公判期日終了後，Ｙが，警察署に，真犯人は自分である旨名乗り出たため，警察において所要の捜査を尽くしたところ，自動車を運転していたのは，Ｘではなく Ｙであり，ＸがＹの身代わりになって自首したことが判明した。

そこで，検察官は，裁判所に対して，Ｙを過失運転致死罪および道路交通法違反罪（不救護・不申告）により公訴提起した。

さらに，検察官は，Ｘの第２回公判期日において，Ｘについて，道路交通法違反罪の公訴を取り消すとともに，裁判所に対して，過失運転致死罪の訴因を犯人隠避罪の訴因に変更したい旨を請求した。

裁判所は，これを許可すべきか。

〔ポイント〕

① 公訴事実と訴因の関係

② 「公訴事実の同一性」の意義

〔判　例〕

▷最判昭和35・7・15刑集14巻9号1152頁（ケースブック388頁）

▷最判昭和29・9・7刑集8巻9号1447頁（七条大宮リヤカー事件。ケースブック359頁，三井教材321頁）

▷最判昭和29・5・14刑集8巻5号676頁（長岡温泉背広窃盗事件。ケースブック361頁，三井教材320頁）

▷東京高判昭和40・7・8高刑集18巻5号491頁

解　説

1　公訴事実と訴因の関係

A君：公訴事実と訴因とは，同じものなのですか，それとも異なる概念なのでしょうか。というのは，「審判の対象」論に関して，「審判の対象は公訴事実か訴因か」という問題が設定されているところをみると，公訴事実と訴因とは別のもののようにも思われますが，他方で，通説は，「公訴事実＝訴因」と理解しています[1)]。そうすると，「公訴事実」と「訴因」とは異なる概念なのか，それとも同じ概念なのか，頭が混乱しています。

教員：A君が最初にあげた方の「審判の対象（訴訟物）は公訴事実か訴因か」との問題は，現行刑訴法施行当初さかんに議論されたもので（いわば刑訴法における「訴訟物論争」），当時は，旧刑訴法下の刑事実務に携わった実務家を中心に，現行法のもとにおいても，「審判の対象（訴訟物）」は旧刑訴法と同じく公訴事実であり（公訴事実対象説），ここにいう「公訴事実」とは，訴因として構成する以前の「前法律的社会的な基本事実」を意味するとする見解[2)]が有力に主張されていたんだ。これに対して，今日では，訴因対象説が優勢となり，「審判の対象（訴訟物）は訴因である」とされ，起訴状に記

1）　田宮177頁など。

載すべき「公訴事実」(256 条 2 項 2 号, 3 項) の概念が行き場を失い，その結果，「公訴事実とは訴因である」とする学説が有力化したわけだ[3)]。したがって，ここにいう「公訴事実」は，公訴事実対象説のいう「前法律的社会的な基本事実」を意味するわけではないんだよ。

A君：なるほど，2つの「公訴事実」は意味が違っていたのか。通説によれば，前者の「前法律的社会的な基本事実」を意味する「公訴事実」の概念は，もはや不要なのですね。それはそうとして，通説のいうように「公訴事実は訴因である」のなら，256 条には「公訴事実」の文言は不必要ということになりませんか。

教員：立案者は，256 条 2 項 2 号, 3 項の「公訴事実」を第 1 の意味（前法律的社会的な基本事実）で用い，「訴因」は，前法律的社会的事実たる公訴事実を法律的に構成したものと理解し（いわゆる法律構成説），したがって，256 条の「公訴事実」と「訴因」とを異なる意味に解していたんだね[4)]。しかし，立案者の意思がいかようであれ，現行刑訴法の採る当事者主義によって再構成するならば，256 条の起訴状に記載されるべき「公訴事実」とは「訴因」にほかならず，それゆえ 256 条の「公訴事実」は不必要な用語であり，「訴因」の文言だけで足りたということになるだろうね[5)]。

Bさん：一事不再理効に関する最判平成 15・10・7 刑集 57 巻 9 号 1002 頁（八王子常習窃盗事件）が，「訴因制度を採用した現行刑訴法の下においては，少なくとも第一次的には訴因が審判の対象であると解される」と説示していますが，これは，第 2 次的には，前法律的社会的な基本事実としての公訴事実も審判の対象であることを示唆しているようにも思われますが……。

教員：裁判実務家の中では，裁判実務においては，純然たる訴因対象説で

2）　宮下・逐条解説Ⅱ 156 頁（宮下検事は現行刑訴法の立案者のひとり），岸・要義 52 頁（岸判事はいわゆる新刑訴派のリーダー的存在）など。その後も，公訴事実対象説に与するものとして，大久保太郎「訴因対象説への疑問と法律構成説の補足」曹時 33 巻 10 号（1981 年）1 頁，同「『審判の対象』の現実的考察」曹時 36 巻 3 号（1983 年）1 頁。

3）　平野 132 頁など通説。

4）　宮下・逐条解説Ⅱ 156 頁。なお，司法研修所検察教官室編『検察講義案（平成 30 年版）』（法曹会，2020 年）74 頁，145 頁は，今日においてもなお立案者と同様の見解を採っている。

5）　田宮 178 頁，三井Ⅱ 182 頁，酒巻匡「公訴の提起・追行と訴因(1)」法教 298 号（2005 年）65 頁。

なく，緩やかな訴因対象説により運用されており，審判対象は，第1次的には訴因であるが，第2次的には証拠から判断し得る公訴事実であるとする見解[6)]が有力なようだ。この説示は，あるいはそのことを考慮したものかもしれないけれども，担当調査官は，公訴事実を第2次的な審判対象と捉える考え方に消極的なようだ[7)]。結局のところ，この説示部分の趣旨は定かでないといわざるを得ないだろう。

Bさん：せっかく256条が「訴因」とは別個に「公訴事実」という用語を用いているのですから，「公訴事実」＝「訴因」などという味もそっけもない通説的理解ではなく，「公訴事実」に「訴因」とは別の新しい意味を付与することはできないのかしら。

教員：純粋な「訴因対象説」を採る限り，職権主義を採用した旧刑訴法の「公訴事実」概念の方向（「前法律的社会的な基本事実」など訴訟外の事実を想定すること）に後戻りすることはできないので，通説のように解するほかはないだろう。Bさんのいうように，敢えて256条の「公訴事実」に「訴因」とは異なる意味をもたせるなら，松尾教授のいわれるように，「講学上の審判の対象がすなわち公訴事実だと考え」，256条の「公訴事実」を「審判対象（訴訟物）」と読み替えるのも1つの考え方ではあるだろう[8)]。

2　「公訴事実の同一性」の意義――狭義のそれを中心に

(1)　学説の議論

教員：256条についての「公訴事実＝訴因」との通説によれば，312条1項の「公訴事実の同一性」は，「訴因の同一性」を意味することとなり，訴因が同一であるなら訴因変更は不要であるはずだから，「公訴事実の同一性」を「訴因の同一性」と解することはできないよね[9)]。そこで，通説は，256

6）　中山隆夫「訴因の特定――裁判の立場から」新刑事手続Ⅱ184頁。下津健司「訴因特定，変更――裁判の立場から」三井誠ほか編『刑事手続の新展開(下)』（成文堂，2017年）163頁も，このような理解が「実務においてなお根強い」という。香城・構造299頁も参照。

7）　多和田隆史・最判解刑事篇平成15年度477頁。福崎伸一郎・最判解刑事篇平成15年度291頁も，「訴因として構成された事実だけが審判の対象であ〔る〕」という。

8）　松尾浩也「刑事訴訟法の基礎理論」法時48巻10号（1976年）41頁。上口裕「公訴事実の同一性」『光藤景皎先生古稀祝賀論文集(上)』（成文堂，2001年）382頁も同旨。

条の「公訴事実」(訴因と同義) と 312 条 1 項の「公訴事実の同一性」という別個独立の 2 つの概念が存在し[10]，「公訴事実の同一性」は，旧法のような事実概念ではなく，訴因変更の限界を画する機能を有するだけの「機能概念」にすぎないと解しているんだ。

Bさん：「公訴事実の同一性」の文言中の「公訴事実」は「訴因」と同義ではなく，「公訴事実の同一性」というひとまとまりのタームとして捉え，訴因と訴因との間に「一定の関係があることを，『公訴事実は同一である』と称するにすぎない」[11]というわけですね。

教員：そのとおりだね。「公訴事実の同一性」は，「公訴事実」という文言の意義を論じることなく，単に訴因変更の限界を画する機能を与えられた概念にすぎないと解すること (機能概念説)[12]は，解釈の放棄に等しいけれども，立案者が，新旧刑訴法における訴訟構造の変化を十分自覚することなく[13]，256 条，312 条 1 項のいずれの「公訴事実」の文言も，旧法下の「前法律的社会的な基本事実」と解していたことにその原因があるわけだ。

A君：現行法の「公訴事実の同一性」を旧法のそれと同義に解することのどこに問題があるのですか。

教員：平野教授の巧みな説明によれば，「公訴事実が同一だということは，公訴事実という一つのもの，一つの存在があって，それが訴訟の終始を通じて変わらない」ということであろうが，このような「公訴事実」が訴因の背後にあるとしても，「それはいわばカントのいう『物それ自体』のようなものであって，裁判所の認識の外にある」[14]ので，裁判所は，そのような意味における公訴事実を認識して，その終始同一性を判断することはできないというわけだ[15]。

Bさん：ああそういうことなのですか。

9）「訴因の同一性」は，訴因変更の要否の判断の際の術語として用いられている (平野 136 頁，田宮 194 頁)。これに対して，酒巻匡「公訴の提起・追行と訴因(3)」法教 300 号 (2005 年) 123 頁は，訴因変更の要否の限界を示す術語としての「訴因の同一性」の方こそ不適切であるとする。

10) 田宮 I 579 頁 [田宮裕]。

11) 平野・訴因と証拠 29 頁。このような意味において「関係概念」ともいわれる。

12) 平野，田宮，松尾など通説。

13) 平野・訴因と証拠 31 頁。

14) 平野・訴因と証拠 29 頁。

教員：そうすると，訴因を審判対象と解するのであれば（訴因対象説），訴因の背後にあり，終始を通じて変わることのない「社会的歴史的事実」（事案の真相）は訴訟外にあり，裁判所にとって認識できないのであるから，「公訴事実の同一性」は機能概念と割り切って，訴因（事実）と訴因（事実）とを比較して，訴因変更の可否を決するほかないというわけだ。

A君：具体的には，どのように比較するのですか。

教員：平野教授は，「公訴事実の同一性」が事実概念でなく機能概念にすぎないとすれば，一回の訴訟手続で解決すべき範囲（その裏返しとして一事不再理効の及ぶ範囲）を「訴訟上の合目的性に従って」[16]決めるほかはないとされる。「訴訟上の合目的性」は，別訴を要求する合理性と言い換えてもよかろう。

Bさん：「訴訟上の合目的性に従って」どう判断するというのですか。

教員：以下においては，狭義の「公訴事実の同一性」に絞って話すのだが，狭義の「公訴事実の同一性」の範囲を広く解すると，一回的解決による検察官の利益（防御範囲の変更による被告人の不利益），一事不再理効による再訴禁止範囲の拡大による被告人の利益（検察官の不利益）となり，「公訴事実の同一性」の範囲を狭く解すると，逆の利益・不利益が生ずることになるので，一回の訴訟手続で解決すべき範囲は，つまるところ，これらの諸利益の衡量によって決せざるを得ないとの考え方[17]が有力に唱えられていたんだ。このように狭義の「公訴事実の同一性」が利益衡量による政策的な判断だとするのであれば，その調和点は，両訴因の「事実の共通性」に求めるのが素直な考え方だろう（事実の共通性のない範囲にまで拡大することは被告人の防御の点でも，一事不再理効の範囲の拡大の点でも相当でないからである）。

A君：平野教授は，同一性の判断基準として，日時・場所の近接性，行為・結果の重なり合いなど両訴因の「共通性」を挙げておられますね[18]。

---

15) 哲学者イマヌエル・カントは，われわれが認識できる「現象」には，それに対応し，その元となる「物自体」（Ding an sich）がなければならないはずであるが，われわれは，「現象」を認識できるだけで，「物自体」を認識することはできない，という。旧法では，起訴とともに捜査記録が裁判所に送付されたので，裁判所は，起訴状記載の犯罪事実の背後にある「公訴事実」（物それ自体）を認識することができたが，起訴状一本主義を採る現行法下では，これを認識できないというのが平野教授のいわんとするところであろう。

16) 平野 139 頁。

17) 松尾(上)265 頁。

Bさん：松尾教授も，「共通性」の基準として，犯行の日時，場所，方法・行為の態様，被害法益の内容，被害者，共犯関係などの要素を総合的に評価し，検察官と被告人との間の対立利益を比較衡量して決定されるとされています（総合評価説）[19]。

教員：しかし，平野教授や松尾教授の提示する「両訴因の事実の共通性」基準は，アド・ホックな利益衡量を統括する「指標」をもたず，訴因変更の限界や一事不再理効の範囲を具体的な対立利益（同一性の範囲を広げることによる両当事者の利益と不利益，狭めることによる両当事者の利益と不利益）の比較衡量によって導くこと（訴訟上の合目的性に従って決めること）は，基準としてあまりに不明確との批判を免れないだろう[20]。

Bさん：確かにそうですね。田宮教授は，松尾教授の総合評価説に対して「概念としてやや不明快という難点をもつ」と批判したうえ，「犯罪の日時・場所，手段・方法，被害客体など両訴因を構成する事実が相互に重複，近接，類似している等の事情」（事実の共通性）に基づいて，「一方が成立すれば他方は成立しない（それぞれ別個に2個の刑罰を加えるのは妥当でない）という刑罰関心の択一関係（非両立性）」（これが「総合評価を統括する指標」としての「国家の刑罰関心の一個性」）があるときに「公訴事実の同一性」を認めるべきであるとされていますね[21]。

教員：平野，松尾両教授の採る「両訴因の事実の共通性」基準は，どこまで事実が共通ならば「公訴事実の同一性」を認めてよいのか明確な指標がなく，恣意的な判断を招くおそれがあるのは，そのとおりだろう。だから，田宮教授の批判はまことにもっともなのだが，田宮教授は，「一個の事実に対して一個の刑罰が加えられる」ことを前提に刑罰関心同一説を組み立てており，これが訴因の背後にある訴訟外の「一個の事実」を想定するものだとすれば[22]，訴因対象説との整合性が問題となるだろう。また，大澤教授のいわれるように，刑罰関心の一個性をいうだけでは，別訴で共に有罪とされるのでない限り（つまり一方が無罪となるときは），別訴を認めず訴因変更によ

18）　平野龍一『刑事訴訟法の基礎理論』（日本評論社，1964 年）113 頁。
19）　松尾(上)265 頁。
20）　鈴木茂嗣「公訴事実の同一性」争点〔第 3 版〕125 頁。
21）　田宮 207 頁。
22）　田宮裕『刑事訴訟法講義案〔増訂 4 版〕』（宗文館書店，1982 年）60 頁参照。

らなければならないとする理由はないことになるだろう[23]。

A君：結局のところ，刑訴法が，訴因変更制度を設け，訴因変更を「公訴事実の同一性」の範囲に限定した趣旨・目的はどこにあるのかに遡って考える必要があるのでしょうね[24]。

Bさん：そうね。訴因変更制度は，一個の訴訟手続の中で解決を図るべき範囲の問題であり，二重起訴の禁止（338条3号，339条1項5号）や一事不再理効による再訴禁止（337条1号）の範囲と表裏の関係にあるのですね。

教員：そうだね。それらの制度を整合的に理解すれば，「1個の刑罰権に関し2個以上の訴因が構成されて，それらが別訴で審判され」ることとなると，2個以上の有罪判決が重複して生じる可能性が生じることとなるので，2個以上の有罪判決を回避するためには，「1個の刑罰権に関わる2個以上の訴因について別訴そのものを許さないことが，最も確実な方策」だろう[25]。訴因変更制度，二重起訴の禁止，一事不再理効による再訴禁止の各制度は，このような観点から三位一体のものとして統一的に理解するのがもっとも合理的だろう。そうすると，「両訴因間の事実の共通性」を前提にして，訴因を比較すれば，両訴因が，別訴において共に有罪とされるとしたら二重処罰となる関係にあるときは，これを回避するために別訴を許さず訴因変更によるべきであるとすることが合理的であり，したがって，「公訴事実の同一性」とは，両訴因が，別訴で共に有罪とされるとしたならば二重処罰となる関係（その意味における非両立関係）をいうとする見解[26]が妥当というべきだろう。

⑵　判例の見解

Bさん：ところで，判例は，基本的事実同一説ですよね。判例も訴因対象説を採るのだから，「基本的事実」って，2つの訴因に記載された事実のうち基本的なものが同じという意味なのでしょうね。

教員：さあ，それはどうかな。そもそも，基本的事実同一説というネーミ

23）　大澤裕「公訴事実の同一性と単一性㈦」法教272号（2003年）87頁参照。
24）　酒巻匡「公訴の提起・追行と訴因⑷」法教302号（2005年）64頁。
25）　大澤・前掲注23)87頁。
26）　大澤・前掲注23)87頁。酒巻・前掲注24)65頁も同旨。

ング（旧刑訴法の時代からそう呼ばれていた）がおかしいよね。「基本的事実関係の同一性」を問題にするのだから，「基本的事実関係同一説」と呼ぶべきだよ。それはさておき，旧刑訴法下の判例は，判決の認定した「罪となるべき事実」が起訴状記載の犯罪事実を逸脱していないかどうか[27]を判定する基準として，「基本タル事実関係」「基本的事実関係」「基礎タル事実関係」（公訴事実）の同一との基準を用いていたのだが[28]，これらがみな同じ意味だとすれば，公訴事実は，起訴状記載の犯罪事実[29]の背後にある歴史的出来事＝「基本タル事実関係」「基礎タル事実関係」を意味すると考えられていたことは明らかだ[30]。現行刑訴法下の判例が早い時代から，「基本的事実関係の同一」との表現を用いたのは，旧法下の判例の影響を受けてのことだろう。現に，最判昭和35・7・15刑集14巻9号1152頁は，「正に社会的，歴史的事実は同一であって，すなわち基本的事実関係を同じくするものであり，両者間には公訴事実の同一性がある」と説示しているんだ。

A君：「基本的」って，重要なという意味だと理解していましたが，あるいは，「訴因の基本（基礎）としての」という意味なのかな。

教員：そのように考えることもできるけれども，そのような理解は見当たらないようだ[31]。「基本的事実関係の同一」についての一般的な理解は，訴因の基礎にある社会的事実の「基本的な点が同じ」[32]とするものだ。ここにいう「基本的」とは訴因の背後という意味ではなく，社会的事実のうち「重

27）旧刑訴法410条は，絶対的上告理由を定め，その18号は「審判ノ請求ヲ受ケサル事件ニ付判決ヲ為シタルトキ」とされていた。現行法の378条3号後段に相応する規定である。

28）大判昭和8・12・16刑集12巻2336頁，大判昭和11・10・6刑集15巻1264頁，大判昭和15・10・3法律学説判例評論全集30巻刑訴62頁，最判昭和24・1・25刑集3巻1号58頁（旧法事件），最判昭和25・9・21刑集4巻9号1728頁，最判昭和32・3・28刑集11巻3号1136頁など。

29）旧刑訴法291条1項は，「公訴ヲ提起スルニハ被告人ヲ指定シ犯罪事実及罪名ヲ示スヘシ」と定めていた。

30）松尾浩也「刑事訴訟法を学ぶ〔第4回〕」法教7号（1981年）60頁，61頁。なお，島方武夫『刑事判決書の研究』（巌松堂書店，1941年）181頁は，「基本たる事実関係の同一」の意義につき，「事実の因て来る社会現象」の同一（181頁），「事実の基本たる社会現象が同一」（184頁）という。

31）横川敏雄『刑事訴訟』（成文堂，1984年）258頁参照。

32）岸・要義49頁は，「基本的事実同一説というのは，公訴事実の基礎である社会的事実が基本的に同一であれば枝葉の点でくいちがいがあっても差支えなく，公訴事実が同一であるというためには基本的な社会的事実の同一をもって足りるとするもの」という。伊達・講話138頁，高田140頁も，同様の理解を示す。

要な部分」を意味するというわけだね。

A君：判例の立場を明らかにするためには，調査官の解説を読めば……。

教員：そうだね。調査官の解説によれば，判例のいう「基本的事実関係の同一」とは，両訴因の背後にある社会的・歴史的事実の同一を意味するとされているんだ[33]。社会的・歴史的事実といっても，裁判所の認識の外（訴訟外）にある「物それ自体」（カントの Ding an sich）を意味するわけではなく，検察官の釈明および証拠調べの結果にあらわれたものに限られるので，裁判所の認識の中にあるわけだね。

Bさん：しかし，一連の判例を仔細に検討すれば，判例は，旧法由来の術語（公訴事実の同一性）を用いてはいるものの，訴因の背後にある社会的事実ではなく，通説と同じく，あくまで訴因と訴因とを比較し，その際検察官の釈明やその時点までの証拠調べの結果を資料としているにすぎないとも評価できるのではないでしょうか。私は，判例の理解として，訴因に表示された事実関係の基本的な点の共通性の程度を評価して同一性を判断している[34]と考えた方が妥当なように思うのですが……。

A君：そういえば，先ほどの最判平成 15・10・7 刑集 57 巻 9 号 1002 頁が，一事不再理効が及ぶかどうかが問題となった事案で，公訴事実の単一性の判断方法について，「前訴の訴因と後訴の訴因との間の公訴事実の単一性についての判断は，基本的には，前訴及び後訴の各訴因のみを基準としてこれらを比較対照することにより行うのが相当である」としたうえ，補充的に，「両訴因の記載の比較のみからでも，両訴因……が実体的には……一罪ではないかと強くうかがわれる」場合には，両訴因のみを基準とするのではなく，訴因外の事情について「付随的に心証形成をし，両訴因間の公訴事実の単一性の有無を判断すべきである」と説示していましたね。

教員：そうだね，平成 15 年判決の調査官解説は，「公訴事実の同一性（広義）の判断方法は，訴因変更，二重起訴の禁止及び一事不再理効を通じて一貫し，基本的には訴因を基準として比較対照する方法によるべきものであり，訴因の背後にある社会的事実ないし社会的諸事情は，訴因間の比較対照だけ

33）　香城敏麿・最判解刑事篇昭和 53 年度 85 頁，川口宰護・最判解刑事篇昭和 63 年度 387 頁，出田孝一・百選〔第 8 版〕105 頁，朝山芳史・最判解刑事篇平成 13 年度 196 頁など。

34）　酒巻・前掲注 24）67 頁。

では，判断に困難が生ずる場合などにおいて，必要に応じて考慮されるべきである」とされているんだ[35]。

A君：平成15年判決の調査官の解説って，以前の調査官解説のいう「両訴因の背後にある社会的・歴史的事実」との理解と，齟齬していませんか。

教員：以前の調査官解説（香城敏麿調査官の解説を嚆矢とする）との整合性は，必ずしも明らかではないけれども，審判対象（訴訟物）が訴因である以上は，まずは，訴因と訴因とを比較する判断手法によるべきだろう。そして，これらを整合的に理解するとすれば，以前の調査官解説は，訴因間の比較だけでは判断が困難な場合について述べたものということになるだろう。

A君：ところで，「両訴因の非両立性」の基準を用いた判例（最判昭和29・5・14刑集8巻5号676頁など）と基本的事実同一説とは，どういう関係に立つのかな。

教員：判例の論理によれば，公訴事実の同一性とは，訴因の基礎（背後）にある社会的事実の基本的な点が同一であることを意味するが，その判断方法として，基本的には，訴因と訴因とを比較し，事実の共通性によって基本的事実関係の同一性を判断することとなるが，それが困難な場合においては，補充的に，訴因の基礎（背後）にある社会的事実に立ち入って，社会的事実として非両立かどうかにより判断することとなるのだろう。判例は，まずは事実の共通性基準を用い，これだけでは社会的事実の同一性の判断が困難な場合に，これを補充する基準として非両立性基準を用いており，事実の共通性基準と非両立性基準とはともに基本的事実関係の同一性を判断するための基準ということだ[36]（本講末尾の**Q3**参照）。

Bさん：事実の共通性は，犯罪の日時，場所，行為の態様・方法・相手方，被害の種類・程度等について考えるのですね。

35）　多和田・前掲注7）477頁。

36）　これに対して，中山隆夫「訴因の変更 ―― 裁判の立場から」新刑事手続Ⅱ205頁は，「非両立性の基準は，共通性を中核とする従前の基本的事実同一説の背後にあった本来的基準である」とする。佐藤文哉「公訴事実の同一性に関する非両立性の基準について」『河上和雄先生古稀祝賀論文集』（青林書院，2003年）258頁，岩瀬徹「訴因変更の可否」『三井誠先生古稀祝賀論文集』（有斐閣，2012年）618頁も，中山判事の見解（非両立論）と同旨である。

3　設問の解決

A君：設問の過失運転致死の訴因と犯人隠避の訴因とは非両立ですよね。そうすると，判例の採る非両立基準によるときは，狭義の「公訴事実の同一性」は認められることになるのでしょうか。

教員：この場合，事実に共通性があるのかな。同日同時刻の北海道での甲殺害の訴因と沖縄での窃盗の訴因も，事実において非両立だけど，およそ事実の共通性がないのに，訴因変更が許されるというのは，変だよね。

Bさん：確かに，過失運転致死と犯人隠避の両訴因は非両立の関係にあるのですが，通説は，違法の核心的内容が共通ではない（罪質が異なる）ことなどを理由に公訴事実の同一性を否定していますね[37]（東京高判昭和40・7・8高刑集18巻5号491頁）。

教員：大澤・酒巻説によっても，Xを過失運転致死罪で処罰し，別訴でXを犯人隠避罪で処罰した場合に，両者の日時・場所が近接しているとしても，行為を異にし（自動車運転の際の過失行為とその犯人を隠匿する行為），結果・被侵害法益も異なるので（人を死亡させるという個人的法益の侵害と国家の司法作用の侵害），2つの有罪判決は一方が事実認定を誤ったにすぎず，二重処罰の実質を有するものではなく[38]，公訴事実の同一性は否定されるべきだろう。また，判例の採る基本的事実同一説によるときは，両訴因（過失運転致死と犯人隠避）の比較対照だけでは判断が困難なので，両訴因の背後にある社会的事実をみると，重要な部分で重なり合っているとはいえないので，基本的事実関係において同一ではなく，「公訴事実の同一性」は認めることができないこととなろう。

Question & Answer

Q1　大澤・酒巻説による場合には，狭義の公訴事実の同一性と公訴事実の単一性の概念の区別は不要となるといわれますが，それはなぜですか。

37）　光藤Ⅰ 317頁，田口354頁。
38）　酒巻・前掲注24）69頁参照。

A 公訴事実の同一性は，これまで狭義の「公訴事実の同一性」と「公訴事実の単一性」とに分けて議論されていたことは，周知のとおりです。

大澤・酒巻説は，両訴因が，別訴で共に有罪とされるとしたならば二重処罰となる関係（その意味における非両立関係）にあるときに312条1項の「公訴事実の同一性」を肯定するわけですが，「公訴事実の単一性」についてみると，例えば，住居侵入と窃盗の「公訴事実の単一性」を判断するにあたって，住居侵入の訴因と窃盗の訴因とが，別訴で共に有罪とされたら二重処罰となりますので（なぜならば科刑上一罪だから），広義の「公訴事実の同一性」を肯定できます。このように，大澤・酒巻説は，狭義の「公訴事実の同一性」のみならず，「公訴事実の単一性」を判断するに際してもそのまま用いることができます。そうだとすると，狭義の「公訴事実の同一性」と「公訴事実の単一性」を区別して論じる必要がなくなるのです。この両者を区別していたのは，「公訴事実の単一性」は，罪数論で判断し，狭義の「公訴事実の同一性」は，訴因の共通性で判断するといったように，判断の手法が異なっていたからであり，両者を同一の基準で判断できるのなら，312条1項にない「公訴事実の単一性」などという概念を敢えて用いる必要がないのです。

*　　　*　　　*

Q2 基本的事実同一説のいう「社会的事実」とは，具体的には，どのような事実でしょうか。

A 最判昭和29・5・14刑集8巻5号676頁（長岡温泉背広窃盗事件）についてみますと，「同一被告人に対する同一物の窃盗と贓物牙保という法律上両立しない犯罪が問題とされていることから直ちに公訴事実の同一性が肯定された」というわけではありません[39)]。

両訴因の背後にある社会的事実は，証拠関係によれば，静岡県のホテルにおいて被害者A所有の背広上下と定期入れなどが窃取され，その5日後に，東京都内で，自称Aから処分を依頼されて，借金の担保として当該背広上下を質入れされ，これに被告人が関与したというものであって，被告人が窃取した事実と被告人が他人から依頼されて盗品の有償処分をあっせんした事実とは両立しないので，社会的事実は1個であり，したがって，「一方の犯罪

39）　香城敏麿・最判解刑事篇昭和53年度85頁。

が認められるときは，他方の犯罪の成立を認め得ない関係にある」ので，基本的事実関係を同じく，公訴事実の同一性が認められるということです。

また，最判昭和34・12・11刑集13巻13号3195頁（馬2頭売却代金横領事件）も，証拠により認められる社会的事実は，B所有の農耕馬2頭を売却するため，Bの子息Cが同農耕馬を連れて北海道から新潟県に出向き，これをDに一時預けていたところ，Cから同農耕馬2頭の売却あっせんの委託を受けた被告人が，Dの馬小屋から同農耕馬2頭を連れ出して，Eに6万円で売却し，Cに対しては，うち3万円のみを売却代金の一部として交付したというものであり，「当初被告人に馬を連れ出して処分する権限があったとみて〔売却代金の一部の〕業務上横領の訴因が主張されたのに対し，後にその権限がなかったとして〔馬2頭の〕窃盗の訴因に変更されたにとどまるのであるから，他人の馬2頭をその預け先から連れ出したという部分において両訴因の社会的事実は重なり合い，明らかに両者は同一の社会的事実を構成している」[40)]というわけです。

同一の社会的事実といえるのは，事実が非両立の場合であり，その場合には刑罰権は1個ですので，法律上も非両立となるわけです。

なお，訴因変更の可否の判断に当たって，社会的事実に言及する最近の裁判例として，大阪高判平成15・9・18高刑集56巻3号1頁，東京高判平成22・11・18東高刑時報61巻1〜12号294頁があります。

*　　　　　*　　　　　*

Q3 判例の見解によると，「公訴事実の同一性」に関する判断枠組みは，どのようなものになりますか。

A おおむね次のようになるのではないかと思います。

(1) 刑訴法は，一定の限度内の事実（312条1項の「公訴事実の同一性」の範囲内の事実）については訴因変更制度を設けて同一訴訟手続の中で審判をすべきものとし，その限度を超える事実については，同一の訴訟手続内で審判することを許さず，別訴によるべきこととしているのであるが，その趣旨は，刑事手続における刑罰権の実現に際して，一個の刑罰権が科されるべき事実について訴因変更によらず別訴によることとしたときは，別訴で2つ以

---

40) 香城・前掲注39)86頁。

上の有罪判決が併存することとなって二重処罰の実質が生じるおそれがあるので，同一手続内で審判することとして，このような事態を回避することにある[41]。

そうすると，狭義の「公訴事実の同一性」とは，訴因の背後にある社会的事実（これが 312 条 1 項にいう「公訴事実」である）のうち，基本的な部分が共通していること，すなわち基本的事実関係が同一であることを意味する。

(2)　そして，基本的事実関係の同一性の判断に当たっては，基本的には，新旧両訴因を比較し，その主要な要素，すなわち犯罪の日時，場所，行為の態様・方法・相手方，被害の種類・程度等の事実関係に共通性が認められるときは[42]，訴因の背後にある社会的事実の基本的な部分の同一，すなわち基本的事実関係の同一性があるということができるが，新旧両訴因を比較し事実の共通性を検討しただけではその間に基本的事実関係の同一性が認められるかどうか判別できない場合には，補充的に，訴因の背後の社会的事実について，一方の犯罪が認められるときは他方の犯罪の成立を認め得ない関係にあるときかどうかを検討し，これが肯定できる場合（つまり非両立の場合）は[43]，社会的事実の基本的な部分が共通していること，すなわち基本的事実関係を同じくし，公訴事実の同一性を肯定できる。

そして，非両立かどうかは，証拠調べ開始前の段階では，訴因記載の事実及び検察官の釈明を基礎とし，証拠調べが進行した段階では，これらに加えて，訴因変更請求時点までの証拠調べの結果により裁判所が認定できる事実（社会的事実）を基礎とすることができよう[44]。

41）　この箇所は，酒巻 302 頁によったものであるが，判例の採る基本的事実同一説の理由付けとして用いることができるかどうか，疑問がなくはない。基本的事実同一説の理由付けについては，判例は何も述べておらず，明確とはいえない。

42）　最判昭和 29・9・7 刑集 8 巻 9 号 1447 頁，最判昭和 28・5・29 刑集 7 巻 5 号 1158 頁など。

43）　最判昭和 29・5・14 刑集 8 巻 5 号 676 頁，最判昭和 33・5・20 刑集 12 巻 7 号 1416 頁，最判昭和 34・12・11 刑集 13 巻 13 号 3195 頁，最決昭和 53・3・6 刑集 32 巻 2 号 218 頁，最決昭和 63・10・25 刑集 42 巻 8 号 1100 頁

44）　香城・構造 266 頁，新実例刑訴法 II 66 頁［山室恵］，出田孝一・百選〔第 8 版〕104 頁，実例刑訴法 II 40 頁，42 頁［松田俊哉］。なお，訴因比較説の立場から同様の理解をするものとして酒巻 310 頁も参照。東京高判平成 19・8・22 LEX/DB 28135453 は，「証拠関係に照らしても，非両立の関係にあることは明らかである」と判示する。

〈参考文献〉

①酒巻匡「公訴の提起・追行と訴因⑴〔刑事手続法の諸問題⑬〕」法教 298 号（2005 年）65 頁
②酒巻匡「公訴の提起・追行と訴因⑶〔刑事手続法の諸問題⑮〕」法教 300 号（2005 年）121 頁
③酒巻匡「公訴の提起・追行と訴因⑷〔刑事手続法の諸問題⑯〕」法教 302 号（2005 年）64 頁
④大澤裕「公訴事実の同一性と単一性㈦」法教 272 号（2003 年）85 頁
⑤香城敏麿・構造 261 頁
⑥出田孝一・百選〔第 8 版〕104 頁
⑦岩瀬徹「訴因変更の可否」『三井誠先生古稀祝賀論文集』（有斐閣，2012 年）609 頁
⑧中谷雄二郎・百選〔第 10 版〕104 頁

17　科学的証拠

【設　問】

強盗殺人被疑事件について，被害者Vの爪の中に遺留された犯人のものと思われる細胞片につきDNA型の鑑定を行ったところ，XのDNA型と一致した。また，犯行現場に残された犯人のものと思われる物品に付着した臭気につき警察犬による臭気選別を行ったところ，Xの体臭と一致するとの選別結果がでた。検察官がXをVに対する強盗殺人罪で公訴提起した場合において，DNA型鑑定の結果および臭気選別の結果に証拠能力を認めるための要件は何か。

〔ポイント〕

① 科学的証拠の証拠能力

② DNA型鑑定・臭気選別の結果と証拠能力

〔判　例〕

▷最決平成12・7・17刑集54巻6号550頁（足利幼女殺害事件。ケースブック496頁，三井教材450頁，百選〔第9版〕142頁・〔第10版〕148頁）

▷最決昭和62・3・3刑集41巻2号60頁（警察犬カール号事件。ケースブック505頁，三井教材457頁，百選〔第9版〕148頁・〔第10版〕152頁）

▷大阪高判平成13・9・28 LEX/DB 28075271（三井教材459頁）

▷京都地判平成10・10・22判時1685号126頁（三井教材460頁）

▷東京高判昭和55・2・1判時960号8頁（検事総長にせ電話・声紋鑑定事件。ケースブック513頁，三井教材453頁，百選〔第9版〕144頁）

解　説

1　科学的証拠の証拠能力

A君：「科学的証拠」って，「一定の事象・作用につき，通常の五感の認識を超える手段，方法を用いて認知・分析した判断結果」（東京高判平成8・5・9高刑集49巻2号181頁）のことですよね。「科学的証拠」は，血液型や指紋の鑑定のように，供述証拠よりもよほど信頼でき，科学的捜査が推奨されていることにもかんがみると，証拠能力を否定すべき理由はないと思うのですが。

Bさん：確かに血液型や指紋の鑑定のように，その信頼性が確立している科学的証拠についてはそのとおりですが，DNA型鑑定や臭気選別のように，信頼性に争いのある証拠については，証拠の許容性（証拠能力）が問題となり得るのではないかな。信頼性が確立されていない科学的証拠は，民事裁判なら格別，刑事裁判においては証拠として許容されるべきでないと思います。

教員：もっともな意見だね[1]。現に米国では，科学的証拠について，1923年のコロンビア特別区連邦控訴裁判所のいわゆるフライ（Frye）判決[2]の提示した「専門家証言が導き出される根拠となる科学的原理は，それが属する特定の分野における一般的承認を得たものであることが十分に確証されなければならない」とのフライ・ルール（Frye rule。Frye test，Frye standard ともいう）が長い間支配的だったんだ。その核心は，科学的証拠の許容性の要件として，通常の証拠とは違って，「特定の分野」における「一般的承認（general acceptance）」という特別の要件を設定したことにあるんだ。

A君：科学的証拠には，「関連性」に加えて，なぜ「特別の要件」が必要なのですか。

教員：その理由は，①もととなる科学的原理・技術が高度であるがゆえに，科学的知識のない事実認定者がそれを理解し，実質的な評価をすることが困

1）　高橋均「最近の判例」アメリカ法（2007-2）324頁によれば，「アメリカでは，専門家証人（expert witness）として証言することが大きな収入源となるため，専門家証人の暗躍傾向が強まり，その証言や鑑定内容が必ずしも科学的な関連性や信頼性が保証されないような事態が起こってきた」とのことである。

2）　Frye v. United States, 293 F. 1013（D.C. Cir. 1923）（ケースブック508頁）。

難であること，②「科学」という名前がつくことによって，事実認定者が客観的に確実だと誤信し，過信し易いことの2点にあるとされているんだ[3)]。堀江教授の言を藉りれば，「当該科学分野に精通しない事実認定者にとって，科学的証拠は，いわば内部をうかがい知ることのできない『ブラック・ボックス』から出てくるものであり，しかもそのブラック・ボックスは『科学』というきらびやかな衣をまとっているために，事実認定者は，そこから出てきた『結論』の意味（証拠価値）や正確性（信頼性）を見誤るおそれが存する」うえ，「科学的証拠は刑事裁判の帰趨に決定的な影響を及ぼし得る場合もあ〔る〕」ので，誤信・過信が現実化すると弊害が大きいわけだ[4)]。そこで，科学的証拠について他の証拠と同様に「関連性（relevancy）」要件（つまり，事件との関連性）だけで証拠能力を認めるとすれば，科学的知識のない当事者による適切な反対尋問は期待できないし，裁判官も適切な評価の能力がないため，事実認定の有力な証拠として用いられる危険があるだろう。そこで，「関連性」要件にプラスして何かしらの「特別の要件」を必要とすべきかどうかが問題となるんだね。

Bさん：フライ・ルールのいうように，専門家の多くが承認する科学的原理およびそれを応用した技術・方法を用いて収集した科学的証拠に限って証拠として許容することが，こと刑事訴訟においては無難なのではないかしら。

A君：確かにフライ・ルールは，科学技術を用いた証拠に対して慎重な態度ではあるけれども，「特定の分野」における「一般的承認」という特別の許容性要件を設定すると，新しく開発された科学技術を用いた証拠は，特定の分野で一般的承認がないとして排除されることとなりかねないし（例えば，後にとりあげる最高裁平成12年決定の事案では，DNA型鑑定に関しては，科学的原理については格別，検査方法は必ずしも「一般的承認」を得たものではなかった），とりわけ「検査技術自体がその事件のために開発されたような場合」は，証拠の許容性が認められないこととなるけれど，果たしてそれで妥当なのかな[5)]。また，「特定の分野」とはいかなる範囲か，「一般的」承認とは過

3）　井上正仁「科学的証拠の証拠能力(2)」研修562号（1995年）9頁。
4）　リークエ364頁［堀江慎司］。
5）　長沼範良「科学的証拠の許容性」内藤謙先生古稀祝賀『刑事法学の現代的状況』（有斐閣，1994年）479頁。

半数でよいのか，その分野の権威者が承認しなければならないのか等々，基準として甚だ不明確だね。

教員：確かに，フライ・ルールは，新しい科学技術を用いた有用な科学的証拠を刑事裁判から排除するという保守的な機能を有するといえるだろう。

Bさん：フライ・ルールの基準に曖昧さが残るという問題点があることはさておき，科学的原理やそれを応用した技術が特定分野で一般的に承認されていないのに，それを用いた証拠を刑事裁判で用いることには，どんなに慎重であっても慎重すぎることはないと思います。なお，検察官が取調べ請求する場合に限って証拠能力がないとする片面的構成も考えられなくもありませんが，有罪方向にせよ無罪方向にせよ，「一般的承認」が得られていない科学的証拠を刑事裁判において使用して事実認定すべきではないでしょう。我が国でも，科学的証拠に「一般的承認」が必要であるとするのが，通説だったはずです[6)]。

教員：いわゆる「ジャンク・サイエンス（junk science。くず科学）」が刑事裁判に紛れ込むことを防ごうとすれば，科学的証拠の証拠能力に関する特別なルールとしてのフライ・ルールもその意図するところは理解できるのだが，反面，「一般的承認」はなくとも信頼性のある科学的原理および検査手法による有用な証拠までも排斥することは，「湯水とともに赤児を流す」[7)]愚を犯すことにならないだろうか。それに，我が国の刑事裁判においては，米国とは異なって，ジャンク・サイエンスが跋扈している状況にはないしね。

A君：米国の連邦最高裁で，フライ・ルールは連邦証拠規則の制定（1975年）により廃棄されたとの判決が出たと聴きましたが。

教員：確かにそうだね。米国では，フライ・ルールの硬直性に対する批判が根強く，連邦最高裁は，1993年のドーバート（Daubert）判決[8)]において，米国の科学的証拠の許容性要件を長く支配してきた「一般的承認（general acceptance）」の基準（フライ・ルール）を捨て，許容性の要件として，関連性（relevancy）のほかに，「信頼性（reliability）」という特別要件を要求した

6）田宮333頁，平谷正弘「科学的証拠」争点〔新版〕194頁など。なお，平野239頁は，「相当の範囲の人々の承認」を要するという。

7）ドイツの格言で，不要なものを捨てようとして，一緒に大切なものまで捨て去ってしまう愚行のこと（das Kind mit dem Bade ausschütten）。

8）Daubert v. Merrell Dow Pharmaceuticals, Inc., 509 U.S. 579（1993）（ケースブック508頁）。

んだね（ドーバート基準）。しかし，「一般的承認（general acceptance）」は，なお「信頼性」の主要な判断要素の１つとして考慮することとされているので，特定分野の一般的承認があれば，証拠の許容性の判断主体である裁判官において「信頼性」を容易に認めることができることとなるわけだ。それゆえ，ドーバート判決のもつ実質的な意義は，「従来他人（専門家）まかせにしていた科学的証拠の信頼性についての判断を裁判官の手に取り戻させ，裁判官が本来自らの責任である証拠採否の判断を積極的に行っていくこと……を求めるところにあった」[9]といってよいだろう。

Ａ君：これに対して，我が国においては，Ｂさんの言うように，かつては「一般的承認」を要するとする見解が通説でしたが，最近の学説は，我が国が陪審制を採っていないことを理由に，「一般的承認」など特別の証拠能力要件を不要とし，一般の証拠と同じく「関連性」要件で足るとする見解が有力なようですね[10]。裁判員裁判の下でも，米国の陪審制とは違って，職業裁判官が事実認定に関与するのですから，「一般的承認」を科学的証拠の証拠能力の要件とするまでの必要はないということでしょう。

Ｂさん：職業裁判官といえども，科学的知識においては一般人より優れているわけではないので，陪審制を採るかどうかは関係ないのではないかしら。

教員：確かに，職業裁判官も，科学的知識の点では，一般人と異なるところはないのだが，陪審員とは異なって，刑事裁判における事実認定の経験を積んでいるので，科学的証拠の「神秘的無謬性」に惑わされるおそれは高くはないだろうし，科学的知識の欠如については，他の専門家による補充（再鑑定など）も可能だろうから，「一般的承認」を証拠能力の要件とするまでの必要はないだろう。そこで次に，我が国でも，ドーバート判決のように，「関連性」に加えて，「信頼性」を特別の要件とすべきかどうかは，議論の分かれるところだろうが，要は，科学的証拠に特有の証拠能力の要件（後記の「科学的原理の理論的正確性」など）を一般の「関連性」と並ぶ特別の要件（「信頼性」）とするか，それとも「関連性」要件の中に組み込んで考えるか

9）　井上・前掲注 3）7 頁。

10）　声紋鑑定に関する東京高判昭和 55・2・1 判時 960 号 8 頁，三井誠「DNA 鑑定の証拠能力・証明力」『松尾浩也先生古稀祝賀論文集(下)』（有斐閣，1998 年）504 頁，後藤眞理子・最判解刑事篇平成 12 年度 181 頁，上口 398 頁。

だけの違いであって，それさえ理解していれば，どちらでも構わないのではないかな。

2　DNA 型鑑定・臭気選別の結果と証拠能力

Bさん：DNA 型鑑定に関して，最決平成 12・7・17 刑集 54 巻 6 号 550 頁は，「本件で証拠の１つとして採用されたいわゆる MCT118DNA 型鑑定は，その科学的原理が理論的正確性を有し，具体的な実施の方法も，その技術を習得した者により，科学的に信頼される方法で行われたと認められる。したがって，右鑑定の証拠価値については，その後の科学技術の発展により新たに解明された事項等も加味して慎重に検討されるべきであるが，なお，これを証拠として用いることが許されるとした原判断は相当である」と判示しています。最高裁が科学的証拠の証拠能力の要件として挙げる⑴科学的原理の理論的正確性，⑵具体的な実施方法の信頼性（①検査者の適格性，②検査方法の科学的信頼性）は，証拠の許容性について，関連性のほかに「特別の要件」を必要としたものではないでしょうか。

A君：そうではないと思うよ。⑴と⑵のどちらかが欠けるときは，最小限度の証明力，つまり自然的関連性がないとしたものではないかな[11]。

教員：原判決（東京高判平成 8・5・9 高刑集 49 巻 2 号 181 頁）は，「関連性」に加えて「定型的信頼性」の要件を付加したもののように思われ，そうだとすると，上記ドーバート判決の基準と似たものといえるだろう。最高裁決定の上記の⑴と⑵は，A君の言うように「関連性」の要件と捉えることもできなくもないが，この最高裁決定が，原判決の判断を是認したもの[12]とすれば，⑴⑵を信頼性の要件として「関連性」に付加したもの（ドーバート基準に類似した基準）と捉えることになるだろう。

A君：最高裁決定が⑴と⑵を証拠能力の要件としていることはその説示から明らかだけど，⑵の「具体的な実施の方法」（①検査者の適格性，②検査方法の科学的信頼性）って，具体的には，何を意味するのかな。

Bさん：①検査を実施した者が能力を有する適格者であったこと，②使用

11)　長沼範良「科学的証拠の許容性」法教 271 号（2003 年）97 頁参照。
12)　三井誠・平成 12 年度重判解（ジュリ 1202 号）182 頁。

された機器が正しく作動し，試薬の品質に問題がなかったこと，適切な（科学的原理に適合した）検査手続に従って実施したこと，資料の採取・保管が適切であったことなどを指すのでしょうね[13)]。

教員：関連性にとり込むにせよ，関連性とは別に信頼性の要件と考えるにせよ，これらの事情のすべてが証拠能力に影響するというわけではなく，定型的・類型的な信頼性にかかわる事情（例えば，検査者が素人でおよそ適格を欠くものであったとき，検査手続が科学的原理に適合するものでなかったとき）はおよそ証明力を欠くという意味において証拠能力の問題であり，個別具体的な信頼性にかかわる事情（例えば資料の保管が科学的原理に従って定められたマニュアルに従わず，十全とはいえなかったとき）は証明力の問題であると振り分けるのが妥当ではないだろうか[14)]。

Bさん：警察犬による臭気選別に関しては，最決昭和 62・3・3 刑集 41 巻 2 号 60 頁が，臭気選別は，①「選別につき専門的な知識と経験を有する指導手が」，②「臭気選別能力が優れ，選別時において体調等も良好でその能力がよく保持されている警察犬を使用して実施したものである」とともに，③「臭気の採取，保管の過程や臭気選別の方法に不適切な点のないことが認められる」から，「本件各臭気選別の結果を有罪認定の用に供しうるとした原判断は正当である」と判示していますが，①から③の各要件のどれが証拠能力の要件で，どれが証明力の問題なのかはっきりしませんね。

A君：警察犬による臭気選別判例は，DNA 型判例の(1)「科学的原理の理論的正確性」に対応する判示がなく，(2)「検査者の適格性」と「方法の科学的信頼性」についてだけ判断したもののようですね。

教員：警察犬による臭気選別については，人の体臭も，犬の嗅覚も，したがってまた識別のメカニズムも，すべてについて科学的解明が不十分なんだ。だから，警察犬による臭気選別について(1)の「科学的原理の理論的正確性」を証拠の許容性の要件とすると，臭気選別結果は証拠能力に欠けるといわざるを得ないことになるわけだね[15)]。

A君：それじゃあ，最高裁は，警察犬による臭気選別の結果に関しては，

---

13)　リークエ 365 頁［堀江］参照。
14)　三井・前掲注 10)505 頁参照。
15)　光藤Ⅱ 143 頁，田口 394 頁は証拠能力を否定する。上口 401 頁も参照。

(1)の「科学的原理の理論的正確性」の要件は不要としたのですね。臭気選別の結果を，DNA 型鑑定と違って，「科学的証拠」とはみていないのかな。

Bさん：そうよね。科学的原理が判明していないのに「科学的証拠」と呼ぶのはおかしいわ。DNA 型鑑定については，「科学的原理の理論的正確性」に代えて，「経験則」をもってすることはおよそ不可能なんだけど，それに対して，臭気選別については，「科学的原理」は明らかでなくても，訓練された警察犬による臭気選別が相当高度の正確性を有するという「経験則」が存在するならば，そのような経験則をもって「科学的原理の理論的正確性」に代替することができるということでしょうね[16]。それにしても，この判例のいう①，②，③のすべてが，DNA 型最高裁判例のいう「検査者の適格性」と「方法の科学的信頼性」に対応する証拠能力の要件なのかしら。

教員：この点については，「臭気選別結果については，どこまでが関連性の要件であり，どこからが証明力の問題になるのか，その限界は微妙であって，関連性の要件を厳密に定義づけることは困難であり，かつ，そうすることにさほど大きな実益があるとは思われない」との指摘[17]もあるけれども，相当とは思われないね。「証拠能力という枠組自体が果す適正な事実認定の担保の役割を軽視すべきではな〔い〕」との酒巻教授の指摘[18]は正鵠を射ているというべきだろう。関連性と証明力の限界については，先ほど述べたように，定型的・類型的な信頼性に関する事情は最小限度の証明力に影響するという意味において証拠能力（自然的関連性）の要件であり，他方，個別具体的な信頼性に関する事情は証明力の問題と振り分けるのが妥当ではないだろうか（京都地判平成 10・10・22 判時 1685 号 126 頁参照）。したがって，①，②の事情（ただし選別時の体調等を除く），③のうち標準的な臭気選別方法の実施に関する事情は，証拠能力（自然的関連性）の要件であり，②③掲記のその余の事情は証明力の問題と理解すべきではないかな。

A君：DNA 型鑑定による型の不一致は，そのことだけで，犯人と被告人との同一性を否定することができますが，逆に，型の一致は，血液型鑑定

16)　成瀬剛「科学的証拠の許容性」刑雑 53 巻 2 号（2014 年）173 頁は，前者を「科学理論に基づく専門証拠」，後者を「経験則に基づく専門証拠」と呼ぶ。

17)　仙波厚・最判解刑事篇昭和 62 年度 52 頁。

18)　酒巻匡「警察犬による臭気選別結果の証拠としての取扱いについて」ジュリ 893 号（1987 年）69 頁。

（ABO型）と同じく，型が同一であることを示すものに過ぎず，血液型よりも出現頻度はかなり低くても，あくまで統計的な数字であって，万人不同の指紋とは異なるので，DNA型の一致は，それだけで犯人と被告人との同一性を推認することはできないでしょうね[19]。DNA型の一致は，犯人性認定のための重要な間接事実のひとつにすぎず，他の証拠との総合評価による合理的な心証形成をする際の一資料にとどめるべきです[20]。

教員：かつては，一般に，そのようにいわれていたよね[21]。ところが，岡田雄一判事，遠藤邦彦判事，前田巌判事による平成22年度司法研究[22]から，裁判実務の潮目が変わってきたようだ。この司法研究によると，DNA型鑑定の識別能力が今日ほど高くなかった当時は，これを総合認定の一資料にとどめるべきだといい得ても，現在捜査実務で用いられているSTR15座位によるDNA型鑑定は，STR15座位が相互に関連ないし連鎖しあわず，独立したものであることが承認されており，出現頻度の高い型の組み合わせであっても約4兆7000億人に1人であり（無作為抽出した日本人1350人のDNAから15座位の型を調べてそれぞれの出現頻度を計算して掛け合わせたもの），そのレベルは「個人識別能力という意味ではすでに究極の域に達して」おり，DNA型鑑定の信頼性に疑義を入れる事情がなく，外来性DNAの混入（コンタミネーション）の疑いもないときは，「DNA型鑑定を構成要素とする唯一の間接事実〔筆者注：犯行の痕跡であることが明らかな現場資料が信頼に足るDNA型鑑定によって被告人に由来すると認められること〕がその犯人性を優に推認させ，これを揺るがす事実や証拠がないような場合には，これのみによる有罪認定も許される」とされているんだ[23]。

19）　笹野明義「DNA鑑定の証拠能力・証明力」証拠法の諸問題(上)248頁。

20）　三井Ⅲ257頁，長沼範良「刑事判例研究」ジュリ1239号（2003年）160頁，植村立郎「科学的捜査――裁判の立場から」新刑事手続Ⅰ 429頁。

21）　いわゆる足利事件では，同一の血液型及びDNA型の日本人における出現頻度は1000人に1.2人とされていたが（宇都宮地判平成5・7・7判タ820号177頁，東京高決平成21・6・23東高刑時報60巻1～12号91頁。その後1000人中5.4人が正しいとされた），栃木県の人口を200万人とすると，2400人いることになり，関東1都6県の人口を4300万人とすると，5万1600人となり，このようなごく単純な計算でも，同事件におけるDNA型及び血液型の一致は，被告人が犯人であることと矛盾しないといった程度の価値しかないことが分かる。

22）　岡田雄一ほか『科学的証拠とこれを用いた裁判の在り方（司法研究報告書第64輯第2号）』（法曹会，2013年）92頁，94頁，136頁以下。

23）　岡田ほか・前掲注22）92頁，94頁，136頁以下。池田＝前田482頁注4も同旨。

Bさん：被告人以外の者が真犯人である確率は，わずか4兆7000億分の1（0.000000000021パーセント）ですからね。

教員：いや，そうではないんだ。Bさんのような見解は，誤りとされているんだ[24]。母数（ここでは人口）をおよそ無視しているからね。そうはいっても，統計学の「ベイズの定理」に対する私の理解と計算が正しいとすれば，地球人口70億人で計算すると，DNA型が一致する者が犯人である確率は，99.85パーセントであり，他に犯人がいる確率は0.15パーセントということになり，日本の人口をおおざっぱに見積もって1億2500万人とすると，前者は99.9973パーセント，後者が0.0027パーセントとなるだろう。これが出現頻度565京人に1人[25]となると，地球人口で計算しても，前者が99.999999パーセントとなり，DNA型が一致すれば，統計学的には，まず犯人に間違いないということになりそうだね。

Bさん：著名な刑事裁判官による司法研究が裁判実務に与える影響力は，とても大きいのですね。横浜地判平成24・7・20判タ1386号379頁は，まさにこのような理解のもとに，DNA型鑑定の結果を唯一の間接事実として犯人と被告人との同一性を認めて有罪としています[26]。

A君：僕は，このような見解には賛同できないな。そもそも，科学の発展によって，STR型によるDNA型鑑定法への評価が変わらないとは断言できないよね。それに，最も出現頻度の高い場合の4兆7000億人に1人の確率を，地球人口70億人に換算すると，地球上に0.001499人ということになり，それにもかかわらず，このようなDNA型を持つ者が1人いた（それが被告人）ということは，2人，3人いても少しもおかしくないんじゃないかな。それにこの出現頻度も，たった1350人の日本人のDNA型を調べただけで統計学的処理をした結果であって[27]，日本人の人口に比べて，あまりに少

24）このような言説が誤りであることは，米国では，訴追者の誤謬（prosecutor's fallacy）として，夙に著名である。コリンズ事件において，カリフォルニア州最高裁は，そのような検察官の主張が誤りであることを指摘している（People v. Collins, 68 Cal.2d 319（1968））。コリンズ事件については，大コンメ刑訴法(7) 486頁［安廣文夫］においても言及されている。

25）2019年2月28日付けの日本経済新聞朝刊の記事によると，新たな検査試薬により，DNA型の出現頻度が「565京人に1人」となる精密な個人識別が可能なDNA型鑑定方法が2019年から導入されたようである。

26）高松地丸亀支判平成28・8・30 LLI/DB L07150721も参照。

27）岡田ほか・前掲注22)92頁，93頁注121。

なすぎないかな。統計学の何たるかを知らない僕が言うのもなんだけど。佐藤博史弁護士の言われるように，「出現頻度の分母が地球の人口を超えるはずがない。分母が地球1個分を超えるのはおかしいと考えるのが科学的態度である。驚異的な確率は，全員が『非血縁集団』という非現実を前提としたものであることを忘れているからである」旨の批判[28]は，そのとおりだよ。

教員：それは，逆だろう。出現頻度が4兆7000億人に1人であろうと，565京人に1人であろうと，真犯人が現場に遺留した細胞のDNA型が当該型である以上，地球上に少なくとも1人は当該DNA型を有する者がいることは疑いのない事実であり，被告人のDNA型がそれと一致する場合において，他にも同じDNA型の者がいる確率こそが問題なんだ。この司法研究報告は，もとより，現場資料の収集・保管が適正であることや，収集・保管・検査の過程における外来DNAによる汚染がないこと，具体的検査過程が適正であること等の諸条件が充たされたことを前提とした議論なのだから，今後の裁判では，むしろ，そのあたりが争われることになるのだろう。また，仮にその鑑定が正しいとしても，被告人の細胞片が犯行とは別の機会に付着した可能性（別の機会付着の抗弁）も問題とならざるを得ないだろう。

〈参考文献〉

①井上正仁「科学的証拠の証拠能力(1)」研修560号（1995年）3頁
②井上正仁「科学的証拠の証拠能力(2)」研修562号（1995年）6頁
③長沼範良「科学的証拠の許容性」内藤謙先生古稀祝賀『刑事法学の現代的状況』（有斐閣，1994年）457頁
④三井誠「科学的証拠」法教211号（1998年）129頁
⑤長沼範良「刑事判例研究」ジュリ1239号（2003年）156頁
⑥成瀬剛「科学的証拠の許容性」刑雑53巻2号（2014年）160頁
⑦岡田雄一＝遠藤邦彦＝前田巌『科学的証拠とこれを用いた裁判の在り方（司法研究報告書第64輯第2号）』（法曹会，2013年）

28）　佐藤博史「足利事件からみた科学的証拠に関する司法研究」刑弁76号（2013年）108頁。

18 法律上の推定

【設　問】

収賄罪に関して，「公務員が，その職務の執行につき密接な利害関係を有する者から，通常の社交の程度を超える財物その他財産上の利益を収受し，要求し，又は約束したときは，職務に関して賄賂を収受し，要求し，又は約束したものと推定する」との規定を設けることの是非を検討せよ。

〔ポイント〕

① 挙証責任の所在

② 「法律上の推定」規定と利益原則

③ 「挙証責任の転換」規定と利益原則

〔判　例〕

▷最決昭和 50・5・20 刑集 29 巻 5 号 177 頁（白鳥事件。三井教材 716 頁）

解　説

1　挙証責任の所在

教員：議論の前提として，挙証責任の所在について確認しておく必要があるだろう。挙証責任には，実質的（客観的）挙証責任と形式的（主観的）挙証責任とがあることは，君たちも知っているとおりだが，ここで問題とするのは，前者の実質的（客観的）挙証責任だ。両者の違いについては，各自の教科書で確認しておいてくれたまえ。実質的（客観的）挙証責任は，証拠調べを終えても，要証事実（ここでは伝聞法則の場合と異なって主要事実の意。以下同じ）について真偽を決することができない（non liquet）ときに，裁判の拒否は許されないとすれば，要証事実があったと判断するか，あったとはいえないと判断するかのいずれかであるが，その判断によって不利益を受ける当事者の地位・負担と理解されていること，犯罪事実およびこれに準ずる事実（被告人の刑責の存否・範囲に直接影響する実体法的事実）の挙証責任は，「疑わしきは被告人の利益に」（in dubio pro reo[1]）の原則（以下「利益原則」という）や「無罪の推定」[2]が妥当するため，民事訴訟とは異なって，その分配は問題とならず，検察官が負うとされていること[3]は，知っているよね。

A君：はい，それは知っていますが，検察官が実質的（客観的）挙証責任を負うことについては，わざわざ利益原則を持ち出す必要はないように思うのですが。

Bさん：えっ，どうして。民事訴訟と異なって，刑事訴訟において挙証責任の分担が問題とならない（検察官が挙証責任を負う）のは，刑事訴訟には，利益原則があるからでしょ。

A君：そういわれていることは，僕も勉強して知っているよ。でもね，刑法など刑事実体法の規定は，構成要件該当性，違法性，有責性が「証明」されたときにのみ犯罪が成立することを含意しているわけでしょ。これらについて真偽不明（non liquet）のときに犯罪は成立しないことは，実体法の解釈として当然のことじゃないかな。真偽不明で「証明」できていないときは，刑事実体法が適用にならないのは当たり前のことであって，利益原則を持ち出すまでもないように思うんだけど。

Bさん：そうかなあ。刑事実体法は，犯罪成立要件に当たる事実が「存在」する場合に（「証明」された場合ではない），刑罰権という法的効果が発生すると規定するものであって，A君のいうように犯罪成立要件を「証明」できた場合に法的効果が発生することを定めたものではないでしょう。つまり，刑事実体法は，犯罪成立要件に当たる事実について真偽不明の場合の法的効果までも定めるものではないというべきです。真偽不明の場合についての処

1） In dubio pro reo judicandum est.「疑わしいときは，被告人の利益に判断されるべきである」を意味するラテン語である。略して，利益原則ないし pro reo（プロレオ）原則ということもある。

2） 田宮302頁は，無罪の推定の語が，狭義において挙証責任法則を意味するほか，広義において，「被疑者・被告人は，有罪の犯人と区別し，むしろ無辜の市民に近づけて扱われるべきだという，より広い政策原理として……理解されている」とする（平野189頁注㈣，リークエ463頁［堀江慎司］も同旨）。

3） 田宮300頁など定説。

理は，刑事実体法とは別途，手続規範に求めざるを得ないのではないかしら。

教員：確かにBさんの言うとおりだね。A君の言うように真偽不明の場合の処理規範を実体法に求めるとすれば，実体法の規定の仕方を変えれば，真偽不明の場合であっても被告人に挙証責任を負わせることができることになり，問題が生じるように思うのだが。

A君：なるほど，確かにそうですね。実体法の変更により「疑わしきは被告人の不利益に」（in dubio contra reum）という結果となってしまうのは，立法府の恣意を許すこととなり，適切でないでしょうね。

Bさん：ところで，利益原則（大陸法系）と「無罪の推定」（英米法系）とは，証拠法の分野では「ほぼ同意義に使われ」ている[4)]ようですが，これらの原則の法的根拠はどこにあるのでしょうか。最決昭和50・5・20刑集29巻5号177頁（白鳥事件）は，利益原則は「刑事裁判における鉄則」と説示していますが，法的根拠については言及していませんね。

教員：実定法においては明文の規定はないけれども，憲法では31条に，刑訴法では336条にその内容が盛り込まれているといえるだろう[5)]。憲法31条は，刑事実体法の局面では罪刑法定主義を定めるものだが，手続法の局面では，強制処分法定主義（刑訴197条1項ただし書）とともに，犯罪成立要件が証明されたときに初めて処罰される，すなわち利益原則を定めたものと理解してよいだろう。刑訴法336条の「被告事件について犯罪の証明がないときは」，無罪判決をすることとしているのは，憲法31条を根拠とする利益原則の刑訴法的表現というべきだろう。

A君：真偽不明（non liquet）の場合に，そもそもなぜ「疑わしきは『被告人』の利益に」なのでしょうか。言い換えれば，なぜ，検察官に挙証責任を負担させるのでしょうか。

Bさん：ええっ，そんなこと，疑問に思ったことすらないわ。当然のこと

4）　川出敏裕「無罪の推定」法教268号（2003年）31頁。松尾(上)228頁は，「19世紀初頭のドイツでは，学説が『疑わしきは被告人の利益に従う』（In dubio pro reo.）というフォーミュラを作り出した。英米でも，これと並行して『無罪の推定』（presumption of innocence）という表現が普遍化した」とする。

5）　田宮301頁，松尾(上)229頁，三井Ⅲ62頁，酒巻489頁，リークエ463頁［堀江］，堀江慎司「挙証責任と推定」新・争点149頁など。酒巻教授は，「『利益原則』は，憲法31条の要請する『法の適正な手続』の構成要素を成す不文の法準則」という。

でしょ。

教員：必ずしも当然とはいえないだろう。現に，利益原則の実質的根拠論として，いろんな考え方が提示されているよ[6]。刑事裁判で利益原則が採用されるべき理由について，おおむね３つの見解が主張されているんだ[7]。第１説は，刑罰が重大な不利益を伴うがゆえに，被告人が犯罪を行ったか否かが真偽不明の状態でそれを科すことは不当であるから，利益原則が採用されるとするもの（以下「刑罰重大不利益説」という），第２説は，検察官と被告人との間には証拠収集能力に著しい不均衡があるところ，職権主義でなく当事者主義を採用していることから，公判手続においてはその是正が必要となるので，証拠収集能力の不均衡を調整し，当事者の実質的対等を図るために利益原則が認められるとするもの（以下「証拠収集能力不均衡是正説」という），そして第３説[8]は，利益原則を採れば確かに真犯人をも逸することもあり得るのだが，利益原則を採らないことにより生ずる「罪を犯していない者を有罪とする不正義」（甚大な被害が一人に集中）は利益原則を採ることによる「真犯人を無罪とする不正義」（社会全体に害を分散）よりはるかに大きいことから利益原則を採用すべきとするもの（以下「不正義比較説」という）だ。

Bさん：第２説の証拠収集能力不均衡是正説については，まず当事者主義の採用を理由とする点は，職権主義の下でも真偽不明の事態は起こり得るし，その場合にも「利益原則」が妥当するとされているのですから[9]，当事者主義を採用していることは「利益原則」の理由とはならないでしょうね。また，検察官と被告人との証拠収集能力の不均衡の実質的平等化のために「利益原則」が採られているとの点は，力の不均衡のない私人訴追制度（我が国では採用してない）のもとでも，利益原則が認められていることを説明できないことになるでしょう[10]。

A君：第１説の刑罰重大不利益説は，真偽不明のまま不利益を科すには，

6）　川出・前掲注 4)31 頁，演習刑訴法 258 頁［佐藤隆之］。

7）　川出・前掲注 4)32 頁，演習刑訴法 258 頁［佐藤］。

8）　第３説につき，後藤昭「『疑わしきは被告人の利益に』ということ」一橋論叢 117 巻 4 号（1997 年）585 頁。

9）　後藤・前掲注 8)586 頁は，利益原則は職権主義の建前を採っているドイツからきたもので，当事者主義に固有の原則ではない，という。田中・証拠法 62 頁も，「職権主義を採つても事実の真偽不明の状態が生じ得，従つて当然立証責任の問題が存在する」という。

10）　後藤・前掲注 8)586 頁，演習刑訴法 258 頁［佐藤］。

その不利益（刑罰）があまりに重大すぎますので，もっとも素直な考え方ではないでしょうか[11]。

教員：第３説の不正義比較説は，傾聴すべき論理だが，利益原則を採らないことによって生ずる「罪を犯していない者を有罪とする不正義」それ自体が許されない不正義である（２つの不正義を比較する必要はない）とすれば，結局のところ，第１説の刑罰重大不利益説で事足るのではないだろうか。

2　「法律上の推定」規定と利益原則

A君：「法律上の推定」規定（公害罪法５条や麻薬特例法14条など）は，検察官が「前提事実」を証明すれば，本来証明すべき「推定事実」の証明は不要となり，かえって，被告人において証明対象たる「推定事実」の不存在を証明できないときは，被告人の不利益に判断されることとなるので，挙証責任を転換する効果を有するのですよね。

Bさん：そうともいえないわ。「法律上の推定」規定を，検察官が「前提事実」の存在を証明したときは，被告人において「推定事実」の不存在を証明しない限り，裁判所は，「推定事実」の存在を認定しなければならないとの趣旨（義務的推定）に理解するとすれば，A君の言うように，推定規定は，実質的挙証責任を検察官から被告人に転換したものということになるけれども，最近では，これを「推定することができる」という趣旨に解釈し，挙証責任転換規定とはいえないとする見解が通説のようね。

教員：確かに，かつての通説は，「法律上の推定」規定を義務的推定と解することによって，本来の「挙証責任の転換」規定（たとえば刑230条の２など）と並んで，「法律上の推定」規定もまた，挙証責任の転換のための立法技術の１つと理解していたんだ[12]。しかし，そのように「法律上の推定」規定を挙証責任の転換と理解すると，被告人が罪を犯したからではなく，「推定事実」の不存在について立証の仕方が拙劣だったがゆえに処罰されることとなり，「疑わしきは被告人の不利益」（in dubio contra reum）となって，利益原則との抵触は避けられないこととなるよね。

11）　堀江・前掲注5）149頁。
12）　田中・証拠法80頁など。

A君：義務的推定（挙証責任転換）説は，もはや古い見解ということですか。でも，「法律上の推定」規定を義務的推定と解して挙証責任転換の趣旨と理解する立場にたったとしても，被告人は「推定事実」の不存在について「合理的な疑いを容れない程度の立証」までは必要でなく，「証拠の優越」程度の立証で足ると解すれば（証明度を下げることで），利益原則との抵触を避けることができるのではないでしょうか。

Bさん：A君の言うように証明の程度を「証拠の優越」に軽減したとしても，推定事実の不存在を「証拠の優越」程度に証明できないときは，被告人が罪を犯したからではなく，（証拠の優越程度の）立証に失敗したから処罰されることに変わりはないのだから，証明度を下げても，やはり利益原則との抵触は避けられないわ。

教員：そうだろうね。「前提事実」が証明された以上は，「推定事実」の不存在が証明されない限り（「推定事実」の存否が不明であっても），「推定事実」の存在を認定しなければならないと解する義務的推定（挙証責任転換）説による限り，いかに証明の程度を軽減してみたところで，Bさんの言うように，利益原則との抵触は避け難いし，さらに付け加えれば，「推定事実」の認定が義務的となることは自由心証主義の趣旨にも反するという問題点もあるんだ。そこで，近時の通説は，「前提事実」が証明されれば「推定事実」を認定してよいというに止まる（許容的推定）として，推定規定の効果を限定的に解釈しているんだ[13]（許容的推定説）。

Bさん：近時の通説である許容的推定説によれば挙証責任は転換されないのですから，いくら「前提事実」が証明されたとしても，「推定事実」についてノン・リケットの場合には，裁判所は「推定事実」の認定はできませんね。そうすると，検察官は，本来の証明対象である「推定事実」を合理的な疑いを容れない程度に証明しなければならないわけですね。そうだとすると，許容的推定説によるときは，経験則を用いた「事実上の推定」と径庭はないですよね。許容的推定説によるとすると，「法律上の推定」規定って，一体，何のために設けられているのでしょうか。

教員：まことにもっともな疑問だね。許容的推定説の論者は，「法律上の

13）　平野 184 頁，田宮 308 頁，三井Ⅲ 69 頁，光藤Ⅱ 121 頁，田口 377 頁，上口 428 頁など。

推定」規定の存在意義について，「検察官にとっては困難で被告人にとっては容易であるのに，『推定事実』の存在を疑わせる程度の証拠の提出さえ被告人がしないこと」（以下「証拠の不提出」という）という態度を情況証拠とすることを許容することにあると解しているんだ。

A君：それって，民事訴訟法でいう「弁論の全趣旨」（民訴 247 条）[14]を刑事訴訟でも使うということですね。刑事訴訟では弁論の全趣旨は使えないって習いましたが，刑事訴訟でも弁論の全趣旨を用いてよいのですか。

Bさん：刑事訴訟では，弁論の全趣旨を，証拠の証明力や証拠能力の判断のために斟酌することは差し支えないとされているけれども，それを別にすれば，317 条が「事実の認定は証拠による」と定める以上（弁論の全趣旨は「証拠」ではない），犯罪事実認定の証拠として用いることは許されないのですよね[15]（札幌高函館支判昭和 29・3・16 高刑判特 32 号 95 頁）。しかし，このような推定規定が存在することによって，317 条の例外として，証拠の不提出という態度（弁論の全趣旨）を犯罪事実の認定のために考慮してよいということになるわけですね。

教員：そうだね。もしこのような推定規定がないときは，前提事実が認定できたとしても，それだけでは推定事実の存在を合理的な疑いを容れない程度に証明できない場合であっても，このような推定規定が存在することによって，「推定事実」の存在を疑わせる程度の証拠の提出さえ被告人がしないこと（証拠の不提出）の態度を情況証拠とすることは許されることになるというわけだ[16]。詰まるところ，許容的推定説によると，証明された「前提事実」＋上記の意味での「証拠の不提出」の態度（情況証拠）によって，「推定事実」につき合理的な疑いを容れない程度の心証に達すれば，「推定事

14） 大判昭和 3・10・20 民集 7 巻 815 頁。

15） 条解刑訴法 819 頁，出田孝一「自由な証明と厳格な証明 —— 裁判の立場から」新刑事手続Ⅲ 13 頁，リークエ 352 頁〔堀江〕，石井一正『刑事事実認定入門〔第 3 版〕』（判例タイムズ社，2015 年）46 頁など。なお，最大判昭和 25・6・21 刑集 4 巻 6 号 1045 頁は，被告人の責任能力を肯定するにあたり，他の証拠に加えて，「弁論の全趣旨」を挙げるが，そこにいう「弁論の全趣旨」の意味するところは定かではないものの，聊か不用意な説示というべきである（田中・証拠法 34 頁）。

16） 平野龍一『裁判と上訴〔刑事法研究第 5 巻〕』（有斐閣，1982 年）74 頁，平野 184 頁，鈴木・基本問題 191 頁，井上正仁「麻薬新法と推定規定」研修 523 号（1992 年）22 頁，川出敏裕「挙証責任と推定」争点〔第 3 版〕160 頁，リークエ 470 頁〔堀江〕。

実」を認定することができるし，「証拠の不提出」の態度を情況証拠として用いてもなお「推定事実」の存在について合理的な疑いを容れない程度の心証に達しない場合には，推定事実の認定はできないこととなるだろう。

A君：このような「法律上の推定」規定を設ける立法が許されるのは，先ほど先生が言われたように「証拠の提出が検察官にとっては困難であるのに対して，被告人にとっては容易である」ことや，「前提事実に推定事実を推認する力がある」ことが前提となるわけですね。

教員：そうだね。「法律上の推定」規定が上記のように刑事裁判では本来は許されない「証拠の不提出」という態度を（信用性判断において斟酌するのではなく）１つの情況証拠として用いることを許す以上は，そのことに合理性が必要だろうね。合理性の基準として，①検察官にとって推定事実の立証が困難であるため，推定規定を設ける必要性があること（必要性基準），②前提事実の存在から推定事実の存在を推認することに合理性があること（合理的関連性基準。その程度は，“more likely than not”で足る），③被告人において推認を破る証拠や推定事実の不存在を示す証拠を提出することが容易であること（便宜性基準[17)]）が充たされることが必要とされているんだ[18)]。

Bさん：これらの基準の関係については，「法律上の推定」の構造が，「検察官にとっては困難であるが被告人にとっては容易であるのに，推定事実の存在を疑わせる程度の証拠の提出さえ被告人がしないことを情況証拠とし，前提事実とあわせて推定事実を認定してよい」とするもので，例外的な規定である以上は，①～③のすべてを充たすことが必要とされているようです[19)]。

3　「挙証責任の転換」規定と利益原則

A君：名誉毀損罪における真実性の証明（刑230条の２）や同時傷害の特例（刑207条）などは，「挙証責任の転換」規定と解されていますが，「法律

17）　convinience の訳語であるが，「あることが簡単にできるという利便（便宜）性」を意味する言葉であり，便宜性基準と訳すよりも，容易性基準と訳した方が分かりやすい。

18）　三井Ⅲ68頁。

19）　川出・前掲注16)160頁，鈴木・基本問題192頁。

上の推定」規定は，許容的推定と解釈することにより挙証責任の転換ではないと解して，利益原則との抵触を回避できたのですが，「挙証責任の転換」規定については，被告人が当該事実を証明できなかったときは，裁判所は当該事実があったとはいえないと認定することを義務付けられることとなり，そうすると，罪を犯したからではなく立証の仕方がまずかったがゆえに処罰されることとなって，利益原則との抵触を避けることは難しいのではないでしょうか。

教員：確かに，「挙証責任の転換」規定が利益原則に反することは否めないね。しかし，利益原則は，およそ例外の認められない原則なのかどうか考えてみる必要がありそうだね。

Bさん：合理的な理由がある場合には，利益原則の例外として，挙証責任の転換も許される（憲法 31 条に違反しない）とするのが通説のようですね[20)]。

教員：そうだね。もし，利益原則の実質的根拠を第 2 説（証拠収集能力不均衡是正説）によるとすれば，証拠収集の面で検察官が有利な立場にないような場合には，被告人に挙証責任を負わせることは許されてよいことになるだろう[21)]。これに対して，利益原則の実質的根拠論の第 3 説（不正義比較論）は，「無辜を有罪とする不正義」（いわば冤罪の不正義）が「真犯人を無罪とする不正義」（真犯人を処罰できない不正義）よりはるかに大きいことを理由とするので，いかなる場合においても，前者（冤罪の不正義）が後者（真犯人を処罰できない不正義）より小さいということはあり得ないだろうから，利益原則の例外，つまり「挙証責任の転換」は認められないことになるだろう[22)]。

Bさん：第 1 説（刑罰重大不利益説）も，刑罰が重大な不利益でないケースは考えがたいので，おそらく例外は認められないでしょうね。

教員：そうなるだろうね。ところで，通説は，利益原則の例外として「挙証責任の転換」を認める基準について，(a)検察官にとって立証が困難なため，挙証責任転換の必要性が高いこと（必要性基準），(b)検察官立証事実から挙証責任転換事実への推認が合理性を有すること（合理的関連性基準），(c)被告人

20）　松尾(下)24 頁，田宮 307 頁，三井Ⅲ 77 頁，田口 375 頁など。

21）　演習刑訴法 259 頁［佐藤］，川出・前掲注 4)32 頁参照。

22）　演習刑訴法 259 頁［佐藤］，川出・前掲注 4)32 頁参照。

において挙証責任を負担する事実の証明に支障が大きくない（便宜・容易である）こと（便宜性基準）に加えて，更に，(d)被告人が挙証責任を負担する事実を除いても，犯罪としての可罰性が否定されないこと（包摂基準）を総合的に判断するというのだが[23]，第 2 説の証拠収集能力不均衡是正説からしか説明できないのではないだろうか。

A君：通説が，犯罪の成立要件について挙証責任の転換を肯定する[24]のに対して，酒巻教授は，「刑事責任を基礎付ける事実」について「挙証責任を直接被告人側に転換している法規については，合憲性の説明が困難である」[25]とされて，このような挙証責任の転換規定は違憲（31 条違反）としていますね。

教員：酒巻教授は，刑事責任を基礎付ける事実つまり犯罪の成立要件については，いかなる理由があろうとも，利益原則（憲 31 条）の例外は一切認められない，という厳格な考え方をされているようだ。私も，酒巻教授のいわれるように，例外を認めることに通説のいう合理的な理由がある場合であっても，挙証責任の転換を認めると，被告人が犯罪を犯したから処罰されるのではなくて，被告人の立証の仕方がまずかったから処罰されることになってしまうのであって，利益原則に対する例外として合理的とは到底いえないと思う。

Bさん：川出教授は，通説の掲げる 4 つの基準のうち(d)に関して，挙証責任の転換が利益原則に抵触しないとすれば，それは，被告人が挙証責任を負担する部分（例えば，名誉毀損における摘示事実の真実性）について真偽不明のため逆の事実（摘示事実は虚偽であるとの事実）を認定されても不利益でない場合，換言すれば，「挙証責任が転換されている部分（摘示事実の真実性）が，㋐行為の可罰性とは無関係であるか，あるいは，仮にそれに関係するに

23)　松尾(下)24 頁，三井Ⅲ 77 頁。田宮 307 頁は，(b)(c)(d)の 1 つまたは複数があるかどうかを基準とする。

24)　上掲の田宮教授，三井教授のほか，光藤Ⅱ 121 頁，田口 375 頁，上口 426 頁など。

25)　酒巻 493 頁。酒巻教授は，同時傷害の特例（刑 207 条）については，合憲性の説明は困難とする。これに対して，名誉毀損罪における真実性の証明（刑 230 条の 2）については，「犯罪自体の実体的成否とは無関係であり，処罰阻却事由を定めたもの」として，合憲とする。平野 190 頁注(五)も，同時傷害の特例について，「憲法上疑問がある」とし，真実性の証明については，「事実が真実であっても犯罪が成立し，ただ刑を科しないだけだと考えたとき，はじめて肯定し得る」とする。

しても，㋑その可罰性が，それを除いた部分と法的評価において差異がない」場合に限られるとされていますね（㋐㋑および傍点は筆者による）。㋐は，酒巻教授が，「行為の可罰性とは無関係な部分について挙証責任が転換されている」[26]（傍点は筆者による）ときは（名誉毀損罪における真実性の証明），利益原則に反しないとされるのと同じ趣旨ですね。

A君：㋑については，現行法における挙証責任の転換規定の中にこれに当たるものはあるのですかね。そもそも，㋑のようなケースにおいて，立法者が挙証責任を転換する規定を設ける実益はないですよね。

Bさん：そうよね。通説は，(d)の包摂基準について，挙証責任転換事実を除外しても犯罪として可罰性が否定されないことだけを求めるのだけど，川出教授は，単に可罰性が否定されないというだけでは利益原則に抵触するとして，行為の可罰性に無関係又は可罰性に差異がないことを要求すべきだといわれるよね。

A君：そうでないと，どんなに(b)の合理的関連性基準や(c)の便宜性基準を充たしたとしても，「事実が真偽不明の状態で被告人に刑罰を科す」こととなるのであって，「利益原則に例外を認めることへの根本的な疑問は解消されない」から，「刑事責任を基礎付ける事実について，端的な挙証責任の転換を承認することは困難である」ということですね[27]。

教員：挙証責任転換肯定説（通説）の挙げる 4 つの基準のうち，(a)から(c)は，それらだけで利益原則の例外を合理化することはできず，例外基準の核心は，(d)の包摂基準ということになるだろう。確かに，利益原則を厳格に適用すれば，川出教授の言われるように，(d)の包摂基準は，挙証責任転換事実を除いても（被告人が立証に成功した場合でも）可罰性が否定されない（その場合には，被告人が立証に失敗したがゆえに処罰されることにはならない）というだけでは足りず，立証に失敗した場合の可罰性との間に実質的差異（アンバランス）がないことが求められることになるだろう。

A君：川出教授も，理論的には「挙証責任の転換」規定を否定するわけではないけれども，実際には，酒巻教授と同じく，「推定規定はともかく，端的な挙証責任の転換を理論的に正当化することは困難である」[28]ということ

26） 酒巻 494 頁。

27） 以上につき，川出・前掲注 16)161 頁。

ですね。

教員：そうだね。通説が，合理的な理由があるときは，犯罪の成立要件について利益原則（憲31条）の例外を認めるのに対して，酒巻教授の見解はもちろん，川出教授の見解も，詰まるところ，利益原則に反するような「挙証責任の転換」はこれを認めず，利益原則について例外を許さないということだね。

Bさん：「挙証責任の転換」について，例外的にこれを認める通説は，挙証責任の転換による被告人の負担を軽減するため，その証明度を軽減して，証拠の優越（preponderance of evidence）[29]で足るとするのが一般[30]ですよね。

A君：いわゆる“more likely than not”（ないよりはある可能性の方が高い。50パーセントを超える）程度の証明度で足るということだね。

Bさん：最決昭和51・3・23刑集30巻2号229頁（丸正名誉毀損事件）は，名誉毀損罪の真実性の証明について，「合理的な疑いを容れることのできない証拠はもとより，証拠の優越の程度の証拠すら存在しないものと判断せざるをえない」と判示しており，どうもはっきりしないですね[31]。

教員：そうだね。証明の程度をどんなに緩和してみても，利益原則に反することは避けがたいのだけれども，通説は，利益原則に反することを先刻承知の上で，利益原則の例外を認め，証明度を緩和することで帳尻を合わせようとしているわけだ。

A君：ところで，「挙証責任の転換」規定の代表例である名誉毀損罪の真実性の証明（刑230の2）に関しては，どうなのでしょうか。

---

28)　川出・前掲注16)161頁。

29)　「証拠の優越」が，米国における民事裁判の一般的証明度であることについて，伊藤眞「証明，証明度および証明責任」法教254号（2001年）36頁参照。なお，米国では，証明水準に8段階があることにつき，松尾(下)25頁参照。

30)　平野187頁，平野・概説153頁，田宮307頁，鈴木200頁，田口375頁，堀江・前掲注5)150頁など。細谷泰暢調査官は，同時傷害（207条）が問題となった最決平成28・3・24刑集70巻3号1頁について，「本決定は，……被告人にも，暴行と傷害との因果関係の不存在について，検察官と同程度の合理的な疑いを超える証明の責任を負わせたものと解することも可能である。ただ，本決定が，検察官については『証明』としつつ，ここでは『立証』と文言を異にしていることからすれば，被告人側が負う立証の程度については，検察官と同程度のものまでは求めないとの解釈の余地を残して，今後の検討に委ねたものとみることもできるように思われる」として，含みを残す（最判解刑事篇平成28年度22頁）。

31)　名古屋地判平成30・11・26 LLI/DB L07351009は，207条につき，証拠の優越で足るとする（法教467号〔2019年〕132頁に宇藤崇教授の評釈がある）。

Bさん：挙証責任転換否定説であれ，肯定説であれ，真実性の証明について処罰阻却事由説[32]を採れば，利益原則は無関係ではないでしょうか[33]。(d)の包摂基準についてみると，摘示事実の真実性が処罰阻却事由だと解すれば，被告人が真実性の立証に成功しようと失敗しようと，いずれにせよ犯罪が成立することには変わりはない，つまり犯罪の成否という意味での可罰性には実質的な差異はないので，真偽不明の場合にも犯罪の成立という点では被告人に不利益はなく，挙証責任の転換を正当化することができそうですね[34]。

教員：いや，処罰阻却事由についても利益原則は働くと解されている[35]ので，処罰阻却事由説を採るというだけでは利益原則との抵触は避けられないのではないかな[36]。つまり，処罰阻却事由の存否について真偽不明のままに刑罰を科されるという点では，疑わしいのに被告人の不利益に認定され，利益原則に抵触することになるのではないだろうか[37]。

4　設問の解決

Bさん：設問の「法律上の推定」規定は，「前提事実」が存在するときは，「推定事実」が存在しないよりは存在する蓋然性の方が大きい（more likely than not）と認められますし（合理的関連性基準），被告人にとっては反証が容易であるといえます（便宜性基準）。しかし，このような推定規定を設けなくても職務関連性の立証は可能であり，刑事における推定の例外性を考慮すると，設問の推定規定を設けるべきではありません[38]。

教員：仮に設問の立法がなされた場合，その推定は許容的推定であり，職

32）　山口厚『刑法各論〔第2版〕』（有斐閣，2010年）147頁など。

33）　酒巻493頁は，推定規定とは異なり，挙証責任の転換規定については，利益原則の例外を認めず，「挙証責任の転換」規定を違憲とするものであるが，前掲注25）記載のとおり，真実性の証明を「犯罪自体の実体的成否とは無関係であり，処罰阻却事由を定めたもの」として，合憲とする。

34）　平野龍一『刑法概説』（東京大学出版会，1977年）198頁。

35）　堀江・前掲注5）150頁。

36）　佐伯仁志「名誉・プライヴァシーの侵害と刑事法上の問題点」ジュリ959号（1990年）47頁。

37）　山口・前掲注32）147頁は，挙証責任の転換を「辛うじて承認しうる」とし，内田文昭『刑法各論〔第3版〕』（青林書院，1996年）218頁は違法性阻却説よりは「まし」という。

務関連性について検察官が合理的な疑いを容れない程度に証明しなければならないことは，いうまでもありませんね。

〈参考文献〉

①平野龍一『裁判と上訴（刑事法研究第5巻）』（有斐閣，1982年）56頁
②三井誠「挙証責任と推定⑴⑵⑶〔刑事手続法入門⑼⓪⑼①⑼②〕」法教216号82頁，217号105頁，218号127頁（1998年）
③井上正仁「麻薬新法と推定規定」研修523号（1992年）13頁
④川出敏裕「挙証責任と推定」争点〔第3版〕158頁
⑤堀江慎司「挙証責任と推定」新・争点148頁

38）　鈴木茂嗣「刑法と刑事訴訟法の調和」平場安治ほか編『刑法改正の研究⑵』（東京大学出版会，1973年）81頁参照。

19 類似事実証拠排除法則

【設　問】

被告人は，高級輸入ドイツ車ベンツに対する器物損壊罪（合計10件）で起訴され，うち4件（1件は犯行直後に現行犯逮捕されたもの，3件は，被告人の指紋が当該車両に付着していた，あるいは防犯ビデオに被告人の犯行状況が撮影されていたもの）については，事実を認めたが，残りの6件については，犯人性を争った。公訴事実記載の犯罪事実は，自認した4件を含め，いずれも，令和2年7月下旬から8月中旬にかけて，午後9時ころから午後10時ころまでの間に鎌倉市内の海岸沿いの複数の高級マンションの駐車場に駐車中のベンツの右または左の後輪タイヤを千枚通し様の刃物を数回刺してパンクさせ，ボンネットをナイフ様の刃物で「Z」状に傷つけるというものであった（被告人の自認する4件については，2件は7月下旬，他の2件は8月上旬に，いずれも，千枚通しで右または左の後輪タイヤを数回刺してパンクさせ，ボンネットをバタフライナイフで「Z」状に傷つけたものである）。

裁判所は，被告人の自認する4件の犯罪事実を，他の6件の器物損壊について被告人と犯人の同一性の推認に用いることができるか。

〔ポイント〕

① 前科証拠・類似事実証拠による犯人性の立証

② 例外的に許容される3つの場合

③ 主観的要素の推認

〔判　例〕

▷最決昭和41・11・22刑集20巻9号1035頁（ケースブック512頁，三井教材440頁，百選〔第8版〕134頁・〔第9版〕140頁）

▷最判平成24・9・7刑集66巻9号907頁（葛飾うっぷん晴らし放火事件。ケースブック490頁，三井教材432頁）

▷最決平成25・2・20刑集67巻2号1頁（岡山色情盗事件。ケースブック510頁，三井教材435頁）

▷大阪高判平成17・6・28判タ1192号186頁（和歌山毒カレー控訴審判決。三井教材439頁）

▷東京高判平成20・12・16判タ1303号57頁

解　説

1　前科証拠・類似事実証拠による犯人性の立証

A君：前科証拠などを犯人性の立証に用いることができるかどうかについて，これまで学説は盛んに議論し，下級審裁判例もいくつかあるものの，適切な最高裁判例がなかったところ，最近相次いで2つの最高裁判例（最判平成24・9・7刑集66巻9号907頁，最決平成25・2・20刑集67巻2号1頁）が出され注目されていますね。

Bさん：知っているわ。平成24年判決は，前科証拠によって犯罪事実（犯人性を含む）を認定する場合の一般論として，「前科証拠は，単に証拠としての価値があるかどうか，言い換えれば自然的関連性があるかどうかのみによって証拠能力の有無が決せられるものではなく，前科証拠によって証明しようとする事実について，実証的根拠の乏しい人格評価によって誤った事実認定に至るおそれがないと認められるときに初めて証拠とすることが許されると解するべきである」とし，さらに，前科証拠を犯人性の認定の証拠として用いる場合は，「前科に係る犯罪事実が顕著な特徴を有し，かつ，それが起訴に係る犯罪事実と相当程度類似することから，それ自体で両者の犯人が同一であることを合理的に推認させるようなものであって，初めて証拠として採用できるものというべきである」とする画期的な判断を示したのよね。

A君：平成24年判決は，前科証拠を被告人と犯人の同一性の証拠に用いる場合の証拠能力に関しての説示だけど，平成25年決定の方は，前科以外の被告人の他の類似犯罪事実の証拠（類似事実証拠）を被告人と犯人の同一性の証明に用いる場合にも，平成24年判決の示した法理があてはまるとしたんだよね。

Bさん：そうね。だけど，平成25年決定は，それだけじゃないわ。「前科に係る犯罪事実や被告人の他の犯罪事実を被告人と犯人の同一性の間接事実とすることは，これらの犯罪事実が顕著な特徴を有し，かつ，その特徴が証明対象の犯罪事実と相当程度類似していない限りは，被告人に対してこれらの犯罪事実と同種の犯罪を行う犯罪性向があるという実証的根拠に乏しい人格評価を加え，これをもとに犯人が被告人であるという合理性に乏しい推論をすることに等しく，許されないというべきである」と説示しているわ。

教員：そうだね。平成25年決定は，前科証拠や類似事実証拠について，その証拠能力が制限されるのみならず，前科事実や類似事実（適法に取り調べられた証拠によって認定されたもの）を犯人性の「間接事実」として用いる場合についても，同様の法理が当てはまるといっているんだ。

A君：刑訴法には，明示的に定めた規定はありませんが，通説は，これまで，英米法の影響のもと，悪性格を証明するための証拠（「性格証拠」Character evidence）や，同種前科証拠などの類似事実を証明するための証拠（「類似事実証拠」Similar fact evidence。同種前科，起訴されていない同種余罪，同種の非行歴に関する証拠）は，情状証拠としては許容されるとしても（最大判昭和41・7・13刑集20巻6号609頁），犯罪事実の立証のために用いるときは，原則として法律的関連性（事案によっては自然的関連性）がないとしていました1)。

教員：悪性格や同種の前科事実は，今日でも，捜査段階では犯人の割り出しのために活用されているよね（いわゆるプロファイリング）。捜査では使っていいのに，公判手続では，なぜ証拠として許容されないのだろうか。

Bさん：性格証拠に関しては，性格証拠から特定の性格（粗暴癖，盗癖などの性向〔Tendency〕を含む）を推認する力は必ずしも強くはないだけでなく，そのような特定の性格があるからといって，その者が当該特定の犯罪を行ったことを推認する力は決して強いものではないのに（被告人に盗癖があるからといって，当該窃盗の犯人が被告人であるとはいえない），「悪性格」の持つ弱い推認力を正しく判断することなく，その推認力を過大評価することによって，誤った事実認定をするおそれがあるからです。つまり，「悪性格」

1） 鈴木193頁，田口391頁など。

（犯罪性向）の持つ推認力に比べて，事実認定を誤らせる危険の方がはるかに大きいために，このような証拠を排除する政策を採っておいた方が賢明だと考えられたからでしょう（法律的関連性の問題）。

A君：類似事実証拠についても，類似事実証拠によって認定される類似事実（例えば同種前科）から，被告人にはそのような犯罪を行う「悪性格」（犯罪性向）があることを推認し，被告人がそのような「悪性格」（犯罪性向）を有しているということから，被告人が起訴に係る犯罪事実を行ったことを推認するという「二重の推認過程」を経るわけですが，この二重の推認過程は，どちらも「不確実な推認」にすぎないのに，事実認定者に不当な影響力を与えるおそれがあるから排除されるのです2)。

教員：類似事実証拠を用いた犯罪事実の認定も，つまるところ，「悪性格」（犯罪性向）を介した推認であり，第 2 の推認は「悪性格」（犯罪性向）から犯罪事実を推認する過程であって，結局は悪性格証拠による認定の問題に還元されるわけだ。このように，類似事実証拠による立証は，介在事実たる「悪性格」（犯罪性向）を性格証拠によってではなく，類似事実（前科，余罪，非行など）証拠により立証する場合であって，性格証拠による立証の亜型といえるだろう。

A君：前科証拠や類似事実証拠の証拠能力の制限は，英米法で発達してきたと聞いていますが，米国ではどうなのでしょうか。

教員：米国でも，性格証拠は，当該者が特定の機会にその性格に従って行動したことを証明するためには許容されないし（連邦証拠規則 404 条(a)），類似事実証拠は，当該者の性格を証明することによって当該者がその性格に従った行動をしたことを証明するためには許容されない（同 404 条(b)），とされているんだ。その理由としていわれているのは，①不当偏見の危険（undue prejudice　本来十分な推認力がないのに被告人を犯人だと推認させる危険）のほかに，②不公正な不意打ちの危険（unfair surprise　これが許容されると被告人は過去のあらゆる非行を防御せねばならぬ），③争点混乱の危険（confusion of issues　性格や類似事実の有無に争点が拡散する）だ（これら 3 点は法律的関連性がないとして排除される場合の一般的な理由付けである。連邦証拠規則

2）　秋吉淳一郎・百選〔第 8 版〕134 頁。

403 条参照)。性格証拠や類似事実証拠については，①の点が中核的な理由だろう。

A君：平成 24 年判決が，この種の証拠の弊害として，「事実認定を誤らせるおそれ」と「争点が拡散するおそれ」を挙げているのも，同様の考え方によるのでしょうね。

Bさん：前科証拠や類似事実証拠による犯人性立証の問題点は，推認過程が１つでなく，「二重」だという点にあるのですか。

教員：いや，そうではないだろう。推認過程が二重であれ三重であれ，それぞれの推認がいずれも「確実な（強い）推認」であれば，証拠を排除する必要はないからね。「悪性格（間接事実）から犯罪事実（主要事実）の推認」（第２の推認過程）は，既に検討したように，「不確実な（弱い）推認」だよね。類似事実証拠による「悪性格」（犯罪性向）の推認（第１の推認過程）も，一般的には「不確かな（弱い）推認」だといわれているよね。だから，推認過程が二重であることが問題なんじゃなくて，不確かな（弱い）推認が二重になされていることが問題なんだ[3)]。

A君：平成 24 年判決も平成 25 年決定も，第１の推認過程について，「実証的根拠の乏しい人格評価につながりやす〔い〕」「同種の犯罪を行う犯罪性向があるという実証的根拠に乏しい人格評価を加え〔る〕」と説示していますが，「実証的根拠」のある「人格評価」であれば，第１の推認過程は確かな推認といえるのでしょうか。

教員：それはそうなんだろう。例えば，後に検討する「強固な犯罪傾向」について実証的根拠が存する場合もあり得ないわけではないだろう。

Bさん：第１の推認については格別，第２の推認については，「不確かな（弱い）推認」であることは異論がないでしょうね[4)]。

教員：第２の推認が不確かであることには，強固な犯罪傾向のケースを除いては，異論はないだろう。もとより，第１の推認が不確かである以上，第２の推認は，それを前提にするものだから，不確かなものだともいえるだろう。

3） 岩﨑邦生・最判解刑事篇平成 24 年度 330 頁も，「この推認に誤った事実認定に至るおそれがあるのは，第１及び第２の推認がいずれも相当に不確かなものだからである」という。

4） 岩﨑・前掲注 3)330 頁。

2　例外的に許容される３つの場合

Ａ君：平成24年判決以前の学説では，前科証拠や類似事実証拠は，犯罪事実を立証する証拠としては原則として許容性を欠くけれども，例外的に許容される場合があり，推認力が高いことから悪性格（犯罪性向）を介することなく同種前科・類似事実から直接に犯罪事実を推認できる場合などには，許容してよいとする見解が多かったように思うのですが……。

教員：平成24年判決も，「前科証拠は，単に証拠としての価値があるかどうか，言い換えれば自然的関連性があるかどうかのみによって証拠能力の有無が決せられるものではなく，前科証拠によって証明しようとする事実について，実証的根拠の乏しい人格評価によって誤った事実認定に至るおそれがないと認められるときに初めて証拠とすることが許されると解するべきである」（傍点は筆者による）としているから，証拠としての許容性を欠くのが原則であって，「実証的根拠の乏しい人格評価によって誤った事実認定に至るおそれがない」とき，言い換えると，「不確かな（弱い）推認」の過程を経ない場合には，例外的に証拠能力を認めるということだろう。

Ａ君：それは，実証的根拠の乏しい人格評価である「犯罪性向」（学説のいう「悪性格」）を介さない推認（換言すれば，「犯罪性向」を介した二重の推認ではなく，直接の推認）の場合には，例外として証拠能力を肯定できるということを意味しているのでしょうね[5)]。

Ｂさん：例外として，前科証拠・類似事実証拠の証拠能力が認められる場合として，学説は，これまで，①前科や常習性が構成要件の一部となっている場合，②故意，目的，動機，知情など犯罪の主観的要素を証明する場合，③前科の存在やその内容が公訴事実と密接不可分に関連している場合，④特殊な手口による同種前科の存在により犯人と被告人との同一性を証明する場合を挙げていましたよね[6)]。

教員：そうだね。平成24年判決は，例外的に証拠能力を認めることがで

5）　なお，実証的根拠を有する人格評価（犯罪性向）であれば，許されるかどうかについての議論は前頁のとおり。

6）　秋吉・前掲注2)135頁参照。

きる場合として説示した「実証的根拠の乏しい人格評価によって誤った事実認定に至るおそれがないと認められるとき」という一般論を,「本件のように,前科証拠を被告人と犯人の同一性の証明に用いる場合について」具体化し,「(a)前科に係る犯罪事実が顕著な特徴を有し,かつ,(b)それが起訴に係る犯罪事実と相当程度類似することから,(c)それ自体で両者の犯人が同一であることを合理的に推認させるようなもの」であるときに初めて証拠として採用できるとしたものだ(「顕著な特徴・相当程度類似」の例外)。先に挙げた一般論は,前科証拠を犯人性の立証に用いる場合に限られるものではないが,本件で問題となった犯人性の立証に用いる場合について,「実証的根拠の乏しい人格評価によって誤った事実認定に至るおそれがない」ための要件として(c)を示したわけだ。学生諸君は,(a)と(b)の文言のインパクトが強くて,記憶に残り易いようだが,要件事実は,あくまで(c)だね。

A君:平成25年決定も,類似事実証拠について,また,前科事実や類似事実を犯人性の間接事実とする場合について,同様の例外を認めていますね。

Bさん:このような(a)顕著な特徴,(b)相当程度類似の場合には,「それが別人によっても行われるということは経験則上考えにくいため,……その特徴が高度に類似していれば,それらは同一人によるものだと推認できる」[7]ので,「犯罪性向という実証的根拠に乏しい人格評価」を介在させる必要がなく,(c)そのこと自体(顕著な特徴が相当程度類似すること自体,すなわち「人格評価」を介さない)で合理的に推認させるものであって(二重の推認ではなく,直接の推認),誤った事実認定に至るおそれがないわけですね。

教員:そうだね。ところで,平成24年判決のいう一般論としての「実証的根拠の乏しい人格評価によって誤った事実認定に至るおそれがない」場合(換言すれば,「不確かな(弱い)推認」の過程を経ない場合)としては,前科証拠を犯人性の立証に用いる場合に限ってみると,「顕著な特徴・相当程度類似」の例外が典型だろうが,他には例外は考えられないだろうか。

Bさん:「人格評価」を介する二重の推認過程を経るけれども,2つの推認過程がいずれも「確かな推認」の場合は,「実証的根拠の乏しい人格評価によって誤った事実認定に至るおそれがない」場合に当たるのでしょうね。

---

7) 堀江慎司・平成25年度重判解(ジュリ1466号)195頁。

A君：先ほど第1の推認過程で議論した「強固な犯罪傾向」ケースですね。川出教授は，第2の推認過程に関して，「被告人の犯罪性向が，単なる悪性格という程度を超えて，特定の状況下においては，いわば自然反応的に一定の行為を行うほどに習慣化している場合」（「強固な犯罪傾向」）には，「そうした状況下で被告人が犯行を行ったという推認はより確実性の高いものであるといえるから，同種前科を立証に供することも許される」とされるのがそうですね[8)]。第2の推認には，「強固な犯罪傾向を有する者は，当該犯罪を行う可能性が高いという経験則を用いる」[9)]わけです。

教員：そうだね。「顕著な特徴・相当程度類似」の例外は「犯罪性向」を介しない直接の推認（前科事実・類似事実→犯人性）だけれども，この場合は，「犯罪性向」を介しても（前科事実・類似事実→強固な犯罪傾向→犯人の同一性），第1の推認も第2の推認もいずれも確実な推認（弊害を凌駕する推認力）であるなら，事実認定を誤らせるおそれはないわけだから，これも例外として考えられるだろう（「強固な犯罪傾向」の例外）。これについては，米国で，Habit evidence（習慣証拠）[10)]といって許容しているのと同じ理屈だろう。

Bさん：24年判決も，当てはめにおいて，原審が認めた「行動傾向が……他に選択の余地がないほどに強固に習慣化」していたこと，すなわち「強固な犯罪傾向」を有していたとは認められない旨判示していますが，もし「顕著な特徴・相当程度類似」の例外しか認められないのなら，当てはめにおいては，「顕著な特徴」「相当程度類似」を否定すれば，それで足りたはずですよね。

A君：そうだろうか。平成24年判決は，「顕著な特徴」「相当程度類似」からそのこと自体で犯人性を「合理的に推認」できる場合に，「初めて証拠として使用できる」と説示しているよね。これは「強固な犯罪傾向」の例外を認めない趣旨なのではないかな。第1の推認（前科事実・類似事実→強固な犯罪傾向）も，第2の推認（強固な犯罪傾向→犯人の同一性）もいずれもそれが確実である場合は，観念的にはあり得ても，「現在の科学水準では容易には想定し難い」[11)]ことから，平成24年判決は，「初めて」の文言を用いるこ

8）　川出敏裕「演習」法教386号（2012年）163頁。
9）　成瀬剛「類似事実による立証」新・争点155頁。
10）　連邦証拠規則（Federal rules of evidence）406条(a)項。

とにより，「顕著な特徴・相当程度類似」の例外だけが許される旨を明らかにしたのではないでしょうか。

教員：調査官の理解によるならば，そういうことだろう。そして，そのような理解を前提にすれば，当該事案において「強固な犯罪傾向」を否定した判示箇所は，単に原審の判断を批判しただけということになるだろう。

Bさん：ところで，「顕著な特徴・相当程度類似」の例外と「強固な犯罪傾向」の例外のケースは，いずれも，前科事実・類似事実だけから両者の犯人の同一性を推認する場合についての議論ですが，前科事実・類似事実による犯人の同一性の推認力を高める事情がこれとは別個に存在する場合について，学説は，第3の例外（「他事情付加」の例外）を認めていますよね。

教員：そうだね。前科事実・類似事実だけでは両者の犯人の同一性の推認力が強くない場合については，これら2つの例外のいずれにも当てはまらないわけだが，そうだとしても，前科事実・類似事実とは別の事情が付加されれば推認力が高まるという場合はあり得るので，そのような推認力を高める事情が付加された場合は，「〔付加された事情により高められた〕推認力と弊害の程度を比較衡量」して，前科事実・類似事実による立証が許される場合もあり得るだろう[12]。

A君：堀江教授が，「別の証拠によって犯人である可能性のある者の範囲がある程度絞られている場合や，被告人による類似事実と本件犯罪とが時間的または場所的に近接している場合などには，特徴の顕著性・類似性の基準をいくぶん緩和することも許されよう。そのような場合には，ある程度この基準を緩和しても，なお中間項を介在させない推認が可能だからである」とされるのも[13]（平成25年決定における金築誠志裁判官の補足意見も参照），同じ考え方ですか。

教員：両者の間には，「顕著な特徴・相当程度類似」の例外における特徴の顕著性・類似性の基準を緩和するかどうかの違いはあるものの，実質的には同様の結論に達するだろう（本講末尾のQ2参照）。

Bさん：静岡地判昭和40・4・22下刑集7巻4号623頁の事案では，訴

11） 岩﨑・前掲注3)336頁。
12） 成瀬・前掲注9)155頁。
13） リークエ362頁［堀江慎司］。

因第２事実が「顕著な特徴」とまでは言い難いので，「顕著な特徴・相当程度類似」の例外に当たるとはいえないけれども，時間的・場所的に近接していること（30 分，同じ列車の９号車と７号車），さらに，訴因第２の窃盗未遂事実で被告人らを現行犯逮捕した現場に訴因第１の窃盗の被害者の名刺が落ちていたことを付加すれば，第２事実から第１事実への推認力が高まるので，類似事実である訴因第２事実とその付加事実とにより第１事実（両者の犯人の同一性）を推認することができるという論理でしょうね。

Ａ君：「〔類似事実が〕顕著な特徴を有するとまではいえないとしても，被告人がある程度特徴のある類似犯罪を証明対象の犯罪事実と密接した時間・場所で行っているとすれば，二つの犯行が別人によって行われた可能性は経験則上小さくなるから，この類似事実から犯人性を推認することがおよそ不合理とまではいえない」[14]のであって，この例外もまた，「人格評価」を介在させない直接の推認ですね。

教員：そうだね。しかし，他事情付加の例外に関しては，他の事情を付加することによって，他に真犯人がいる可能性が著しく低く，合理的な推認が可能といえるためには，類似の犯罪が当該犯罪と時間的・場所的に接着して連続的に行われた場合（時間的場所的な接着性が高度）であるほか，犯罪の特徴も「顕著」とまではいえなくとも「相当程度特異」なものであって，両者が相当程度類似する場合に限られるというべきだろう。静岡地裁の事案は，両者の手口に相当程度の類似性は認められるけれども，集団によるスリの手口がさほど特異ともいえず，また，時間的場所的接着性もさほど高いとはいえないし，第１事件の名刺を所持していたのであれば格別，第２事件の付近に落ちていたというにすぎないので，第２事件（類似犯罪）を間接事実にすることは，第１事件の事実認定を誤らせるおそれがあり，平成 24 年，25 年の最高裁判例を前提にすれば，他に真犯人がいる可能性が極めて低いとまではいえないのではないだろうか。３つの例外についてみてきたわけだが，最高裁が明示的に言及しているのは，今のところ，第１の例外（「顕著な特徴・相当程度類似」の例外）だけなんだね。

14）　成瀬・前掲注 9)155 頁。

3　主観的要素の推認

教員：以上の議論は，前科事実・類似事実から被告人の犯人性を立証しようとする場合についてのものだが，犯人性の立証の場合のほかに，平成24年判決の一般論にいう「実証的根拠の乏しい人格評価によって誤った事実認定に至るおそれがないと認められるとき」に当たる場合があるだろうか。

A君：前科事実・類似事実による主観的要素の立証に関しては，最決昭和41・11・22刑集20巻9号1035頁が，「犯罪の客観的要素が他の証拠によって認められる本件事案の下において，被告人の詐欺の故意の如き犯罪の主観的要素を，被告人の同種前科の内容によって認定した原判決に所論の違法は認められない」と判示していますね。これは，前科証拠により主観的要素である故意を推認してよいとするものなのでしょうね。

教員：学生諸君の中には，この昭和41年決定を錦の御旗にして，例えば，過去に包丁を用いた殺人罪で有罪判決を受けた事実から，起訴事実のバタフライナイフによる殺人の訴因についても，客観的要素が他の証拠によって認められれば，被告人の同種前科によって殺人の故意を認定してよいという，安易な立論をする者がいるけれど……。

Bさん：えっ，それって，いけないのですか。

教員：ちょっと，冷静に考えてくれたまえ。犯行に至る経緯も，動機も，被害者も，犯行態様も，用いた凶器の種類も，犯行後の事情も何ら顧慮しないで，このような故意の推認ができるのだろうか。主観的要素だからというだけで，このような推認をするとすれば，それは，被告人は故意に包丁で人を殺すような「犯罪性向」の持ち主であること（悪性格）から，起訴事実も故意による犯行であると推認するにほかならないのであって，そうだとしたら，許されないことは，犯人性の立証の場合と何ら異なるところはないだろう[15]。川出教授もいわれるように，「犯罪の客観的要素が立証されているという前提で犯罪の主観的要素を対象とする場合であれば，無条件に同種前科等による立証が許されるというわけではない」[16]んだよ（傍点は筆者による）。

15)　リークエ363頁［堀江］。
16)　川出・前掲注8)163頁。

Bさん：この昭和 41 年決定も，「過去に似たような犯罪を故意に犯したことがあるから，今回も犯罪の意図〔故意〕を有していたのだろう」といった「抽象的な推論」(不確実な推論) を許すものではないのですね[17]。

教員：そのとおりだね。これまでの学説が主観的要素たる故意の立証の場合を例外としていたのは，例えば甲と乙が一緒に狩猟をしていて，甲の猟銃から発射された弾丸が乙の頭をかすめただけでは，故意に乙を狙ったのか，偶然の事故か (獣と誤認して発射あるいは暴発) は不明だけれども，その狩猟の中で，その後も 2 度，3 度と同じ事態が起これば，事故による射撃が 2 度 3 度も続いて起こるという偶然 (chance)・蓋然性はきわめて低いので，甲が乙を狙って発射した，つまり故意の存在を推認できるといったケースだったんだ (偶然行為の理論〔doctrine of chances〕。20 世紀初頭の英国で，結婚間もない G. J. スミスの妻 3 人が相次いで浴槽で溺死した「浴槽の花嫁」事件が有名)[18]。故意か偶然の事故かが問題となる場合に，類似事実を立証することにより後者 (偶然の事故) が否定され主観的要素たる故意を証明できるという推論は合理的だからね。

A君：昭和 41 年決定の事例は，そのような意味において故意か事故かが問題になった事例ではないので，偶然行為の理論によって，前科事実から故意を推認することはできないのですね (なお，綿引調査官は偶然行為の理論の適用と理解するようである[19])。それじゃあ，昭和 41 年決定は，いったい，どのように理解したらよいのでしょうか。

Bさん：この説示については，「同種前科は，被告人に違法性の意識 (またはその可能性) があり故意は阻却されえないと断定するのに意味を持っていた」[20] との理解 (違法性の意識説) が有力なようですね。

教員：そうだね。この事案における被告人の主張は，「被害者らに示した書面には，社会福祉のために本尊に祈念するので，その運動資金として寄付して欲しい旨記載があり，被告人は金員をそのための布施として受け取ったもので，詐欺の犯意がない」というものだが，これを違法性の意識の欠如の

---

17)　大谷直人「証拠の関連性」争点〔新版〕193 頁参照。

18)　高田卓爾「同種事実の証拠(1)」法学雑誌 10 巻 1 号 (1963 年) 5 頁。

19)　綿引紳郎・最判解刑事篇昭和 41 年度 214 頁。

20)　永井紀昭・百選〔第 3 版〕145 頁。大谷・前掲注 17) 193 頁，岩﨑・前掲注 3) 345 頁注 53，緑 287 頁も同旨。

主張と理解するとすれば，そうなるだろう[21)]。しかし，これを素直に理解すれば，詐欺（欺罔）行為の認識・認容がないとの主張ではないだろうか。そうだとすれば，被害者らが被告人の示す書面をよく読まず，社会福祉事業に対する寄付要請だと誤信して，被告人に寄付金を交付するであろうことを被告人が知っていたこと（欺罔の認識）を，被告人の前科事実（前科事実においても，被害者らが被告人の示す書面をよく読まず，社会福祉事業に対する寄付要請だと誤信して，被告人に寄付金を交付した）から推認することは，人格評価（悪性格）を介する推認ではなく，直接の確実な推認であるから許されるという趣旨にこの判例を理解すべきだろう（欺罔の認識説）[22)]。なお，この昭和41年決定が「犯罪の客観的要素が他の証拠によって認められる本件事案の下において」との限定を付しているのは，犯人性が争点の事件（この決定の事例はそうではない）においては，同種前科を主観的要素の立証に用いる場合でも，犯人性について偏見を生じさせるおそれがあることから，慎重な姿勢を示していると理解すべきではないだろうか。

A君：類似事実を主観的要素の立証に用いた比較的最近の裁判例としては，和歌山毒カレー事件の大阪高判平成17・6・28判タ1192号186頁がありますよね。

Bさん：被告人の行為であることを前提としない類似事実（砒素の混入した食物を飲食することにより死亡した事実）から，被告人が砒素の殺傷力について認識していたことを推認していますが，これは「犯罪性向」（悪性格）を介した推認ではなく，直接の合理的な推認だから，許されてよいということですね。

教員：そのとおりだろう。

4　設問の解決

A君：設問は，前科証拠や類似事実証拠の証拠能力の問題ではなく，併合審理されている類似の犯罪事実（被告人の自認する4件の器物損壊）が証拠の

21）　長沼範良＝園原敏彦「類似事実の立証」法教338号（2008年）78頁［園原発言］。

22）　佐藤隆之・平成18年度重判解（ジュリ1332号）195頁。川出・前掲注8)163頁，成瀬・前掲注9)155頁も同旨。

取調べによって，十分な心証が得られた場合に，当該類似犯罪事実を証明対象事実（被告人が犯人性を争う６件の器物損壊）の犯人性を証明するための間接事実として用いることが許されるかどうかを尋ねるものですね。

Bさん：そうね。平成25年決定によれば，その場合にも「顕著な特徴・相当程度の類似」の例外に当たるかどうかが問題となるよね。被告人が犯人であることが証明された４件は，高級マンションの駐車場に駐車中のベンツの後輪タイヤに千枚通しを刺してパンクさせ，ボンネットをナイフで「Z」状に傷つけるというものであり，類似事実が「顕著な特徴」を有し，かつ，それが，残りの６件の器物損壊の態様と「相当程度類似する」といってよいと思われますので，そのこと自体で両者の犯人が同一であることを合理的に推認させるようなものということができます。したがって，４件の器物損壊の犯罪事実を争いのある６件の器物損壊事件の犯人性の間接事実として用いることが許されるでしょう。

A君：そうだろうか。そもそも，類似事実が「顕著な特徴」を有するかどうかのメルクマールはどのあたりにあるのかな。「顕著」といってもバリエーションがあるよね。どの程度の「顕著な特徴」が必要なんだろう。

教員：A君の疑問はもっともだね。手口などが特殊なものであっても，事実認定者が「犯罪性向」（悪性格）を介した推認によって誤った事実認定に至る危険は常に存するから（設問の場合は，４件の犯罪事実から被告人にそのような犯罪性向があることを推認し，被告人がそのような性向を有していることから，残りの６件も被告人の犯行だと推認する危険），そのような危険を凌駕するだけの強い推認力が求められるのは当然だろう（米国連邦証拠規則）。そうすると，裸の「顕著な特徴」と「相当程度類似」ではなくて，そのような強い推認力を基礎づける「顕著な特徴」と「相当程度類似」が必要なわけだ[23]。

A君：そのような弊害を凌駕する強い推認力があるかどうかは，同様の態様の行為を行う者が他にも存在する可能性が著しく低いかどうかにかかっているわけですね[24]。前科事実などの類似事実が立証対象の犯罪よりも前に行われたものであるときは，第三者による模倣の可能性も考慮して判断すべ

23）　成瀬・前掲注 9)155 頁。

24）　岩﨑・前掲注 3)341 頁，川出・判例講座〔捜査・証拠篇〕282 頁，リークエ 362 頁〔堀江〕，斎藤 326 頁。

きです（逆の場合には，模倣の物理的可能性がない）。設問の場合，同様の行為を行う者がいる可能性が著しく低いとまでいえるかどうか……。

Bさん：なるほど，確かにそうね。さきほどの説明では不十分でした。

教員：類似事実の「顕著な特徴」は，犯罪事実の手口だけではなく，犯行の日時や場所，さらには犯行動機，犯罪に至る経緯や犯行後の状況などを含めて考慮してよいだろう[25)]。これらに顕著な特徴が認められる場合も，悪性格を介さない合理的推認が可能なのだから，これらの事情を考慮してよいのは当然だろう。留意すべきは，平成25年決定のいうように，犯行の手口，動機，犯行後の言動などについて，それぞれ「単独で」顕著な特徴が認められなくとも，これらの特徴を「総合して」顕著な特徴と捉えることができれば足るということだ。

A君：犯行の日時・場所って，「他事情付加」の例外のところで出てきたやつですか。

教員：いや，そうじゃないんだよ。他の事情の付加による例外は，類似事実が「顕著な特徴」を有するとはいえない場合に，例えば，類似事実と証明対象犯罪事実とが密接した時間と場所で行われているという事情（静岡地裁の事例を想起せよ）を，類似事実（顕著な特徴までは認められない類似事実）に付加することにより，証明対象犯罪事実の犯人性を推認することに合理性があるかどうかという議論なのだが，ここで問題としているのは，「顕著な特徴」を有するかどうかの判断要素として類似事実それ自体の日時・場所等を考慮することであり，両者は別個の問題だよ。

Bさん：そうすると，設問の場合は，類似事実4件について，犯行態様の特殊性（ベンツの後輪タイヤに千枚通しを刺してパンクさせ，ボンネットをナイフで「Z」状に傷つけるという手口の特殊性に加えて，犯行地域が鎌倉市内の海岸沿いの高級マンション駐車場に限定され，犯行日時が7月下旬と8月上旬の午後9時ころから午後10時ころまでの間に行われていること）を考慮すれば，他に同様の行為を行う者が存する可能性は著しく低いといっていいだろうと思います。なお，類似事実4件のうち，現行犯逮捕された1件は10件のうち最終の犯行と思われますので，これを第三者が模倣することはできません。

25）　吉川崇「判例研究」研修774号（2012年）29頁，佐藤・前掲注22）196頁。

他の3件については第三者による模倣の可能性はなくはありませんが，被害車種，手口，日時・場所を考慮すれば，第三者が模倣した可能性は著しく低いといってよいと思います。したがって，類似事実4件について，犯行の手口，犯行の日時・場所などを総合すれば，「顕著な特徴」があるといえると思います。そして，残りの6件の犯行も，犯行態様，犯行の日時・場所の点で，これらの顕著な特徴は，証明対象犯罪事実と「相当程度類似」していますので，それ自体で両者の犯人が同一であることを合理的に推認させるものですから，間接事実として用いることは許されると思います。

A君：ぼくはBさんの意見に反対です。顕著な特徴については，「高度な特殊性・個性が認められる場合」[26]とか，「他の者が行うことは通常考えにくいくらいの『特異』な特徴が，『酷似』といえるくらいに共通して認められること」[27]と理解されており，本件の器物損壊について，そこまでの「高度な特殊性・個性」や「他の者が行うことは通常考えにくいくらいの特異な特徴」があるとまではいえないのではないでしょうか。

Question & Answer

Q1　最高裁平成25年決定は，前科事実や類似事実がすでに証明されている場合において，これを間接事実として用いることができるかどうかについて，前科証拠や類似事実証拠の証拠能力の論理をそのまま用いていますが，その理由はどこにあるのでしょうか。

A　平成24年判決や平成25年決定は，前科証拠，類似事実証拠を被告人と犯人の同一性の証明に用いることのできる例外的な要件について説示した判例ですが，平成25年決定は，さらに，前科事実や類似事実を被告人と犯人の同一性の間接事実として用いることができるための例外的要件についても説示しています。

前者は，証拠と主要事実との関連性（主要事実を認定するための証拠として

26）　酒巻502頁。酒巻教授は，「通常人では侵入不可能な高所に特殊な身体能力を用いて到達し侵入するという手口。特定の訓練を受けた軍事関係者でなければ修得しえない特殊な殺害方法」を例に挙げる（同503頁）。

27）　リークエ362頁［堀江］。斎藤326頁も，同種前科について，「特殊な道具やきわめて猟奇的な殺害方法による連続的犯行のような場合に限られる」とする。

用いる危険性）を問題にするのに対し，後者は，前科事実・類似事実（間接事実）と主要事実との関連性（主要事実を認定するための間接事実として用いる危険性）を問題にしており，一見すると，異なる論理のようにみえますが，実は前者の関連性の実質は，証拠から認定される前科事実・類似事実と主要事実との関連性（危険性）を問題にする点において，後者と異なる点はなく，前者による推認が，実証的根拠の乏しい人格評価を介在させなければ，主要事実に到達しないのと同じく，後者による推認も，実証的根拠の乏しい人格評価を介在させなければ，主要事実に届かないわけです。いずれも二重の推認であって推認力が弱く，事実認定を誤るおそれがあり，原則として許容されないのです。前者は，そのように主要事実に対して最低限度の証明力はあるものの事実認定を誤る危険を伴う間接事実（前科事実・類似事実）を証明することしかできないような証拠は（法律的）関連性がないわけです。

関連性の語は，証拠と主要事実との関係をいうとされるのが一般ですが，関連性の本質は，証拠から直接証明される事実と主要事実との関係にあり，証拠から直接証明される事実を離れては，証拠と主要事実との結びつきは存在しないのであって，その証拠から直接証明される間接事実と主要事実の結びつきこそが本質的な問題なのです[28]。

そうしますと，ご質問の場合には，要は，どちらも，前科事実・類似事実（間接事実）から主要事実を推認することの許容性の問題ですから，同じ法理（原則として禁止，一定の例外）が適用されるということになるのです。

* * *

Q2 成瀬准教授の見解と堀江教授の見解は，同じものなのでしょうか。

A 成瀬准教授は，前科事実や類似事実が「顕著な特徴」とまではいえない場合であっても，その他の事情を付加することによって，人格評価を介することなく，合理的な推認が可能な場合があるのではないかとし[29]，その一例として，「被告人がある程度特徴のある類似犯罪を証明対象の犯罪と密接した時間・場所で行っているとすれば，2つの犯行が別人によって行われ

28） 江家・基礎理論224頁，田中・証拠法14頁，法律実務講座(9)1988頁［青木英五郎］。最近のものとして，成瀬剛「科学的証拠の許容性(5・完)」法協130巻5号（2013年）1035頁以下参照。

29） 成瀬・前掲注9)155頁。

た可能性は経験則上小さくなるから，この類似事実から犯人性を推認することがおよそ不合理とまではいえない」とされます。

これに対して，堀江教授は，「別の証拠によって犯人である可能性のある者の範囲がある程度絞られている場合や，被告人による類似事実と本件犯罪とが時間的または場所的に近接している場合などには，特徴の顕著性・類似性の基準をいくぶん緩和することも許されよう。そのような場合には，ある程度この基準を緩和しても，なお中間項を介在させない推認が可能だからである」[30]とされており，平成 25 年決定における金築裁判官の補足意見もおおむね同旨の見解というべきでしょう。

成瀬准教授の見解と堀江教授・金築裁判官の見解とは，実質的には，同じ方向をめざすものですが，成瀬准教授は，前科の犯罪事実が「顕著な特徴」（最高裁のいう厳格な要件）とはいえない場合であっても，その他の事情を付け加えることによって，合理的推認が可能な場合があるとするものであり，これに対して，堀江教授や金築裁判官の見解は，平成 24 年判決・平成 25 年決定のいう「顕著な特徴」について，堀江教授の挙げるような事情があるときは，「顕著な特徴」の要件を緩和してよい場合があるのではないかということであり，「顕著な特徴・相当程度類似」の例外の要件である「顕著な特徴」を緩やかに解するというものです。

平成 24 年判決・平成 25 年決定の「初めて証拠として採用することができる」との説示文言に着目し，これらの判例は，「顕著な特徴・相当程度類似」の例外のほかは認めない趣旨であると解するのであれば，堀江教授・金築裁判官の見解のような，例外の要件を緩和するアプローチによらざるを得ないでしょう。しかし，岩﨑調査官によると，「顕著な特徴」とは，「他に同様の行為を行う者がいる可能性……が著しく低い」ことをいうというわけですから（最判解刑事篇平成 24 年度 341 頁），他の事情があるからといってこれを緩やかに解してよいものかどうか疑問があるように思われます。

なお，東京高判平成 25・7・16 高刑速（平成 25 年）90 頁は，成瀬准教授と同様の見解を採るもののようです。

30）　リークエ 362 頁［堀江］。

〈参考文献〉

①大澤裕「刑事判例研究」論ジュリ17号（2016年）226頁
②池田公博「同種前科・類似事実による立証〔事例から考える刑事証拠法⑫〕」法教482号（2020年）109頁
③笹倉宏紀・百選〔第10版〕144頁
④成瀬剛「類似事実による立証」新・争点154頁
⑤長沼範良＝園原敏彦「類似事実の立証」法教338号（2008年）71頁

20　自白の証拠能力(1)

【設　問】

警察官Kは，Xが，A町長選挙に際し，立候補していたBの選挙運動員Cから，B候補への投票および投票取りまとめの報酬として供与されることを知りながら，現金20万円の供与を受けたとの公職選挙法違反罪（受供与）の嫌疑で，Xを通常逮捕した。Xは，逮捕当初から勾留15日目まで一貫して現金の授受を否認していた。そこで，取調べにあたっていた警察官Kは，Xに対して，「事実を認めたら，前科・前歴はないのだから，俺がうまく検事に話して確実に不起訴にしてやるから」などと申し向けたところ，Xは，B候補への投票および投票取りまとめ依頼の趣旨を知りながらCから現金20万円の供与を受けたことを自白するに至り，その旨の供述調書が作成された。しかし，Xは，検察官の取調べにおいては，再び，現金の授受自体を否認した。

検察官は，Xへの供与を自白したCのKに対する供述は信用できると判断して，Xを上記公職選挙法違反（受供与）の罪で，公訴提起した。Xは，公判でも公訴事実を否認し，現金授受の事実はない旨主張した。

この場合において，裁判所は，Xの自白を証拠とすることができるか。

〔ポイント〕

①　自白法則の存在理由

②　約束による自白の証拠能力

〔判　例〕

●約束による自白

▷最判昭和41・7・1刑集20巻6号537頁（児島税務署収賄事件。ケースブック526頁，三井教材493頁，百選〔第9版〕156頁・〔第10版〕162頁）

▷福岡高判平成5・3・18判時1489号159頁

偽計による自白

▷最大判昭和 45・11・25 刑集 24 巻 12 号 1670 頁（切り違え尋問事件。ケースブック 529 頁，三井教材 496 頁，百選〔第 10 版〕164 頁）

違法な手続により獲得された自白

▷最決平成元・1・23 判時 1301 号 155 頁（ケースブック 535 頁，三井教材 505 頁，百選〔第 9 版〕164 頁・〔第 10 版〕170 頁）

▷東京高判平成 14・9・4 判時 1808 号 144 頁（松戸殺人事件控訴審。ケースブック 70 頁・536 頁，三井教材 107 頁，百選〔第 9 版〕162 頁・〔第 10 版〕168 頁）

解　説

1　自白法則の存在理由

教員：まずは，憲法 38 条 2 項，刑訴法 319 条 1 項が自白の証拠能力を否定する理由について考えてみよう。

A君：自白法則の存在理由については，①憲法 38 条 2 項，刑訴法 319 条 1 項所定の自白は，虚偽のおそれが大きいので排除される（虚偽排除説），②黙秘権[1]の侵害を防止するために排除される（人権擁護説），③自白採取手続の適法性を担保するために排除される（違法排除説）という 3 つの異なった考え方がありますね。

Bさん：虚偽排除説は，自白の真実性を裏付ける証拠が存するときは，証拠排除ができないこととなり，自白の信用性の問題と証拠能力の判断を混同するものであって相当ではないでしょう。

A君：そうかなあ。虚偽排除説は，当該自白が類型的にみて虚偽の自白が誘発されるおそれのある状況下でなされた場合に（最大判昭和 45・11・25 刑集 24 巻 12 号 1670 頁），その証明力の評価を誤るおそれのあるため，そのよ

1）かつては，江家・基礎理論 33 頁のように，憲法 38 条 1 項・36 条のほか，31 条以下の人権保障に関する諸規定を侵害して得た自白を排除するものとする見解もあったが，自白との関係では，人権一般の侵害そのものが問題なのではなく，人権侵害と自白との間に黙秘権侵害が介在し，不任意自白に直接に結び付くのは黙秘権侵害であることから，今日では，憲法 38 条 2 項は，同条 1 項の担保規定であり，黙秘権を侵害して得た自白をいうとするのが一般である（平場 180 頁，川出・判例講座〔捜査・証拠篇〕303 頁，リークエ 436 頁［堀江慎司］など）。

うな自白は内容の真偽を問うことなく一律に排除しておこうという趣旨と解する見解であり，虚偽の自白を排除しようというものではないので[2]，Bさんの批判は当たらないでしょう。最判昭和41・7・1刑集20巻6号537頁も，自白の真実性は他の証拠により裏付けられているのに[3]，任意性に疑いがあるとして証拠能力を否定しているよね。ただ，判断の困難な事案では，自白内容が真実であれば任意性を肯定するという方向に傾き易いとはいえるかもしれないけれどね。

Bさん：人権擁護説は，拷問・脅迫等による自白のケースには妥当しても，約束による自白については，その約束が供述するかどうかの動機に影響することはあっても，供述することの意思決定の自由そのものを制約するわけではないので，人権擁護説によって約束による自白を排除する理由を説明することは困難です[4]。人権擁護説によって自白排除のすべての場合を説明することには無理があると思うわ。

教員：違法排除説は，虚偽排除説や人権擁護説が被疑者の心理状態への影響を問題とするのに対して，捜査官の自白の採取手続の違法に着目する見解で，憲法38条2項，刑訴法319条1項の列挙する強制・拷問などは，自白の証拠能力を否定すべき違法な自白採取手続の「典型的な場合を例示したもの」であり，それ以外にも違法収集証拠排除法則により自白が排除されるべき場合はあるとする立場だね[5]。つまり，憲法38条2項，刑訴法319条1項の定める自白法則は，「違法収集証拠の排除法則の“自白版”」と位置付けられ，自白採取手続に違法があるときは，任意性の有無にかかわりなく，当該自白を排除する考え方だ。憲法38条2項，刑訴法319条1項に定める以外の場合は，憲法38条2項，刑訴法319条1項ではなく，憲法31条の適正手続違反（さらに違法内容に応じ33条，34条，36条，37条など）を根拠として，自白の証拠能力は否定されるべきであるとするものだ[6]。そうだとすると，違法排除説は，自白の排除を法律的関連性の問題でなく証拠禁止の問

2）　緑334頁。

3）　最高裁は，約束による自白を内容とする供述調書を除いても，「犯罪事実をゆうに認定することができる」として，自白の内容が真実であったことを認めている。

4）　大澤裕「自白の任意性とその立証」争点〔第3版〕171頁。

5）　田宮349頁。

6）　田宮349頁。

題と捉えるものといえるだろう。この説は，自白法則（憲38条2項，刑訴319条1項）以外にも排除されるべき自白は存在すると考えるので，自白法則を違法収集証拠排除法則の中に取り込むもので，違法収集証拠排除法則一元説といってよいだろう。

A君：同じく違法排除説であっても，鈴木茂嗣教授は，自白法則との関係で，田宮教授とは，少し異なる理解をされるようですね。

教員：そうだね。憲法38条2項，刑訴法319条1項の定める場合は違法収集自白の例示にすぎず，それ以外の場合であってもそれと同程度の違法手段により獲得された自白は証拠から排除されるとする点は，先ほどの田宮教授の見解と異なるところはないけれど，その根拠規定を，すべて憲法38条2項，刑訴法319条1項に求めている[7]点において，田宮教授の見解とは異なっているね。強制・拷問・脅迫による自白や不当に長い抑留・拘禁後の自白（違法収集自白）は，憲法38条2項，刑訴法319条1項に求め，それ以外の違法収集自白は，「任意性に疑いがある」に読み込むというわけだ。

A君：田宮教授の見解と鈴木教授の見解は，排除の根拠条文をどこに求めるかの違いに過ぎず，実質的な違いはないのですね[8]。

Bさん：虚偽排除説も人権擁護説も，その取調べが現実に供述者の心理にいかなる影響を及ぼしたかを問題としますが[9]（それゆえ両説は「任意性説」と総称される），供述者の主観的事情（内心）にかかわるため取調べ過程を詳細に認定せざるを得ず，その事実認定は困難を伴います。これに対して，違法排除説では，身柄拘束や接見交通権など手続過程の違法はもとより，取調べ自体の違法の場合でも，供述者の心理への影響を顧慮する必要がない点で，判断基準の客観化を図ることができる利点があります。

A君：違法排除説の方が判断が容易なことはそのとおりだけど，違法排除説は，自白の「任意」性という319条1項の文言を無視するもので，法解釈として妥当ではないでしょう。

Bさん：虚偽排除説も，取調べの性質に軸足をおいて，類型的に虚偽の自白が誘発されるおそれがあるような取調べかどうかだけを判断基準とし，供

7） 鈴木221頁。
8） 田宮350頁。
9） 大澤裕「自白の証拠能力といわゆる違法排除説」研修694号（2006年）7頁。

述者の心理への影響とは無関係と考えれば，判断基準を客観化できるのではないかしら。

教員：確かにそのように考えると，判断基準は明確化できるだろうね。でも，そのように考えると，違法排除説と同じく，319条1項の「任意」の文言からかけ離れてしまうことになるよ。改めていうまでもないが，虚偽排除説は，裸の「類型的に虚偽の自白が誘発されるおそれ」を問題にするものではなく，拷問・脅迫や約束等が供述者の心理に及ぼした影響を前提として，類型的に虚偽の自白が誘発されるおそれがあるかどうかを判断するものだ。前掲最大判昭和45・11・25（切り違え尋問事件）の「事件においては……偽計によって被疑者が心理的強制を受け，虚偽の自白が誘発されるおそれのある疑いが濃厚」との判示も，そのような趣旨で理解すべきだろう。

Bさん：裁判実務は，どうなのですか。

教員：裁判実務は，事案に応じて，自白法則（ここでは任意性説〔虚偽排除説，人権擁護説〕に限定して用いる。以下同じ）と違法収集証拠排除法則（刑訴法1条を根拠とするものであり，319条1項の自白を違法収集自白と解する違法排除説とは異なる。以下同じ）とを使い分ける自白法則・違法収集証拠排除法則二元説（以下「二元説」という）に立つものが大勢のようだ[10]。裁判実務家もまた，同様の見解による者が多いようだね[11]。東京高判平成14・9・4判時1808号144頁（松戸殺人事件控訴審）も，違法な捜査手続により獲得された自白について，任意性に疑いがない場合であっても，「証拠物の場合と同様，違法収集証拠排除法則を採用できない理由はない」から，自白を違法収集証拠として排除することができるとしているよね。

Bさん：なぜ，自白について，証拠物についての証拠法則である違法収集証拠排除法則を「採用できない理由はない」のでしょうか。

教員：困ったときは，制度趣旨や根拠にさかのぼって考えるといいよ。違法収集証拠排除法則の理論的な根拠は，適正手続の保障，司法の無瑕性・廉潔性の保持，将来の違法捜査の抑止の3つだが（最高裁として初めて違法収集

10）　長井秀典「自白の証拠能力について――実務家の立場から」刑雑52巻1号（2013年）118頁。

11）　松尾浩也編『刑事訴訟法Ⅱ』（有斐閣，1992年）298頁［島田仁郎］，石井・証拠法263頁，大谷剛彦「自白の任意性」新実例刑訴法Ⅲ 136頁など。

証拠排除法則の採用を宣言した最判昭和53・9・7刑集32巻6号1672頁がその理論的根拠を，適正手続の保障に求めるものでないことについて第28講を参照），証拠物のみならず，自白についても，この3つの根拠は当てはまるはずだから，同法則を採用できない理由はないということだろう。

A君：なるほど。ところで，学説では，違法排除説が主流なのですか。

教員：最近では，学説においても，裁判例の大勢と同じく二元説が有力化しつつあるといってよいだろう[12)]。

Bさん：二元説を採るのはよいとして，実際の事件では，自白法則と違法収集証拠排除法則のどちらを先に適用すべきなのでしょうか。

教員：適用の順序については，裁判実務家の間では，自白について319条1項という明文規定があるのだから，任意性の判断からすべきであるとする見解（自白法則優先適用説）が有力だね[13)]。さらにまた，明文規定があることに加えて，自白法則は憲法38条2項を根拠とするものだから，まず自白法則から適用すべきだともいわれているんだ[14)]。しかし，いずれの法理によっても排除が可能であるならば，明文規定があろうがなかろうが（違法収集証拠排除法則の実定法上の根拠規定は刑訴法1条），必ずいずれか一方を優先的に適用すべきだとする合理的理由はないから，先後の関係はないというべきだろう[15)]。

A君：ところで，裁判実務の大勢である二元説による場合に，違法収集証拠排除法則により自白を排除するための要件は，証拠物に関する最判昭和53・9・7刑集32巻6号1672頁の説示する，違法の重大性と排除相当性の2つと理解するのが一般のようですね[16)]。

教員：そうだね。二元説に立つ前掲東京高判平成14・9・4（松戸殺人事件

12）　松尾(下)42頁，大澤・前掲注4)172頁，酒巻524頁，上口498頁，リークエ439頁［堀江］，アルマ294頁［長沼範良］，事例研究Ⅱ625頁［小川佳樹］など。

13）　石井・証拠法270頁，大谷・前掲注11)137頁，石丸ほか・刑事訴訟の実務(下)321頁［仙波厚］，中谷雄二郎・百選〔第6版〕157頁，千葉地判平成11・9・8判時1713号143頁など。

14）　長井・前掲注10)119頁は，「実務家としては，……明文の規定があり，憲法問題でもある自白法則で証拠能力を否定する方が妥当であるという感覚を抱きやすい」という。

15）　小林充「自白法則と証拠排除法則の将来」現刑38号（2002年）65頁，高木俊夫「証拠排除のあり方」現刑55号（2003年）41頁，長井・前掲注10)119頁。裁判例としては，前掲東京高判平成14・9・4。

16）　小林・前掲注15)64頁，石井・証拠法263頁など。

控訴審判決）も，「自白を内容とする供述証拠について……手続の違法が重大であり，これを証拠とすることが違法捜査抑制の見地から相当でない場合には，証拠能力を否定すべきである」と説示しているように，裁判実務も，重大な違法に限定しているようだね[17)]。

A君：そこでいう違法の重大性って，証拠物の場合と同じく，「令状主義の精神を没却するような重大な違法」ということですね。

Bさん：そうかな。確かに，違法な別件逮捕・勾留中や違法な無令状逮捕中の取調べによる自白の場合は，その要件でよいと思うわ。でも，取調べそれ自体に固有の違法があるという場合は，取調べに令状主義が適用になるわけではないので，違法の重大性の要件は，別に考えるべきではないかしら。

A君：ああ，Bさんの言うとおりだね。でも，どう考えたらいいのかな。

教員：先ほどの東京高裁判決の原審である千葉地判平成11・9・8判時1713号143頁は，「憲法や刑事訴訟法の所期する基本原則を没却するような重大な違法」を要求しており，また，福岡高那覇支判昭和49・5・13刑月6巻5号533頁も，「憲法およびこれを承けた刑事訴訟法上の規定の精神を全く没却するに至るほどに重大であると認められる場合」と説示しているので，このように言い換えるのがよいだろう[18)]。要すれば，違法収集自白排除の第1要件は，逮捕が違法だからその間の取調べも違法というケースなら，「令状主義の精神を没却するような重大な違法」，取調べ自体の違法のケースなら，「憲法及び刑訴法の所期する基本原則を没却するような重大な違法」となるだろう。

Bさん：そのような枠組みを前提にすると，任意取調べの適否について二段階の判断枠組みによる場合に（最決昭和59・2・29刑集38巻3号479頁。第3講参照），第1段階の強制手段を用いた取調べに当たらず，第2段階の枠組みにより違法という場合であっても，「憲法及び刑訴法の所期する基本原則を没却するような重大な違法」に当たることはあるのでしょうか。

A君：松戸殺人事件の第1審の前掲千葉地判平成11・9・8が，第2段階

---

17)　池田修・百選〔第7版〕171頁，中谷雄二郎・百選〔第6版〕157頁，大澤裕＝川上拓一「任意同行後の宿泊を伴う取調べと自白の証拠能力」法教312号（2006年）86頁［川上発言］。

18)　石井・証拠法263頁も，千葉地裁の説示と同様に，「自白収集の手続に憲法や刑訴法の所期する基本原則を没却するような重大な違法があり，これを証拠として許容することが将来における違法な捜査の抑制の見地からして相当でないと認められる場合」という。

の判断枠組みにより取調べを違法と判断した上,「被告人に対する右任意取調べの違法の程度は,憲法や刑事訴訟法の所期する基本原則を没却するような重大な違法であったとまではいえない」としたのに対して,控訴審である前掲東京高判平成14・9・4は,同じく,第2段階の判断枠組みにより取調べを違法としたのに,取調べには「重大な違法」があるとして,自白を排除していますよね。どこが違うのかな。

教員：千葉地裁の枠組みは,「憲法および刑訴法の基本理念を没却するような重大な違法」だけれども,東京高裁は,千葉地裁の見解を採用しなかったのかもしれないよ。

A君：えっ,判断枠組みが違うということですか。

教員：そうかもしれない。違法収集証拠排除法則を初めて採用した最判昭和53・9・7刑集32巻6号1672頁は,まずもって,「証拠物は押収手続が違法であつても,物それ自体の性質・形状に変異をきたすことはなく,その存在・形状等に関する価値に変りのないことなど証拠物の証拠としての性格にかんがみると,その押収手続に違法があるとして直ちにその証拠能力を否定することは,事案の真相の究明に資するゆえんではなく,相当でない」と説示しており,証拠物の収集手続における違法がその証拠物の証拠価値に影響を及ぼすことがないことが,事案の真相の究明の観点から,排除要件として軽微な違法では足りず,重大な違法を要求する理由となっていると解することができるならば,自白については,逮捕・勾留の違法ではなく,取調べそのものに違法があるときは,そのような違法な取調べは被疑者の心理への影響があり得ることから,証拠物とは異なって,その証拠価値に影響を及ぼしかねないとすれば,排除要件としての違法の重大性に関しては,証拠物に比べて,より緩やかに解する余地があるのではないだろうか[19]。

Bさん：先生の言わんとすることは,同じく自白であっても,別件逮捕・勾留とか無令状の実質的逮捕あるいは接見制限に違法があって,それゆえにその間の取調べが違法とされる類型では,その違法が自白の証拠価値に影響

19) なお,大澤教授は,「どんな基準なり枠組みで考えるのか,問題が残されている」としたうえ,「自白の場合,獲得過程でより無理が生じやすい傾向にあるとすれば,将来の違法捜査抑制の見地が強く働いて,排除基準が若干変わるということも考え得る」という(大澤裕＝朝山芳史「約束による自白の証拠能力」法教340号〔2009年〕100頁)。

を及ぼすことはないであろうから[20]，証拠物の場合と同様に，「令状主義の精神を没却するような重大な違法」が要求されるとしても，取調べそのものに違法がある類型については，「憲法や刑事訴訟法の所期する基本原則を没却するような重大な違法」までも要求する必要はなく，単なる「重大な違法」で足りるという考え方なのですね。

教員：そのとおりだね。控訴審の東京高裁平成 14 年判決の真意は測りかねるけれども，あるいはそのような理解を前提とするものであったかもしれないね。なお，堀江教授が，重大な違法の要件について，「自白についても〔証拠物と〕同様に解すべきかは議論の余地がある」とされるのも[21]，上に述べたところと同様の発想によるものではないだろうか。

Bさん：学説の採る違法収集証拠排除法則一元説（319 条 1 項に関しては違法排除説）では，どうなのでしょうか。

教員：学説は，必ずしも，違法の重大性を要件とはしないようだね[22]。これを要件とすると，任意性説によるならば証拠能力を欠くこととなる事例について証拠能力を否定できないこととなりかねないからね（ただし，鈴木教授が，憲法 38 条 2 項，刑訴法 319 条 1 項に列挙する場合と「同程度の違法手段により獲得された自白は，やはり証拠から排除されねばならない」[23]とされるのは，重大な違法に限る趣旨なのかもしれない）。私は，裁判例の大勢である二元説に左袒するものだが，仮に一元説によるとすれば，取調べ方法の違法など違法な措置が供述者の心理に影響を及ぼした場合は，その違法は重大である必要はなく，他方，違法逮捕など手続的違法にとどまり，供述者の心理に影響を及ぼしていない場合は，違法の有無・程度によって性質・形状に変更がなく証拠たる価値に変わりのない点において同様である証拠物の場合とパラレルに，違法の重大性を要件とすべきではないだろうか。

20）弁護人の接見等の申出をたまたま被疑者が知ったような場合には，被疑者の心理に影響を与えることもあり得ないではなく，心理に影響があったときは，次の類型によることとなろう。

21）リークエ 440 頁［堀江］。小川佳樹教授も，「違法収集証拠排除法則の適用にあたって自白についても証拠物と同じ程度の違法が必要となるかという問題」があると指摘される（事例研究Ⅱ 638 頁）。

22）田宮 350 頁，田口 410 頁注 8 など。

23）鈴木 221 頁。

2　約束による自白の証拠能力

A君：設問では，「約束による自白」の証拠能力が問題となりますが，前掲最判昭和 41・7・1 は，「被疑者が，起訴不起訴の決定権をもつ検察官の，自白をすれば起訴猶予にする旨のことばを信じ，起訴猶予になることを期待してした自白は，任意性に疑いがあるものとして，証拠能力を欠くものと解するのが相当である」と説示しています。この最高裁判決は，捜査官が約束したことの違法性を認定しておらず（加えて，約束の内容の違法性や約束の不履行の違法性にも言及していない），かえって，「ことばを信じ」「期待して」とし，被疑者の心理への影響を考慮しているので，任意性説に立つものと理解すべきですよね。

教員：虚偽排除説なのか，人権擁護説なのかという点は，どうかな。

Bさん：虚偽排除説も人権擁護説も，被疑者の心理への影響を考慮するという意味においては異なるところはないけれども，昭和 41 年判決の約束は，自白の「動機」に働きかけたものにすぎないので，被疑者の黙秘権・供述の自由を侵害して自白を得たとはいえません[24]。この判例は，虚偽排除説に立つものと理解すべきでしょう。

教員：そうだね。この判例を離れて考えてみても，約束による自白（より広義には利益誘導による自白）については，約束（利益供与の提示）が相手方の供述の動機に影響を与えるにせよ，意思決定そのものの自由（供述の自由）まで制約し，それを奪うものとまではいえないので，人権擁護説によることは困難であって，虚偽排除説によるべきだろうね[25]。なお，約束による自白について虚偽排除説による場合に留意すべきは，昭和 41 年判決の判断枠組みではなく，前掲最大判昭和 45・11・25 の提示した枠組みによるべきだということだ。後に説明するように（学びの道しるべ），昭和 41 年判決は，その時代の英米法の判例の基準に倣ったものであって，今日では英米でもそのように解されてはいないし，我が国の学説や裁判例も，これを徒に墨

24）　大澤＝朝山・前掲注 19)93 頁［大澤発言］参照。

25）　大澤裕・争点〔第 3 版〕171 頁，川出敏裕「演習」法教 387 号（2012 年）172 頁，リークエ 442 頁［堀江］，事例研究Ⅱ 643 頁［小川］など。

守しているわけではないんだ。虚偽排除説によるなら，「〔約束〕によって被疑者が心理的強制を受け，虚偽の自白が誘発されるおそれのある疑い」（前掲最大判昭和45・11・25）があるかどうかという枠組みによるべきだろう。

A君：そうなんですね。約束による自白だからといって，安易に昭和41年判決の基準によるのは，適切でないのですね。

教員：利益誘導や約束による自白については，昭和45年大法廷判決の説示によれば，任意性に疑いがあるとして証拠能力が否定されるための要件は，(1)取調官など自白採取者による被疑者に対する利益誘導や約束などの言動（働きかけ）があったこと，(2)その利益誘導や約束などの言動が被疑者に強い心理的影響（昭和45年大法廷判決は「心理的強制」という）を与え，(3)その心理的影響にかんがみると，類型的に虚偽の自白を誘発するおそれがあったこと，(4)そのようなおそれのある状況下で自白がなされたこと（因果関係）の4つとなるだろう。

Bさん：具体的には，どのような要素を考慮して判断するのですか。

教員：利益誘導や約束などの言動が被疑者の心理に強い影響を与え，その結果，類型的に虚偽の自白を誘発するおそれがあるかどうか，そしてそのような状況下で自白がなされたかどうか（上記の(2)(3)(4)）については，①自白採取者側の事情として，㋐利益供与（約束）の主体の権限（警察官が「必ず起訴猶予になる」と申し向けた場合でも，被疑者が当該警察官には検察官に働きかける力があるといった被疑者の認識こそが重要であって，必ずしも利益供与（約束）の権限がある場合に限らない[26]），㋑供与する利益の内容（起訴猶予の約束はその一態様。供与される利益の内容が，被疑者にとって，自白することにより受けることとなる不利益を凌駕するだけの利益かどうか。不起訴，保釈など刑事責任に関する利益が中心であろうが，覚醒剤の注射など世俗的利益でも足るとされている），㋒利益供与（約束）の意図・方法（(a)自白獲得を意図したか，単に不用意に発言したにすぎないか，(b)具体的・明示的か，暗示的・示唆的か，(c)直接か，弁護人その他の者を介してかなど），次に，②被疑者側の事情として，㋐提示された利益（約束）の受けとめ方（提示された利益の被疑者にとっての大きさ。同じく煙草1本の供与であってもヘビースモーカーかどうかで異なり得

26）　大澤＝朝山・前掲注19)97頁［朝山発言］参照。

る），㋑当時の身体的・精神的状況（精神状態の不安定，持病など健康状態，知能程度など）等の事情を総合的に考慮して判断することになるだろう[27]。

A君：約束による自白について違法収集証拠排除法則一元説によるときは，どうでしょうか。

教員：一元説は，約束による自白のどこに違法があると考えるのかな。

Bさん：①約束と引換えに自白を獲得するという捜査手法それ自体が違法なのです。また，②自白すれば覚醒剤を与える約束などの場合は約束内容が違法といえるでしょうし，③約束が履行されなかった場合は，約束の不履行を違法ということもできるでしょう[28]。

A君：昭和41年判決の事案では，②約束内容（不起訴）が違法とはいえないだろうし，③弁護士が検察官の約束中の前提条件（検挙前に金品をそのまま返還している）を伝達しなかったことに問題があったとすれば，不履行そのものが違法ともいい難いのではないかな。また，不起訴の約束と引換えに自白を獲得することは，取調べの手法として不適切とはいえても，違法とまでいえるかは疑問です[29]。なお，約束ないし利益の誘導があったからといって，被疑者の供述の自由が侵害されたということができないことは言うまでもありません。

教員：田宮教授は，捜査機関の約束を，国家機関による「正義・礼譲」の遵守義務違反とし，その点に違法を求めておられるけれども[30]，被疑者に対する権利・利益の侵害に違法を求めることができず，抽象的で漠然とした義務に頼らざるを得ないわけだね。このように，約束による自白は，違法排除説からは説明が難しく，違法排除説の「試金石」といわれているんだ[31]。

A君：次に，二元説（裁判実務の大勢）によるときは，自白法則と違法収集証拠排除法則とを，それぞれどのようなケースに用いたらよいのですか。

27）　米山正明「利益誘導と自白の任意性」証拠法の諸問題(上)297頁，川出・前掲注25)173頁。大澤＝朝山・前掲注19)97頁［朝山発言］も参照。なお，昭和41年判決も，3つの要件を提示したのではなく，考慮要素として述べたに過ぎないと善解すれば，なお意味があるということになろう。

28）　鈴木茂嗣「自白排除法則序説」佐伯千仭博士還暦祝賀『犯罪と刑罰(下)』（有斐閣，1968年）319頁。田口409頁も参照。

29）　大澤・前掲注4)172頁，リークエ443頁［堀江］，事例研究Ⅱ643頁［小川］。

30）　田宮裕『捜査の構造』（有斐閣，1971年）300頁。

31）　大澤・前掲注4)172頁。

教員：二元説では，(a)自白法則によるのが適切な類型（例えば，約束による自白），(b)違法収集証拠排除法則によるべき類型（例えば，違法な身柄拘束下の自白）のほか，(c)自白法則，違法収集証拠排除法則のいずれによることも可能な類型（例えば，強制・拷問による自白，偽計による自白[32]，許容限度を超えた取調べによる自白など）が考えられるだろう。徹夜や宿泊を伴う任意取調べについては，被疑者の心理に影響を及ぼすとともに，手段が違法でもあるので，(c)自白法則も違法収集証拠排除法則もどちらも適用できるケースだろうね。ただ，最高裁は，接見交通権の侵害後の自白について，自白法則（任意性説）によっているようであり（最決平成元・1・23判時1301号155頁），最高裁自身が，高裁レベルの判決のような二元説を明示的には採用しているわけではないことに留意が必要だね。しかし，二元説は理論的にも問題がなく，実務にも受け入れられやすく，いずれは最高裁も二元説を採用することになるのではないかと推測しているのだが，どうかな。

Bさん：ところで，下級審の裁判例の中には，最終的には不任意自白としてその証拠能力を否定していると思われるのに，判断の過程で「捜査の違法」に言及するものが散見されますが，これは，必要のない説示ですよね。

教員：確かに，任意性に疑いがあるとして自白の証拠能力を否定するのに，「捜査の違法」に言及するのは，理屈としてはおかしいよね。この点について，長井判事は，「理屈の上では，不任意自白として証拠能力を否定する場合には，任意性に疑いを生じさせる事情だけを指摘すれば足りようが，証拠調べの結果，捜査の違法性が明らかになった場合，これに対する裁判所の否定的な評価を明らかにすることには意義があり，将来の違法捜査抑制の見地からそれが適当であるともいえる。これらの裁判例は，そのような観点からあえて捜査の違法性に言及しているものと理解できるであろう」[33]と弁明されるけれども，事件の解決にとって不要・過剰な判断であり，学生諸君は，裁判所ではないので，将来の違法捜査の抑制の見地から捜査の違法性に対する否定的評価を明らかにする必要はない。

32）　強制，拷問，脅迫による自白，不当に長い抑留・拘禁後の自白は，自白法則（319条1項）によるときは，人権擁護説により，偽計による自白は，虚偽排除説によることとなろう。

33）　長井・前掲注10）120頁。

3　設問の解決

A君：二元説の立場からは，約束による自白は自白法則（虚偽排除説）によるのが適切です。最高裁昭和41年判決は，虚偽排除説の立場から，約束主体，約束内容，因果関係の3要件を提示しています。設問の約束主体は，警察官Kであり，「起訴不起訴の決定権をもつ検察官」ではありませんね。

教員：先ほども述べたように，昭和41年判決ではなく，昭和45年大法廷判決の提示した枠組みによるべきだよ。①㋐約束の主体が起訴・不起訴の決定権限を有しない場合であっても，被疑者において，警察官が起訴・不起訴の決定権限を有するとか，検察官の起訴・不起訴の決定に影響力を有すると信じた場合には，約束主体が現にその権限を有する検察官でなくとも，被疑者が強い心理的影響（心理的強制）を受けて，虚偽の自白が誘発されるおそれはあるからね。そうすると，設問のXは，15日間にわたって一貫して否認していたのに，約束を契機として自白に転じているのであるから，Xは，Kにそのような影響力があると信じたのだろう。次に，㋑約束内容をみると，不起訴処分は，被疑者にとって身柄の釈放とともに最重要の利益であり，当該約束は，自白獲得を意図したものであり，㋒約束の方法も具体的・明示的・直接的だね。また，②被疑者側の事情をみても，提示された不起訴処分は，被疑者にとって最大の利益といえよう。さらに，被疑者は逮捕を経て，15日間も勾留され，その間，取調官による執拗な取調べを受けていたものと思われ，前科・前歴のないXにとっては，身体的・精神的な疲労はいかばかりであったか推察に難くない。これらを総合的に考慮すると，警察官Kの不起訴の約束によって，被疑者は，不起訴という大きな利益を得るために自白をしようという心理状態に陥っていたものと認められ（強い心理的影響ないし心理的強制），そうすると，類型的にみて虚偽の自白が誘発されるおそれが大であったということができよう。そして，そのような状況下で，否認を続けていたXが突如として自白に転じたのであるから，因果関係を認めることもできよう。そうすると，前掲の(1)〜(4)（345頁）のすべてを充たすので，Xの自白は任意性に疑いがあり，319条1項により証拠能力を否定すべきだろう。

Bさん：違法排除説によれば，どこに違法性を見出すかが困難な問題となりますが，正義・礼譲の遵守義務といった抽象的義務の違反でなく，約束内容，約束すること自体の違法性，約束不履行の違法性など，当該事案に即し具体的に検討すべきです。設問では，約束と引換えに自白を獲得した点，検察官の終局処分に対する影響力がないのにXを騙したという点（偽計に当たる。さらにKが不起訴にならないことを知って約束したのなら，その違法性は更に大きくなる）も併せて，違法性の考慮要素となるでしょう。しかし，違法の程度は重大とはいい難いので，違法の重大性を要件とするかどうかで結論が分かれるのではないでしょうか。

Question & Answer

Q1　虚偽排除説によると，捜査機関などからの働きかけがないのに，被疑者が勝手に「起訴猶予になる」「罰金で済ませてもらえる」などと誤解していた場合にも，類型的に虚偽の自白をするおそれがあり，事実認定を誤らせるおそれがあるので，そのような自白（思い込み自白）の証拠能力は否定されるのでしょうか。

A　虚偽排除説は，ご質問のような場合について，319条1項（憲38条2項）の問題とは解しておらず，自白の任意性が否定されるとは考えません[34)]。このような場合は，供述意思の決定はもとより，動機に対しても，外部からの働きかけがないわけですから，「任意性」voluntarinessがあることは明らかだと思われます。憲法38条2項（刑訴319条1項）の「強制，拷問若しくは脅迫」も「不当に長く抑留若しくは拘禁」も，いずれも外部的誘因であり，刑訴法319条1項の「任意性」もまた，言葉の意味それ自体が外部的誘因によらないことを意味しており，憲法も刑訴法も，証拠能力が否定されるのは，外部的誘因による場合であることを前提としていると解さざるを得ません[35)]。ただし，このような思い込み自白については，証明力が低いと評

34)　栗本一夫「自白」日本刑法学会編『刑事法講座(6)刑事訴訟法(II)』（有斐閣，1953年）1167頁，鈴木・前掲注28)308頁。裁判例として，東京高判昭和32・4・30高刑集10巻3号296頁，名古屋高判昭和25・9・20高刑判特12号75頁，東京高判昭和26・10・12高刑判特24号134頁など。

35)　なお，大澤＝朝山・前掲注19)94頁［大澤発言］参照。

価されることはあり得るでしょう。

違法排除説の論者からは，このような思い込み自白を捉えて，「〔虚偽排除説は〕外部的誘因のあった場合にのみ不任意とされる事情をどう説明するのか」（すなわち，虚偽排除説の論理によれば，思い込み自白も排除されなければならないはずであるが，憲法38条2項，刑訴法319条1項は，外部的誘因による場合に限り排除することとしていることを説明できないのではないか）と批判されています[36]。しかし，類型的に虚偽のおそれのある自白を正しい事実認定のために排除するかどうか，つまり証拠能力の要件とするかどうかは，優れて立法政策の問題であり（証明力の問題とすることもできよう），憲法38条2項，そしてまた刑訴法319条1項は，過去の刑事司法に対する反省などから，特に外部的な誘因の場合に限って証拠能力の要件とする政策を採ったということができるのではないでしょうか。

*　　　*　　　*

Q2 虚偽排除説や人権擁護説によると，弁護人，同房者，上司などによる拷問，脅迫，強制，約束などについても，自白法則は適用されるのでしょうか。

A 自白法則の適用において，外部的誘因が捜査機関以外の者によるもの，例えば，(a)捜査機関以外の私人から強制，脅迫されていたケースや，(b)弁護人が被疑者に「自白すれば起訴猶予になるはずだから自白した方がよい」とか「自白すれば罰金で済むだろうから，自白したらどうか」などと申し向けたケース[37]などは，対象となり得るのでしょうか。違法排除説では，このような場合は，私人による違法行為に起因して収集された証拠の証拠能力の問題に還元されるのでしょう。任意性説によるときは，自白の相手方は，捜査官や裁判官だけでなく，私人でもよいとされ[38]，大阪高判昭和61・1・30判時1189号134頁は，被害者の内縁の夫の暴行，脅迫による自白の疑いがあるとして，当該自白は任意性に疑いがあり，当該自白を内容とする内縁の夫の公判証言の証拠能力を否定しています。憲法38条2項にも刑訴法319

36）　鈴木・前掲注28)305頁。

37）　大澤＝朝山・前掲注19)95頁［大澤発言］。

38）　ポケット註釈(下)855頁［栗本一夫］，注釈刑訴法(5)〔新版〕170頁［植村立郎］，石井・諸問題359頁。

条1項にもその主体に特段の限定はないし，虚偽排除の観点からは，私人による場合でも変わりはないからです[39]。

そうすると，上記(a)のケースは，任意性が否定される可能性が高いでしょう。(b)のケースは，自白の任意性が問題にはなりますが，事案にもよるので一概にはいえませんが，一般的にいえば，弁護人の上記の発言が，処分権限を有する検察官やそれに準ずる立場にある警察官でないことを認識しているはずの被疑者の心理に強い影響（心理的強制）を与え，その結果，類型的に虚偽の自白を誘発するおそれがあるとまでは認められないことが多いのではないでしょうか[40]。

学びの道しるべ

✍ 約束による自白の証拠能力が問われている場合において，設問の自白が自白調書によるものであるときに，学生の答案では，まずもって伝聞法則に言及し，伝聞証拠に当たるとしたうえで，伝聞例外としての322条1項に当たるかどうかを検討し，さらに，「322条1項ただし書の準用する319条1項により自白には任意性が必要であり……」などとするものが散見される。

しかし，出題の趣旨が伝聞法則でなく自白法則を問題とするものであれば（捜査官の約束や利益誘導により自白を得たケース），敢えて伝聞法則から論じるのではなく，いきなり自白法則について論じればよいのある。上記の答案は，おそらくは，自白に係る供述録取書など書面による自白について自白法則を適用するためには322条1項ただし書によって319条1項を準用しなければならないとの誤解によるものであろうが，319条1項は，自白が書面によってなされると口頭でなされるとを問わず適用される規定であり[41]，322条1項ただし書は，自白以外の不利益事実の承認について319条1項の準用を認めるために規定されたものなのである（322条1項ただし書は，「被告人に不利益な事実の承認を内容とする書面は，その承認が自白でない場合において

39） 石井・諸問題359頁。

40） 大澤＝朝山・前掲注19）96頁［朝山発言］は同趣旨であろうか。

41） 横井・逐条解説Ⅲ 117頁，ポケット註釈(下)901頁［横井大三］，新コンメ刑訴法934頁［後藤昭］，大コンメ刑訴法(7) 669頁［杉田宗久］，条解刑訴法877頁，リークエ400頁［堀江］など多数。

も，第319条の規定に準じ……」と定めているのであるから，319条1項が準用されるのは，322条1項本文の「不利益な事実の承認」〔これには自白も含まれる〕のうち自白を除くものであることは，その規定振りから明らかである)。

したがって，自白の場合は，それが口頭によるものであれ，書面によるものであれ，322条1項ただし書を介して319条1項を準用するのではなく，319条1項をストレートに適用し，その法解釈をすべきなのである（自白法則により証拠能力が否定されないとの結論をとる場合に初めて，伝聞法則を検討すれば足る)。

* 口頭による不利益事実の承認と自白法則

322条1項ただし書は，書面による不利益事実の承認（自白を除く）について自白法則（319条1項）を拡張する規定であって（通説)，口頭による不利益事実の承認（自白を除く）については，322条1項ただし書にも319条1項にも，明文の定めがないことになる。

しかし，口頭による不利益事実の承認は，書面によるそれとは異なって，任意性に疑いがあっても証拠として許容されるというのでは，両者はあまりに不均衡であり，両者の相違を合理的に説明することは困難であるので（立法上の過誤であろう)，322条1項ただし書の趣旨を口頭による不利益事実の承認（被告人の公判廷における供述，被告人の公判廷外の供述を内容とする被告人以外の者の証言）について推し及ぼすべきであろう（平場教授は，「当然の事理として」，公判期日における「不利益な供述」にも322条1項ただし書の準用があると解すべきである[42]とされる)。

✍✍ 約束による自白に関する出題に対して，学生諸君の中には，約束自白に関するリーディングケースである最判昭和41・7・1刑集20巻6号537頁（児島税務署収賄事件）の説示する，①約束の主体が権限を有する者であること，②約束の内容が刑事責任に関係のある利益であること（個人的・世俗的利益では足りない)，③約束と自白との間に因果関係のあること，の3要件を挙げるものが少なくないが，解説の説明でも分かるとおり，このような答案は，適切とはいえない。

この昭和41年判決の提示する3要件は，当時の英米法において，約束による自白の許容性を否定するために必要とされる基準であって[43]，英米法

42) 平場179頁。

においてすら，今日では，このような見解は放棄されているのである[44]。

解説で述べたように，約束による自白の証拠能力については，昭和41年判決の3要件ではなく，昭和45年大法廷判決のいうように，当該約束が，被疑者の心理に強い影響を与え，その影響にかんがみると類型的に虚偽の自白を誘発するおそれがあり，そのような状況下で自白がなされたときは，任意性に疑いのある自白として証拠能力が否定される，と理解すべきである。

付言すれば，約束ないし利益供与による自白の問題に対して，虚偽排除説と人権擁護説の折衷説とか併用説とのネーミングから生じる誤解であろうか，両者を併用するとする答案も散見されるが，約束ないし利益供与の提示が，供述するかどうかの動機に影響することはあっても，「供述の自由を奪う」ものとはいえないので，人権擁護説によることは困難である[45]。

✍✍✍　任意性説（虚偽排除説，人権擁護説）を採りながら，供述者の心理にいかなる影響を与えたかについて言及しない答案が少なからず見受けられるけれども，問題文の中にそのような記述がなくても，問題文中の事実関係から，捜査機関等の言動により被疑者がいかなる「心理的影響」を受けたかを推認すべきであろう[46]。最判昭和38・9・13刑集17巻8号1703頁（両手錠事例）は，「手錠を施されたまゝであるときは，その心身になんらかの圧迫を受け，任意の供述は期待できないものと推定せられ，反証のない限りその供述の任意性につき一応の疑いをさしはさむべきであると解するのが相当」（傍点は筆者による）と判示しているのが参考になろう。捜査機関等の言動から自白に至るプロセスは，約束や利益の提供を契機として，自白により利益を得られるのであれば虚偽でもよいから自白し，被疑者のおかれた現在の状況から逃れたい，逃れるためには自白するよりほかない，といった心理状態に陥り，あるいは偽計によって強力な証拠（目撃者の存在やDNA型鑑定結果）を示されて，真犯人でなくても，もはや否認することのできない心理

43)　坂本武志・最判解刑事篇昭和41年度103頁，江家・基礎理論34頁，兒島武雄「約束による自白」証拠法大系II 54頁，小田中聰樹「判批」『刑事判例評釈集（第28巻）昭和41年度』（有斐閣，1979年）105頁など。

44)　ドレスラーほか・アメリカ捜査法598頁，Arizona v. Fulminante 499 U.S. 279（1991），Dickerson v. United States 530 U.S. 428（2000）。

45)　大澤・前掲注4)171頁，川出・前掲注25)172頁など。

46)　事例研究II 644頁［小川］。

状態に陥り，自白するといったものであろう。

＊＊　一般的・抽象的な約束（利益供与）と自白の任意性

約束（利益供与）に具体性がなく，一般的・抽象的な場合（自白したら刑が軽くなるなど）に，果たして，被疑者の心理に強い影響を与え，虚偽であってもよいから自白しようという心理状態に陥って自白したと認定できるかどうかが問題となろう。

この問題について参考となる裁判例として，東京高判平成元・5・17 判タ 709 号 276 頁，静岡地判平成 16・2・18 LLI/DB L05950602，大阪高判平成 16・8・5 LEX/DB 28105129 がある（いずれも任意性を認めて自白の証拠能力を肯定している）。

✍✍✍✍　違法排除説を採り，約束による自白について，「その取調べによって得た自白が証拠能力を欠くこととなるような取調べは 319 条 1 項に違反して違法である」と論じるものが散見されるが，この見解は，319 条 1 項により証拠能力が否定される自白を招来する取調べはすべて違法というに等しく，いわば「証拠能力を欠くこと＝取調べが違法」とするにすぎず（供述録取書を得る取調べも 320 条 1 項に違反して違法となろう），捜査官による約束のどこに違法があるのか，何ら明らかにするものではない。また，「類型的に虚偽の自白を誘発するおそれのあるような取調べは違法である」とする答案も見かけるが，虚偽の自白を誘発するおそれのあるような取調べは相当でないとはいえても，これが違法とまでいえる理由は明らかでない。

〈参考文献〉

①大澤裕「自白の任意性とその立証」争点〔第 3 版〕170 頁

②米山正明「利益誘導と自白の任意性」証拠法の諸問題㈤283 頁

③大澤裕＝川上拓一「任意同行後の宿泊を伴う取調べと自白の証拠能力〔対話で学ぶ刑訴法判例④〕」法教 312 号（2006 年）75 頁

④大澤裕＝朝山芳史「約束による自白の証拠能力〔対話で学ぶ刑訴法判例⑱〕」法教 340 号（2009 年）86 頁

⑤川出敏裕・百選〔第 9 版〕158 頁

⑥池田公博「自白の証拠能力」刑雑 52 巻 1 号（2013 年）95 頁

⑦笹倉宏紀「自白法則〔事例から考える刑事証拠法⑭〕」法教 485 号（2021 年）123 頁

21　自白の証拠能力(2)

【設　問】

Ｘは，Ａに対して覚醒剤を有償譲渡したとの被疑事実により，逮捕・勾留された。Ｘは，犯行を否認したので，警察官Ｋは，Ｘに対し，「本件の主犯は他にいると思われるので，君が犯行について自白し，残りの覚醒剤の隠匿場所を明らかにすれば，不起訴にする」旨説得したところ，Ｘは，その言葉を信じて，本件覚醒剤譲渡の犯行および主犯がＹであること並びに密売用の覚醒剤はＹがその愛人であるＢ方に隠匿していることを自白した。そこで，捜索差押許可状の発付を受けて，Ｂ方を捜索したところ，Ｘの供述どおり，大量の覚醒剤が発見されたので，これを差し押さえた。Ｘは，検察官Ｐに対しても，同様の自白をしたので，検察官Ｐは，ＸがＹと共謀して，営利目的で，①Ａに対し覚醒剤を譲渡したとの訴因および②Ｂ方において覚醒剤を所持したとの訴因でＸを起訴した。上記覚醒剤およびＸの検察官に対する自白は，Ｘの公判において，それぞれ証拠とすることができるか。

〔ポイント〕

① 不任意自白に由来する派生証拠の証拠能力

② 反復自白の証拠能力

〔判　例〕

▷大阪高判昭和52・6・28刑月9巻5＝6号334頁（杉本町派出所爆破事件。ケースブック539頁，三井教材513頁，百選〔第9版〕166頁・〔第10版〕172頁）

解　説

1　不任意自白に由来する派生証拠の証拠能力

A君：約束による自白については，自白法則（任意性説），とりわけ虚偽排除説によるべきものと考えますので，XのKに対する自白は，任意性に疑いがあり，証拠能力を欠くので（第20講参照），証拠能力のない自白から派生した証拠である覚醒剤もまた証拠能力がないと考えます。

Bさん：不任意自白の派生証拠である覚醒剤は，供述ではなく虚偽のおそれはないのですから，自白法則（虚偽排除説）によって覚醒剤の証拠能力を否定するという論理は，おかしくはないかしら。

A君：不任意自白と条件関係にある派生証拠はすべて排除されるべきだと思うんだけどね（大阪地判昭和51・4・17判時834号111頁）。

教員：不任意自白に由来する派生証拠の排除については，自白法則の趣旨にさかのぼって考える必要があるだろう。虚偽排除説は，任意性に疑いのある自白は，当該自白に類型的に虚偽のおそれがあって事実認定を誤らせるおそれがあるので排除すると理解するのだから（自白法則は正しい事実認定のための法則），派生証拠についても，虚偽のおそれがあるかどうかで判断すべきだろうね。そうだとすると，不任意自白に基づいてなされた引き当たりの捜査報告書（福岡高判平成5・3・18判時1489号159頁）のように，「自白と一体と評価しうるほど結びつきが強い派生証拠」[1)]や反復自白については格別，証拠物については虚偽のおそれは全くなく，正しい事実認定に寄与こそすれ，これを誤まらせるおそれはないのだから，自白法則の趣旨（虚偽排除説）によって派生証拠（証拠物）を排除することはできないだろう[2)]。

A君：しかし，捜査官が，派生証拠欲しさに，その獲得を狙いとして，不

1）　池田公博「自白の証拠能力」刑雑52巻1号（2013年）113頁。長井秀典「自白の証拠能力について――実務家の立場から」刑雑52巻1号（2013年）135頁もこれに賛意を表する。

2）　田中・証拠法237頁，酒巻526頁，川出敏裕・百選〔第10版〕173頁，池田・前掲注1）113頁など通説である。酒巻教授は，強制・拷問による自白の場合は，派生証拠も排除されるべきであるが，任意性に疑いがある自白の場合は，派生証拠を一律に排除することはできないとする。なお，大澤裕＝朝山芳史「約束による自白の証拠能力」法教340号（2009年）94頁〔大澤発言〕も参照。

起訴などの約束をして自白を獲得したときは，狙いとした派生証拠は，虚偽のおそれがなくても排除すべきなのではないかな。初めから，計画的に，自白を犠牲にしても，その自白に基づく派生証拠の獲得を狙いとして自白を獲得したといった特段の事情があるときは，派生証拠も排除すべきだよ（大阪高判昭和52・6・28刑月9巻5＝6号334頁参照）。

Bさん：その場合に派生証拠を排除したいという気持ちは理解できなくはないけれど，やはり，誤判の防止を目的とする虚偽排除説では説明できないでしょうね[3)]。

教員：Bさんの言うとおりだろう。虚偽排除説によって自白を排除した場合には，A君の言うような「特段の事情」があったとしても，派生証拠は排除できないだろうね。

A君：人権擁護説によって自白の任意性を否定するときは，派生証拠を排除できますか。

教員：人権擁護説なら，不任意自白に由来する派生証拠の排除は，うまく説明できるのではないかな。黙秘権の保障のために自白を排除するのであれば，派生証拠までも排除しないと，黙秘権保障の目的を完遂できないとの論理が成り立つからね[4)]。人権擁護説なら，派生証拠を排除することができるだろう。

Bさん：違法排除説に立てば，派生証拠は，いわゆる「毒樹の果実」の問題として排除が可能になりますね[5)]（熊本地決平成3・2・14公刊物未登載。法教250号106頁参照）。「毒樹の果実」には，(1)違法収集証拠と密接不可分の証拠，(2)違法収集証拠にその発見を負う第2次的証拠，(3)違法収集証拠を梃子（てこ）として得られた供述，(4)反復自白の4類型があるとされており[6)]，不任意自白に基づき発見された証拠物は，(2)の類型の毒樹の果実です。

A君：虚偽排除説により自白を排除する場合でも，心理的強制に至るよう

3）　池田・前掲注1)114頁。

4）　高田220頁は，「人権擁護の点を重視する立場からいえば，自白を手がかりとして獲得された証拠をも排除するのでなければ論理は一貫しない」とする（平場182頁も同旨）。

5）　光藤景皎『刑事訴訟行為論』（有斐閣，1974年）324頁，光藤II 185頁，三井誠「不任意自白に基づいて得られた証拠の証拠能力」法教250号（2001年）107頁，田宮349頁，田宮裕＝多田辰也『セミナー刑事手続法〔証拠編〕』（啓正社，1997年）241頁。

6）　田宮＝多田・前掲注5)233頁。

な取調べを違法として「毒樹の果実」の法理を使えないのかな。

教員：虚偽排除説を採りながら，不任意自白の派生証拠に「毒樹の果実」の法理を適用することは，不任意自白の排除に関しては任意性を問題とし，違法性を問題としなかったのに，その派生証拠については率然として取調べの違法を問題とし，不任意自白は実は違法収集証拠であったので「毒樹の果実」の法理によるというものであって，首尾一貫せず，あまりに便宜的に過ぎるだろう。

Bさん：違法排除説の提唱者の田宮教授も，違法排除説によらないと，「不任意自白に基づいてえた証拠の排除に，毒樹の果実論が使えないという不都合」が生じるとされていますね[7)]。

教員：この点については，前掲大阪高判昭和52・6・28が参考になるだろう。大阪高裁判決は，不任意自白に由来する派生証拠について，不任意自白の排除効を派生証拠にまで及ぼさせるべきかが問題であるとし，自白採取の違法が当該自白を証拠排除させるだけでなく派生証拠をも証拠排除へ導くほどの重大なものか否かが問われなければならない，と説示しているよね。

A君：大阪高裁は，自白獲得手段を，①強制・拷問・脅迫による自白や不当抑留・拘禁後の自白（人権擁護の見地から証拠使用が禁止されるもの），②約束・偽計などによる自白（虚偽排除の見地から証拠使用が禁止されるもの），③他事件による勾留の違法な利用，黙秘権の告知の欠如など自白採取の手続過程に違法がある自白（憲法31条の適正手続の保障の見地から証拠使用が禁止されるもの）の3類型に分けて，派生証拠の証拠能力を検討しています。

Bさん：①類型については，違法性が大きいため，自白排除の要請は強く働き，その趣旨を徹底させるため不任意自白のみならずそれに由来する派生証拠も排除されなければならない，として，いわば派生証拠を絶対的に排除するのに対して，②類型および③類型については，自白が排除されれば，これらの違法な自白獲得手段を抑止しようという要求は一応充たされ，派生証拠については，犯罪事実の解明という公共の利益との比較衡量によるべきで，派生証拠が重大な犯罪の解明にとって必要不可欠な証拠であるときは，証拠排除の波及効は及ばないとしています。

7） 田宮349頁。

A君：①の場合は人権擁護説，②の場合は虚偽排除説によるといいながら，自白採取の「違法」を問題とするなんて，理論的な理解が困難です[8]。

教員：この大阪高裁判決は，そもそも③類型を①類型と区別して②類型と同様に扱っている点において問題があるほか，違法排除説からは「毒樹の果実」の法理として理解が可能であるとしても，①類型と②類型については任意性説を採用しているのに，派生証拠については「毒樹の果実」の法理によっているようであり，①類型については，強制・拷問・脅迫等を違法と評価することは可能だとしても，②類型の「約束」のどの点をとらえて違法と評価するのか明らかではなく，「木に竹を接ぐ」論理構成との批判を免れないのではないかな（さらには，大阪高裁は，派生証拠に排除効が及ぶ場合であっても，その後，任意の自白がなされ，それと派生証拠との間に新たな「パイプ」が通じた場合には，派生証拠は証拠能力を回復すると説示するが，その拠って立つ法理は明らかでない）。

A君：この大阪高裁判決の判断枠組みによるのは止めた方がよさそうだね。

Bさん：そうよね。ところで，最近，大澤教授が，虚偽排除説によって任意性に疑いのある自白の証拠能力を否定する場合には，派生証拠の証拠能力の問題をうまく説明できないとして，(a)「排除されるべき自白が何かは虚偽排除的な考え方で画しつつ」，(b)「なぜ自白を排除するのかといえば，正しい事実認定の確保というよりは，同様の方法の再発を防ぐという抑止効果を中心に考える」，「虚偽排除説において虚偽の恐れある自白を排除する理由としては，正しい事実認定の確保のためというだけではなく，将来の再発防止という抑止効への期待が含まれていると考えたほうがよいのではないか」との新しい提案をされていますね[9]。

教員：そうなんだよ。大澤教授の新提案によると，(a)の部分は自白の排除の基準で，これまでどおり，類型的に虚偽のおそれのある自白であることに変わりはないのだが，教授の新提案の核心は(b)の部分，つまり不任意自白排除の根拠（理由）について，虚偽排除説は，従前は正しい事実認定の確保のためにそのような自白を排除すると考えていたのだが，それだけでなく，違

8）　この判断枠組みに賛意を表する学説として，光藤Ⅱ 185頁，中谷雄二郎・百選〔第9版〕167頁がある。

9）　大澤＝朝山・前掲注2)96頁，97頁。

法排除説的な考え方もとり込み，「将来の再発防止という抑止効」も含むとするわけだ。この新しい見解は，虚偽排除説を基本としながらも，このような政策的考慮を付け加えるものであって，いうならば，「虚偽排除＋虚偽自白誘発取調べ抑止説」だろう。大澤教授は，「思い付きの域を出（ない）」とか，「まったくの単独少数説」とおっしゃられているが，堀江教授も，この見解を紹介されておられるように[10]，検討の必要があるだろう。

A君：この見解によると，派生証拠は，毒樹の果実論に類似する理論（違法を前提としないので毒樹の果実論そのものではない）により，派生証拠の排除が可能になるというわけですね[11]。虚偽排除説によりながら，派生証拠の排除ができることになるので，虚偽排除説に立つときは，なかなか魅力的な見解ですね。

教員：そう手放しに賛同してよいものでもあるまい。川出教授のいわれるように，そもそも，「問題となる証拠の虚偽性と切り離して，取調べの方法自体を規制することが，虚偽排除説の趣旨に適合するのかは疑問である」[12]だけでなく，この見解は，派生証拠に限らず，不任意自白そのものの排除根拠としてこのような趣旨を付加するもののようであるが，抑止効論は本来的に利益衡量を伴うものであるから（United States v. Calandra, 414 U.S. 338 (1974) 参照。第28講），当該自白は，類型的に虚偽のおそれがあるものの，当該取調べ手法が虚偽自白を招来する危険の程度，頻発性，当該自白の重要性などを考慮し，将来のそのような取調べ抑止のために証拠として採用することが相当でないとまでいえないときは，不任意自白そのものを排除できない場合も出てくることとなりかねず，相当とは思われない。このように，派生証拠を排除したいばかりに，かえって，不任意自白自体の排除の要件を加重する結果にならないかという危惧（「湯水とともに赤子を流す」あるいは「角を矯めて牛を殺す」おそれ）があり，大澤教授が，この点をどのように整理されているのかは，はっきりしないんだ[13]。

A君：しかし，派生証拠を排除できないのは，おかしくないですか。

教員：例えば，被告人の不任意自白により発見された殺人の凶器について

10）リークエ 447 頁［堀江慎司］。なお，堀江教授はこの見解に賛同されているわけではない。

11）池田・前掲注 1)113 頁。

12）川出・百選〔第 10 版〕174 頁。

考えてみるに，付着した血痕からその凶器が犯行に用いられたものと認められるならば関連性を肯定できるけれども，自白が任意性を否定される以上は，その凶器が被告人の自白に基づいて発見されたことまでは認定できないということで満足するよりほかはないだろう。

2　反復自白の証拠能力

Bさん：設問の検察官に対する自白は，いわゆる「反復自白」であり，違法排除説によると，「毒樹の果実」の法理の4類型のうち(4)の問題です。

教員：約束による自白について，虚偽排除説によってその証拠能力を否定するときは，反復自白の証拠能力について，「毒樹の果実」の法理を用いることはできないわけだけど，どのように考えたらよいのかな。

A君：確かに，任意性説によるときは，反復自白を「毒樹の果実」の法理の問題として解決することはできません。虚偽排除説の観点からは，当初の自白と同様に「反復自白」それ自体について，「被疑者が強い心理的影響（心理的強制）を受け，虚偽の自白が誘発されるおそれ」があるかどうかを改めて問題にすればよいのではないでしょうか。この場合においては，反復自白の際に任意性に影響を与えるような不適切な取調べが行われていない場合でも，第1次の不任意自白の際になされた約束や偽計といった取調方法によって，強い心理的影響（昭和45年大法廷判決によるならば「心理的強制」）を受け，その影響が反復自白の際にも「残存」していたときは，反復自白も，「虚偽の自白が誘発されるおそれのある状況下でなされた」といえるので，任意性に疑いがあり，証拠能力を認めることはできないことになるのですね。

教員：そのとおりだね。反復自白についても，当初の自白と同様に，319条1項の法解釈が問題になるわけだ。

Bさん：319条1項をどう解釈したらよいのですか。

教員：法解釈は，「約束による自白について虚偽排除説によるならば，反

13)　松田岳士「刑事訴訟法319条1項について(上)」阪法56巻5号（2007年）1106頁が，将来の抑止効を「自白排除法則の事実上の『機能』として認めるか否かはともかく，その『実質的な根拠』にまで持ち込むことは，その適用基準にもそのような政策的考慮を持ち込むことを意味〔する〕」とするのは，筆者と同趣旨かとも思われる。

復自白について，319条1項の『任意にされたものでない疑のある自白』とは，❶当初の不任意自白がなされた時点において捜査官等の働きかけがあり，❷それによって被疑者が受けた強い心理的影響が，反復自白がなされた時点においても，なおも残存しており，❸その結果，類型的に虚偽の自白が誘発されるおそれがあり，❹そのような状況下でなされた自白をいうものと解すべきである。したがって，逆に，反復自白の時点において，強い心理的影響が解消されたときは，任意性に疑いがあるとはいえず，当該自白には証拠能力が認められることになる」といったところだろう。

A君：考慮要素は，当初の自白と同様のものになるのでしょうか。

教員：❷❸❹とも，当初自白の任意性判断の考慮要素と同様だろう。ただ，❷の「反復自白がなされた時点においても，なおも影響が残存して〔いた〕」こと（残存しているときは，どの程度残存しているか），あるいは逆に解消されたかは，(a)それぞれの取調べの主体の異同，(b)両者の取調べ等の時間的間隔，場所的同一性（取調べ場所，身柄拘束場所），(c)反復自白の際の捜査官等の言動（とりわけ遮断措置の有無[14]），(d)当初の自白がなされた後反復自白までの間の弁護人との接見の有無などが考慮されることになるだろう[15]。

Bさん：被疑者が捜査官等の約束や偽計によっていったん自白した以上，その後いくら遮断措置を採ったとしても，被疑者がその後の取調べでこれを覆すことは，被疑者の心理として，実際は非常に困難なのではないですか。

教員：Bさんの問題意識は，米国連邦最高裁の「鞄から出した猫」法理（the cat out of the bag）[16]と同様のものだね。この法理は，反復自白が第1次自白（毒樹）の「果実」であるか否か（毒樹の果実論）の文脈で述べられたものだが，被疑者が自白をすることによってひとたび「鞄から猫を出てしまう」（自己の秘密を漏らす）と，自白した理由がどうであれ，被疑者は，その後は，自白をしたことによる心理的・実際的な不利な立場から逃れることができず，二度と「猫を鞄に戻す」ことはできない（再び同じ自白をせざるを得ない）というものだ。確かに，警察の取調べにおいて不任意自白をした後，同じ逮捕・勾留中に，時日を置かずに検察官の取調べに対しても再度自白を

14）　大澤＝朝山・前掲注2)100頁［朝山発言］。
15）　リークエ447頁［堀江］の掲げる考慮要素も，おおむね同様である。
16）　United States v. Bayer, 331 U.S. 532（1947）.

した場合は，検察官の取調べに特段不当な点はなくとも，検察官に対する自白も任意性が否定されることが多いだろうが17)，それでも，取調官の交代や日時の経過，影響を遮断する特段の措置，弁護人との接見等により当初の取調べの影響が著しく軽減し，あるいは解消されたときは，被疑者が再び否認に転じる（「猫を鞄に戻す」）ことは可能だろう。そうだとすれば，そのような場合において，反復自白の任意性を否定する理由はないだろう。

3　設問の解決

A君：約束の主体が権限がない警察官であることについては第20講で議論したとおりなので，その点は省略しますが，任意性説によれば，派生証拠である覚醒剤は，大澤教授の新見解によらないとすれば，自白法則（虚偽排除説）によって証拠能力を否定できませんし，違法収集証拠排除法則を適用してみても，この約束を違法と評価することも困難ですから，「毒樹の果実」としてその証拠能力を否定することはできません。

教員：派生証拠については，そういうことだろう。次に検察官Ｐに対する反復自白についてはどうかな。

A君：反復自白については，設問の約束による被疑者の心理への影響は，取調官や取調場所は異なっても，ＰはＫと同じく捜査機関であることに変わりはなく，取調べの日時も比較的近く，当初の心理的影響を遮断する特段の措置も採られていないならば，設問の反復自白も任意性に疑いのある自白として証拠能力を否定すべきです。

Bさん：違法排除説によると，当初の自白が違法収集自白として証拠能力を否定されるときは，覚醒剤も検察官Ｐに対する反復自白も，どちらも「毒樹の果実」であって，①違法の程度，②自白と派生証拠との関連性の程度，③証拠としての重要性，④事件の重大性等を総合考慮して判断することとなります18)。設問のケースでは，第１自白の獲得の違法性の程度は軽微なものでないとすれば，自白と覚醒剤の関連性は密接であり，また，反復自白も，A君の挙げた諸事情を考慮すると直接的な関連性が認められ，証拠の重要性

17)　大澤＝朝山・前掲注2）100頁［朝山発言］。朝山判事は，これが一般的な実務の立場という。
18)　田宮406頁，最判昭和58・7・12刑集37巻6号791頁における伊藤正己裁判官の補足意見。

や事件の重大性の程度を考慮してもなお，設問の覚醒剤や反復自白は，証拠能力が否定されるでしょう。

教員：学説によれば，Bさんの言うとおりだね。しかし，我が最高裁の採る「毒樹の果実」論は，聊か特異なものだから，後に改めて学ぶこととしよう。

Question & Answer

Q 設問のXの自白をYの公判において証拠として用いることはできますか。

A 被告人以外の第三者の任意性を欠く供述についても，証拠能力が否定されるかどうかの問題です（「自白法則の第三者効」などと呼ばれることもあります）。これについては，石井・諸問題364頁以下が詳細な検討を行っており，以下の記述は，これに依拠するところが大です。

(1) この論点については，学生諸君の答案では，325条を根拠にして，任意性に疑いのある第三者供述は証拠能力が否定されるとするものが散見されますが，325条は証拠能力否定の根拠にはなり得ません。

かつては，325条を根拠に，被告人以外の第三者（共犯者）の供述についても任意性に疑いがあるときは証拠能力を欠くとの見解も少数ながら主張されていました。このような見解を前提にすると，任意性は証拠能力の要件ということになるわけですから，325条の任意性の調査の時期は，証拠調べの前でなければならないはずです。しかしながら，通説は，325条は，証拠能力に関する規定ではなく，裁判所に任意性の調査義務を課することにより，その証拠価値（証明力）の判断にあたり供述の任意性を考慮に入れさせようとする趣旨であって，任意性に疑いがある場合に証拠能力がないとする趣旨ではないと解し[19]，したがってまた，任意性の調査の時期は必ずしも証拠調べの前でなくともよいと解していました。

そして，最決昭和54・10・16刑集33巻6号633頁は，通説に与し，325条の任意性の調査は，必ずしも当該書面または供述の証拠調べの前にされな

19） 江家・基礎理論121頁，団藤258頁など。

ければならないわけのものではなく，裁判所が書面または供述の証拠調べ後にその証明力を評価するにあたってこれを行っても差し支えない旨説示しました。

このように，通説・判例によれば，325 条は，第三者供述に任意性を要求する根拠とはなり得ません。このような通説・判例の見解は，325 条が，319 条 1 項や 322 条 1 項ただし書とは異なって，任意性の調査に関する定めの形式を採っていることからも正当化されるでしょうし，325 条の「これを証拠とすることができない」との文言は，証拠の許容性を認めることができないとの意味（証拠調べをすることができないとの意味）ではなくて，判決における事実認定の基礎とすることができない（事実認定に用いてはならない）という意味に理解することになるでしょう[20]。「あらかじめ」の文言も，証拠調べに先立つことを意味するものではなく，事実認定の基礎とする前にという意味に解するわけです。

結局のところ，任意性に疑いのある第三者供述の証拠能力については，325 条とは別個に考察しなければならないことになります（したがって，答案では敢えて 325 条に言及する必要はないということです）。

(2)　任意性に疑いのある第三者供述の証拠能力に関しては，第三者供述は被告人の供述ではありませんので，319 条 1 項は直接には適用されないことは異論がありません[21]。問題は，第三者供述についても，319 条 1 項を類推適用できるかどうかなのです。

この点については，基本的には供述の証明力の問題であるとし，例外的に，違法な強制が加えられて任意性が全く欠如するような場合には（強制，拷問，脅迫のごとき場合），証拠能力がないとする見解（以下便宜「原則的証拠能力肯定説」ということにします）が比較的有力なように思われます[22]。つまり，違法な強制が加えられたときには証拠能力がなく，それ以外の任意性に疑いがあるにすぎない場合は，証明力の問題（なお，321 条 1 項の特信情況が問題となるときは，特信情況を否定することになることから，その意味での証拠能力

20）　江家・基礎理論 125 頁，法律実務講座(9) 1983 頁［青木英五郎］。

21）　平野 226 頁，新コンメ刑訴法 913 頁［後藤昭］など。

22）　団藤 257 頁，横井・逐条解説Ⅲ 122 頁，石井・諸問題 372 頁以下，注釈刑訴法(5)〔新版〕238 頁［植村立郎］など。

の要件となる）と解するわけです[23]。この見解は，必ずしもはっきりしない部分もありますが，石井判事のいわれるように，「虚偽排除の観点」から任意性に疑いがあると判断されるときは，証明力の問題ととらえ，強制・拷問・脅迫による自白のように「人権擁護の観点」から任意性が否定されるときは，319条1項を類推適用して証拠能力を否定するとするものでしょう[24]。

前掲最決昭和54・10・16も，第三者供述について，任意性に疑いがある場合には，供述の証明力に影響を及ぼすにすぎないが，任意性が全く欠如する場合には，証拠能力がないことを肯定していると読むこともできそうです[25]。

(3) 共同被告人の自白調書については，共犯者のうち共同被告人に限って319条1項を類推適用する合理的な理由は見出しがたく，共同被告人であっても第三者と同様に，強制・拷問・脅迫による自白のように人権擁護の観点から任意性が否定される場合を除き，319条1項を類推適用すべきではないと考えます[26]。なお，東京高判昭和60・12・13判時1183号3頁は，「検面中の自白は，……人権擁護及び虚偽排除の観点から，その任意性に疑いがあるものとして，同人に対する関係においてばかりでなく，他の被告人に対する関係においてもその証拠能力を否定すべきものである」と判示しています。これは，取調べが「黙秘権を侵害する違法なものである」として，人権擁護の観点を主としていますので，原則的証拠能力肯定説のいう「違法な強制が加えられて任意性が全く欠如するような場合」を念頭に置いたものであるのかどうか，必ずしも明らかではありません。

(4) 違法排除説（違法収集証拠排除法則一元説）によるとき，あるいは二元説で違法収集証拠排除法則を用いるときは，どう考えるのでしょうか。共犯者が違法な別件逮捕中の取調べにより自白した場合，当該自白（第三者供述）は，被告人にとっては，自白ではありませんが，第三者供述が違法収集証拠に当たり得る場合はあるでしょうから，その場合には，被告人の「主張適格」が問題となるでしょう。

---

23) 朝山芳史「取調べに違法のある自白の第三者に対する証拠能力」証拠法の諸問題(上)342頁。
24) 石井・証拠法121頁。
25) 石井・諸問題372頁。
26) 石井・諸問題380頁参照。

学びの道しるべ

✍ 解説において言及した大澤教授の新見解に関して，学生の答案には，「将来の違法取調べ抑止のためには派生的証拠を排除すべきである」とするものが散見される。これが大澤教授の「虚偽自白誘発取調抑止説」に依拠するつもりの論述であるとすれば，大澤教授の見解を誤解するものである。まず，大澤教授は，虚偽排除説を前提に論じているのであって，取調べを違法としているわけではない。

また，大澤教授の新見解を採れば，派生証拠はすべて排除されるわけではない。堀江教授が，「〔大澤教授の見解によっても〕あらゆる派生的証拠を排除するのではなく，不任意自白との因果性の程度や派生的証拠の重要性などを総合衡量して決することになろう」[27]とされていることに留意してほしい。大澤教授の新見解のように，「将来の不適切な取調べの抑止」といった政策的根拠を付け加えるのであれば，違法収集証拠排除法則における「将来の違法捜査抑止」と同じく，利益衡量（コスト・ベネフィット論）が求められることにならざるを得まい。筆者は，解説で述べたように，大澤教授の提唱するこの新見解に左袒するものではないが，仮にこの見解に立つのであれば，堀江教授の挙げる不任意自白との因果性の程度や派生的証拠の重要性に加えて，当該取調べ手法が虚偽自白を招来する危険の程度，頻発性などをも衡量要素とすべきであろう。

✍✍ 学生諸君の中には，自白の証拠能力は虚偽排除説によって否定しながら，派生証拠の証拠能力は，「毒樹の果実」論や「違法性の承継」論により論じるものもある。しかし，約束による自白の証拠能力について学説上も虚偽排除説に立つものが少なくないのは，そのような取調べに違法な点を見い出せないからである[28]。これを違法というのであれば，虚偽自白を招来する取調べのどこに違法があるのか明らかにすべきである。取調べが違法であるというなら，当該自白について，何ゆえに虚偽排除説ではなくて違法排

27）　リークエ 447 頁［堀江］。
28）　約束ないし利益供与を違法と評価することが困難であるとするのが，今日では通説というべきである（大澤裕・争点〔第 3 版〕172 頁，川出敏裕「演習」法教 387 号（2012 年）172 頁，リークエ 443 頁［堀江］，緑 340 頁）。

除説ないし違法収集証拠排除法則によってその証拠能力を否定しなかったのか，まことに不可解というほかない。

なお，取調べ以外の点に違法を見出して，違法収集証拠排除法則を用いるという論理は，なおあり得るであろうが29)，その場合にあっても，取調べそのものを違法ということには無理があろう。

〈参考文献〉

①三井誠「不任意自白に基づいて得られた証拠の証拠能力」法教 250 号（2001 年）104 頁

②田宮裕＝多田辰也『セミナー刑事手続法（証拠編）』（啓正社，1997 年）232 頁

29) 緑 343 頁は，「虚偽排除説によれば，自白が不任意であるとしても，それは手続の違法が認定されたことにはなりません。そのため，改めて先行する手続の違法性を認定した上で，派生的証拠の証拠能力を違法収集証拠排除法則の枠組みで検討することになるでしょう」（傍点は筆者による）とする。

22 補強法則

【設　問】

被告人は，Ａ国の国籍を有する外国人であり，有効な旅券も乗員手帳も所持しないで，平成26年8月ころ，同国から船で本邦の海岸に上陸したものであるが，上陸後引き続き令和2年10月まで山口県内および福岡県内等に居住するなどし，もって本邦に不法に在留したとして，出入国管理及び難民認定法違反罪（不法在留。同法70条2項・1項1号，3条1項1号）により起訴された。被告人は，捜査段階から一貫して，不法入国した事実をも含めて自白し，公判廷でも起訴事実を認めた。検察官は，被告人が我が国に密入国以来同居していた者の検察官に対する供述調書，出入（帰）国および外国人登録記録等に関する照会回答書，被告人の司法警察職員に対する供述調書および検察官に対する供述調書の取調べを請求したところ，弁護人は，これらの書証すべてに同意したので，裁判所は，これらの書面を採用の上，証拠調べを行い，被告人質問，情状証人の尋問を経て，結審し，即日，懲役1年2月（執行猶予）および罰金100万円に処する旨の有罪判決を言い渡した。

ところが，上記出入（帰）国および外国人登録記録等に関する照会回答書は，被告人（Ａ国籍）に関するものではなく，Ｂ国籍の同姓同名の別人についての出入国記録に関するものであったのに，検察官が誤って取調べを請求し，裁判所がこれに気付かないまま取調べを了したものであることが判明した。

弁護人も，判決言渡し後，このことに気付き，量刑不当に加えて，被告人が本邦に在留した事実については補強証拠があるものの，被告人が有効な旅券等を所持しないで本邦に上陸した事実について自白を唯一の証拠として有罪の認定をしたのは訴訟手続の法令違反であるとして，控訴を申し立てた。

訴訟手続の法令違反は認められるか。

〔ポイント〕

① 補強法則の制度趣旨

② 補強を要する範囲

③ 補強の程度

④ 補強証拠適格

〔判　例〕

▷最判昭和24・4・30刑集3巻5号691頁（ケースブック553頁，三井教材524頁）

▷最大判昭和33・5・28刑集12巻8号1718頁（練馬事件。ケースブック563頁，三井教材524頁）

▷最判昭和42・12・21刑集21巻10号1476頁（鳥栖無免許運転事件。ケースブック554頁，三井教材522頁，百選〔第9版〕170頁・〔第10版〕178頁）

▷最判昭和51・2・19刑集30巻1号25頁（ケースブック556頁，三井教材526頁）

▷東京高判昭和56・6・29判時1020号136頁（ケースブック562頁，三井教材523頁）

▷東京高判平成19・11・5高刑速（平成19年）358頁

▷東京高判平成22・11・22判タ1364号253頁（三井教材520頁）

解　説

1　補強法則の制度趣旨

Bさん：憲法38条3項，刑訴法319条2項は，被告人の自白だけでは被告人を有罪とすることができないと定めています（自白の補強法則）。そうすると，被告人を有罪とするためには，自白とは別個の証拠（補強証拠）がなければならないわけですが，当然のことながら，どんな証拠がどの程度あればよいのかが問題となるわけですね。

A君：補強法則については，⑴補強を要する範囲，⑵補強の程度，⑶補強証拠能力（補強証拠適格）に分けて論じられていますよね。また，これとは別に，⑷「共犯者の自白」も問題とされていますよね。補強法則って，論点がいろいろあって，分かりにくいですね。

教員：そうだね。総檜造のA君のご実家を，間近に迫った大型で強い台風に備えて，補強することとした場合，何が問題となるかな。

A君：いやいや，実家はそんな大層な豪邸ではありませんけど，台風に備えて補強するとしたら，(1)どこを補強すべきか，(2)どの程度補強すべきか，(3)どんな資材が補強に適するか，の3点を検討するでしょうね。なるほど，家の補強にたとえると分かりやすいですね。

教員：(1)(2)(3)の3つについては，君のご実家（自宅）を「自白」に置き換えてみれば，理解が進むのではないかな。

Bさん：確かにそうですね。ところで，(4)の「共犯者の自白」の問題は，どこに位置付けたらよいのですか。

教員：「共犯者の自白にも本人の自白と同様に補強証拠が必要か」という論点は，(1)(2)(3)以前の問題だよ（(1)(2)(3)は，補強証拠が必要なことを前提とする論点である）。本人の自白なら補強証拠が必要だけど，共犯者の自白にも補強証拠が必要なのか（共犯者の自白だけで本人を有罪とすることは許されるか），つまり「補強証拠の要否」の問題といっていいだろう。「共犯者の自白」については，補強証拠の要否のほかにも，これと関連して，本人の自白を共犯者の自白で補強できるかという補強証拠適格の問題（(3)の問題）や，被告人が否認している場合でも共犯者2名以上の自白によって被告人を有罪とすることができるかといういろいろな問題が含まれることから，概説書などでは，補強法則の最後にまとめて記述されることが多いので，分かりにくいのだろう。

Bさん：憲法38条3項の「本人の自白」には公判廷における自白を含むかという有名な論点がありますが（最大判昭和23・7・29刑集2巻9号1012頁など累次の最高裁判例は，公判廷における自白を含まないとの憲法解釈を採る），こちらも，要するに，公判廷の自白に補強証拠を要するか，つまり補強証拠の要否の問題なのですね。

A君：補強証拠の要否の問題には，「公判廷の自白」（刑訴法319条2項がこれを含むことを明示しているので議論の実益は少ないが）と「共犯者の自白」の2つの問題があるわけですね。煉瓦造の家（公判廷の自白）や親戚の叔父さんの家（共犯者の自白）について，台風に備えて補強する必要がないならば，(1)どこを補強するか，(2)どの程度補強するか，(3)どんな資材が補強に適するかなんてことは，そもそも考える必要がないわけですね。

教員：そのとおりだ。「共犯者の自白」については，憲法38条3項や刑訴法319条2項は明示するところでないのだから，補強証拠を要求する法の趣旨にさかのぼって考えるよりほかはないだろうね[1]。

A君：補強法則の趣旨は，①自白強要の防止と②誤判の防止ですよね[2]。

Bさん：②の「誤判の防止」というのは，自白は裁判官によって偏重（過大評価）されやすいので，万に一つの間違いを避けるために，念には念を入れて，自白のほかに補強証拠を要求するという意味ですね[3]。

教員：そうだね。さらに，①の自白強要の防止ということもいわれるけれど，補強法則の趣旨としてこれを挙げるのは……。

A君：前掲最大判昭和23・7・29は，補強法則の趣旨として，「真に罪なき者が処罰せられる危険を排除し，自白偏重と自白強要の弊を防止し，基本的人権の保護を期せんとしたものである」（傍点は筆者による）と説示していますよ。

Bさん：そうかなあ。自白強要の防止に関係するのは，319条1項でしょ。

教員：Bさんの言うとおり，「自白強要の危険への対処は基本的に自白法則（強要された自白の排除）の役割」[4]であって，補強法則の役割ではないというべきだろう。ここで問題としている補強法則は，自白に証拠能力があることを前提とした，「自白の証明力に関する規制」なのだから。昭和23年大法廷判決の上記の説示は，自白法則と補強法則を混同するものとの誹りを免れないだろう[5]。さらに言えば，319条2項は公判廷の自白も補強証拠を要すると定めているのだが，公判廷の自白に関しては，「自白強要の防止」は当てはまらないよね。

Bさん：最高裁も，その後，練馬事件判決（最大判昭和33・5・28刑集12巻8号1718頁）において，「憲法38条2項は，……自白の証拠能力を否定しているが，然らざる自白の証拠能力を肯定している」「しかし，実体的真実

1） 松尾(下)37頁。
2） 上口419頁。
3） 田宮354頁。
4） リークエ450頁［堀江慎司］。
5） 岩田誠・最判解刑事篇昭和33年度409頁，平場・基本問題144頁参照。

でない架空な犯罪事実[6]が時として被告人本人の自白のみによって認定される危険と弊害とを防止するため，特に，同条3項は，……被告人本人の自白だけを唯一の証拠として犯罪事実全部を肯認することができる場合であっても，それだけで有罪とされ又は刑罰を科せられないものとし，かかる自白の証明力（すなわち証拠価値）に対する自由心証を制限し，もって，被告人本人を処罰するには，さらに，その自白の証明力を補充し又は強化すべき他の証拠（いわゆる補強証拠）を要するものとしているのである。すなわち，憲法38条3項の規定は，被告人本人の自白の証拠能力を否定又は制限したものではなく，また，その証明力が犯罪事実全部を肯認できない場合の規定でもなく，かえって，証拠能力ある被告人本人の供述であって，しかも，本来犯罪事実全部を肯認することのできる証明力を有するもの，換言すれば，いわゆる完全な自白のあることを前提とする規定と解するを相当と〔する〕」（傍点は筆者による）と説示していますね。

教員：うん，これは，補強法則の制度趣旨を，「事実認定者による自白の偏重（自白の過大な評価）によって生ずる誤判を防止すること」に求める見解といってよいだろうね[7]。

Bさん：証拠能力があり，かつ証明力の高い，完全な自白（perfect confession）なのに，「実体的真実でない架空な犯罪事実が時として被告人本人の自白のみによって認定される危険」ってあるのでしょうか。

教員：被告人が「他の大きな犯罪を隠すために小さな犯罪について虚偽の自白」[8]をし，裁判官がそれを見抜けないことも全くあり得ないとまではいえないだろう。

A君：学説が，「補強証拠は，自白だけで合理的疑いを超える心証が得られる場合にも必要とされます」[9]，「補強証拠が自白の証明力が十分な場合も含め，その程度のいかんにかかわらず要求されている」[10]（傍点はいずれも筆者による）としているのは，補強法則の根拠について，判例の理解とはいさ

6） 最判昭和24・4・7刑集3巻4号489頁は，「架空な，空中楼閣的な事実」という。

7） 池田公博「補強法則の意義と妥当範囲」研修785号（2013年）5頁参照。

8） 伊達・講話241頁。

9） 演習刑訴法282頁［大澤裕］。

10） 池田公博「補強法則の意義と妥当範囲」研修785号（2013年）6頁。アルマ303頁［長沼範良］も，「補強証拠は自白の内容のいかんを問わず要求される」という。

さか異なっているように思えるのですが……。

教員：よく気付いたね。練馬事件大法廷判決の立場は，「犯罪事実全部を肯認することのできる証明力を有するもの」，すなわち，証拠能力のみならず，証明力についても「完全な自白」を前提とする規定と解するというものであって，自白だけで合理的な疑いを超える心証が得られる場合に初めて補強法則が問題とされるということだね[11]。自白だけで合理的な疑いを超える心証が得られない場合には，被告人を有罪にするために自白以外の証拠が必要なことは，憲法38条3項，刑訴法319条2項がなくても当たり前のことだろう（自由心証主義の例外でも何でもない）。もし，そのような場合も補強法則の問題であるとすれば，補強法則を「自白」に限定する理由はなく，自白以外の「不利益事実の承認」の場合も，補強証拠を要するとしないと論理一貫しないのではないかな[12]。このように，自白だけでは合理的な疑いを超える心証が得られない場合に必要となる補充的な証拠を「補強証拠」と呼ぶこと自体が間違っているというべきだろう[13]（本講末尾のQ2参照）。

2　補強を要する範囲

教員：それでは次に，補強を要する範囲について検討しよう。

A君：これについては，いわゆる罪体説と実質説とが対立していますね。罪体説は，罪体について補強を要するとする見解で，学説上の通説です。この罪体とは，「犯罪事実の客観的側面」[14]，すなわち「犯罪からその主体的側面（被告人と犯罪との結びつき）および主観的側面（故意，目的など）を除いた残余の部分」を意味すると理解するのが一般です[15]。

教員：罪体説は，罪体の全体について補強証拠が必要だというのかな。

Bさん：そうではないようですね。罪体説は，罪体の全体について補強証拠が必要なわけではなく，その主要な部分[16]ないし重要部分[17]に補強証拠

11）　中武靖夫「補強証拠」『総合判例研究叢書刑事訴訟法(1)』（有斐閣，1957年）158頁。
12）　補強法則は，自白を除く「不利益事実の承認」には適用されないことにつき，酒巻521頁。
13）　田宮355頁は，これを「みせかけの補強法則」と呼ぶ。
14）　鈴木223頁。
15）　松尾(下)37頁，田口413頁，アルマ302頁［長沼］など。
16）　松尾(下)38頁。

があれば足るとしています。なお，犯罪事実の客観的側面のうち重要部分に限って「罪体」と呼び，罪体について補強証拠を要するとの見解[18]もありますが，言葉の用法の違いだけで，実質的に異なるところはないでしょう。

A君：これに対して，実質説は，罪体説のように「罪体の主要部分・重要部分」と形式的に考えるのではなく，自白の真実性を担保（保障）するに足る範囲（犯罪事実の一部）でよいとする見解ですね[19]。自白の真実性（自白が架空の犯罪に関するものではないこと）を担保するに足る範囲でよいとすると，事案によってその範囲が異なり得るわけですから，事案ごとに実質的な判断をすることとなり，そこから実質説と呼ばれるんですね。実質説は，判例の採る見解といわれています（最判昭和23・10・30刑集2巻11号1427頁など多数）。

Bさん：実質説に対しては，刑訴法301条との整合性の観点から批判がありますね。鈴木教授は，301条を根拠にして，補強証拠の十分性は自白を離れて独自に判断し得るのでなければならないのに，実質説は，自白の具体的内容を前提とした上で，自白の真実性を担保するに足るかどうかを検討するものであるから，「現行法の建前に合わない発想」[20]と批判しています[21]。やはり，罪体説が妥当なのかしら。

教員：この場合に301条の規定をもち出すのは，果たして適切なのだろうか。補強法則が働くのは，証拠調べ（自白も含めて）が終了した後に，裁判所が事実認定をする段階なのであって，301条が問題とする審理の段階で働くものではないから，この批判は当たらないというべきだろう[22]。

A君：犯罪事実の客観的部分でなくとも，たとえば，犯行に至る経緯や動機（故意ではない），あるいは犯行後の行動について裏付け証拠があれば，犯罪事実についての自白の真実性を担保（保障）できることは少なくないだろうから，実質説は，補強を要する範囲をなにも犯罪事実に限定する必要はないと思うんだけど，どうでしょうか。

17）　鈴木・基本問題226頁。
18）　リークエ452頁［堀江］。
19）　平野233頁。
20）　鈴木・基本問題228頁。
21）　田口414頁，アルマ303頁［長沼］も同旨。
22）　リークエ452頁［堀江］。

教員：確かに，自白の真実性を担保（保障）できるかどうかという点からだけみると，そのように考えられなくもないね。でも，判例の立場は，実質説とはいえ，あくまで犯罪事実の客観的要素について補強を要すると解しているんだ[23]。それは，319条2項は，自白それ自体の信用性を補強することを要求しており，自白とは，犯罪事実の全部または主要部分についてこれを認める供述であるからだろう。ただ，客観的要素とはいっても，判例の中には，実行行為の一部ではなく，贓物罪（盗品等関与罪）について，被害品の贓物（盗品等）性についての補強証拠で足るとするものがあることに留意が必要だろう（最決昭和26・1・26刑集5巻1号101頁，最決昭和29・5・4刑集8巻5号627頁）。

Bさん：罪体説によるか実質説を採るかは，結局のところ，補強法則の制度趣旨に立ち戻って考えるべきなのでしょうね。

教員：そのとおりだね。補強法則（319条2項）の制度趣旨を裁判所が自白を偏重することによって生ずる誤判を防止することにあると理解すれば，補強を要する範囲も，犯罪事実のうち，自白の真実性を担保（保障）し，誤判を防止し得る範囲で足りるはずであって，罪体説の要求するところは，制度趣旨からみれば過剰な要求というべきではないだろうか。もとより，実質説が，事案ごとに判断をせざるを得ないことから，罪体説に比べれば基準として明確性を欠く面があることは否めないけれども，上記の制度趣旨が正しいとすれば，当該制度趣旨から罪体説の結論を導き出すことは，論理的な必然ではなく，証拠能力を有し，かつ証明力が十分な「完全な自白」について，念には念を入れて罪体の重要な部分の補強を求めるという以上の理由を見出すことは，困難なのではないかな。

A君：自白の真実性を担保（保障）するに足る範囲（実質説）と，罪体の重要な部分（罪体説）とは，実質的にみれば，相当程度重なり合うわけであって，判例の事案で，実質説と罪体説とで結論を異にするのは，前掲最決昭和26・1・26と前掲最決昭和29・5・4くらいだといわれていますね[24]。

教員：そうだね。ところで，罪体説が，主観的要素や主体的要素について，補強証拠を要しないとするのは，なぜなの。

23） 平場・基本問題151頁など。
24） 池田・前掲注7）6頁。

A君：犯罪の主観的要素（故意，知情，目的など）や主体的要素（被告人と犯人の同一性）について補強証拠を要しない理由について，罪体説の論者は，補強証拠を要するとすると，「訴追側に対して酷に過ぎる」[25]とか，「あまりに有罪判決を困難にし，有罪・無罪が偶然〔たまたま補強証拠があったかどうか〕によって左右される弊害を生ずる」[26]からであるとされています。酒巻教授も，①主観的要素や主体的要素は，「外部に痕跡としての他の証拠を残す蓋然性が低く，そこまで自白以外に証拠を要求するのは困難を強いることになる」こと，②裁判官による自白偏重の防止という補強法則の制度趣旨からしても，「客観的・外形的事実に自白以外の裏付けが認められれば十分である」こと，の 2 点を挙げておられます[27]。

Bさん：そうかしら。公判で最も切実な争いは被告人と犯人との同一性ですよね。そうだとすると，犯人性（主体的要素）についてこそ補強証拠が必要ではないかな。犯人性について補強証拠が要らないというのなら，補強法則の存在意義はあまりないと思うんだけど[28]。

教員：主体的要素について補強証拠を求めた方が誤判のおそれが一層小さくなるのはそのとおりだけれども，問題の核心は，犯人性についても高度の証明力を伴う「完全な自白」が存在するのに，なお主体的要素について補強証拠がないという理由で被告人を無罪とすべきかどうかに尽きるだろう。

Bさん：判例も，主観的要素，主体的要素について補強証拠不要説ですね（最大判昭和 30・6・22 刑集 9 巻 8 号 1189 頁など）。

教員：判例の採る実質説によれば，補強証拠は自白の真実性を担保できればよいのだから，犯罪の客観的要素の一部に補強証拠があって，それによって自白の真実性を担保できる限りにおいて，主観的要素，主体的要素についてまで補強証拠は必要ではないのは当然のことだろう。

25）　リークエ 452 頁［堀江］。

26）　平野 234 頁，田口 414 頁。

27）　演習刑訴法 278 頁［酒巻匡］，酒巻 530 頁。

28）　小田中聰樹『ゼミナール刑事訴訟法(上)争点編』（有斐閣，1987 年）179 頁。

3　補強の程度

Bさん：自白がどの程度の補強を要するかということは，とりもなおさず，補強証拠がどの程度の証明力を要するかということであり，「補強証拠の証明力」の問題といわれるわけですね。これについては，補強証拠だけで「合理的な疑いを容れない程度の証明力」が必要でないことについては異論はないのですが，補強証拠だけで犯罪事実の存在を「一応証明する程度の証明力」が必要であるとする絶対説[29]と，補強証拠独自の証明力を問題とせず，自白と補強証拠とが相まって自白に係る犯罪事実の真実性が証明されればよいとする相対説（最大判昭和24・5・18刑集3巻6号734頁，前掲最大判昭和30・6・22など）とが，この点についても対立していますね。

教員：そうだね。相対説（判例）は一般にはそのように理解されているようだ[30]。でも，ここでの問題は，補強証拠としてどの程度の証明力が必要かという問題なのだから，「自白と相まって……」という言い方は正しくないだろう。そうではなくて，「補強証拠の証明力は自白の真実性を保障するに足る程度のものであればよい」と言った方がより正確ではないかな。

A君：絶対説と相対説のいずれを採るかは，やはり制度趣旨にさかのぼって考えるべきなのだろうね。

Bさん：そうね。判例のいうように，自白だけで合理的な疑いを超える心証をとれることを前提にして，なお万が一の誤りを防止するためとの趣旨なら，補強証拠も，自白の真実性を保障するに足る程度の証明力でよいというのが論理的でしょうね。

A君：確かにそうだけど，自白の危険性を考えると，絶対説も過剰な要求とはいえないのではないかな。

Bさん：「自白の危険性」といっても，補強法則が問題になる場合の自白は，任意性に疑いがなく，信用性が高くて，裁判官が自白だけで有罪の確信を抱いている場合（「完全な自白」）を前提にしているのであって，それでも万が一の誤りを懸念して，補強証拠が必要だとするのが「補強法則」なんだ

29）　平野235頁など通説。

30）　三井誠「自白と補強証拠(4)」法教260号（2002年）81頁。

から[31]，絶対説って，やはり過剰な要求じゃないかしら。

教員：補強の範囲の問題でも補強証拠の証明力の問題でも，学説は，自白だけで合理的な疑いを超える心証がとれる場合（「完全な自白」）のみならず，そのような心証がとれない場合にまでも補強法則の問題としているように思われ（本講 373 頁以下参照），そうだとすると，前者の問題で罪体説を，後者の問題で絶対説を採るのは，当然のことだろう。判例と学説では，根っこの部分で異なる考え方をしており，同じ土俵に立っていないのではないかな。

4　補強証拠適格

Bさん：補強証拠としての適格性については，⑴補強証拠も，犯罪事実認定のための実質証拠ですから，証拠能力がなければならないのは当然であり，さらに，⑵直接証拠でも間接証拠でもかまわない（最判昭和 26・4・5 刑集 5 巻 5 号 809 頁）のですが，裁判官が自白を偏重することによる誤判を防止するとの趣旨からして，「自白から実質的に独立した証拠」[32]でなければなりません[33]（最大判昭和 25・7・12 刑集 4 巻 7 号 1298 頁）。

A君：⑵については，被告人の自白を被告人の供述（自白，自白以外の不利益事実の承認）で補強しても，自白偏重による誤判の防止には役に立ちませんからね。裁判例では，無免許運転の事例について，警察官が事件直後に被告人から事情聴取した内容を記載した捜査報告書や，被告人の指示説明のとおりに見分した結果を記載した実況見分調書は，「被告人の自白を基にして作成されたものであって，本件道路における被告人の運転行為についての補強証拠となり得ない」としたもの（東京高判平成 22・11・22 判タ 1364 号 253 頁）がありますが，これらの証拠が「自白から実質的に独立した証拠」でないとして補強証拠適格を否定したのですね。

教員：さらにまた，被告人から犯行について告白を受けた者の供述も，被告人の自白を内容とする限りで，誤判の防止には役に立たないだろう（最判昭和 30・6・17 刑集 9 巻 7 号 1153 頁）。

---

31)　アルマ 301 頁［長沼］。
32)　大コンメ刑訴法⑺ 563 頁［中山善房］。
33)　田宮 357 頁，松尾㈦39 頁，酒巻 529 頁，リークエ 454 頁［堀江］など。

Bさん：被告人が作成したものであるのに，未収金控帳の補強証拠適格を肯定した最高裁の判例（最決昭和 32・11・2 刑集 11 巻 12 号 3047 頁）がありますよね。これはどう理解したらよいのでしょうか。

A君：「補強を要する自白を獲得した捜査とは独立・無関係になされた」もの[34)]だからだよ。

Bさん：酒巻教授は，未収金控帳のように，「補強を要する自白を獲得した捜査とは独立・無関係になされた被告人の供述や，被告人の作成した書面等」について，補強証拠適格を肯定していますね[35)]。しかし，319 条 2 項によって補強証拠を要する「自白」には，被疑者段階における自白はもとより，捜査開始前になされた供述，捜査を意識しないでなされた供述も含まれるのだから[36)]，捜査と無関係に作成されたメモ（自白を内容とするもの）なども補強証拠が必要なはずであり（補強証拠の要否），そうだとすると，補強証拠を要するような被告人の供述を他の「自白」の補強証拠とすること（補強証拠適格を肯定すること）はできないのではないかしら。未収金控帳も，捜査開始前に捜査と関係なく作成されたものであっても，被告人の供述には違いがないのだから，補強証拠とはなり得ないというべきだわ[37)]。

教員：補強証拠適格について，「捜査を意識しないで」，「捜査から独立・無関係に」等とする見解は，これらの供述は，「自白強要……を招くおそれのある類型の供述ではない」[38)]との理解を前提とするものと思われるけれ

34)　酒巻 529 頁。田宮 358 頁が「嫌疑をうける前に捜査とは無関係に作成された記録に類するもの」とし，田口 415 頁が「捜査を意識しないで作成されたもの」とするのも同趣旨であろう。仙台高判昭和 27・4・5 高刑集 5 巻 4 号 549 頁も，「右手帳は，被告人が本件犯罪の嫌疑をうける前に之と関係なく，本件その他の貸金関係を備忘の為，その都度記載したものである。かかる記載は所謂自白に該らないものと解するのが相当であ〔る〕」と判示する。

35)　酒巻 529 頁。松尾(下)39 頁，田口 415 頁，上口 422 頁等も同旨。なお，横川敏雄『刑事裁判の研究』（朝倉書店，1953 年）97 頁，100 頁は，補強法則の根拠の 1 つとして，自白のみで有罪にできるとすると，捜査官憲が自白に頼る結果，被告人或は被疑者の人格が蹂躙される虞れがあることを挙げ，捜査前に，被告人が業務の通常の過程で作成した商業帳簿，航海日誌のみならず，被告人作成の日誌や手紙についても補強証拠適格を肯定する。

36)　平野 226 頁，藤岩睦郎「自白」法律事務講座(8) 1797 頁，大コンメ(7) 543 頁［中山善房］，リークエ 433 頁［堀江］など。

37)　名古屋高判昭和 26・4・9 高刑判特 27 号 77 頁は，「備忘録ノートブックは被告人の作成した供述書と解すべきであり……結局被告人の自白のみによつて有罪と認定した違法がある」とする。

38)　上口 422 頁。

ど[39]，その発想は，補強法則の趣旨を自白強要の防止と捉える理解に親和的なのではないだろうか。補強証拠については証拠能力を必要とすることはこの議論の前提なのだから，自白強要のおそれのないことを理由とするのは，適当とは思われないね。「完全な自白」を前提にしつつ，万が一の誤判を防止するためならば，捜査と無関係になされた供述（メモや日記）であっても，「架空の犯罪」のおそれは解消されないだろうから，これらを補強を要する自白（補強証拠を要する自白）から外すことも，また自白の補強証拠として許容することも（補強証拠適格）いずれも適切ではないだろう。

A君：そうすると，未収金控帳についての判例の見解に反対なのですね。

教員：いや，判例の結論は，妥当だと思うが，学説の掲げるような理由付けが適切でないということだよ。件の未収金控帳は，業務の通常の過程で作成されたもので，虚偽の記載をするならば後の業務に差し支えることから類型的信用性が高いものであり（323条2号に当たるかどうかは伝聞法則の問題〔証拠能力の問題〕であり，証拠能力を有することは補強証拠の当然の前提であって，伝聞例外に当たり証拠能力を有することと，補強証拠たり得ることとはイコールではない。実質的にみて，機械的，継続的，規則的に作成されて，類型的信頼性が高いかどうかが問題である），そうだからこそ，他の従業員が作成しようが被告人が作成しようが，同じ内容であるはずのものだから（没個性的），これを被告人の自白の補強証拠とすることも許されてよいといった理由付けが適切ではないだろうか[40]。それゆえ，捜査と無関係になされたものとはいえ，日記や手紙を補強証拠にすることは賛同しかねる。

5　設問の解決

A君：不法在留って，オーバーステイ（不法残留）と間違いやすいけれど，出入国管理及び難民認定法の平成11年改正（平成11年法律135号）により

39）　小木曽綾「演習」法教400号（2014年）176頁が「取調べ等に応じて犯罪事実を認めたものではないので」とするのも，同趣旨であろう。

40）　証拠法大系II 323頁［近藤和義］。新コンメ刑訴法914頁［後藤昭］が「定型的な信頼性」といい，田中・証拠法268頁が「右のような書面ももとより被告人の供述書ではあるが，……その特別信用性の故に，……特にこれに補強証拠能力を認めてよいのではないかと思う」とするのも，同趣旨であろう。

新設された犯罪で，不法入国または不法上陸後において本邦に在留する行為を処罰するものですね。適法に入国した者は不法残留罪（継続犯）で処罰されるのに，不法入国者は，不法入国罪の公訴時効が３年なので（状態犯），３年を経過すると処罰できないこととなり，バランスを欠くので，不法在留罪を設けたということのようです。

Bさん：無免許運転の罪について，最判昭和 42・12・21 刑集 21 巻 10 号 1476 頁は，「運転行為のみならず，運転免許を受けていなかったという事実についても，被告人の自白のほかに，補強証拠の存在することを要するものといわなければならない」と説示していますので，設問のケースにおいても，同様に，有効な旅券も乗員手帳も所持しないで上陸したという事実については，補強証拠を要するのではないでしょうか。

A君：そうかな，東京高判昭和 56・6・29 判時 1020 号 136 頁は，覚せい剤取締法違反罪の「法定の除外事由がない」ことについて，これが犯罪の成立を阻却する事由であって，その点についての自白に補強証拠は不要だと説示しているのですから（東京高判平成 17・3・25 東高刑時報 56 巻 1 ～ 12 号 30 頁も同旨），設問の場合も補強証拠は不要なのではないかな。

教員：最高裁昭和 42 年判決と東京高裁昭和 56 年判決の各説示は一見すると矛盾するようにみえるが，東京高裁自身その点について釈明し，無免許運転の罪は，「一般的禁止の形で人に対しておよそ車両を運転してはいけないという義務を課すものではなく，車両の運転が無免許である場合だけを禁圧する趣旨であるから」，運転免許を受けていない事実を，「犯罪構成要件要素としていると解すべきであ」るのに対して，覚せい剤取締法違反の罪は，「その規定の形式に照らしても明らかなように，一般的禁止の形で各種の不作為義務を課し，その除外事由を極めて限定的に列挙しているのであるから」，「法定の除外事由がない」という事実は，構成要件要素ではなく犯罪の成立を阻却する事由にすぎないので，この点について補強証拠は不要であるとしているんだ。

A君：そのような前提に立つと，不法在留罪は，我が国における外国人の在留を一般的に許さず，適法に入国した事実を犯罪成立阻却事由としたものではなく，外国人の在留が不法な入国・上陸にかかる場合だけを禁圧するものであって，不法な入国・上陸を犯罪構成要件要素としているものと解されるので，最高裁昭和 42 年判決の場合と同様に，不法に本邦に入国しまたは上陸した事実について，自白を唯一の証拠として有罪の認定をすることはできず，この点についても補強証拠が必要ということになりますね。

Bさん：そうすると，設問のケースでは，第 1 審判決は，319 条 2 項に違反するので，訴訟手続の法令違反として破棄されるのでしょうね。

教員：設問は，東京高判平成 19・11・5 高刑速（平成 19 年）358 頁の事案をモデファイしたものだが，この判決は，不法在留の犯罪事実については，「外国人が我が国に在留する行為自体は犯罪行為としての性質を持つものでな〔く〕」，これが違法となるのは，入管法「3 条の規定に違反して本邦に入った事実があることによるもの」だから（筆者注：この事実は犯罪構成要件要素であるという趣旨），不法在留罪の成立を認めて被告人を有罪とするためには，被告人が本邦に在留した事実だけでなく，「3 条の規定に違反して本邦に入った事実についても，被告人の自白のほかに補強証拠が必要であると解すべきである」と説示し，諸君と同じ結論に達しているんだ。

Question & Answer

Q1　練馬事件最高裁判決は，「完全な自白」といいますが，自白の信用性は，自白以外の証拠との整合性等によって判断されるのであって，自白それ自体で「完全な自白」といえるのでしょうか。

A　確かに自白は他の証拠による裏付けによって初めて信用性を肯定できる場合が多いでしょう。しかし，自白だけで合理的な疑いを容れない程度の心証を得ることもあり得ないではないでしょう。たとえば，捜査段階から一貫して自白している被告人が，公判廷でも，裁判官の前で，涙を流して前非を悔いるというケースを想定しますと，裁判所としては，自白だけで合理的な疑いを容れない心証に達し得るのではないでしょうか。

*　　　*　　　*

Q2　最判昭和 46・4・20 判時 630 号 109 頁（福江大火事件）は，自白の信用性が乏しいので，補強証拠の証明度が高くない限り，自白どおりの認定はできない旨説示し，昭和 33 年大法廷判決（練馬事件）のいう「完全な自白」を前提としていないのですが，どう考えるべきですか。

▲ これは，いわゆる「証明力相関論」の是非として議論されている問題です。「証明力相関論」を採る仙台高判昭和 60・4・22 判時 1154 号 3 頁②事件は，「自白にかかる犯罪事実の真実性を保障する補強証拠の証明力の程度は，自白の種類，性質，態様，範囲，内容等によって決せられる自白の証明力の程度と相関的に決定されるものと解すべく，自白の証明力が高ければ高いほど補強証拠の証明力は比較的に低くても足りるが，自白の証明力が少なければ補強証拠の証明力はより大きなものが要求され〔る〕」と説示しており（名古屋高金沢支判昭和 25・2・20 高刑判特 9 号 48 頁，東京高判昭和 43・2・15 判時 535 号 5 頁なども同旨），ご質問の最高裁昭和 46 年判決（福江大火事件）も，この考え方に与する判例です。最高裁の判例の中に，「被告人の自白と補強証拠と相待って，犯罪構成要件たる事実を総体的に認定することができれば，それで十分事足る」（最判昭和 24・4・7 刑集 3 巻 4 号 489 頁）や「〔補強証拠と〕被告人の自白とを綜合して本件犯罪事実を認定するに足る以上……」（最大判昭和 30・6・22 刑集 9 巻 8 号 1189 頁）とするものがあり，その意味するところを，補強証拠と自白とが相まって合理的疑いを容れない程度に証明されたとの意味に理解することから（これら判例の説示だけをみると，そのような理解もできなくはない），「証明力相関論」が生まれたのかもしれません。学説でも，この「証明力相関論」に与するものもあります[41]。しかし，この証明力相関論は，昭和 33 年大法廷判決（練馬事件）の説示と明らかに齟齬・矛盾します。

福江大火事件最高裁判決を含む証明力相関論にいう「補強証拠」とは，「広く『自白を裏付け，その信用性を補強する証拠』の意であり，刑訴 319 条 2 項本来の『補強証拠』とは異なる」[42]ものであって（福江大火事件最高裁判決や仙台高裁昭和 60 年判決は，説示中において 319 条 2 項に言及していない），単なる裏付け証拠にすぎないものを「補強証拠」と呼ぶのは，319 条 2 項の補強証拠と混同するおそれがあり，「誤解を招きやすい措辞は避けるべき」でしょう[43]。

41） 中武・前掲注 11）159 頁，三井誠ほか編『新基本法コンメンタール刑事訴訟法〔第 2 版〕』（日本評論社，2014 年）473 頁［島戸純］。

42） 杉田宗久「補強証拠の証明力」証拠法の諸問題(上)379 頁。田宮 355 頁も，自白の証明力が十分な場合を「本来の補強法則」と呼び，自白だけでは不十分な場合（証明力相関論）を「みせかけの（疑似）補強法則」という。

＊　　　＊　　　＊

Q3　最判昭和42・12・21刑集21巻10号1476頁は，無免許運転事件において，「運転行為のみならず，運転免許を受けていなかったという事実についても，被告人の自白のほかに，補強証拠の存在することを要するものといわなければならない」としたものの，当該事件については，無免許事実の補強証拠として同僚の供述をもって足るとしたようですが，それでは補強証拠として不十分ではないでしょうか。

A　昭和42年判決は，無免許事実の補強証拠について，「Sの司法巡査に対する供述調書に，同人が，被告人と同じ職場の同僚として，被告人が運転免許を受けていなかった事実を知っていたと思われる趣旨の供述が記載されており，この供述は，被告人の公判廷における自白を補強するに足りるものと認められる」と判示していることは，ご指摘のとおりです。

調査官の解説によれば，最高裁が挙げたSの司法巡査に対する供述調書には，「Iさん（被告人）は……会社の倉庫の広場なんかで車を少し位運転しておられたこともあるので運転は少し位出来ます。然し運転免許は持っておられないようです」[44]という供述であり，補強証拠適格や補強証拠の証明力の点で，疑義があり得ます。

しかし，当該事案は，被告人が，「公判廷においても自白して，全く争っていない事案」であったようです[45]。そうだとしますと，その補強証拠は，公判廷において争っている場合と比べれば，「比較的不十分なものでも足りるといってよい」[46]ことを前提に考える必要がありそうです。

まず，Sの供述調書について補強証拠適格の観点からみますと，SがI（被告人）から自己が無免許である旨聞いたという趣旨で用いるのであれば，自白から実質的に独立した証拠とはいえないでしょう（補強証拠適格を欠く）。これに対して，被告人が免許を有している旨を一度も聞いたことがないとか運転免許証を一度も見たことがないという，無免許の間接事実として用いるのであれば[47]，補強証拠適格は認められるでしょうが，証明力の点

43）　三井誠「自白と補強証拠(3)」法教259号（2002年）114頁。

44）　海老原震一・最判解刑事篇昭和42年度360頁。

45）　海老原・前掲注44)360頁。

46）　海老原・前掲注44)360頁。戸田弘・最判解刑事篇昭和29年度89頁も，同様の指摘をする。松尾(下)38頁，酒巻530頁も同旨。

では，公判廷で自白していることを考慮に入れても，免許を有していると聞いたことがない，運転免許証を見たことがないからといって無免許とは限らず，S供述の証明力は微弱にすぎるように思われます。

この点について，松本時夫判事は，「被告人が仕事先で運転助手を勤め，しかも，仕事先の構内で，自動車を借りて運転の練習をしていたという事実……は，一般的にその者がいまだ運転免許を持っていないことを窺わせる状況を示すものであり，こうした間接事実と被告人の自白と総合して判断すれば，無免許の事実は十分に認定可能ということができ〔る〕」[48]とされています。確かに，このように考えれば，補強証拠適格（自白から独立した証拠）の点でも，証明力（間接事実からの推認も合理的）の点でも説明が可能なように思われます。

*　　　　*　　　　*

Q4 「共犯者の自白」について，団藤教授は，①共犯者の自白も「本人の自白」に含まれ，共犯者の自白だけで有罪とすることはできず，補強証拠を要するとしながら，②被告人も共犯者もともに自白しているときは，共犯者の自白は被告人本人の自白の補強証拠となるので，被告人本人を有罪とすることができ，③被告人本人の自白がない場合に，共犯者 2 名以上の自白があれば，被告人を有罪にできるとされていますが[49]（最判昭和 51・10・28 刑集 30 巻 9 号 1859 頁における団藤裁判官の補足意見も同旨），①のように共犯者の自白も「本人の自白」に含まれると解するなら，②の場合も③の場合も，本人の自白が 2 個以上あるのと同じだから，有罪にできないという結論にならないと，首尾一貫しないのではないですか。

A 確かに，「共犯者の自白」を「本人の自白」（憲 38 条 3 項。刑訴法 319 条 2 項の「その自白」）と完全に同視するとすれば（つまり共犯者の自白＝本人の自白），質問者のいうように，①②③のいずれの場合においても，有罪判決はできないことになるでしょう[50]。

しかし，団藤教授の見解は，決して，両者を完全に同視するものではあり

---

47) 長井圓・百選〔第 5 版〕175 頁。

48) 松尾浩也編『刑事訴訟法Ⅱ〔大学双書〕』（有斐閣，1992 年）333 頁［松本時夫］。長井圓・百選〔第 5 版〕175 頁も参照。

49) 団藤 285 頁。

50) 井上・原論 208 頁。

ません。「共犯者の自白」とは，被告人も一緒に犯行を実行した，あるいは被告人と共謀したという供述であって（いわば目撃者の供述），共犯者自身にとっては「自白」であっても（共犯者自身を有罪とするには補強証拠が必要），被告人にとっては，所詮は他人の供述であって，自己の犯罪事実を認める供述ではなく[51]，憲法38条3項の「本人の自白」，刑訴法319条2項の「その自白」には当たりませんから，同項がストレートに適用されることはあり得ません。共犯者の自白の例として，「私（共犯者）は被害者の胸を殴ったが，被告人も被害者の顔をげんこつで殴った」（傷害事件）とか「私（共犯者）が被害者に刃物を突き付けて脅し，被告人が被害者から現金5万円を奪った」（強盗事件）というケースを例に考えてみますと，被告人の犯行に関する供述（被告人が顔をげんこつで殴った，被害者から現金5万円を奪ったとの供述）は，いうならば，被告人の犯行に関する目撃供述に過ぎないわけです。

この問題は，「共犯者の供述」は「自白」ではありませんが，補強法則の制度趣旨にかんがみ，319条2項を類推適用できるかどうかということに問題の核心があるのです[52]。

団藤教授は，①の場合は，(a)「共犯者の自白」のみで被告人を有罪とすることは，自白偏重による誤判のおそれがある点で「本人の自白」と差異はないことや，(b)仮に補強証拠が不要とすると，自白した者は補強証拠がないため無罪になるのに，否認した者が有罪となるという非常識な結果を導くことを理由として，319条2項の「自白」には共犯者の自白を含み（共犯者の自白にも319条2項が類推適用されるというほどの意味），補強証拠が必要だとし，②や③の場合は，2名以上の者の自白が一致するときは，自白偏重による誤判の危険は薄らぐとして，②について補強証拠となることを，③については相互に補強証拠となることをそれぞれ肯定し，被告人を有罪とすることができるとされるのです[53]。

これに対して，判例（最大判昭和33・5・28刑集12巻8号1718頁[54]，前掲最判昭和51・10・28）・有力説[55]は，補強証拠不要説（319条2項類推適用否定説）に立っています（①のケースについて補強証拠を不要とすれば，②③のケー

51）　鈴木226頁，田口419頁。

52）　田宮358頁，新コンメ刑訴法915頁［後藤］，リークエ455頁［堀江］。

53）　団藤285頁。

スでは，補強証拠の要否は問題とならず，被告人を有罪にできる）。補強証拠不要説の論拠は，(a)「共犯者の自白」には，責任転嫁・引っ張り込みの危険があり，裁判所は警戒の目をもって慎重にその証明力を検討するであろうから，「本人の自白」と同様には考えられないこと，(b)被告人に共犯者を反対尋問する機会を与えれば，反対尋問を経た「共犯者の自白」は反対尋問を経ない供述よりも証明力が高いので，反対尋問を経た「共犯者の自白」を証拠として被告人が有罪となり，補強証拠のない共犯者が無罪となるのは，不合理とはいえないこと，(c)補強証拠必要説に立つのであれば，責任転嫁や引っ張り込みの危険を回避するため，被告人と犯人の同一性についても補強証拠を要することとしなければ無意味であり，補強法則はこれらの危険を防止することを趣旨とするものではないことが挙げられています[56]。

〈参考文献〉

①酒巻匡・演習刑訴法 277 頁

②法曹会編『設題解説刑事訴訟法㈠』（法曹会，1988 年）54 頁

③杉田宗久「補強証拠の証明力」証拠法の諸問題㈤358 頁

④池田公博「補強法則の意義と妥当範囲」研修 785 号（2013 年） 3 頁

54）　この最高裁大法廷判決（練馬事件）は，「共犯者の自白をいわゆる『本人の自白』と同一視し又はこれに準ずるものとすることはできない。けだし共同審理を受けていない単なる共犯者は勿論，共同審理を受けている共犯者（共同被告人）であつても，被告人本人との関係においては，被告人以外の者であつて，被害者その他の純然たる証人とその本質を異にするものではないからである」と説示する（傍点は筆者による）。

55）　平野 233 頁など。

56）　リークエ 456 頁［堀江］参照。

23　伝聞法則(1)

【設　問】

Xは，Vに対する強制わいせつ致死罪で起訴されたが，犯人性を否認した。そこで，検察官は，Vの友人であったWについて，立証趣旨を「被害前のVの言動状況」として，その証人尋問を請求したところ，採用された。証人Wは，検察官の主尋問に対して，「Vから，生前，『Xは嫌いだ。後をつけたり，待ち伏せしたり，いやらしいことばかりするから』と打ち明けられた」旨証言したところ，弁護人は，直ちに異議を申し立て，「伝聞であって排除されるべきである」旨述べた。裁判所は，検察官に対して意見を求めたところ，検察官は，「当該証言によって立証しようとするのは，まず，VがXに対して『嫌悪の情』を抱いていたことであり，また，WがVから上記の内容を打ち明けられたこと自体であって，いずれにせよ，非伝聞である」旨の意見を述べた。裁判所は，どのような措置を採るべきか。

〔ポイント〕

① 伝聞証拠の意義

② 伝聞証拠排斥の根拠

③ 現在の心理状態を述べる供述

〔判　例〕

▷最判昭和 30・12・9 刑集 9 巻 13 号 2699 頁（米子の「あの人はすかんわ」事件。ケースブック 570 頁，三井教材 528 頁）

▷最判昭和 38・10・17 刑集 17 巻 10 号 1795 頁（白鳥事件。ケースブック 582 頁，三井教材 529 頁）

▷東京高判昭和 58・1・27 判時 1097 号 146 頁（山谷の慰謝料名下の恐喝事件。ケースブック 583 頁，三井教材 531 頁，百選〔第 8 版〕180 頁・〔第 9 版〕174 頁・〔第 10 版〕182 頁）

解　説

1　伝聞証拠の意義

教員：320条1項は，アメリカ法に倣って，伝聞証拠排斥の法理（伝聞法則）を定めたものであるとするのが大方の理解ですが[1]，320条1項により排斥される「伝聞証拠」って，何だろう。

Bさん：「伝聞証拠」とは，「事実認定をする裁判所の前での反対尋問を経ていない供述証拠」をいいます[2]（以下「実質説」という）。

A君：最近では，「①公判廷外の供述を内容とする証拠（供述または書面）であって，②当該公判廷外供述の内容の真実性を証明するために用いられるもの」という定義の方が多数説だよね[3]（以下「形式説」という）。

Bさん：田口教授は，両方の定義を並列させて説明されているくらいだから[4]，説明の仕方の違いだけで，実際上は，結論を異にすることはないんでしょ。

教員：そうともいえないよ。実質説の定義によれば，反対尋問を経ていないのは公判廷外の原供述なのだから，当該原供述が「伝聞証拠」ということになるわけだが，形式説の定義によると，原供述を内容とする公判廷供述・書面が「伝聞証拠」ということになり，まずその点で違いがあるんだ（伝聞排斥の実質的な問題点が原供述にあることに異論はないのであるから，前者の理解も十分に成り立ち得るが，判例〔最判昭和30・12・9刑集9巻13号2699頁〕は，公判廷供述・書面を「伝聞証拠」と呼んでいる）。さらにまた，被告人の犯行を目撃した証人が主尋問に対して証言したものの，反対尋問前に死亡・所在不明となった事例において，主尋問に対する証言は「伝聞証拠」に当たるのだろうか。

1）　旧刑訴法には，伝聞法則は存在せず，判事の自由心証に委ねられていたことにつき，大判昭和9・7・6刑集13巻944頁参照。

2）　平野203頁，205頁，田口421頁。

3）　田宮363頁，松尾(下)44頁，56頁，光藤II 204頁，上口363頁，リークエ374頁［堀江慎司］など。

4）　田口421頁。

Bさん：実質説によると，「裁判所の前での反対尋問」を経ていませんので，「伝聞証拠」に当たることになりますね。

A君：それに対して，形式説の定義によると，反対尋問を受けていなくても，主尋問に対する証言は「公判廷外の供述を内容とする証拠（公判廷供述または書面）」ではありませんので，「伝聞証拠」には当たりませんね。

教員：定義を異にするのは，なぜなんだろうか。

Bさん：実質説は，320条1項は英米法の強い影響の下に制定されたものであって，「伝聞証拠が排斥されるのは反対尋問を経ていないからである」[5)]とし，原供述に対する反対尋問（原供述をした時点における反対尋問）の欠如を重視する立場ですね。

A君：形式説では，供述の信用性テストの手段として，反対尋問が最重要だとしても，これに限られるものではなく，刑訴法は，公判廷供述に対しては，「(a)真実を述べる旨の宣誓と偽証罪による処罰の予告，(b)不利益を受ける相手方当事者による反対尋問，(c)裁判所による供述態度の観察」[6)]の3つの手段を用意しているのに対し，原供述はこれらの吟味・確認手段によりテストされていないため，原供述の真実性の確認ができないことを理由とします[7)]。

教員：実質説は，反対尋問を経たかどうかが唯一の基準なので，被告人の供述（録取）書（322条1項前段）が伝聞証拠とされている理由を，原供述（被告人の供述）が被告人自身の反対尋問を経ておらず，検察官も黙秘権をもつ被告人を反対尋問できないからだとし[8)]，また，形式説が伝聞証拠としない被告人の公判廷供述についてまでも，同様の理由で伝聞証拠に当たるとするようだ[9)]。しかし，前者は，供述者本人による自分自身の供述に対する反対尋問という，およそ論理的に不可能な手段を用いた信用性テストがなされていないから伝聞証拠だとするものであって，とても合理的な論理とはいえ

5）　平野・訴因と証拠227頁，田口421頁。当時の米国における有力な学説の影響によるものか。

6）　大澤裕「伝聞証拠の意義」争点〔第3版〕182頁。

7）　田宮368頁，松尾(下)55頁，大澤・前掲注6)182頁，酒巻匡「伝聞証拠をめぐる諸問題(1)」法教304号（2006年）137頁。米国連邦最高裁ではDonnelly v. United States, 228 U.S. 243（1913）が伝聞証拠排斥の理由として，この3つの信用性テストの欠如に言及する。

8）　平野212頁。

9）　平野212頁，224頁。

ないだろう。後者についても，被告人の公判廷供述を伝聞証拠とするのは320条1項の文言と整合しないだろう。このように，伝聞法則を反対尋問の欠如だけで説明することには無理があるのではないかな。実質説は，「制度の趣旨及び条文の文言から離れすぎるという意味で適切でな〔く〕」[10]，320条の文言に忠実な形式説によるべきだろう。

Bさん：形式説の定義のうち②（公判廷外供述〔原供述〕の内容の真実性を証明するために用いられるもの）の部分は，必要なのでしょうか。もちろん，伝聞証拠かどうかは，要証事実と証拠との関係によって決せられるので（最判昭和38・10・17刑集17巻10号1795頁参照），供述内容の真実性を証明するために用いる場合でなければ，伝聞証拠に当たらないのはそのとおりなのですが，実質説では，伝聞証拠の定義中の「供述証拠」とは，「人が一定の事実を見て，それを記憶し，これを表現し叙述したものを，その事実の存在の証明のために用いる場合をいう」[11]とされており，形式説でも，320条1項の「供述」（原供述）に，その趣旨を含めて理解すれば足るように思うのですが。

教員：確かに，そのように理解すれば，形式説の②の部分は不要になるだろう。確かに320条1項は②の部分を明示していないし，同項が伝聞法則を採用したものとすれば，同項にいう「供述」（原供述）は，原供述の内容である事実を要証事実とすること（②＝供述的用法）を含意すると理解することもできるだろうね[12]。しかし，この点を明らかにすべく②の部分を付け加えた形式説の定義は，より明確になるわけだし，敢えて②の部分を外して定義することもないだろう[13]。

Bさん：要証事実との関係で伝聞性が問題となるのが，「言葉の非供述的用法」ですよね。

A君：「言葉の非供述的用法」って，分かりにくい表現だよね。

Bさん：確かにそうね。この場合は，公判廷外の発言を，その内容をなす事実（その真実性）の証明ではなく，発言をしたこと自体の証明に用いるもので

10）　酒巻・前掲注7）139頁。

11）　平野・訴因と証拠220頁。

12）　大澤・前掲注6）182頁，酒巻・前掲注7）142～143頁も同旨と思われる。

13）　田宮364頁は，320条1項は書面や他の者の供述はいかなる場合であっても証拠とすることができないように読め，「不正確な規定」なので，②の部分を補って読むべきだという。

あるので，320条1項の「供述」には当たらず，非伝聞であることを意味する概念として用いられているんだけれど，大澤教授は，「言葉の非供述的用法」[14]といい，堀江教授は，「公判外供述の非供述的用法」[15]というように，表現が微妙に違うものの，中身は同じなのよね。

教授：どれでも同じ意味だから，学生諸君の好みで選べばいいよ。要は，この「言葉の非供述的用法」には，(1)供述がなされたこと自体が犯罪事実を構成する場合（＝供述の内容ではなく供述の存在自体が主要事実となる場合。米国ではverbal Act〔言語的行為〕と呼ばれる），(2)行為の言語的部分（米国では，verbal parts of Act〔行為の言語的部分〕と呼ばれる），(3)不一致供述による弾劾，(4)言葉がその内容とは異なる事実の推認に用いられる場合（これには，①その言葉を聞いた者に与えた影響を推論する，②供述者との人間関係を推論する，③供述者の精神異常を推論する，④供述者が当該事実を認識していたことを推論する，というおおむね4つがある）の4つの類型があることを知っていればよいだろう。詳細は各自の教科書等を参照してくれたまえ。

Bさん：この「言葉の非供述的用法」においては，原供述は，その内容の真実性の証明に用いられないため，「供述証拠に固有の問題を含まず」[16]，供述証拠のもつ危険がないので，320条1項の「供述」には当たらず（非供述），これを内容とする証言は「非伝聞」なのですね（例えば(1)のVerbal Actについていえば，Wの「Yから『XがVを殺したのを見た』と聞いた」との証言をXの殺人の証明に用いるときは，典型的な伝聞証拠であるが，YのXに対する名誉毀損の証明に用いるときは，原供述者Yがその旨述べたこと自体が要証事実であり，証人Wの直接的体験事実として，当該証人に対して反対尋問等により証人自身の知覚・記憶等につき信用性のテストをすれば足りる）。

2　伝聞証拠排斥の根拠

教員：実質説にせよ，形式説にせよ，反対尋問（等）の信用性のテストを経ていないと，なぜ伝聞証拠を排斥しなければならないのだろうか。

14）　大澤・前掲注6）182頁。
15）　リークエ378頁［堀江］。
16）　大澤・前掲注6）182頁。

A君：原供述は，知覚・記憶・表現・叙述の4つの供述過程のそれぞれに誤りが入るおそれがあるのに，反対尋問（等）のテストを経ていないと，「推論」を誤る危険があるからです[17]。

教員：反対尋問（等）のテストを経ていないと，なぜ「推論」を誤る危険があるの。どこの推論を誤るのかな。

A君：……。

教員：伝聞証拠から要証事実への推論のプロセスは，どのようなものなのだろうか。

Bさん：例えば，被告人の丁に対する殺人被告事件で，甲が公判廷外で乙に対して「被告人が丁を殺すのを目撃した」と述べたという例を考えてみます。目撃者である甲自身が公判廷で証人として被告人による丁殺害の目撃証言をしたときは，甲に対する反対尋問（等）により甲の目撃供述に対する信用性テストがなされ，信用性が肯定できれば，「甲は，被告人が丁を殺すのを見た」＝「被告人は丁を殺した」事実（要証事実）を認定できるのですが，公判廷外で甲の目撃供述を聞いた乙が公判廷で甲の目撃供述について証言したときは，証人乙に対する反対尋問（等）による信用性テストを経れば，「乙が甲からその旨の発言を聞いた」＝「甲が乙に対して，その旨の発言をした」事実は認定できても（乙の証言が信用できる限りにおいて，この推認は「確かな（強い）推認」である），そのことから，「甲が乙に対して当該目撃発言をしたのだから，甲は被告人による丁殺害を目撃したであろう」と推認するとしたら，甲の供述（原供述）は反対尋問（等）による信用性テストを経ていないため，そのような推認は裁判所の事実認定にとって危険であり，このような「不確かな（弱い）推認」を許さないことが伝聞法則の趣旨なのですね[18]。

教員：そのとおりだね。重要なことは，その証拠から，どのような推認プロセスを経て（何段階かの推認を重ねて），最終的に主要事実を認定できるか否かであって，反対尋問（等）による信用性のテストは，あくまでその途中の推認が確かなものかどうかの確認のために用いられる手段（ツール）なんだよね。伝聞証拠は，反対尋問（等）による信用性のテストを経ていないの

17） 大澤・前掲注6)182頁。

18） 田宮裕「証明力を争う証拠」同『刑事訴訟とデュー・プロセス』（有斐閣，1972年）346頁。

で，これによる要証事実の認定は不確かな（弱い）推認でしかなく，これを証拠として許容するときは，事実認定を誤るおそれがあるから，伝聞証拠は排除されるということになるだろう。つまり伝聞法則は，「正しい事実認定の確保」のための予防原則なのだね[19]。もとより，被告人にとっては反対尋問権（憲 37 条 2 項）の機会保障の意味も有することは否定できないけれども，伝聞法則は，被告人の請求する証拠に対しても適用されるのであるから，伝聞法則を被告人の反対尋問権を保障するためにあると捉えるのは，正確とはいえないだろう[20]。

3　現在の心理状態を述べる供述

教員：現在の心理状態（精神状態あるいは心の状態ともいう）を述べる供述を内容とする証拠（公判廷供述または書面）は，「伝聞証拠」の定義を充たすだろうか。

A君：現在の心理状態（精神状態）を述べる供述を内容とする証拠は，伝聞証拠の定義である「事実認定をする裁判所の前での反対尋問を経ていない供述証拠」（実質説）に当たり，また，「①公判廷外の供述を内容とする証拠（供述または書面）で，②供述内容の真実性を証明するために用いられるもの」（形式説）にも当たるので，実質説であろうと形式説であろうと，「伝聞証拠」に当たります。あれっ，確か非伝聞とする見解が通説だったような……。おかしいな。

教員：いや，おかしくはないよ。形式説の①の要件を充たすのはいうまでもないが，原供述者が発言当時，そのような心理状態にあったことを証明するために用いられるのだから（嫌悪の情があろうとなかろうがどちらでもよいのでは，証拠として無意味である），②の要件も充たすことになるよね。現在の心理状態の供述を内容とする証拠は，伝聞証拠の定義に形式的には当ては

19）　田宮 368 頁，新コンメ刑訴法 916 頁［後藤］。堀江慎司「伝聞証拠の意義」新・争点 166 頁も，同様に，正確な推認が保証されないような，公判廷外供述を内容とする供述または書面を事実認定の基礎とすることを原則として禁じるのが伝聞法則であり，これを採用したのが 320 条 1 項であるという。なお，別異の見解として松田岳士「伝聞法則の運用」刑雑 51 巻 3 号（2012 年）353 頁参照。

20）　新コンメ刑訴法 916 頁［後藤］。

まるのだよ[21]。これは，要するに，「公判期日外の供述を，その供述の内容をなす事実を証明するために用いる場合であるにもかかわらず，伝聞法則が適用されない場合が認められるのか」という点が問題なんだ[22]。

Bさん：現在の自己の心理状態を述べる供述は，自己の外にある事象に対する「知覚」と，知覚したものの「記憶」の両者を含まないですよね。そこで，それを内容とする書面やこれを聞いた者の証言が，心理状態を述べた原供述者が供述当時その内容どおりの心理状態にあったことを証明するために用いられる場合であっても，原供述者について，「知覚」と「記憶」の２つの過程がない以上，それを内容とする書面や供述は「伝聞証拠」には当たらないのではないかしら（非伝聞説）。供述４過程のうち，誤謬が特に入り込みやすいのは，「知覚」と「記憶」の２つの過程なのだから。

A君：しかし，そもそも「現在の心理状態の供述」を内容とする証拠は，伝聞証拠の定義に当たることを前提にすれば，「知覚」と「記憶」の過程がなくても，「表現」「叙述」の過程に誤りが介入する危険がある以上それを吟味する必要があると考えれば，現在の心理状態の供述は，320条１項の「供述」であって，それを内容とする供述は伝聞証拠に当たるとの理解の方が素直ではないでしょうか（伝聞説）[23]。

教員：この問題の核心は，「現在の心理状態の供述」を内容とする証拠は，発言当時のその者の心理状態を立証するための最良の証拠であって，証拠としての重要性・必要性が高いにもかかわらず，伝聞証拠の定義に当てはまるとして伝聞法則を適用すると，我が国の伝聞例外規定が厳格な要件を定めているので（324条２項・321条１項３号），原供述者が供述不能でない限り，これを用いることはできないという点にあるわけだ。

21）新コンメ刑訴法920頁［後藤］，川出敏裕「演習」法教388号（2013年）159頁。川出教授は，「伝聞証拠の定義をそのまま当てはめれば，伝聞証拠にあたることになろう」という。

22）川出・前掲注21）159頁。

23）伝聞説に立つ見解として，戸田弘「心の状態を述べる供述・自然発生的な供述と『伝聞証言』」河村澄夫＝柏井康夫編『刑事実務ノート⑴』（判例タイムズ社，1988年）39頁，光藤景皎「伝聞概念について」高田卓爾博士古稀祝賀『刑事訴訟の現代的動向』（三省堂，1991年）183頁，大谷直人「伝聞法則について」中山善房判事退官記念『刑事裁判の理論と実務』（成文堂，1998年）270頁，松尾㈦56頁，光藤Ⅱ212頁，白取431頁，堀江慎司「『心理状態の供述』について」『鈴木茂嗣先生古稀祝賀論文集㈦』（成文堂，2007年）482頁，リークエ383頁［堀江］，後藤・伝聞法則44頁，斎藤348頁がある。

A君：かつては，伝聞説と非伝聞説とが拮抗していたようですが，今日では，非伝聞説[24]が通説のようですね。伝聞証拠の定義に当たるのに，通説が伝聞法則が適用されないというのは，いったい何故なのですか。知覚，記憶の過程がないとか，最良の証拠だとか言ってみたって，定義に当たることは否定できませんからね。

教員：確かに，疑問に思うのも無理はないね。そこで，通説である非伝聞説の論者は，知覚，記憶のプロセスがないとか，最良の証拠といった，「各論」だけでなく，まずもって，このような「各論」を統合するものとしての「総論」（そもそも論）を展開する必要に迫られるわけだ。

Bさん：どんな「総論」ですか。

教員：伝聞法則を適用するかどうか（伝聞か非伝聞か）は，(a)原供述者を証人尋問して原供述の正確性を吟味する必要性の程度（裏からいえば，誤謬介在の危険性の程度）と，(b)事実認定にとって原供述（公判廷外供述）の重要性，証拠としての必要性の程度（証拠としての価値）とを比較衡量して，実質的に判断されるべきものであるとするんだ[25]。要するに，伝聞法則は，「正確な事実認定に資する目的の証拠法則」[26]なのだから，一般の伝聞証拠とは違って供述過程の一部しか存しないため，誤謬の介在する危険性が低く，それに対して，利用価値が高いような証拠は，正しい事実認定のために，排除すべきではない，ということだろう。

A君：「正しい事実認定」のための法則（伝聞法則）が，これを形式的に適用すると，却って，「正しい事実認定」の足枷になるということなのですね。それだったら，伝聞法則の目的である「正しい事実認定」のために，実質的な法解釈を施して，伝聞法則の適用を制限しようということですね。

Bさん：上手い説明ね。そうすると，まずは，(a)の「原供述者を証人尋問して原供述の正確性を吟味する必要性の程度」については，先程来議論したように，㋐誤謬介在の危険が高い「知覚」「記憶」の過程が存しないこと，ですね。それに，㋑「表現」「叙述」については，「知覚」「記憶」とは異な

24）　平野・訴因と証拠225頁，田宮373頁，鈴木204頁，上口366頁，田口425頁，酒巻548頁，大澤・前掲注6）184頁，金築誠志・百選〔第5版〕179頁など。なお，緑302頁は，本来は伝聞証拠としたうえで，伝聞例外として明文規定で規律するのが望ましいとする。

25）　大澤・前掲注6）184頁，酒巻548頁。

26）　酒巻548頁。

って，原供述者本人に対する反対尋問（等）の信用性テストによらなくとも，原供述者から聞いた証人を尋問することによっても相当程度明らかにできるし，書面の場合は，その内容や記述の態様，前後の記述内容などから，明らかにできるでしょう。そして，㋑の「表現」「叙述」のプロセスについては，「私は神である」との原供述から原供述者の精神の異常を推論する場合のような「言葉の非供述的用法」においても，「表現」「叙述」が問題となるはずなのに「非伝聞」と解されていること[27)]も，このような理解の手助けになりそうです。まとめると，現在の心理状態の供述については，(a)の「原供述者を証人尋問して原供述の正確性を吟味する必要性の程度」は，さほど高くはなさそうです。

A君：(b)の「事実認定にとっての重要性，証拠としての必要性」についてみますと，「現在の心理状態の供述」は，供述者本人の供述当時の心理状態を認定するための最良かつ最重要な証拠の１つであって，事実認定にとって重要です。それにもかかわらず，これを内容とする証拠を伝聞証拠とすると，刑訴法にはこれに特化した伝聞例外規定がなく，原供述者が被告人の場合は格別（324条１項，322条１項），そうでないときは原供述者が供述不能（324条２項，321条１項３号）でない限り証拠能力が認められず，証拠として用いる必要性が高い，ということになりますね。

教員：そのとおりだね。(a)危険性は低く，(b)重要性・必要性が高いのだから，320条１項を適用する前提条件に欠けるので，実質的法解釈により，伝聞法則を適用すべきではなく，「現在の心理状態の供述」を内容とする証拠（供述または書面）は，「非伝聞」というわけだ。以上のような理解から，伝聞証拠の定義についての実質説，形式説にかかわりなく，非伝聞説が通説であり，同旨の裁判例（東京高判昭和58・1・27判時1097号146頁）も存するところだ。

A君：通説である非伝聞説に立つ場合，現在の心理状態の供述を内容とする供述（供述や書面）は伝聞法則が適用されませんが，そうすると，現在の心理状態の供述の「表現」「叙述」に問題があることが明らかになったときは，単に信用性の問題に過ぎないということになるのでしょうか。

27） 平野204頁など通説。

Bさん：非伝聞説は，「表現」「叙述」の問題は，証明力ではなくて，「一般的な関連性」の問題として，証拠能力の要件と解しているわよ[28]。

教員：そうだね。「一般的な関連性」っていうのは，伝聞法則特有の問題ではなく，通常の「関連性」（自然的関連性）の問題だという意味だ。自然的関連性は，証拠が証明しようとする事実に対して最低限度の証明力を有するかどうかの問題だが，自然的関連性が問題となるのは，①証拠のねつ造，取違えなどのように，当該証拠によって直接証明しようとする事実を認定することができない場合と，②当該証拠により間接事実を推認できるものの，当該間接事実は，主要事実の推認にはほとんど役に立たない場合の2つであり[29]，ここで問題としている「一般的な関連性」について言えば，心理状態の供述（原供述）が真摯になされていない場合（冗談で言った場合のように真摯性が全くないような場合）には，それを内容とする公判廷供述や書面によって当時の心理状態（当該証拠によって直接証明しようとする事実）を認定することができないことは，物証に人為的改変が加えられた場合（①の場合）と同じだからだよ[30]。

A君：伝聞説の論者も，米国連邦証拠規則（Federal Rules of Evidence 1975）がこれを伝聞証拠としたうえ，明文の伝聞例外規定を設けて，供述不能など特別の要件を課すことなく，心理状態の供述であることだけで，直ちに証拠能力を認めていることから（803条3号），これに倣って，(1)不文の伝聞例外を認め，信用性の情況的保障を条件として証拠能力を肯定したり[31]，(2) 324条2項による321条1項3号の準用は，「供述不能」の要件まで準用するものではなく，信用性の情況的保障が肯定されれば証拠能力が肯定できるとし[32]，あるいはまた，(3)現在の心理状態の供述は，その時だけの心理を表現する供述であるので，再現が不可能ないし困難という意味で「供述不能」に代替できるとする[33]など，連邦証拠規則のように無条件というわけ

28)　平野・訴因と証拠225頁，田宮373頁，大澤・前掲注6)184頁など。

29)　リークエ358頁［堀江］，成瀬剛「科学的証拠の許容性(5・完)」法協130巻5号（2013年）1035頁。

30)　鈴木茂嗣「伝聞概念について」植松博士還暦祝賀『刑法と科学・法律編』（有斐閣，1971年）643頁，大澤・前掲注6)184頁。

31)　戸田・前掲注23)31頁。

32)　大谷・前掲注23)271頁。

33)　光藤II 212頁。

にはいかなけれども，伝聞例外として証拠能力を認める方向なのですね。

教員：確かにそうなんだけど，白取教授のように，伝聞例外規定について操作を加えることなく，伝聞例外規定に当たらない以上，伝聞証拠として排斥される[34]との見解もあるようだ。

Bさん：米国連邦証拠規則803条3号（伝聞例外規定）が無条件で伝聞例外を認めるのは，「現在の精神・感情・身体の状態（then existing mental, emotional, or physical condition）」，具体的には「供述者の現在（then existing）の精神（mind）・感情（emotion）・感覚（sensation）または身体（physical）の各状態（condition）に関する供述（例えば，意思（intent），計画（plan），動機（motive），意図（design），感情（mental feeling），苦痛（pain）または健康状態等（bodily health）に関する供述）」とされていますね。「心理状態の供述」って，嫌悪の感情だけじゃなくって，あらゆる内心についての供述なのですね（「then existing」は「現在の」と訳出されるのが一般であるが，初学者にとっては「発言当時の」心理状態の供述という方が分かりやすかろう）。

A君：「知覚」「記憶」の過程がない供述ですから，「嫌悪の情」のような感情だけでなく，犯行計画メモのような犯罪の意図・計画はもとより，苦痛までも含むわけですね。

教員：そのとおりだね。ついでにいえば，通説である非伝聞説に立つ論者も，「過去の心理状態の供述」（「あのころXを嫌いだった」との発言）を内容とする証拠（供述または書面）に関しては，原供述について，「表現」「叙述」のほか，過去の心理状態の「記憶」の正確性が問題となり，「記憶」について信用性テストが不可欠なことから，伝聞証拠に当たるとしているんだ[35]。なるほど，「記憶」は誤りが介入しやすい過程であることから（記憶の変容の例は少なくない），先の比較衡量によっても，重要性・必要性を超えて誤謬介在の危険性が高いので，非伝聞と解することはできないだろうね。

A君：実は，さっきからモヤモヤしているのですが，大澤教授や酒巻教授の掲げる「総論」って，伝聞例外の理論的根拠である，信用性の情況的保障と必要性に酷似しており（先述の(a)は信用性の情況的保障に，(b)は必要性に対応），「総論」は，正しい事実認定のための伝聞例外の根拠とはなり得ても，

34） 白取431頁。

35） 田宮372頁，鈴木204頁，田口426頁，緑302頁。

非伝聞（伝聞法則不適用）の根拠にはなり得ないのではないでしょうか。

教員：いいところに気付いたね。平場教授は，伝聞法則の例外を認めることについて，「一方において伝聞が事実認定につき必要であり，他方において伝聞の弊害が微弱であるばあいには，真実発見のため伝聞法則適用に例外を認めて差し支えないのではないかとの思想」に根差すものであり，前者の必要性と後者の信用性の情況的保障は，相互に補完的関係にある[36)]とされておられるが，この理屈は，先に述べた非伝聞説の「総論」と極めてよく似ているよね。そして，英米の判例においては，現在の心理状態の供述は，信用性の情況的保障が認められる典型的な類型の１つとされていたようだ[37)]。知覚・記憶の過程がないことはそのとおりだけれども，そうだからといって表現・叙述の過程[38)]があるのに，伝聞法則の適用がないということには疑問があるだろう[39)]。

Ｂさん：先生は，以前は非伝聞説であったはずですが，伝聞説に転向するのですか。

教員：過ちては改むるに憚ること勿れだよ。通説たる非伝聞説が，伝聞証拠の定義に当たるのに非伝聞とするのは，畢竟，供述不能でない場合の伝聞例外の処理がうまくできないこと，別言すれば，米国連邦証拠規則のような，現在の心理状態の供述に特化した伝聞例外規定が存しないことに実質的な理由があり[40)]，ほかの理由は非伝聞の結論をもっともらしく見せるためのデコラティヴな理由付けだよ。非伝聞説のベースにあるのは，松尾教授のいわれるように，「321条以下の例外だけでは，英米法に比べて不充分な点があるから，ある程度は……320条１項の解釈で補わなければならない」[41)]との考え方なのだろう。「伝聞例外の代替としての非伝聞」というわけだね。確かに供述当時の内面的な心理状態は，外部の情況証拠によって後から判断す

36）　平場192頁，193頁。

37）　江家・基礎理論75頁。

38）　とりわけ書面については，書面の内容や作成状況から表現・叙述における誤謬の有無を判断することが困難であることにつき，リークエ383頁［堀江］参照。

39）　川出敏裕・百選〔第８版〕180頁は，「供述内容の真実性を立証事項とするにもかかわらず，供述過程の一部が欠けるから伝聞法則が適用されないという解釈は，かなり技巧的である」という。

40）　光藤Ⅱ212頁。

41）　松尾浩也「伝聞証拠」刑事訴訟法演習72頁。

ることは非常に困難であって，その時点の本人の発言こそが当時の心理状態に関する最良の証拠であるので，証拠として用いる必要があることは，そのとおりだ。したがって，伝聞法則の母法国の米国と異なり，これを伝聞例外として規定しなかったのは，立法の過誤というべきだろう（米国連邦証拠規則803条のようにこれに特化した例外規定あるいは807条のような包括的な例外規定をもうけるべきであったろう[42)]）。しかし，そうだからといって，伝聞証拠の定義に当たるものを，掌を返すように，非伝聞とするのは，果たしていかがなものだろうか。現在の心理状態の供述を内容とする証拠は，これを伝聞証拠としたうえ，伝聞例外の適用に当たっては，現在の心理状態の供述は一般的に自然であって虚偽のおそれが低く，信用性の情況的保障は一般的に相当高いというべきであること，これに対して，供述当時の心理状態を相当の時日を経た後に公判廷で再現させることは多大の困難を伴うことにかんがみるときは[43)]，大谷判事の言われるように，現在の心理状態の供述（とっさになされた供述も同様）を内容とする証拠については，供述不能要件（321条1項3号）を外して準用するよりほかないのではなかろうか。

4　設問の解決

Bさん：設問の場合の立証趣旨は，「被害前のVの言動状況」とされていますが，その趣旨は明瞭とはいえないものの，弁護人の異議申立てに対する検察官の意見によってこれを補充すれば，Wの証言の立証趣旨は，WがVから証言のような話を聞いた事実そのものであって，内容の真実性を証明しようとするものではないということのようですね。

A君：まず，「Xは嫌いだ」との供述部分についてみると，設問の事例で

42）　緑302頁参照。なお，現行刑訴法制定過程で開かれた改正協議会において，GHQのブレークモアは，特信情況のシチュエーションではあるが，「英米の証拠法は極めて複雑であつて本に書けば何冊にもなる位だ」と述べたうえ，現行法の321条1項3号などのベースとなった条項案を示して，「此の様な根拠があれば裁判所は判例で適当な例外を認めることができる」「詳しい法典を作る必要はない」と発言している（制定資料全集⑾455頁）。

43）　伝聞例外の理論的根拠としての，信用性の情況的保障と必要性とは「相互に補充的・反比例的関係に立ち，一方の要件が強く満たされると，他方の要件の充足度はそれに応じて緩和される」（田中・証拠法98頁）とすれば，この場合，信用性の情況的保障がとりわけ強く満たされるので，準用に当たり，供述不能の要件（必要性）を不要とする解釈もあり得てよかろう。

は，Xは犯人性を争い，被告人と犯人の同一性が問題となっているのですから，検察官の設定する立証趣旨を前提とすると，Wの証言から，VがWにそのような告白をした事実を推認することはできても，そのような告白をした事実から，争点であるXが犯人であることを証明するための間接事実（例えば動機など）を推認することはできず，争点に対して何ら証明力がなく，Wの当該証言は，関連性がないことになります。

教員：そのとおりだね。また，検察官の立証趣旨が「嫌悪の情」である場合についてみると44)，争点がわいせつ行為についての被害者の同意の有無であるときは，この立証趣旨をそのまま前提にしても証拠として無意味になることはないから，要証事実は立証趣旨と同じく，「嫌悪の情」ということになるのだが，設問の場合は，嫌悪の情を立証してみても，Xが犯人であることの間接事実（例えば動機など）を推認することはできず，争点に対しては何ら証明力がなく，関連性がないことになるだろうね。

A君：次に，「後をつけたり，待ち伏せしたり，いやらしいことばかりするから」との供述部分について考えますと，争点は被告人が犯人であること（犯人性）です。ところが，検察官の立証趣旨は，VがWに対してそのような発言をしたこと自体であり，VがWに対してそのような発言をしたこと自体を立証してみても，そのような趣旨の発言をしたことから，そのような事実があったことを推認することはできず（弱い推認），争点であるXの犯人性との関係で，検察官の立証趣旨（発言をしたこと自体）をそのまま前提にするとおよそ証拠としては無意味になるような例外的な場合ですので，要証事実は，立証趣旨とは異なって，「XがVの後をつけたり，待ち伏せしたりして，Vにいやらしいことばかりしていた」との過去の事実（動機を推認するための間接事実）と考えられます（発言内容の真実性を証明するために用いられる場合に当たる）。そこで，Vの供述過程は，吟味・確認の必要な「供述（原供述）」（320条1項）に当たり，これを内容とするWの証言は伝聞証拠に当たります。そこで，「伝聞例外」該当性を検討しますと，324条2項の準用する321条1項3号の3要件を充足するときは（Vは死亡しているので「供述不能」要件は充たす），証拠として許容され，裁判所は，弁護人の異議

44)　「被害前のVの言動状況」すなわちVが発言したこと自体を要証事実とすることは相当でないことにつき，平野・訴因と証拠224頁，金築誠志・百選〔第5版〕179頁参照。

を棄却すべきですが（刑訴規則205条の5），充足しないときは，裁判所は，異議を認容し，当該証言部分を排除する決定をすべきです（刑訴規則205条の6）。

Bさん：A君のように，「Xは嫌いだ」との発言と「後をつけたり，待ち伏せしたり，いやらしいことばかりする」との発言を分離して考え，前者を内容とする公判廷の供述は自然的関連性がないとするのは，おかしくないかしら[45]。前者の発言部分だけをみると，Vが発言したこと自体あるいは嫌悪の情からXの犯行動機を推認することはできないので，自然的関連性がないようにみえるけど，Vの発言の趣旨は，「Xから，後をつけられたり，待ち伏せされたり，いやらしいことばかりされるので，Xを嫌っている」ということよね。そうだとすると，両者は不可分一体なものとみるのが素直であり，「Xは嫌いだ」との発言も，「後をつけたり，待ち伏せしたり，いやらしいことばかりする」との発言と不可分一体のものとして，伝聞証拠というべきではないかしら[46]。伝聞例外（324条2項，321条1項3号）については，A君の言うとおりですね。

教員：両様の理解があり得るだろうが，主要事実の認定にとって，この2つの供述部分がそれぞれ独立して証拠価値があるのであれば，分割してそれぞれの証拠能力を検討する必要があるだろうが，そうでなければ，両者を不可分一体とみて，全体として伝聞証拠と理解する方が素直ではあるだろうね。

Bさん：それから，A君は，「後をつけたり，待ち伏せしたり，いやらしいことばかりする」との供述部分について，要証事実を「XがVに対して，後をつけたり，待ち伏せしたり，いやらしいことばかりした事実」と理解しているけど，設問と同様の事例に関して，前掲最判昭和30・12・9は，要証事実を，動機（「以前からVと情を通じたいとの野心を持っていたこと」）としています。この考えによると，本件でも，要証事実は，動機（「以前からVと情を通じたいとの野心を持っていたこと」）というべきなのではないでしょうか。

教員：たしかに，最高裁のいうように，要証事実を犯行の動機とする考え

45） 平城文啓「伝聞供述について」判タ1322号（2010年）61頁は，「どの程度，供述を分割して考えるのかは……供述内容，趣旨及びこれを証拠として利用したい当事者の意見を踏まえ，各供述部分が最終的な立証命題との関係で個別の意義を有しているのか否かによる」という。

46） 大コンメ刑訴法(7) 575頁［中山善房］，田口425頁。

方もあるけれども[47]，「殺すのを見た」→「殺した」のように推論が確実で，両者を等値できるときは，前者でなく後者（殺した）が要証事実となるわけだが，設問や最高裁昭和 30 年判決の事案の「平素のいやらしい行動」→「動機」の関係は，確実な推論（等値できる）とはいえず，前者は後者を推認するための間接事実の 1 つであるとすれば，直近の証明対象たる前者を要証事実とすべきだと思うよ[48]。その意味において，昭和 30 年判決が，要証事実を「かねて被害者と情を通じたいとの野心を持っていた」事実（「犯行自体の間接事実たる動機」）とするのは，誤りとまではいえなくとも，適切とはいい難いだろう。

Bさん：ところで，実際の訴訟で異議が出た場合，証人尋問の途中なのに，証人そっちのけで，伝聞例外の要件である供述不能や特信情況の立証をすることになるのでしょうか。

教員：すぐに判断できるときは，裁判所は，異議を棄却し，あるいは認容すればよいのだけれど，そうでないときは，裁判実務では，「とりあえず異議を棄却して尋問を続行させることとし，その後，証拠能力が認められないと判断されるに至った段階で，証拠排除するという運用」がなされているようだね[49]。直ちに非伝聞と判断される場合や伝聞例外に当たることが明らかな場合は格別，立証が必要なときは，証人尋問を中断して伝聞例外の立証に入るわけにもいかないから，やむを得ないだろう（裁判員の心証形成への影響という点でなお問題は残る）。

A君：伝聞や再伝聞に当たる証言がなされたのに，相手方当事者が異議を申し立てないまま，証人尋問を終えた場合は，直ちに異議の申立てができないなどの特段の事情がない限り，黙示の同意（326 条 1 項）があったものとしてその証拠能力を認めるのが相当だとされていますから（最決昭和 59・2・29 刑集 38 巻 3 号 479 頁〔高輪グリーンマンションホステス殺人事件〕），反対

47）　三好幹夫「伝聞法則の適用」証拠法の諸問題(上)66 頁。

48）　田宮 372 頁が，「本件の要証事実は被告人がいやらしいことをしたかどうか（それを犯行の動機認定に使う）の方にあ〔る〕」とし，金築誠志・百選〔第 5 版〕181 頁が，「〔被害者の〕知覚した被告人の言動を立証するものとして，伝聞にあたることは明らか」としているのは，筆者と同様の理解によるものと思われる。リークエ 382 頁［堀江］も，要証事実は「従前の行動」とする。

49）　平城・前掲注 45)63 頁。

当事者としては留意が必要ですね。

Question & Answer

Q1 伝聞証拠の定義と要証事実との関係がよく分かりません。

A 320条1項により排斥される伝聞証拠について，たとえば通説（形式説）のように，①公判廷外の供述を内容とする証拠（供述または書面）であって，②当該公判廷外供述の内容の真実性を証明するために用いられるものという定義を用いる場合において，①は要証事実と無関係ですが，②の「内容の真実性を証明するために用いられる」かどうかは，要証事実のいかんによって決まることになります。例えば，要証事実が「書面の存在」であれば，その書面が存在すること自体を証明するために用いられ，内容の真実性を問わないわけですから，定義中②の「内容の真実性を証明するために用いられるもの」には当たらないこととなりますし，要証事実が当該書面の記載された内容である事実であるときは（なお，「内容の真実性」を要証事実とする旨の答案を見かけます。もちろんそれでも意味は理解できますが，正確に表現するとすれば，「内容の真実性」が要証事実なのではなく，「内容である事実」〔例えば被告人が被害者の左胸部を包丁で刺した（のを目撃した）事実〕が要証事実です），当該証拠を内容の真実性を証明するために用いられるわけですから，②の「内容の真実性を証明するために用いられるもの」に当たることとなるわけです。

*　　　　*　　　　*

Q2 要証事実とは何ですか。立証趣旨と同じものですか。

A 要証事実は，立証趣旨と同じではありません。

答案を採点していると，要証事実が何かを明らかにしないまま伝聞証拠に当たるとする答案，立証趣旨が○○であるので伝聞証拠であるとする答案，立証趣旨を考慮することなく要証事実を独自に設定する答案など，要証事実の意味や，要証事実と立証趣旨との関係などについての理解が不十分な答案が散見されます（平成20年新司法試験の採点実感等に関する意見（刑事訴訟法）19頁参照）。

「立証趣旨」とは，当該証拠の取調べを請求する当事者がその証拠によって立証しようとする事実なのですが（刑訴規則189条1項，刑訴316条の5第5号），立証趣旨がそのまま要証事実だとは理解されていません。現に，最決平成17・9・27刑集59巻7号753頁は，「立証趣旨が『被害再現状況』，『犯行再現状況』とされていても，実質においては，再現されたとおりの犯罪事実の存在が要証事実になるものと解される」と判示し，立証趣旨と要証事実とを別のものと理解しています。ある書面の立証趣旨を「ＸがＶを殺したのを見たとの記載のある書面の存在」として証拠調べ請求がされた場合であっても，内容の真実性を離れて「書面の存在」自体に証拠としての価値がなく，その書面が実質的には犯罪事実の存在を証明するために用いられざるを得ないときは，要証事実は，立証趣旨とは異なって，「ＸがＶを殺した状況」とせざるを得ないのです。

要証事実とは，「具体的な訴訟の過程でその証拠が立証するものと見ざるを得ないような事実（いわば「必然的に証明の対象とならざるを得ないような事実」）」[50]をいうのです。要証事実は，争点との関係で，その証拠がいかなる事実を立証するものとして用いられることとなるかによって決まるわけであって，「どの点に関する証拠が十分で，どの点についての証拠が不足しているというように，他の証拠の質量や裁判官の心証も関係している」[51]のです。

ただ，立証に関して当事者主義が採られ，いかなる証拠でどのような立証を行うかは原則として当事者に委ねられているため，証拠調べ請求のあった証拠について，当事者の意思を離れて裁判所が自由に要証事実を決定できるとすることは，その前提と相容れないので，原則としては，当事者が示す立証趣旨を前提にして要証事実が決定されるのですが，ただ「当事者が設定した立証趣旨をそのまま前提にするとおよそ証拠としては無意味になるような例外的な場合」[52]は，裁判所がそれとは異なる要証事実を定めることができるのです[53]。

そうすると，当事者の提示した立証趣旨Ａを前提にして，当該証拠から争点（主要事実）に至る推認過程を分析したうえ，当該訴訟における争点との

50) 三好・前掲注47)67頁。

51) 三好・前掲注47)67頁。

52) 芦澤政治・最判解刑事篇平成17年度346頁。

53) 川出敏裕「演習」法教389号（2013年）152頁，芦澤・前掲注52)346頁，三好・前掲注47)67頁。

関係で，Ａを立証することに意味があるかどうかを検討し，意味があるときは，裁判所は，当事者が提示した立証趣旨どおりに要証事実を決定することとなりますが，Ａを立証することが争点との関係で無意味であり（したがって証拠として無意味），当該証拠は，Ｂを立証することに用いてこそ意味があるときは，裁判所は，要証事実をＢと決定することとなるわけです[54)]。

なお，要証事実の語が多義的であることから（一般的には，最終的な立証命題である公訴犯罪事実（主要事実）を意味するが，伝聞法則を議論する際には，証拠から直接に認定される事実を意味する），最近では，伝聞法則を論じる際は，要証事実に代えて，「立証事項」の語を用いる学説もあります[55)]。しかし，最高裁は，昭和30年判決から上記平成17年決定まで，一貫して「要証事実」の用語を用いています。

＊　　＊　　＊

Q3 伝聞証拠の意義を「公判期日外の供述で，その内容の真実性を立証するために用いられるものをいう」とする文献[56)]も見受けられますが，どう理解すべきでしょうか。

A このような定義は，我が国では，ご指摘の論考のほかは，あまり見かけませんが，米国では，連邦証拠規則において，「伝聞とは，供述者が公判手続または審問手続においてした供述以外の供述であって，内容の真実性を証明するために提出したもの」（801条(c)）とされていますので（ご指摘の論考は，これに倣ったのかもしれません），320条の文言を離れて，「伝聞」というときは，実質説と同様，意味のある定義づけです。このような定義によれば，伝聞証拠は「公判廷外の供述」すなわち原供述を意味することとなります。しかし，伝聞証拠をこのように定義することは，320条1項の「公判期日外における他の者の供述を内容とする供述」との規定振りと相容れませんし，最高裁昭和30年判決（米子の「あの人はすかんわ」事件）が死亡した被害者からこの発言を聞いたとする男の証言を「伝聞証拠である」としていることとも整合しないように思われます。

54）　川出・前掲注53）152頁，平成21年新司法試験論文式試験問題出題趣旨参照。

55）　例えば，酒巻544頁，大澤・前掲注6）183頁，川出敏裕・百選〔第8版〕180頁，リークエ378頁［堀江］。

56）　下津健司・百選〔第10版〕182頁。

学びの道しるべ

✍ 伝聞法則において問題とされる「反対尋問」について，伝聞証拠とは，「いまだ反対尋問を経ていない供述証拠」であるのだから，後に反対尋問を経れば伝聞証拠でなくなるとの誤解が見受けられる。しかし，伝聞法則で問題となる「反対尋問」は，「事実認定をする裁判所の前」での「供述時における」反対尋問を意味するのであって，例えば，後に公判廷において供述録取書の内容について供述者を反対尋問したとしても（事後的反対尋問と呼ばれる），伝聞例外に当たり得るのは格別，反対尋問によってその供述録取書が伝聞性を解除されて証拠能力を取得するわけではない。

✍✍ 答案には，伝聞法則の趣旨と伝聞証拠の定義を書く必要があるが，学生の中には，伝聞法則の趣旨を何のために記載するのかおよそ理解せず，伝聞法則の趣旨と伝聞証拠の意義を記載してはいるものの，何らの接続詞もなく2つを並列するだけのもの，「また」などという不適切な接続詞を用いるもの，まず第1に伝聞証拠の意義を記載したうえ，次に，接続詞なく伝聞法則の趣旨を書くものなどが散見される。伝聞法則の趣旨の記載は，伝聞証拠の意義を導き出すためにするものであることを銘記すべきである。一例として次のように書けば足りるであろう。

(1)　伝聞法則の趣旨

伝聞証拠の排除を定めた320条1項の趣旨は，供述証拠[57)]は，知覚・記憶・表現・叙述の各過程を経るものであって，各過程に誤謬を生ずるおそれがあるところ，公判期日外の供述は，公判期日における供述とは異なり，①宣誓・偽証罪の告知がなされず，②不利益を受ける当事者による反対尋問を経ず，③裁判所による供述態度の観察も行われていないため，公判期日における供述に比して，類型的に誤りが入り込むおそれが高く，これを内容とする証拠を事実認定に用いると誤った事実認定のおそれがあるという点にある[58)]。

57）「供述証拠」でなく，「伝聞証拠」を主語とするものが散見されるが，そうすると，「伝聞証拠は，知覚，記憶……に誤謬の介入するおそれがあるが，反対尋問等による正確性のチェックがなされていないので，誤判防止のために排除するものである」などと記述することになりかねず，そうすると，制度趣旨の記述中に「公判期日外の供述」の文言がなく，形式説による伝聞証拠の定義を導くことが困難になろう。

(2) 伝聞証拠（320条1項）の定義

そうすると，320条1項により原則として証拠排除される伝聞証拠とは，公判期日外の供述（原供述）を内容とする証拠であって，その内容をなす事実の存在（供述内容の真実性）を証明するために用いられるものをいうと解すべきである[59]。それゆえ，伝聞証拠に当たるかどうかは，要証事実との関係で決まることとなる。

〈参考文献〉

①平野・訴因と証拠220頁
②大澤裕「伝聞証拠の意義」争点〔第3版〕182頁
③酒巻匡「伝聞証拠をめぐる諸問題⑴〔刑事手続法の諸問題⑰〕」法教304号（2006年）137頁
④大谷直人「伝聞法則について」中山善房判事退官記念『刑事裁判の理論と実務』（成文堂，1998年）259頁
⑤堀江慎司「伝聞証拠の意義」新・争点166頁
⑥堀江慎司「『心理状態の供述』について」『鈴木茂嗣先生古稀祝賀論文集㈦』（成文堂，2007年）451頁

58） 川出敏裕「演習」法教388号（2013年）158頁。
59） 川出・前掲注58)158頁。

24　伝聞法則(2)

【設　問】

R株式会社総務部長Xおよび総務課長Yが総会屋Sに現金1000万円を供与したとの会社法違反（利益供与）事件の捜査において，司法警察員Kにおいて捜索差押許可状の発付を得て同社社屋を捜索したところ，同社総務部長室のX使用の机の施錠された引き出しの中から，S名義でY個人宛の額面1000万円の領収書1通および「Xとの打合せの結果，YがR社の裏金から総会屋対策としてSに現金1000万円を供与し，Y宛の領収書を徴することとする」と記載されたYの筆跡のメモ紙1枚が発見され，いずれも上記許可状により差し押さえられた。Xは，会社法違反罪（Yとの共謀によるSに対する利益供与）で起訴されたが，罪状認否において，Sへの金員供与自体を否定した。検察官は，立証趣旨を「領収書の存在と内容」として上記領収書の取調べを，立証趣旨を「メモの存在と内容」として上記メモ紙の取調べをそれぞれ請求したところ，被告人Xの弁護人は，いずれについても不同意との意見を述べた。裁判所は，これらを証拠として採用することができるか。

〔ポイント〕

① 領収書の証拠能力

② 犯行計画メモの証拠能力

〔判　例〕

●領収書

▷東京地決昭和56・1・22判時992号3頁（ロッキード事件児玉・小佐野ルート証拠決定。ケースブック578頁，三井教材535頁）

●供述調書

▷東京地判平成16・5・28判時1873号3頁（ゼネコン汚職事件。三井教材536頁）

●犯行計画メモ

▷大阪高判昭和57・3・16判時1046号146頁（長岡京における反党分子襲撃事件。ケースブック572頁，三井教材533頁）
▷東京高判昭和58・1・27判時1097号146頁（山谷の慰謝料名下の恐喝事件。ケースブック583頁，三井教材531頁，百選〔第8版〕180頁・〔第9版〕174頁・〔第10版〕182頁）
▷東京高判平成20・3・27東高刑時報59巻1～12号22頁（三井教材533頁）

解　説

1　領収書の証拠能力

A君：「伝聞」（hearsay）という言葉は，本来，他人から聞いたこと（hear）を言う（say）という意味だから，目撃者自身が目撃状況について日記に書いたような場合は，他人から聞いたことを言うわけではないので，書面は，「伝聞」という言葉になじみませんよね。

教員：確かにそうだね。そこで，320条1項において書面が伝聞証拠とされる理由について考えてみよう。例えば，「甲から『被告人が乙を殺すのを目撃した』と聞いた」旨の丙の公判廷証言も，「私は被告人が乙を殺すのを目撃した」旨記載された甲作成の供述書も，いずれも甲の供述（原供述）について，真実を述べる旨の宣誓と偽証罪による処罰の予告，不利益を受ける相手方当事者による反対尋問，裁判所による供述態度の観察（以下「反対尋問（等）」という）による信用性テストを経ておらず，事実認定を誤らせるおそれがあるという意味において，異なるところはないよね。これを原供述（甲の供述）の側からみれば，丙の公判廷証言や甲作成の供述書は，甲の原供述を事実認定者（裁判所）のもとに運ぶためのいわば「表現媒体」（運搬媒体）にすぎず，人媒体（証言）か紙媒体（書面）かの違いはあっても，伝聞法則の立場からみると径庭がないわけだ。

Bさん：設問の場合，本件の主たる争点は現金の授受の有無ですから，検察官の立証趣旨「領収書の存在と内容」，すなわち，領収書記載の金員を受領した旨の記載のある領収書の存在自体（本講末尾の学びの道しるべ⑷参照）を立証してみたところで無意味であり，設問の領収書は，SがYから現金

1000万円を受領したことを立証することに用いてこそ証拠として意味があるので，要証事実は，「SがYから現金1000万円を受領した事実」であり，そうすると，記載内容の真実性を証明するために用いられるわけですから，「伝聞証拠」（320条1項）に当たり，伝聞例外に該当しない限り，証拠能力は認められませんね。

教員：伝聞例外については，どうかな。

Bさん：被告人の同意（326条1項）がないので，該当し得るのは323条ですね。でも，323条2号の「業務の通常の過程において作成された書面」は，規則的，機械的，連続的に記録されるものに限られるところ[1)]，本件の領収書は，規則的・機械的・連続的に記録されたものではないので，2号の書面（いわゆる業務文書）には当たらないでしょう[2)]。また，3号の書面（いわゆる特信文書）は，「1号，2号の書面に匹敵する程度に高度の信用性があるものでなければならないという見解が支配的」[3)]ですので，これによれば設問のような「金銭の受領に際して個別に作成される領収書」は，3号の書面にも当たりません[4)]。そうすると，設問の領収書は，被告人以外の者の原供述について一種のバスケット・クローズ（包括条項）としての機能を有する321条1項3号に該当しない限り，証拠能力を取得できないわけですね（ただし被告人作成に係る領収書ならば322条1項）。

A君：321条1項3号の厳格な要件を充たさないと証拠能力がないということになるけど，オリジナルな資料である領収書の証拠能力が一切否定されるという結論には，何かしっくりこないものがあるんだけど……。

教員：320条1項の「公判期日における供述に代えて」との文言に特別な意味をもたせ，「本来公判期日における供述自体を証拠とするのが最も適当である場合に，それに代えてそれ以外の供述又は供述を記載した書面を証拠とすることを禁じようとするのが本来の趣旨であることを示そうとするも

1）　大コンメ刑訴法(7) 684頁［岡部信也＝中川博之］。

2）　条解刑訴法883頁，石井・証拠法215頁，大コンメ刑訴法(7) 684頁［岡部＝中川］。

3）　山室恵「伝聞証拠――裁判の立場から」刑事手続(下)856頁。

4）　大コンメ刑訴法(7) 693頁［岡部＝中川］，戸倉三郎「供述又は書面の非供述証拠的使用と伝聞法則」自由と正義51巻1号（2000年）98頁。これに対して，条解刑訴法883頁，石井・証拠法215頁は，本人の署名または実印による捺印のある領収書であれば，我が国の社会生活上の慣習にかんがみ，3号の「特に信用すべき情況」を満たすとする。

の」[5]との理解の下に，領収書は，それを真実性の証明のために用いるときでも，「それ自体が原証拠であって，これに代えて作成者を尋問するという性質のものではなく，元来320条1項の適用のない証拠と考えることができる」[6]との見解があるのだが，どうかな。

A君：同じ考え方の裁判例がありますね。東京高判平成20・3・27東高刑時報59巻1～12号22頁は，いわゆる過激派アジトで押収された複数のメモの証拠能力が問題となった事例において，本件各メモは，「かけがえのない証拠価値を持つものであって，いわば動かしがたい客観的な原証拠というべきもの」であるので，メモの作成者に対する反対尋問によってその作成過程を吟味することに，「さしたる意義は存しない」としたうえ，「本件各メモの記載内容は，『作成者の公判期日における供述に代えて』これを証拠とするという性質のものではな」く，「その真実性の立証に用いる（供述証拠として使用する）ことも，刑訴法320条1項によって禁じられるものではない，すなわち，本件各メモは，その記載内容を含めて，同項の制限を受けない非伝聞証拠である」と判示していますね。

Bさん：「供述に代えて」とは，供述の内容の真実性の証明に用いる場合を意味するものであり，323条は，上記書面と同様の性質を有する商業帳簿なども伝聞証拠に当たることを前提に伝聞例外としており[7]，そもそも信用性のチェックを経ていないのに，領収書やメモを「原証拠」の名のもとに内容の真実性の証明に用いることは，正しい事実認定に資する所以ではなく，被告人の証人審問権（反対尋問権）の観点からも，納得できません。

教員：これらの見解が裁判例の大勢にならないのは，Bさんの言うような疑問があるからだろうね。そこで，この見解は採らないとしても，領収書（オリジナル資料）の「証拠としての価値」を分析してみる必要がありそうだ。領収書には，異なる2面の「証拠としての価値」が混在している，つまり，①その記載内容（記載に係る金員を受領した事実）の真実性を証明するための証拠としての価値のほか，②領収書は，そのような記載のあるものとしての存在自体が有する固有の証拠価値があるのではないだろうか[8]。前者①の場

5） ポケット註釈(下)868頁，863頁［横井大三］。

6） 小西秀宣「新判例解説」研修408号（1982年）82頁。

7） 前段につき横井・逐条解説Ⅲ100頁，後段につき川出・判例講座〔捜査・証拠篇〕371頁。

合は，通常の供述書や供述録取書と同等の「公判供述代用書面」として伝聞証拠に当たることは明らかだけど（その場合，領収書は，320 条 1 項の「書面」に当たることとなる。これに対して，前述の直接主義的理解の論者は，320 条 1 項の適用を否定する），後者②の場合は，領収書の有する証拠価値を，内容の真実性を前提としないで，「そのような記載のある領収書の存在自体」（「領収書の存在と記載内容自体」と言い換えても同じ）に見出すものであり，非供述証拠であって伝聞証拠には当たらないと考えられないだろうか。

Bさん：②の，領収書の「存在自体」が証拠価値を有するって，どのような意味なのですか。

教員：領収書であっても相手方に交付されなければ，典型的な伝聞証拠としての供述書や供述録取書（①の証拠価値）と何ら異なるところはないだろう。しかし，作成された領収書が相手方に交付された事実があるときは，領収書の記載内容から金員授受の事実を推認するのではなく（この推認は伝聞法則に抵触），「そのような記載のある領収書の存在」と，それが相手方に交付された事実とから，領収書の記載内容に相当する金員授受の事実を推認することは，経験則に適う「合理的な推認」であって，伝聞法則の禁ずるところではないと考えられるのではないだろうか。このような証拠としての利用が可能な場合は，相手方に交付されることのない一般の供述書とは異なり，領収書は，「記載内容の真実性から独立した証拠価値」[9]を有するといえるだろう。このような場合には，「領収書の存在と記載内容自体」を要証事実とすれば，当該領収書は伝聞証拠には当たらないわけだ。A君の抱いた違和感は，領収書が伝聞証拠として排斥されることによって領収書の有する②の証拠価値を無視することになることに対する疑問だったのじゃないかな。

A君：そうですね。そうだとすると，設問の場合，SがYから現金 1000 万円を受領した旨の記載のある領収書の存在自体を立証することは無意味ではなく，検察官が設定した立証趣旨をそのまま前提にするとおよそ証拠として無意味になるような例外的な場合ではないので，要証事実は，検察官の立証趣旨と同じく，「領収書の存在と内容」（「領収書の存在と記載内容自体」）で

8）　三好幹夫「伝聞法則の適用」証拠法の諸問題(上)73 頁，戸倉・前掲注 4)91 頁，酒巻匡「伝聞証拠をめぐる諸問題(3)」法教 306 号（2006 年）64 頁。

9）　大澤裕「伝聞証拠の意義」争点〔第 3 版〕183 頁。

あって，非伝聞ということになりますね。

Bさん：供述書や供述録取書も，要証事実を「○○の記載のある供述（録取）書の存在自体」または「○○の供述がなされたこと自体」とすることによって，伝聞法則の適用を免れることはあるのですか。

教員：供述書や供述録取書は，「その存在自体」や「供述をしたこと自体」が記載内容の真実性から独立した固有の証拠価値をもつことは，通常はあり得ないだろう。つまり，供述書や供述録取書の「存在自体」から「○○との供述がなされたこと」を推認することは許されても（これは確実な推認），更に，「○○との供述がなされたこと」から「○○であったこと」を推認するとすれば，この推認は不確実な推認であって伝聞法則に反し許されないため（第23講参照），要証事実をBさんの言うように縮限してみても，このような不確かな推認のための証拠としてしか用いる価値がなく，「記載内容の真実性から独立した証拠価値」がないので，当該供述書や供述録取書は，最低限度の証明力すらなく，自然的関連性がないというべきだ[10]。ただし，例外もある。裁判実務では，①自白の任意性の立証のために，被告人の捜査段階におけるすべての供述調書を，②検面調書の特信性立証のために，供述者の捜査段階の一連の供述調書を，いずれについても非供述証拠として証拠採用する運用がなされている（東京地判平成16・5・28判時1873号3頁）。この場合は，その内容の真実性とはかかわりなく，「供述がなされたこと自体」に，供述経過を明らかにするための証拠として価値があるわけだ[11]。

A君：ほかには，どうですか。

教員：複数人が同じ趣旨の供述をしている場合に，供述者らが「事前に打ち合わせた等の作為的事情がないと認められるときには，その合致する供述内容の事柄はお互いに体験を共にしたが故に，それに関する供述が合致するのであるとみて通常差し支えない，というのが経験則」（仙台高判昭和36・8・8判時275号6頁）であり，そうすると，供述者らがそのような供述をした事実（内容の真実性を問わない），および，複数の供述者の供述が合致しているという事情を用いて，各供述書の内容どおりの事実を推認することは，伝聞法則の禁ずる「不確かな推認」ではないから，そのような供述をしたこ

10）　戸倉・前掲注4)93頁，大澤・前掲注9)183頁。
11）　川上拓一「自白の証拠能力――裁判の立場から」新刑事手続Ⅲ200頁。

と自体（前掲仙台高判昭和 36・8・8 は「供述調書が存在すること自体」という）に，「記載内容の真実性から独立した証拠価値」があるので，そのような供述をしたこと自体を要証事実として証拠能力を認めてよい場合もあるだろう[12]。

2　犯行計画メモの証拠能力

Bさん：設問のメモは，YがXとの打合せ中または打合せ後に作成したものと思われますが，メモ紙記載の内容の真実性の証明に用いられるとき（XとYとの間にメモ紙記載の内容の共謀が成立したことを要証事実とするとき）は，作成者Yが打合せにおいて知覚し，記憶したところを，当該メモ紙に表現，叙述したものであって，メモ紙を表現媒体とするYの原供述は反対尋問（等）による信用性テストを経ていませんので，「典型的な伝聞証拠」[13]ですね（打合せ中に作成しても知覚・記憶の過程がないとはいえないことは，殺人を目撃しながらその状況をメモしたケースを想起すれば明らか）。

教員：そのとおりだ。共謀加担者全員の間で共謀の結果を確認し合ったとしても，そのうちの一人がその確認し合った結果をメモに記載した以上は，供述 4 過程についてその誤りをチェックし信用性テストを経ないまま証拠にすることは伝聞法則に抵触するからね。

A君：ただ，このメモの内容は，(1)メモ作成者の「現在の心理状態を述べる供述」とも理解できますよね。第 23 講で学んだように，「現在の心理状態を述べる供述」を内容とする証拠（公判廷供述または書面）については非伝聞説と伝聞説とが対立していますが，通説である非伝聞説によれば，このメモを共謀が成立したことの立証ではなく，作成者自身の作成当時の心理状態（この場合は犯行計画）を証明するために用いられるなら，非伝聞であって，伝聞法則の適用はなく，証拠能力が認められるよね。

Bさん：それはそうだけど，メモの作成者であるYの犯行計画を立証して

12)　田宮裕「証明力を争う証拠」同『刑事訴訟とデュー・プロセス』（有斐閣，1972 年）347 頁，同『演習刑事訴訟法』（有斐閣，1983 年）246 頁。平野・訴因と証拠 224 頁は，これに反対する。

13)　大澤・前掲注 9)185 頁。

みても，設問の被告人Xにとって意味があるとは思えないわ。

A君：確かにそうだね。だけど，他の証拠によって謀議参加者全員（メモ作成者を含む）が内容は不明であっても共通の犯罪意思を形成したことが証明されれば，作成者一人の犯罪意思を証明することによって，それと同じ内容の犯罪意思を有する謀議参加者全員についてメモ記載の犯罪意思を推認することが可能となるのだから14)，そのような場合は，作成者一人の犯罪意思であっても立証の意味はあるんじゃないかな（数学的に説明すると，$A_1 = A_2 = \cdots\cdots = A_k = \cdots\cdots = A_n \quad A_k = \alpha \quad \therefore A_1 = A_2 = \cdots\cdots = A_k = \cdots\cdots = A_n = \alpha$）。

教員：そのとおりだね。そのほか非伝聞とされるのは，⑵「メモが関与者に回覧され共謀内容の確認に供されたような場合」だ15)。この場合のメモは，最終的な謀議結果を記載した書面ではなく，回覧前に作成された「謀議のための手段（道具）」にすぎないのだから，そのような記載のあるメモの存在自体（メモの存在と記載内容自体）を要証事実とすれば，当該メモは非供述証拠であって伝聞証拠には当たらないことになるだろう16)。

A君：また，⑶設問のXのように犯行への関与を否定する場合に，実行された犯行と合致する犯罪計画の記載されたメモがXの支配領域内で発見された事実が付け加われば（メモ中にXの名前の記載がなくても），Xが共謀に加担したことの情況証拠の１つとなり得るので，その場合には，メモは，「記載内容の真実性から独立した証拠価値」（固有の証拠価値）を有するので，そのような記載のあるメモの存在自体（メモの存在と記載内容自体）を要証事実とすれば，伝聞証拠には当たりませんね17)。

教員：A君の挙げた⑶のケースについては，(a)そのような記載のあるメモの存在と記載内容，(b)そのメモが犯行前に作成されたものであること，(c)その記載内容が実際に行われた犯行の態様と偶然とは考えられないほど合致することを総合すると，①当該犯行が当該メモに従って行われたものであることを推認することができる。そして，①を前提にして，(d)そのメモがXの支配領域内で発見された事実に，犯行計画と無関係の者が当該メモを入手する

---

14)　三好・前掲注 8) 71 頁。

15)　大澤・前掲注 9) 185 頁。

16)　金築誠志・百選〔第 5 版〕180 頁，三好・前掲注 8) 71 頁，大澤・前掲注 9) 185 頁。

17)　三好・前掲注 8) 73 頁，戸倉・前掲注 4) 96 頁，酒巻・前掲注 8) 65 頁。

ことは考え難いという経験則を適用すると，②当該メモを所持する者は，当該犯行計画ないし犯罪に関与したものであることを推認することができるということだね[18]。このような推認プロセスを経て，Xが当該犯行に関与したことを推認することは，伝聞法則が禁ずる「不確かな推認」ではないから許されるわけだね。

Question & Answer

Q 「メモが関与者に回覧され共謀内容の確認に供されたような場合」に非伝聞とされる論理をもう少し詳しく説明してください。

A ご質問のような場合には，当該メモは，謀議の結果を知覚・記憶・表現・叙述したものではなく，それを用いて謀議が形成されたものですので，当該メモ「紙」は共謀の意思形成手段として用いられたいわばツールであり，そのような記載のあるメモ「紙」の存在自体が，共謀の意思形成過程を証明する証拠となり得るということです（要証事実は，メモの存在と記載内容自体）。要は，内容の真実性ではなく，これこれの記載のある「紙」の存在（メモの存在と記載内容自体）が証拠としての価値を有するのです。

学びの道しるべ

✍ 検察官請求証拠の立証趣旨を「存在と内容」として出題すると，必ずといってよいほど，要証事実が「存在」であるときは非伝聞，要証事実が「内容」であるときは伝聞証拠であるとする答案が散見されることとなる。司法試験においてさえも，このような論述が「多数見受けられ」たとのことである（平成22年新司法試験の採点実感等に関する意見（刑事訴訟法）24頁）。

しかし，このような論述は明らかに誤りである。検察官が立証趣旨を「領収書の存在と内容」とか「犯行計画を記載したメモの存在と内容」として，領収書や犯行計画メモ等の取調べを請求する場合において，立証趣旨や要証事実の「領収書の存在と内容」「犯行計画を記載したメモの存在と内容」と

18）　ケースブック575頁，リークエ385頁［堀江］参照。

いうのは，「何某（領収書作成者）が何某から△△代として金○○円を受領した旨の記載のある領収書の存在自体」，「本件の犯行計画の記載のあるメモの存在自体」という意味なのである。このことは，刑事裁判の実務では常識に属する事柄であり[19]，「メモの存在と記載内容それ自体」[20]，「メモの存在及び記載そのもの」[21]というのも同じ意味である（解説中では，分かりやすさを優先して，「存在と記載内容自体」としたが，「存在と内容」と同じ意味である）。

✍✍　いわゆる「犯行計画メモ」についての要証事実と伝聞・非伝聞の関係については，おおむね次のとおり整理できよう（もとより，これを逐一答案に記述すべきであるという趣旨ではない）。

(1)　犯行計画メモは，要証事実が「事前謀議の存在」であるときは，当該メモをその内容の真実性を証明するために用いる場合であるので（すなわち，記載内容どおりの事前謀議があったことを証明するために用いるのであるから），伝聞証拠に当たることは明らかであり，伝聞例外（321条1項3号など）に該当するかどうかを検討しなければならない。

(2)　犯行計画メモは，要証事実が「作成者の犯行の意図・計画」であるときは，いわゆる現在の心理状態の供述の問題となり，通説によるのであれば，非伝聞として，関連性が認められれば足りる。

作成者の単独犯の場合は，作成者の犯行計画・意図は，そのまま証拠として意味があるが，共謀事案の場合であって，作成者以外の者の公判手続において用いるときは，謀議参加者の間で何らかの共通意思が形成されたことが他の証拠によって証明されているという事情があって初めて，作成者の意図・計画の証拠として用いることに意味がある。

なお，当該メモが謀議者間で回覧され確認されたときは（回覧・確認されたことについて証明が必要だが，例えば当該メモに全員の署名があれば足りる），謀議参加者全員の供述であって，要証事実は，「謀議参加者全員の犯行計画・意図」であり，前同様に，通説によるならば，非伝聞として，関連性が認められれば足りる。

---

19)　例えば，金築誠志・百選〔第5版〕180頁は「文書の存在及び内容が要証事実となり，当該文書は伝聞証拠でないことになる」というがごとし。

20)　酒巻・前掲注8)66頁。

21)　戸倉・前掲注4)96頁。

(3)　犯行計画メモは，要証事実が「メモの存在と内容」であるときは，非伝聞である。要証事実を「メモの存在と内容」とすべきケースとしては，次のものがある。

①　当該メモが謀議者間で回覧・確認されることによって，謀議の形成手段とされた場合（メモが回覧されたときは，(2)の末尾に述べた「謀議参加者全員の心理状態」のアプローチと，この「謀議形成手段」のアプローチの2つがあることになる）

②　犯行前に作成された当該メモの記載と現実に起こった犯行の態様とが一致し，偶然の事情による一致とは考えがたいときは，当該犯行が当該メモ記載の計画に従ってなされたことが推認されるところ，

㋐　当該メモの作成者自身が当該犯罪に何らかの関与をしていたことを推認する場合

㋑　当該メモを所持していた者（あるいは組織）が犯行に関与していたことを推認する場合

㋒　当該メモ中において役割が記載された者に相当する者が犯行に関与していたことを推認する場合

㋓　メモ作成者以外の者が実行行為を行っているときは，メモ作成者と実行行為者との共謀を推認する場合

〈参考文献〉

①大澤裕「伝聞証拠の意義」争点〔第3版〕182頁
②酒巻匡「伝聞証拠をめぐる諸問題(3)〔刑事手続法の諸問題⑲完〕」法教306号（2006年）64頁
③金築誠志・百選〔第5版〕178頁
④三好幹夫「伝聞法則の適用」証拠法の諸問題(上)60頁
⑤戸倉三郎「供述又は書面の非供述証拠的使用と伝聞法則」自由と正義51巻1号（2000年）90頁

25 伝聞法則⑶

【設　問】

検察官は，ＸのＶに対する殺人の目撃者である外国人甲を取り調べ，Ｘの殺害行為の態様について詳細な内容の供述調書を作成した。その後，Ｘは，殺人罪で起訴され，検察官は，公判前整理手続において，他の証拠とともに，甲の検察官に対する上記供述調書につき，立証趣旨を「被告人のＶに対する犯行を目撃した状況」として証拠調べ請求をしたが，被告人Ｘの弁護人は当該供述調書を不同意とした。そこで，検察官は，上記供述調書の証拠調べ請求を撤回したうえ，甲の証人尋問を請求し，裁判所は，これを採用し，第１回公判期日に甲の証人尋問が実施されることとなった。ところが，甲はオーバー・ステイにより入管施設に収容され，公判前整理手続終了後間もなく，退去強制令書の執行により，母国である乙国に強制送還された（航空券は自己の費用で調達〔いわゆる自費出国〕）。そこで，検察官は，甲の検察官に対する上記供述調書を刑訴法321条１項２号前段に該当する書面として，改めて証拠調べの請求をした。裁判所は，これを証拠として採用することができるか。

〔ポイント〕

① 「手続的正義の観点から公正さを欠く」場合において証拠能力が否定され得る実定法上の根拠

② 証拠能力否定の基準

③ 証人尋問決定後の強制送還と手続的正義の観点からみた不公正さ

〔判　例〕

▷最判平成7・6・20刑集49巻6号741頁（タイ人女性強制送還事件。ケースブック589頁，三井教材540頁，百選〔第9版〕178頁・〔第10版〕186頁）

▷大阪高判昭和60・3・19判タ562号197頁（ケースブック594頁）

▷大阪高判昭和61・4・18判時1213号144頁

▷大阪高判平成元・11・10判タ729号249頁（ケースブック590頁）
▷東京高判平成8・6・20判時1594号150頁
▷東京高判平成10・10・27東高刑時報49巻1～12号69頁
▷東京高判平成20・10・16高刑集61巻4号1頁（三井教材542頁）
▷東京高判平成21・12・1判タ1324号277頁
▷東京地判平成26・3・18判タ1401号373頁

解　説

1　「手続的正義の観点から公正さを欠く」場合において証拠能力が否定され得る実定法上の根拠

A君：設問の検察官面前調書が要証事実（検察官の立証趣旨どおりでよかろう）との関係で伝聞証拠に当たることは明らかです。そうすると，原供述者の甲が国外にいるため，321条1項2号前段の伝聞例外の適用が問題になりますが，2号前段の「国外にいるため公判準備若しくは公判期日において供述することができない」とは，(a)原供述者が国外にいるというだけでは足りず（東京高判昭和48・4・26判タ297号367頁），国外滞留がある程度継続的でなければならない[1]，また，(b)可能な手段を尽くしても公判期日等に出頭させることができないことを要すると解されていますね（東京地決昭和53・9・21判時904号14頁）[2]。

Bさん：そうね。条文上も，供述不能が要件事実であり，国外にいることは，その理由にすぎないのだから，国外にいても，まもなく帰国が予定されている場合や，求められれば来日して証言する意思がある場合には，供述不能の要件を充足するとはいえないわね。でも，設問のオーバー・ステイ（出入国管理及び難民認定法〔以下「入管法」という〕違反）の場合は，退去した日から5年間上陸できないこととされているので（入管法5条1項9号ロ），設問の外国人甲は来日したくても，もはや再来日（上陸）はできませんね。

教員：来日の可能性がなければ，公判準備・公判期日に供述不能であって，

1）　田宮380頁，上口371頁。
2）　田口431頁。

それだけで2号前段の要件を充足すると考えてよいのだろうか。

A君：かつては，「供述者が『国外にいる』ようになった事情の如何を問題にする余地はない」とする裁判例もあったようですが（東京高判昭和35・7・21判時246号51頁），その後は，大阪高判昭和60・3・19判タ562号197頁が，「捜査官が，被告人の証人審問権を妨害する目的で，出入国管理当局に意見を申し入れ，あるいは供述者に不服申立権の不行使を働きかけるなどして，故意に供述者の退去強制の時期を早めさせた場合」は，2号前段の供述不能要件を充足しないとし，大阪高判昭和61・4・18判時1213号144頁も，「国外にいる事情ことに捜査官がことさら被告人の証人審問権を妨害ないし侵害する目的で供述者を国外に行かせたかどうか等を検討し，『国外にいる』ことがやむをえないと認められる場合に限り」，国外要件に当たるとし，さらに，大阪高判平成元・11・10判タ729号249頁（後に検討する最判平成7・6・20の原審判決）も，「検察官がその供述者を意図的に本邦から出国させようとしていた場合など，故意に被告人の反対尋問の機会を失わせようとしたことが窺われるような場合」は，証拠禁止の見地から証拠能力が否定されるとしていますね。

教員：学説でも，「本号〔2号前段〕により証拠を提出しようとする者が，そのために故意に証人を国外に去らせたような場合は含まれない」[3)]とされ，検察官などが故意に要件を充足させたときは証拠能力を否定すべきことに異論はないだろう[4)]。

A君：そのような裁判例や学説の状況の中で，最判平成7・6・20刑集49巻6号741頁が，(1)「右規定〔321条1項2号前段〕が同法320条の伝聞証拠禁止の例外を定めたものであり，憲法37条2項が被告人に証人審問権を保障している趣旨にもかんがみると，検察官面前調書が作成され証拠請求されるに至った事情や，供述者が国外にいることになった事由のいかんによっては，その検察官面前調書を常に右規定により証拠能力があるものとして事実認定の証拠とすることができるとすることには疑問の余地がある」としたうえ，(2)入管当局の退去強制により国外にいることとなった場合について，「同じく国家機関である検察官において当該外国人がいずれ国外に退去させ

3） 注解刑訴法㊥741頁［鈴木茂嗣］。
4） 田口432頁など。

られ公判準備又は公判期日に供述することができなくなることを認識しながら殊更そのような事態を利用しようとした場合〔①〕はもちろん，裁判官又は裁判所が当該外国人について証人尋問の決定をしているにもかかわらず強制送還が行われた場合〔②〕など，当該外国人の検察官面前調書を証拠請求することが手続的正義の観点から公正さを欠くと認められるときは，これを事実認定の証拠とすることが許容されないこともあり得る」（①，②は筆者による）と説示したのですね。

Bさん：説示の(1)は，強制送還により国外にいることとなった場合に限らず，国外にいるため，2号前段の要件に該当するように思われる場合であっても，なお証拠能力を欠く場合があり得ることを認める点において，上記の高裁裁判例や学説と同じ方向性を示すものですね。(2)は，退去強制手続における強制送還に限定しての説示ですが，要件事実は，「手続的正義の観点から公正さを欠くと認められるとき」であり，①②の場合は，その例示だけど，「手続的正義の観点から公正さを欠く」場合において証拠能力が否定されることがあるとする実定法上の根拠は，どこにあるのかしら。

A君：この判決の構成は，(1)において証拠能力を否定する法的根拠を，(2)において退去強制の場合についてその要件を示したものですね。(1)は，「憲法37条2項が被告人に証人審問権を保障している趣旨にもかんがみると，……その検察官面前調書を常に右規定により証拠能力があるものとして事実認定の証拠とすることができるとすることには疑問の余地がある」と説示しているのだから，証拠能力を否定する根拠を憲法37条2項に求めているのではないかな。

教員：確かに，憲法37条2項を根拠とするように読めるよね。しかし，最高裁の累次の判例（最大判昭和24・5・18刑集3巻6号789頁など[5]）は，憲法37条2項前段の証人審問権を法廷に喚問された証人（形式的意義の証人）に対して尋問する権利にすぎないと解するのであって[6]（いわゆる形式説），そうだとすると，公判廷に喚問された証人に対する証人審問権を保障する憲

5） 最大判昭和24・5・18刑集3巻6号789頁のほか，最大判昭和23・7・19刑集2巻8号952頁，最大決昭和25・10・4刑集4巻10号1866頁，最判昭和30・11・29刑集9巻12号2524頁，最判昭和37・2・22刑集16巻2号203頁など。

6） なお，酒巻匡「証人審問権と伝聞法則」争点〔第3版〕180頁も参照。

法37条2項の規定は，公判廷外の供述を内容とする証拠の証拠能力を問題とする伝聞法則とは，およそ無関係ということになり，憲法37条2項を根拠にして証拠能力を否定することはできないことになるだろう。

A君：学説においては，憲法37条2項の保障する証人審問権は，公判期日に喚問された証人に対するもののみならず，公判廷外の原供述者（実質的意義の証人＝供述を提供する者）に対するものをも含むと解するのが通説ですよね[7)]（いわゆる実質説）。これによれば，証人審問権の保障と伝聞法則とは密接不可分な関係にあり，伝聞法則，そしてまた伝聞例外規定の背後に，憲法37条2項の証人審問権の保障があるとすれば（伝聞例外は，証人審問権を行使できなくても，当該証拠を用いる必要性と信用性の情況的保障の観点から証拠として許容せざるを得ないとする規定），伝聞例外規定に該当する場合であっても，極めて例外的とはいえ，伝聞法則の背後にある憲法37条2項により証拠能力が否定されるということになるのではないでしょうか[8)]。

Bさん：通説である実質説の論者の中でも鈴木教授や堀江教授などは，昭和24年大法廷判決等の判例は必ずしも形式説を採るものとはいえないとし，形式的証人概念についての説示は，「書面に証拠能力を与え得ないわけではないことを述べる前提としての表現であり，実質説を正面から否定する趣旨とは思われない」[9)]，「判例が実際のところ，証人審問権はおよそ公判外供述には関わりを持たないと考えているのかには疑問の余地もある」[10)]とされていますね。

教員：両教授がそういわれるのは，昭和24年大法廷判決が，憲法37条2項前段の証人審問権は法廷に喚問された証人に対する尋問の権利にすぎないとの説示に続けて，「唯（ただ）無制限にこれ〔検事聴取書〕を証拠となし得るものとすれば，憲法第37条第2項の趣旨に反する結果を生ずる恐れがある」とし，さらに，刑訴応急措置法12条（供述録取書等の書類は，被告人の請求があるときは，その供述者を公判期日において尋問する機会を被告人に与えなければ証拠とすることができない旨定める）の規定は「憲法第37条第2項の旨を承

7） 平野203頁，田宮366頁，注解刑訴法㈥722頁［鈴木］，光藤II 204頁など。
8） 堀江慎司「証人審問権と検面調書」法教256号（2002年）37頁参照。
9） 注解刑訴法㈥722頁［鈴木］。
10） 堀江・前掲注8)35頁。酒巻・前掲注6)181頁もおおむね同旨。

けたもの」と説示しているからだろう（傍点はいずれも筆者による）。

A君：それって，形式的証人概念を採ることと矛盾しませんか。

教員：確かに，昭和 24 年大法廷判決など累次の最高裁判例が形式説を採用しているのであれば[11]，刑訴法において供述録取書や供述書などの書類の証拠能力をすべて無条件で認めるとしても，憲法 37 条 2 項は，関知しないはずだよね。それなのに，昭和 24 年大法廷判決が，無制約に証拠書類に証拠能力を付与することは「憲法 37 条 2 項の趣旨に反する」とするのは，形式説の論理とは整合しないようにも思われるよね。

Bさん：どう理解したらよいのですか。

教員：昭和 24 年大法廷判決のいわんとするところを矛盾なく理解するとすれば，憲法 37 条 2 項前段は，直接には，同後段の規定により喚問された形式的意義の「証人」に対する審問権を規定したもの（形式説）であって，供述録取書等の書類の証拠能力について制限するものではないけれども，供述録取書等の書類に記載された供述は，これを証拠として用いるとすれば，それが公判廷外でなされたものであっても，係属裁判所に対して供述を提供するという意味においては，公判廷における証言と実質的に何ら違いがないので，被告人に対して当該供述者に対する尋問の機会を与えないままこれを証拠として用いることは，憲法 37 条 2 項の趣旨に反することになる[12]ということになるだろう。応急措置法 12 条 1 項の規定は，憲法 37 条 2 項の「趣旨に従ひ」[13]，設けられたもの，あるいは，憲法 37 条 2 項の「趣旨を敷衍したもの」[14]ということだろう。そうだとすると，判例は，憲法 37 条 2 項について形式説を採用するとしても，その趣旨を証拠書類にまで拡張し，被告人にその供述者に対する証人審問権を与えれば，憲法 37 条 2 項の趣旨を満たし，書類を証拠とすることができるとするもので，聊かなりとも実質

11) 池田耕平・最判解刑事篇平成 7 年度 250 ～ 251 頁。最高裁が形式的証人概念を採っているとすれば，それは，憲法 37 条 2 項前段について，旧刑訴法 338 条 4 項が被告人に直接に証人などを審問することができないこととされていたのを改めた趣旨に理解するものであろう。

12) 制定資料全集(7) 345 頁，353 頁（いずれも司法省刑事局作成の議会答弁資料）。

13) 制定資料全集(7) 436 頁，464 頁（前者は衆議院の委員会における政府委員の提案理由説明，後者は貴族院の委員会における司法大臣の提案理由説明）。

14) 制定資料全集(7) 523 頁，545 頁，554 頁（前 2 者はいずれも司法省刑事局作成の逐条解説，後者は司法省刑事局作成の立案趣旨）。なお，高橋一郎『新憲法下における刑事訴訟法解説——応急措置法を中心として』（近代書房，1947 年）108 頁。

説に歩み寄るものといえるだろう。

A君：それなら，この説示も理解できなくもありませんね。

教員：応急措置法12条1項の規定は，当時の日本国憲法の解釈を承けたものであり，どうやら，当時，米国法律協会（AMERICAN LAW INSTITUTE）の編纂した模範証拠法典（Model Code of Evidence 1942）503条(b)の規定を参考にし，引き写したものではないかと思うんだ。

Bさん：実質説（通説）によれば，平成7年判決が検面調書の作成・証拠請求がされるに至った事情（経緯）や供述者が国外にいることとなった事由（原因，理由）によっては証拠能力が否定されることがあるとするその法的根拠は，憲法37条2項自体（37条2項の趣旨ではない）ということになるわけですが，平成7年判決は，37条2項の趣旨とするのですね。

教員：平成7年判決のいう「憲法37条2項が……保障している趣旨にかんがみると」（傍点は筆者による）との判示部分については，さきほど昭和24年大法廷判決について述べたように，憲法37条2項が直接に保障するのは，形式的意義の証人に対する審問権であるけれども，その趣旨が，証人以外の参考人（実質的意義の証人）にも及ぶことを前提とする説示なのだろう。

A君：なるほど，平成7年判決のいう「憲法37条2項が被告人に証人審問権を保障している趣旨」が，昭和24年大法廷判決のいう「憲法第37条第2項の趣旨」と同じ意味だとすれば，平成7年判決は昭和24年大法廷判決と整合的に理解できますね。

Bさん：これとは異なって，累次の最高裁の判例について，あくまで，憲法37条2項の証人審問権の保障と伝聞法則とは無関係であるとしたものと理解する見解もありますよね。それによれば，検面調書が作成・証拠請求されるに至った事情や供述者が国外にいることとなった事由によっては証拠能力が否定されることがあることについて，実定法上の根拠を憲法37条2項に求めることはできませんね。そうすると，証拠能力否定の根拠は，どこに求めることになるのかしら。

教員：37条2項以外で憲法に実定法的根拠を求めるとすれば，32条以下の人権保障規定の総則的な規定である31条に求めるほかないだろう[15]。し

15） 山田道郎『証拠の森』（成文堂，2004年）34頁参照。

かし，平成 7 年判決は，明示的に憲法 31 条を掲げてはいないし，「適正な手続」の文言も用いていないのだから，31 条を根拠とするのは，法律論としては格別，この判決の解釈としては無理があるだろう。そうすると，憲法 37 条 2 項の趣旨に根拠を求めることが累次の判例との関係で難点があると考えるのであれば，平成 7 年判決は，憲法にではなくて，刑訴法全体の趣旨に根拠を求めたものと理解するほかないことになるだろう[16]。

A君：平成 7 年判決のいう「〔321 条 1 項 2 号前段〕の規定が，同法 320 条の伝聞証拠禁止の例外を定めたものであ〔る〕」ことは，どういう意味なのでしょうか。

教員：証拠能力否定の根拠の一つとして説示するものと理解する[17]のが素直な読み方だろう。そうだとしても，321 条 1 項 2 号が 320 条の例外であることが，何故に，この場合に証拠能力を否定する根拠となり得るのか，もう一つの根拠である憲法 37 条 2 項の趣旨といかなる関係にあるのか，よく分からない。敢えて言えば，この説示箇所は，伝聞証拠は，事実認定の誤りなきを期するため，本来証拠とすることが許されず（320 条），原供述者につき証人尋問を行うのが筋であると言いたいのではなかろうか。そして，憲法 37 条 2 項の趣旨の説示箇所は，事実認定の正確性の要請とは別個の法原理としての証人審問権保障（憲 37 条 2 項）の趣旨をいうものであって，このような実体的事実の究明と手続的保障という 2 つの異なる観点を根拠とするものなのではないだろうか。

2　証拠能力否定の基準

教員：証拠能力否定の法的根拠論（424 頁の(1)）はその程度にして，証拠能力否定の基準（同(2)）については，どうかな。

Bさん：平成 7 年判決が掲げる基準は，「検察官面前調書を証拠請求することが手続的正義の観点から公正さを欠く」ことですよね。「手続的正義」

16)　中谷雄二郎「手続の公正と証拠の許容性」中山善房判事退官記念『刑事裁判の理論と実務』（成文堂，1998 年）221 頁参照。

17)　川出・判例講座〔捜査・証拠篇〕384 頁は，伝聞証拠禁止の例外に関する説示箇所を 2 つの根拠の一つとしたうえで，「当然のことを述べたにとどまる」とし，憲法 37 条 2 項の趣旨に関する説示箇所が「実質的な根拠となろう」という。

ってどういう意味なのかしら。

教員：民事では，以前から，最高裁の判例の中で「手続的正義」の文言が用いられていたことがあったようだよ（最判昭和56・9・24民集35巻6号1088頁[18]，最判平成7・7・14民集49巻7号2674頁，最決平成23・4・13民集65巻3号1290頁）。これらの民事事件では，昭和56年判決は，「弁論を再開して当事者に更に攻撃防禦の方法を提出する機会を与えることが明らかに民事訴訟における手続的正義の要求するところ」と説示し，平成7年判決は，「上告人の意思に反して……審判をすることによって，上告人が主張する権利の実現のみちを閉ざすこと」を，平成23年決定は，「攻撃防御の機会を与えることのないまま……不利益な判断をしたこと」を，それぞれ手続的正義に反するとしているんだ（傍点は筆者による）。

Bさん：不利益を受ける一方当事者に適切な主張立証（攻撃防御）を許さないまま，当該当事者に不利益な判断をすることが正義に反するということなのでしょうね。

教員：そうだね，昭和56年判決の調査官解説では，「民事訴訟における手続的正義は，実体的真実に合致するかどうか，具体的結論が正当かどうかという観点で機能するものではな」い[19]とされているのだが，このことは，民事裁判よりも実体的真実の発見がより重要と考えられる刑事裁判においても何ら異なるところはなく，「手続的正義」の貫徹が実体的真実の発見（実質的正義）の妨げになる場合であっても，あてはまるというべきだろう。「手続的正義」が，決定過程における「判断者の中立・公平性」「手続的公正」「手続的合理性」の3つを内容とするとすれば，ここでの問題は，「手続的公正」，なかんずく「相手方当事者の論拠と証拠に抗弁する公正な機会を

18）　遠藤賢治『民事訴訟にみる手続保障』（成文堂，2004年）109頁は，「〔昭和56年〕判決の裁判長である中村治朗裁判官は，……たんなる推測であるが，ロールズの『正義論』を念頭において判示されたのかもしれない」とする（遠藤判事は昭和56年判決の担当調査官）。もっとも，当の中村治朗判事は，退官後の論考において，「私が関心をもったのは」，「いわゆる正義論におけるグランド・セオリー的なもの」ではなく，「実定法制度自体に内在し，いわばその目的をなしているところの基本的な価値，原理ないし理念としての正義」，「一般的，抽象的な正義の観念や理論から遥かに下がった具体的な場面における法的判断を左右し，ないしはこれに影響を及ぼすような……エトバス」であるという（中村治朗『裁判の世界を生きて』〔判例時報社，1989年〕275頁，276頁）。

19）　遠藤賢治・最判解民事篇昭和56年度548頁。

与えること」の要請[20]に関係するものではないかな。平成7年判決についてみると，当該外国人に対する反対尋問の機会を被告人に与えることが可能であったのに，これを与えることなく，検察官がその供述録取書を証拠として請求することは，たとえ刑訴法の伝聞例外要件を充たす場合であっても，手続的正義の観点（抗弁〔攻撃防禦〕のための公正な機会の付与）からみると，抗弁（攻撃防禦）のための公正な機会が付与されていないことに合理的な理由がなく，「公正さを欠く」（unfair）ということだろう。

Bさん：「手続的正義」って，ずいぶんと仰々しい物言いですね。ほかの表現はなかったのかしら。

教員：確かにそうだね。しかし，実定法（刑事訴訟法）の解釈で賄えるのであれば，敢えて「正義」などという物々しい言い回しはしなかっただろう（上掲昭和56年判決でも弁論の再開は裁判所の裁量にゆだねられているところ，それを義務とするためには正義論を持ち出さざる得なかったのだろうか）。321条の伝聞例外の要件（必要性と信用性の情況的保障を論理的根拠とする）を充たすのに（換言すれば，正しい事実認定に役立つのに），敢えて証拠能力を否定するのだから，正確な事実認定という証拠法の究極の目的を超える論理（正義）が求められるということだよ。

Bさん：でも，「手続的正義」なんぞもち出さなくても，「公正さを欠く」（unfair）だけで足りたようにも思うのですが。

教員：「単なる不公正」では，事案の真相の究明という刑訴法の目的を凌駕することはできないからだろう。

Bさん：「手続的正義の観点から公正さを欠く」との基準は，321条1項2号との関係で，どの要件に位置付ければよいのでしょうか。

A君：これを「国外」要件とする見解[21]や，「供述不能」要件の認定につき公正さという新たな要件を付加したと解する見解[22]，さらには「手続的

20）　田中成明『現代裁判を考える』（有斐閣，2014年）123頁。遠藤・前掲注18）2頁が，「民事訴訟における手続的正義は，……手続過程全体を通じて当事者の意思が尊重され，当事者双方に公平に攻撃防御をする機会が与えられることをいう」というのも，同様であろう。

21）　加藤克佳「時の判例」法教183号（1995年）89頁。

22）　田口〔第6版〕407頁。なお，田口教授は，第7版では，「供述調書の証拠能力につき，公正さという新たな要件を付加した」とされておられるので，一般的な「証拠の許容性」説に見解を改められたようである。

正義」という書かれざる要件を2号前段に読み込んだとの見解[23]などが主張されていますが，これらはいずれも，2号前段の要件として位置付けられると理解しているようです。

Bさん： 2号前段の要件ではなく，一般的な「証拠の許容性」の問題と理解する見解[24]もありますね。「手続的正義の観点から公正さを欠く」のは，何もこの問題に限らず，広く民事・刑事の訴訟手続一般に当てはまる原理ですから，この見解の方が妥当じゃないかしら。平成7年判決は，「『国外にいる』の要件に該当しない」とか，「『供述することができないとき』に当たらない」などと説示しているわけではなく，「手続的正義の観点から公正さを欠く」の主語は「検察官面前調書を証拠請求すること」であるのですから（証拠請求を規制する要件），2号前段を厳格に解釈したものとはいい難いように思われます。

教員： もっともだね。伝聞法則を証人審問権の保障（憲37条2項）と関連すると理解するときは，十分な証人審問権を保障することなく書面を証拠とすることについては，伝聞例外とも関連するものであるから，伝聞例外規定の書かれざる要件との理解（田宮）も可能だろう。しかしながら，伝聞法則を，「正確な事実認定を確保するため」の排除法則であり[25]，伝聞例外を含めて，いわば「実体的正義」を希求するものであると理解するのであれば，実体的正義と対置される「手続的正義」の観点は，伝聞法則とは別個の法原理（強いてその実定法的根拠を刑訴法に求めるとすれば，1条のほかなかろう）といわざるを得ないだろう。そうだとすると，平成7年判決は，伝聞例外の国外要件や供述不能要件の解釈として要件を加重したものでないのはもとより，2号前段に書かれざる要件を読み込んだものでもなく，三井教授のいわれるとおり，321条1項2号とは別個の一般的な「証拠の許容性」の要件と解すべきであろう。

23） 田宮380頁。

24） 三井誠・百選〔第7版〕185頁。

25） 宇藤崇「伝聞法則の意義」法教245号（2001年）29頁。

3　証人尋問決定後の強制送還と手続的正義の観点からみた不公正さ

Bさん：この判決の説示(2)の①は，故意による証人審問（反対尋問）の妨害と理解することができ，その場合に証拠能力を否定すべきことは学説上も異論がないようですが，②の説示は，証人尋問決定があったにもかかわらず強制送還が行われれば，常に手続的正義の観点から公正さを欠くという趣旨なのかしら。

A君：入管法には，証人尋問の決定があったことを退去強制令書による強制送還の執行停止事由とする旨の規定は存しないので，入管当局としては，所要の手続が整い次第，当該外国人を速やかに退去させる行政上の義務があり（大阪地判平成7・9・22判タ901号277頁参照），いたずらに外国人の収容を継続すること（長引かせること）は外国人の人権を侵害することにもなるよね。そうだとすると，入管当局としては，当然に行わなければならない措置を適法に行ったものですから，裁判所や裁判官の証人尋問決定があった後に強制送還が行われたからといって，証拠請求が常に「手続的正義の観点から公正さを欠く」とすることは困難じゃないかな。平成7年判決自身も「許容されないこともあり得る」として，必ずしも常に許容されないというわけではない趣旨を明らかにしているのだから（大野正男裁判官の補足意見も「法廷意見は，……裁判官又は裁判所が証人尋問の決定をしているにもかかわらず当該外国人が強制送還されてその証人尋問が不能となったような場合には，原則としてその者の検察官面前調書に証拠能力を認めるべきものでないとする」〔傍点は筆者による〕という）。

Bさん：学説では，判例とは異なって，憲法37条2項（証人審問権）を，喚問された証人のみならず，被告人に不利益な公判廷外供述に対して，事実認定の正確性を担保するための反対尋問の権利を保障する規定（被告人に不利益な証拠について伝聞法則を明らかにしたもの）と解するのがこれまでの通説[26]でしたが，最近では，さらに一歩を進め，証人審問権に，事実認定の正確性を確保する目的だけでなく，その手続保障としての独自の意味付けを与える見解もありますね[27]。証人審問権についてのこのような理解からは，入管法による原供述者の国外退去が予想されるような場合には，検察官は，少なくとも入管当局を含め関係諸機関との間で連絡・申入れ・調整等を行い，公判での喚問の実現へ向けて努力すべき義務があるとし，検察官にこれらを怠った過失（努力義務違反）があるときは，公判廷外供述の許容は証人審問権規定によって禁じられ，321条1項2号前段規定の解釈適用にあたっても，このような証人審問権保障に基づく規範を反映させるべきであると[28]されており，この見解によると，②は検察官の過失による証人審問権侵害の場合を意味すると理解することになるのでしょうね[29]。

教員：証人審問権に手続保障としての独自の意味を付与すべきとする堀江教授の見解は，確かに傾聴に値するが，平成7年判決をそのような立場から解釈することが果たしてできるだろうか。「手続的正義の観点から公正」の内実が，相手方当事者の論拠と証拠に抗弁する公正な機会を与えることにあるのだとすると，この説示の意味するところは，原供述者を証人として採用したうえ，被告人に原供述者に対する証人審問の機会を与えることが可能であったにもかかわらず，同じ国家機関である入管当局の強制送還によりこれができなくなったときは，伝聞例外規定の要件を満たす場合であっても，被告人にそのような抗弁の機会が与えられないのに，検察官において原供述者の供述録取書の取調べを請求することは，「手続的正義」の観点からみると不公正であるとの趣旨だろう。そうすると，ここでの議論は，そのような抗弁の機会を与えられなかったのにその証拠が請求されることの不公正を端的に問題とするものであって，抗弁の機会が与えられなかった理由がひとり検察官の過失（有責性）によるかどうかは問うところではなく，検察官，裁判所，入管当局を含めた国家機関の側に帰責事由があったかどうかを問題にすべきなのではないだろうか。

Bさん：なるほど，そうですね。

教員：この問題は，当該供述を用いることによる事案の真相の解明の利益

26）　証人審問権と反対尋問権の関係について，酒巻・前掲注6)181頁は，「反対尋問権を，被告人側について憲法レベルで保障したのが『証人審問権』であり，被告人の訴訟法上の反対尋問権は，憲法の証人審問権に由来する」とする。

27）　堀江慎司「証人審問権の本質について（6・完）」論叢142巻2号（1997年）24頁など。

28）　堀江・前掲注8)36頁。

29）　三井誠・百選〔第7版〕185頁参照。

（公共の利益。伝聞例外制度もまた，正しい事実認定のためのものである）と，被告人の証人審問権（反対尋問権）の保障との調和点を奈辺に求めるべきかに尽きることとなるだろう[30)]。そうすると，池田調査官の言われるように，「手続的正義の観点から公正さを欠く」か否かの判断は，当該外国人の収容の理由及び時期，強制送還の態様・時期，証人尋問請求の時期，証人尋問決定の時期，関係機関の連絡・調整状況などの諸事情の総合的判断によって，利益衡量を行うほかないだろうね[31)]。とりわけ，強制送還の時期と証人尋問決定の時期との関係，検察官・裁判所・出入国管理官署間の相互連絡と調整の状況，そしてまた，これらの機関と被告人・弁護人との相互連絡・調整状況などが重要な判断要素というべきだろう。

A君：東京高判平成20・10・16高刑集61巻4号1頁は，裁判所が外国人Aについて証人尋問の決定をしているにもかかわらず強制送還が行われた事案について，⑴「〔最高裁平成7年判決の〕趣旨は，供述者が国外にいるため，刑訴法321条1項2号ないし3号所定の要件に該当する供述調書であっても，供述者の退去強制〔強制送還というべき〕によりその証人尋問が実施不能となったことについて，国家機関の側に手続的正義の観点から公正さを欠くところがあって，その程度が著しく，これらの規定をそのまま適用することが公平な裁判の理念に反することとなる場合には，その供述調書を証拠として許容すべきでないという点にあるものと解される」としたうえ，⑵「裁判所及び検察官は，それぞれの立場から，各時点における状況を踏まえて，Aの証人尋問の実現に向けて相応の尽力をしてきたことが認められる。……他方，入国管理当局は，検察官の要請に基づき，Aの退去強制手続の実情を伝えるとともに，その所在尋問についても，可能な限り協力するという態勢を整えていたことが認められる。……刑事訴訟を担当した司法関係者及び強制送還を担当した入国管理当局の以上のような対応状況にかんがみると，本件は，Aの退去強制〔強制送還というべき〕によりその証人尋問が実施不能となったことについて，国家機関の側に手続的正義の観点から公正さを欠くところがあって，その程度が著しく，刑訴法321条1項2号ないし3号

30)　違法収集証拠排除法則について，事案の真相の解明の利益と基本的人権の保障・適正な手続の利益との調和に言及する最判昭和53・9・7刑集32巻6号1672頁の発想に類似する。
31)　池田・前掲注11)256頁。

をそのまま適用することが公平な裁判の理念に反することとなる場合には，該当しないというべきである」（傍点は筆者による）と判示していますね。

教員：この東京高裁判決は，平成7年判決の趣旨を端的に上記(1)のように「国家機関の側に手続的正義の観点から著しく公正さを欠くところがある」こと，すなわち，国家機関の側の落ち度の有無・程度を問題とするものと理解するもので，国家機関の側の連絡・調整状況が最も重要な考慮要素となることは間違いなかろう（東京高判平成8・6・20判時1594号150頁も参照）。

Bさん：平成7年判決は検察官面前調書（321条1項2号前段）に関するものですが，これを検察官面前調書に限定する理由はないでしょうね。

教員：そうだね。平成7年判決の説示の根拠をどこに見出そうが，これを検察官面前調書に限定しなければならない合理的な理由はないだろう。実際，裁判官面前調書（321条1項1号前段）については東京高判平成21・12・1判タ1324号277頁が，司法警察職員面前調書（321条1項3号）については東京高判平成7・6・29高刑集48巻2号137頁およびこの東京高判平成20・10・16が，それぞれ平成7年判決の趣旨が当てはまることを明示し，あるいはそれを当然の前提としているんだ。

A君：平成7年判決は，「外国人の検察官面前調書を証拠請求することが手続的正義の観点から公正さを欠くと認められるとき」の例示として，説示(2)の①と②の場合を掲げていることはその表現ぶりからも明らかですが[32]，①②以外の場合もあり得るのでしょうか。

教員：東京地判平成26・3・18判タ1401号373頁は，平成7年判決の(2)の①②に当たらない事案において，「起訴後直ちに，弁護人に対して，Aの供述調書を証拠請求する見込みや同人が釈放され，在留資格がないことから退去強制処分を受ける可能性があることを連絡し，弁護人に刑訴法179条に基づく証拠保全としてAの証人尋問請求をする機会を与えるか，何らかの事情によりこれが困難な場合には，次善の方策として，検察官がAについて刑訴法227条による第1回公判期日前の証人尋問を裁判所に請求する[33]など，同人の証人尋問の実現に向けて相応の尽力をすることが求められていたといえる」とし，「検察官が，当時の状況を踏まえて，被告人又は弁護人に

32）　堀江・前掲注8)38頁。

Aに対し直接尋問する機会を与えることについて，相応の尽力はおろか実施することが容易な最低限の配慮をしたことも認められない」として，「Aの本件各供述調書を刑訴法321条1項2号前段により証拠採用することは，国家機関の側に手続的正義の観点から公正さを欠くところがあって，その程度が著しいと認められる」と判示していることが参考になるだろう。

Bさん：平成7年判決が「許容されないこともあり得る」として，必ずしも常に許容されないわけではないとの趣旨を明らかにしているとすると，許容されないのはどのような場合ということになりますでしょうか。

教員：そうだね。その後の下級審裁判例を総合すると，平成7年判決の「国外にいることとなった事由が退去強制によるものであるときは」との説示の後の箇所を「(a)同じく国家機関である検察官において当該外国人がいずれ国外に退去させられ公判準備又は公判期日に供述することができなくなることを認識しながら殊更そのような事態を利用しようとした場合[34]はもとより，(b)検察官，裁判所が証人尋問の実現に向けて尽力し[35]，入国管理当局がそれに協力するならば当該外国人の証人尋問が可能な情況にあったにも

33)　高木俊夫「退去強制が見込まれる外国人の証言供述の確保——平成7年3小判決を契機として」『小林充先生・佐藤文哉先生古稀祝賀刑事裁判論集(下)』（判例タイムズ社，2006年）212頁は，「検察官が本文②の要件〔筆者注：「前にした供述と異なる供述をするおそれ」〕にとらわれることなく，退去強制が見込まれる外国人の公判証言確保の次善の策として，本条項〔筆者注：227条〕を積極的に活用すべきは当然だろう」というが，退去強制手続による強制送還が予定されていることが「異なる供述をするおそれ」に当たると解することは到底困難ではなかろうか（後藤・伝聞法則70頁も同旨）。検察官としては，227条の証人尋問請求書において，当該外国人が異なる供述のおそれがあることを主張し，いささか脱法的ではあるが，併せて，退去強制手続による強制送還が予定されていることを付言するほかないように思われる。

34)　(a)の例としては，「検察官が，当該外国人の証人尋問を回避する目的の下に，①殊更起訴を遅らせ，当該外国人が送還された後になって起訴した場合，②被告人，弁護人の証拠保全請求を不能ならしめるため意図的に当該外国人の書証を開示しなかった場合あるいは開示を遅らせた場合，③公判において当該外国人を尋問することが客観的に可能な状態であったにもかかわらず，あえて別の証人申請を先行させたため，当該外国人の証人尋問が不可能となった場合等」があげられるのが一般である（上富敏伸・百選〔第9版〕179頁）。これらは，平成7年判決の説示(1)にいう「事情」である。実務上は，この例示の類型が問題となることは少ない。

35)　証人の取調べを請求した当事者には，証人を出頭させるべく努力する義務があることにつき，刑訴規則191条の2（訓示規定）を参照されたい。法曹会編『刑事訴訟規則逐条説明〔公判〕』（法曹会，1989年）63頁は，尋問決定のなされる前においても，証人尋問の請求をしあるいはする予定の当事者は，証人の出頭確保に向けて適切な措置を採るべきであり，証人不出頭のおそれが生じたときは，「裁判所との緊密な連絡の下に出頭確保のための適切な措置を講ずるべきである」という。

かかわらず[36]，漫然そのような措置を取らなかったために，裁判官又は裁判所が当該外国人について証人尋問の決定をしているにもかかわらず強制送還が行われた場合など[37]，当該外国人の検察官面前調書を証拠請求することが手続的正義の観点から著しく公正を欠くと認められるときは，これを事実認定の証拠とすることは許容されないものと解すべきである」と改めれば，判断枠組みとして使えるのではないかな。

A君：なるほど。最高裁平成7年判決の説示のままでは，それに当たってもなお証拠能力が否定されないことがあり得るというのでは，判断枠組みとしていかがなものかと思っていましたが，そうすればよさそうですね。

Bさん：検察官の証拠請求が手続的正義の観点から眺めてみると著しく公正さを欠くと認められるときは（排斥要件），憲法37条2項が被告人に証人審問権を保障している趣旨にかんがみ（排斥根拠），証拠として許容されないというわけですね。

4　設問の解決

A君：設問の場合に，検察官が入管当局に申し入れて故意に外国人甲の退去強制手続を早めさせ，通常の送還時期よりも早く強制送還させて証人尋問をできなくした場合はもとより（平成7年判決(2)の①），入管当局との連絡調整により証人尋問期日まで強制送還を遅らせることが可能であったのに，これを怠り，その結果，証人尋問前に甲が強制送還されたのであれば（(2)の②），「手続的正義の観点から著しく公正さを欠く」というべきでしょうね。

Bさん：検察官において甲が公判準備または公判期日に供述することができなくなるような事態を殊更利用しようとした何らかの事情（前掲注34)参照）が認められるとすれば，検察官が甲の検面調書の取調べを請求することは，著しく公正さを欠くけれども，A君の言うような事態，すなわち入管当局が検察官の甲の強制送還を早めるようにとの要請に応じることはあり得べくもないわ[38]。設問のケースでは，自費出国であり，帰国のための航空券等を自ら準備した以上，入管当局としては，要件が整っている限りは，本邦

36)　池田・前掲注11)257頁。
37)　この「など」の文言は，解説のとおり(a)(b)が例示であることを示す。

からの退去を許可するのは当然ですね。この問題は，先に議論したように，検察官の過失の有無は問題ではなく，被告人に甲に対する反対尋問の機会が与えられないままに，甲の検面調書の取調べを請求することが手続的正義の観点からみると著しく不公正（unfair）といえるかどうかが問題なのだと思うわ。甲の強制送還まで相応の期間的余裕があるなどその証人尋問が可能な状況にあったのに，検察官，裁判所，入管当局相互の間の，あるいは弁護人に対する連絡調整が不十分であったために，甲の証人尋問が行われることなく強制送還が実施されたのであれば，その余の事情をも考慮する必要はありますが，原則として「手続的正義の観点から著しく公正さを欠く」といえるように思います。

教員：先ほどあげた東京地裁平成 26 年判決の事例は，B さんの言うように，相応の時間的余裕があったのに，検察官がこの点に配慮しなかった事案であって，「検察官による検面調書の取調べ請求が手続的正義の観点から著しく公正さを欠く」事例の一つといってよいだろう。なお，設問にある「自費出国」というのは，我が国の国費でなく，当該外国人が自ら帰国のための航空券あるいは帰国費用を準備し，出入国管理当局の許可を得て，強制送還されるものであって，入管法 52 条 4 項の定めるところにより行われる退去強制令書の執行方法の 1 つであることは，知っておいてよいだろう（したがって，自費出国もまた強制送還の一つであって 5 年間上陸が制限される）。学生諸君の中には，「自費出国」を強制送還とは別の，外国人の自由意思による出国と勘違いしているものがあるので，留意してほしいものだ[39]。

38）検察官には，出入国管理官署に対して指揮命令する権限はなく（現にそのようなことは行われていない），かえって，出入国管理官署は，要件が整い次第速やかに当該外国人を強制送還する義務がある。出入国在留管理庁編『2020 年版出入国在留管理』59 頁（http://www.moj.go.jp/isa/content/001335866.pdf）は，「出入国在留管理庁では，被送還者の旅券，航空券又は帰国費用等の送還に必要な要件が整い次第，速やかに送還しているところである」という。

39）外国人は自費で出国したのであって強制送還されたわけではないとする答案（自費出国を自由出国と誤解しているのであろう）を見受けることがあるが，自費出国（入管 52 条 4 項）は，強制送還の一類型（退去強制令書の執行）である。送還方法には，①自費出国，②運送業者の負担による送還（同 59 条。上陸を拒否された外国人などの場合。国際慣行として確立している），③国費送還の 3 つがある。要は，出国の費用を，当該外国人が出捐するのか，運送業者が出捐するのか，それとも日本国が出捐するのかという，費用の出捐者に違いに過ぎず，自費出国もまた，退去強制手続における強制送還である。ちなみに，出入国在留管理庁によれば，自費出国する者は，近年，被強制送還者の約 93 ～ 94 パーセントを占めている（出入国在留管理庁編・前掲注 38）59 頁）。

Question & Answer

Q1 供述録取書（供述調書）については，供述者の「署名又は押印」が必要とされていますが，供述書についても必要なのですか。

A 供述書については，署名も押印も，どちらも必要ではありません。

321条1項柱書は，「被告人以外の者が作成した供述書又はその者の供述を録取した書面で供述者の署名若しくは押印のあるもの」とされていますが（322条1項も同様），「又は」と「若しくは」の法令用語としての使い分けを知っていれば，容易に結論がでます。ともに選択的接続詞ですが，「又は」は大きな選択的連結，「若しくは」は小さな選択的連結に用いられる接続詞です。そうすると，321条1項柱書は，「被告人以外の者が作成した供述書」と「その者の供述を録取した書面で供述者の署名若しくは押印のあるもの」の2つに大きく分けることができるわけです（322条1項も同様）。したがって，供述録取書には署名か押印のどちらかが必要ですが，供述書には署名も押印も必要ありません。なぜ供述録取書についてのみ署名か押印が要求されているかといえば，供述録取書は，供述者についての伝聞過程（知覚・記憶・表現・叙述）と，一般的な理解によれば，供述録取者（多くの場合，捜査官）についての伝聞過程（知覚・記憶・表現・叙述）との二重の伝聞過程からなり，供述者の署名か押印によって後者の伝聞性を解除し，供述書と同様に，伝聞過程を1つとするために，供述者の署名か押印のいずれかが求められているわけです。

* * *

Q2 322条1項の「特に信用すべき情況の下にされたもの」との要件は，どのように判断すべきでしょうか。

A まず，322条1項本文については，①前段は「被告人に不利益な事実の承認を内容とするもの」すなわち，広義の不利益事実の承認（自白および狭義の不利益事実の承認を含む）についての規定であり，不利益事実の承認というだけで証拠能力（伝聞例外）が認められ，特信情況は要求されていません。また，②後段は「被告人に不利益な事実の承認を内容とするもの」以外の一切の供述（被告人に利益な供述および不利益ではないが利益でもない供述）についての規定であって，これについては「特に信用すべき情況の下にされたもの」(特信情況)が要求されます。

特信情況については，かつては，「供述が理路整然としたものであるとか，経験則に合致しているとか，他の信用し得る証拠と合致しているとかいう様な事情もその一例と考えてよい」[40]とする見解もありましたが，供述の信用性の問題と証拠能力の問題を混同するもので相当ではなく，他の伝聞例外の規定と同じく，外部的付随事情を意味すると解すべきです。そして，自己に利益な供述は，信頼性が乏しいのが一般的ですので，1項本文後段の「特に信用すべき情況の下にされたもの」に当たる場合は，多くはありません[41]。これに当たるのは，「通常誰もが清純な気持で真実を述べるような特別の環境の下に供述した場合」[42]，「起訴されている事実の証拠としては被告人に有利であっても，他の刑事事件や民事責任については，不利となる内容の供述」[43]などといわれています。

最近の問題は，いわゆる「被疑者ノート」がこの規定によって伝聞例外として認められるかどうかです。後藤教授は，「自らが取調べを受けた状況を毎日記録していたような書面であれば，取調べ状況に関する証拠として特信性が認められる場合もあろう」とされ[44]，また杉田判事も，「被告人が取調べ当日か又は遅くともその翌日等」に「取調べ状況を記入し」，「『取調べの内容をありのまま』書いたことをひととおり認め得るのであれば」，322条1項後段該当書面として証拠能力を肯定できるとされています[45]。しかし，このような肯定的見解の存在にもかかわらず，裁判実務では，「被疑者ノート」は，証拠物として取り調べるか，被告人質問の際に被告人に提示して用いられることが多いようです。

---

40)　栗本一夫『新刑事証拠法』〔立花書房，1949年〕81頁。
41)　新コンメ刑訴法935頁［後藤昭］。
42)　横井・逐条解説Ⅲ 118頁。
43)　新コンメ刑訴法935頁［後藤］。
44)　新コンメ刑訴法935頁［後藤］。
45)　大コンメ刑訴法⑺668頁［杉田宗久］。安永健次「伝聞証拠の意義」実例刑訴法Ⅲ 20頁も参照。

学びの道しるべ

✍ 321条1項2号後段の「信用すべき特別の情況」（相対的特信情況）についても，3号の「特に信用すべき情況」（絶対的特信情況）についても，通説や裁判実務は，これを証明力の問題ではなく証拠能力の問題であるとして，「信用すべき特別の情況」「特に信用すべき情況」とは，当該供述の信用性を保障するに足る供述時の外部的付随事情を意味するとし，供述の内容自体も，このような外部的な付随事情を推知する限りにおいて判断資料として用いることができる，と解している。

ところが，学生諸君の答案の中には，法解釈として，上記のように記述しておきながら，当てはめにおいては，外部的付随事情に関する事実（そのような情況下でなされた供述には一般的類型的にみて信用性が認められるような事情に関する事実）を抽出することなく，供述の信用性に関する事実を抽出して，供述内容が信用できること，あるいは信用できないことをひたすら記述するものが少なくない。これでは，法解釈と当てはめが齟齬するといわれても仕方がない。供述内容は，外部的付随事情を推知するためなら用いることができるのあるから，供述内容を用いるのであれば，当該供述内容によっていかなる外部的付随事情を推知するのかを記述することが必要である。例えば，検察官面前調書の記載は，具体的で理路整然としていることとか，問題となっている記載以外の記載が他の証拠により裏付けられることは，供述内容そのもの（内部的な供述そのもの）の信用性の問題であって，外部的付随事情ではない。具体的で理路整然としているので，あるいは，他の記載が証拠によって裏付けられるので，「取調べは適切で，供述も真摯」になされたであろうこと（これが外部的付随事情）を推知することになるのである。逆に，供述の内容が支離滅裂，あるいは曖昧であることも，供述内容そのものであって，外部的付随事情ではない。支離滅裂あるいは曖昧であるから，「真実を語れない（語りたくない）何らかの事情が存在したであろうこと」を推知するのである[46)]。もとより，供述の前に被告人の家族から有利な供述を懇願されたとか，被告人の舎弟から脅されたなどという具体的な外部的付

46） 事例研究Ⅱ 692頁［半田靖史］。

随事情が明らかになれば，それに越したことはないが，そうでないときは，供述内容から上述のように推知するほかないのである。

外部的付随事情は，「供述内容の信用性の有無を直接問題とするものではなく，供述内容の信用性を担保する外部的情況の存否（その判断にあたり，供述内容を資料とすることは可能）を問題とするもの」[47]なのである。

〈参考文献〉

①堀江慎司「証人審問権と検面調書」法教256号（2002年）34頁
②三井誠・百選〔第7版〕184頁
③本田守弘・百選〔第8版〕184頁
④池田耕平・最判解刑事篇平成7年度239頁

47）　大コンメ刑訴法(7) 609頁［中山善房］。

26 伝聞法則(4)

【設　問】

(1)　被告人ＸのＶに対する殺人被告事件の公判において，被告人Ｘは犯人性を否認したので，検察官は，犯行の目撃者である甲が行方不明のため，乙の手帳について，立証趣旨を「甲との会話の状況」としてその取調べを請求した。乙の手帳は，乙自身が記載したものであり，「甲から，『ＸがＶを包丁で刺し殺すのを目撃した。どうすべきか』との相談を受けた。甲は，Ｘと親友のようで，悩んでいるようだ。知合いの弁護士に相談するようにアドバイスの予定」と記載されていた。なお，乙は，その後，交通事故で死亡した。Ｘの弁護人は乙の手帳について不同意の意見を述べたので，検察官は，当該取調べ請求を撤回したうえ，乙の死亡事実を証明して，321条1項3号を根拠に，上記の立証趣旨のまま上記手帳の取調べを請求した。裁判所は，これを採用することができるか。

(2)　また，甲がＸからＶ殺害の告白を聞いた事実が記載された甲の検察官面前調書の場合は，どうか。

〔ポイント〕

①　再伝聞と要証事実

②　再伝聞証拠の許容性

〔判　例〕

再伝聞と要証事実

▷東京地決昭和53・7・13判時893号3頁②事件

▷最決平成17・9・27刑集59巻7号753頁（地下鉄堺筋線痴漢事件。ケースブック612頁，三井教材555頁，百選〔第9版〕180頁・〔第10版〕190頁）

再伝聞証拠の許容性

▷最判昭和32・1・22刑集11巻1号103頁（ケースブック616頁，三井教材578頁，百選〔第9版〕190頁・〔第10版〕200頁）

解　説

1　再伝聞と要証事実

A君：設問(1)の手帳の記載は，320 条 1 項の「公判期日における供述に代えて書面を証拠」とするものですから，伝聞証拠であり，その中に甲の供述が含まれるので，「再伝聞」（二重伝聞）が問題となります。

教員：一寸待ちたまえ。伝聞証拠であるかどうかは，要証事実との関係で決まるんだったよね。再伝聞かどうかも同じことだよ。要証事実が何かを検討することなく再伝聞かどうか判断することはできないはずだ（東京地決昭和 53・7・13 判時 893 号 3 頁②事件）。

Bさん：いつも悩むのですが，1 個の証拠の中に 2 つの供述過程がある場合に，要証事実は，まとめて 1 つでよいのでしょうか。

教員：当事者は，1 つの立証趣旨により証拠請求するのが実務の運用なのだが，供述過程が 2 つある場合であっても，どちらかが伝聞証拠でないときは，再伝聞ではなく単純な伝聞なのだから，裁判所としては，供述過程が 2 つあるときは，供述過程ごとに，逆の時系列で（裁判所に近い供述から順次さかのぼって），要証事実を確定したうえ，それぞれが伝聞証拠に当たるかどうかを検討し，いずれもこれに当たるときは再伝聞証拠というわけだ。

Bさん：要証事実は 2 つなのですね。シュー・クリームに譬えると，まずは外側のシュー（皮）から，次にクリームを食べるというわけですか。そうすると，設問(1)の場合，シューである乙の供述の要証事実は，……。

教員：乙は，何を知覚・記憶したのかな。

A君：乙の知覚・記憶の対象は，「甲が『X が V を殺害するのを見た』と言ったこと」（発言自体）でしょう。

教員：そうだね。乙の供述自体の要証事実は，「甲が乙に対して『X が V を殺害するのを見た』と言ったこと」だ。そうすると，乙の手帳の記載は，公判廷における供述ではなく書面であるから，公判廷外における乙の供述を内容とする証拠であって，その内容の真実性，すなわち甲が乙にその旨言ったこと自体を証明するために用いるのだから，伝聞証拠に当たるだろう。

Bさん：そうすると，次に，甲の供述（クリーム部分）も伝聞証拠に当たるとすれば，甲の供述を内容とする乙の供述（手帳）は，再伝聞なのですね。

A君：甲の供述部分については，甲による名誉毀損事件のように，甲の発言の存在自体を要証事実とするときは，その内容の真実性は問題とならないので，甲の供述は非伝聞であり，甲からそのことを聞いた乙の知覚・記憶・表現・叙述の過程のみが問題となるので，この場合の乙の手帳の記載は，単純な伝聞ですよね。

Bさん：そうね。検察官の「甲との会話の状況」との立証趣旨は，乙の供述内容（シュー部分）に関するものではなく，甲の供述内容（クリーム部分）についてのもので，甲の発言の存在自体という意味なのでしょう。しかし，被告人Xは犯人性を争っており，甲がXの犯行を目撃したかどうかが問題となるのだから，甲の発言の存在自体を立証してみても無意味であり，甲の供述は，甲がXによるV殺害を目撃したこと，言い換えれば，XがVを殺害したことの立証に用いてこそ意味をもつのですから，甲の供述は，検察官が設定した立証趣旨をそのまま前提にするとおよそ証拠としては無意味になるような例外的な場合であり，甲の供述部分の要証事実は，検察官の立証趣旨とは異なり，「XがVを殺害した状況」ということになりますね。

A君：そうすると，乙の供述も甲の供述も，いずれも，要証事実との関係で伝聞証拠に当たりますので，甲の供述を内容とする乙の手帳は伝聞を内容とする伝聞すなわち再伝聞証拠ということですね。

教員：そのとおりだね。

2　再伝聞証拠の許容性

A君：再伝聞証拠については，刑訴法に直接の規定はないけれども，それぞれの伝聞過程について321条から324条までの伝聞例外の要件が備わっていれば，証拠として許容して差し支えないと解するのが通説です[1)]。米国の連邦証拠規則も，各供述が伝聞例外を充たしていれば排除されないと定めて，再伝聞証拠を許容していますね（805条。Hearsay within Hearsay）。

Bさん：最高裁（最判昭和32・1・22刑集11巻1号103頁）も，「所論は被

1）　平野224頁，平場199頁，田宮390頁，大コンメ刑訴法(7) 579頁［中山善房］など。ただし，田宮教授は，321条から324条までを各1回ずつ適用する限度で再伝聞証拠を許容する。

告人Ｉの検察官に対する供述調書中の被告人Ｙから同人外３名がＳ方に火焔瓶を投げつけて来たということを聞いたとの被告人Ｉの供述は，伝聞の供述であるから刑訴 321 条１項２号により証拠とすることはできず，又公判期日において反対尋問を経たものではないから，同 324 条によっても証拠とすることはできない。然るにこれを証拠とすることは憲法 37 条２項に違反するというに帰する。しかし，原審が……説示する理由によって，刑訴 321 条１項２号及び同 324 条により右供述調書中の所論の部分についての証拠能力を認めたことは正当である。そして，これが反対尋問を経ない被告人Ｉの供述の録取書であるからという理由で，憲法 37 条２項によって証拠とすることが許されないものではないことは当裁判所の判例の趣旨に徴して明らかである」と説示し，通説と同様に，再伝聞肯定説に立っていますね。

教員：設問(1)の例では，乙の手帳の記載自体について 321 条１項３号の伝聞例外要件の充足が必要なのはもちろんだが，これが充足された場合に，「公判準備又は公判期日における供述」に含まれる伝聞に関する規定である 324 条が一体なぜ（類推）適用されるのだろうか。

Ａ君：その点については，最高裁昭和 32 年判決がその理由付けも含めて是認した原審（東京高裁）は，「刑事訴訟法第 321 条第１項各号所定の事由があるとき，その供述調書に証拠能力を認めたのは，公判準備又は公判期日に於ける供述にかえて書類を証拠とすることを許したものに外ならないから，刑事訴訟法第 321 条第１項第２号により証拠能力を認むべき供述調書中の伝聞に亘る供述は公判準備又は公判期日における供述と同等の証拠能力を有するものと解するのが相当」（傍点は筆者による）としています。そうした論理の下に，324 条が類推適用されることになるわけですね[2)]。

Ｂさん：そうね。平野教授が，「法は，伝聞証拠は『公判廷における供述に代えて』証拠とすることができないとしている」ので，「その例外の場合は，伝聞証拠が公判廷の供述に代わることにな」り，「その中に含まれる伝

2）　夙に，仙台高判昭和 30・3・23 高刑判特２巻７号 213 頁は，「公判期日における供述に代えて」（320 条１項）の文言には言及しないものの，「被告人以外の者の検察官の面前における供述を録取した書面という点において同法第 321 条第１項第２号所定の要件を具え，かつ，被告人の供述を内容とする被告人以外の者の供述という点において同法第 324 条第１項の準用により……同法第 322 条所定の要件を充足する場合には，これに証拠能力を認めるのを相当とする」と説示していた。

聞は，公判廷における供述の中に含まれる伝聞と同じく取り扱わなければならないことになる」とされているのも[3]，東京高裁判決と同じ趣旨ですね。

A君：素晴らしく精緻な論理ですね。感動します。

教員：そんなに感動することでもないだろう。判例や通説の理論構成は，320条1項が「公判期日における供述に代えて」との文言を用いたことを奇貨として利用しただけのことだ。まあ，「巧緻」とは言えるかもしれないがね。しかし，もし320条1項にこの文言がなかったら，どうするんだい。刑訴法の国会提出前の案文[4]では，320条（そして321条1項）に対応する規定の文言は，「被告人又は被疑者以外の者が自ら作成した陳述書，その者の陳述を録取した書面で陳述者の署名又は押印のあるものは，左の場合に限り，その内容を証拠とすることができる」としたうえ，321条1項1号から3号までに相当する例外（文言も現行法に酷似する）を規定していたんだ。この規定案がそのまま国会に提出されて議決されていたとしたら，さっきのような形式的な論理は成り立つのだろうか。

A君：その文言があろうがなかろうと，伝聞例外に当たるということは，公判期日における供述に代えて書面を証拠として用いることができることを意味するでしょうから，同じことではないでしょうか。

教員：うん，そうだろうね。伝聞例外に当たるときは当該書面は「公判期日における供述」に代わるとの判例の論理は，324条の「公判期日における供述」につなぐためのテクニックなのだが，そんな形式論理ではなく，もっと実質的に考えるべきではないかな。

Bさん：実質的に考えるって……。

教員：伝聞例外は，伝聞証拠を用いる必要性と信用性の情況的保障とによって辛うじて証拠能力が認められるものであるとすると，当該書面が伝聞例外に該当して証拠能力を有するからといって，これを324条の「公判期日における供述」と同一視してよいかどうかは，また別個の問題だよね。松尾教授が，「320条1項のネガティヴな文脈で用いられた『公判期日における供述に代えて』という表現に，全面的な代替という積極的な意味を与えてよ

3） 平野225頁。

4） 昭和23年5月6日案（制定資料全集⑿105頁）。同月17日案（同282頁）で初めて，「公判期日における供述に代えて，書面を証拠とすることはできない」との文言に変更された。

いかは疑問である。問題は，文理解釈では片付かず，実質的な考慮を必要とする」[5]（傍点は筆者による）と指摘されているが，正鵠を射ているだろう[6]。

A君：確かにそうですね。二重の伝聞（再伝聞）は，単純な伝聞より伝聞過程が１つ多いので，「伝聞よりさらに危険」[7]なことに異論はないのですから，米国連邦証拠規則805条のような再伝聞証拠を許容する明文規定がないということは，刑訴法が再伝聞証拠の証拠能力を否定する趣旨と理解することも可能といえそうに思うのですが……。

教員：おや，Ａ君，「君子は豹変す」かな。確かに，Ａ君の指摘する観点から，再伝聞を全面的に否定する見解（再伝聞全面否定説）もあるよね。原供述を記載した書面（上記の検察官面前調書）は，その供述当時（検察官の取調べ当時），検察官の取調べを受けた者に対する反対尋問の機会は与えられていない。これに対して，324条の場合の「公判準備又は公判期日の供述」は，いずれも供述者に対して即座に反対尋問することができる。そこで，全面否定説は，伝聞例外の要件を充たす書面と324条の公判準備または公判期日の供述とは，「全然，性質を異にしており，同条（324条）を類推適用する余地は全く存しない」として，通説・判例を批判しているんだ[8]。

Bさん：再伝聞証拠の証拠能力を全面的に否定するのでなく，原供述者の「肯定・確認」があれば証拠能力を認めてもよいとの見解もありますね。

教員：そうだね。321条1項や322条1項で伝聞例外とされている供述録取書には，供述書と異なり（供述書には署名・押印は不要），署名または押印が必要とされているわけだが，その理由は，供述録取書が供述者の供述過程と録取者の供述過程の二重の伝聞（再伝聞）から成るため，供述者の「署名又は押印」により，記載が供述どおりであることを肯定し，あるいは確認させ（この肯定または確認を「肯定確認」と呼ぶ），第２供述過程の正確性を確保して伝聞性を取り除き，実質的に「単純な伝聞」とするためだよね。そこで，鈴木教授は，このように二重の伝聞である供述録取書について，刑訴法が，署名または押印を要求し，それがある場合（単純な伝聞の形態をとる場合）に

5）　松尾(下)67頁。
6）　田宮391頁参照。
7）　平野224頁など。
8）　佐伯千仭『法曹と人権感覚』（法律文化社，1970年）69頁。

のみ証拠能力を認めていることから，「伝聞供述〔録取〕の正確性に対する原供述者自身による積極的確認のない以上，たとえ伝聞供述に特信状況が備わっていてもそれだけでは再伝聞証拠に関連性を認めるに十分ではない，というのが法の立場ではないか」とされ，「再伝聞証拠（伝聞供述たると供述書面たるとを問わない）については，原供述者（被告人たると第三者たるとを問わない）のいわゆる肯定確認のある場合に限って」，324条を類推適用することができ，「証拠能力を認めるべきである」とされておられるね[9]。

Bさん：光藤教授は，鈴木教授とは違って，肯定・確認を原供述者が被告人の場合（設問⑵の場合）に限定されていますね。光藤教授は，被告人が「そういう供述はした」という肯定・確認をするか，少なくとも，被告人がそのような話をしたことが確かめられる他の証拠があれば，証拠能力を肯定できるが，そうでないときは再伝聞の証拠能力を否定すべきだとされています[10]。被告人は，324条の場合には証人に対し直ちに反対尋問（被告人がそのような供述をしたとの証言に対して）ができるのに，書面（被告人がそのような供述をしたことを内容とする書面）の場合は，その点を確かめることができないことを理由とされます。

A君：しかし，鈴木説にせよ光藤説にせよ，被告人を原供述者とする再伝聞については，被告人が当該書面を不同意（326条）としているのに，その被告人が自身の原供述をした旨の肯定確認をするなんて，ほとんどあり得ないだろうね。実質的には，再伝聞否定説に近いのかな。

教員：そうだね。法が供述録取書に署名または押印を要求したのは，二重の伝聞たる供述録取書の第2供述過程の伝聞性を排除し，単純な伝聞つまり供述書と同じ要件の下に伝聞例外として許容したものとの理解が一般的だけれども，一般の再伝聞とは異なり，被録取者が供述者として予定されている特殊な形態の二重伝聞である供述録取書に署名・押印（肯定確認）が要求されていることをもって刑訴法が供述録取書以外の再伝聞証拠についても原供述者の肯定確認を要求していると解することは過度の一般化ではないだろうか。加えて，第2の伝聞過程（本件では手帳の記載）が伝聞例外に該当する以上，原供述をしたこと自体については，原供述者が肯定確認をしなくとも，

9） 注解刑訴法㈥733頁［鈴木茂嗣］。なお，鈴木213頁。

10） 光藤Ⅱ258頁。

実質証拠として事実認定に用いることができるはずであって，再伝聞の場合に限って，原供述をしたことについて，原供述者による確認を要求することは，妥当とはいえないだろう[11]。また，単純な伝聞証拠について，信用性の情況的保障と証拠として用いる必要性とを考慮して伝聞例外が許容されているのだから，再伝聞証拠についても，その証拠能力を認める明文の規定はないものの，同様に信用性の情況的保障と必要性が認められれば，伝聞例外として許容するのが相当であり，そうすると，各伝聞過程が伝聞例外の要件を充たしているのに，更に肯定確認までも要求する理由はないだろう[12]。

Bさん：再伝聞肯定説に立つ場合に，必ずしも 324 条を類推適用する必要はないのですか。

教員：理屈の上では，そうだろう[13]。しかし，「公判期日における供述に代えて」（320 条 1 項）の文言と 324 条を組み合わせて，2 つの伝聞例外規定の間に介在させる方が分かりやすいというのであれば，これを活用することも敢えて否定はしないよ。その場合には，321 条以下の伝聞例外の適用に当たり，伝聞供述者の供述に証拠能力が認められるならば，「同一内容の公判廷の供述と区別する理由はない」[14]，つまり，伝聞例外に当たる証拠とその中に含まれる伝聞供述との関係は，「公判期日における供述と原供述」（324 条）の関係と類似の利益状況にあり，それゆえに，伝聞証拠に証拠能力が認められるときは，324 条の類推適用が可能となると考えることも，できるだろう。

Bさん：再伝聞証拠の証拠能力を肯定できるとしても，供述者の肯定確認がないのですから，その信用性は慎重に判断すべきでしょうね[15]。

11）　長沼範良「再伝聞」警察基本判例 391 頁。

12）　大阪高判平成 9・7・3 判タ 980 号 273 頁は，再伝聞につき肯定確認がない旨の弁護人の主張に対して，その点に触れずに，「被告人が任意に不利益事実の供述をしたことが明らかであるから，右再伝聞の部分についても，同法 324 条 1 項，322 条により証拠能力が認められる」とした。

13）　米国連邦証拠規則 805 条は，各伝聞が伝聞例外規定を満たせば，許容されるとする。なお，山崎清「供述調書への刑訴 324 条の準用の有無」証拠法大系Ⅲ 317 頁は，「〔再伝聞について伝聞例外規定を〕準用するとしても，刑訴 324 条によるよりは，321 条 1 項各号を，そのまま準用すべきではなかろうか」とされる。

14）　条解刑訴法 885 頁。

15）　東京高判平成 30・11・15 判タ 1477 号 140 頁は，「信用性を慎重に判断すべき」という。

3　設問の解決

A君：設問(1)の乙の手帳に記載された甲の供述部分についてみると，検察官の立証趣旨は「会話の状況」ですが，Xは殺人の犯人性を否認しているのですから，「会話の状況」を立証してみたところで無意味であり，甲の供述は，XがVを殺害したことの立証に用いてこそ意味があるので，その要証事実は「XがVを殺害した状況」というべきであり，そうすると，甲の供述を内容とする乙の手帳は，再伝聞証拠です。設問(2)についても，同様です。

Bさん：そのとおりよね。判例・通説によると，乙の手帳の当該記載や甲の供述録取書が321条1項3号（設問(1)），2号（設問(2)）の要件を充足するならば，「公判期日における供述」と同等の証拠能力を有することとなり（320条1項），甲の供述部分については，更に324条2項（設問(1)），1項（設問(2)）が類推適用され，設問(1)の手帳の甲の供述部分については321条1項3号，設問(2)の供述録取書のXの供述部分については322条1項が準用されます。(1)の場合には，甲が供述不能でないときは，その余の要件を検討するまでもなく，要件を充足しませんが，(2)の場合は，不利益事実の承認に当たることとなります。

教員：肯定確認説によった場合の結論は，各自で。

Question & Answer

Q1　再伝聞は，設問のケースを例にとると，甲の供述を内容とする乙の手帳なのでしょうか，それとも，甲の供述なのでしょうか。

A　まず，再伝聞とは，本来的には，「証拠」を意味するものではなく，伝聞過程が二重であること（二重の伝聞）を意味します[16]。そして，証拠を意味するときは，多くの文献では「再伝聞証拠」「再伝聞供述」といいます[17]。しかし，「再伝聞証拠」の意味で「再伝聞」の語を用いる文献[18]も少

16）　斎藤359頁。
17）　松尾(下)67頁，白取457頁，後藤・伝聞法則140頁，川出・判例講座〔捜査・証拠篇〕408頁，池田＝前田458頁，ポイントレクチャー403頁［加藤克佳］など。

なからず見受けられますので，この点を理解したうえで再伝聞証拠の意味で「再伝聞」の文言を用いても誤りというわけではないでしょう。因みに，「非伝聞」も伝聞法則の適用がないという意味であって，証拠をいうときは，非供述証拠あるいは非伝聞証拠というべきです。

そのうえで，ご質問については，伝聞証拠の定義についての形式説によれば，甲の公判廷外の供述を内容とする乙の公判廷外で作成した手帳（シュー・クリームの皮）が再伝聞証拠であり，他方，実質説によれば，甲の公判廷外の供述（クリーム）が再伝聞証拠ということになるでしょう。因みに，米国では，再伝聞供述を hearsay within hearsay（連邦証拠規則805条）といい（第23講Q3参照），甲の供述がこれに当たることになります（我が国の形式説によるなら，さしづめ hearsay including hearsay でしょうか）。

*　　　　*　　　　*

Q2　具体的な事例問題に直面すると，伝聞証拠なのか，再伝聞証拠なのか，分からなくなるのですが，分かりやすい判別法はないでしょうか。

A　供述過程の登場人物について，それぞれ反対尋問等による信用性テストを経た供述かどうかを検討し，信用性テストを経ていない供述が1個ならば伝聞，2個ならば再伝聞，3個ならば再々伝聞ということです。

今回の設問(1)の例でいえば，供述者は，裁判所に近い順にいうと，乙，甲であり，乙の供述は，知覚・記憶・表現・叙述の供述4過程について信用性テストを経ておらず（書面なので），また，乙の供述中の甲の供述部分も，知覚・記憶・表現・叙述の供述4過程について信用性テストがなされていないので，伝聞が2つ（二重の伝聞）であり，甲の供述を含む乙の手帳の記載は再伝聞証拠というわけです。設問において仮に乙の手帳を証拠とすることなく，乙が公判廷で証言したのであれば，乙の公判廷供述（乙の証言）は，知覚・記憶・表現・叙述の供述4過程について信用性テストを経ていますので，信用性のテストを経ていないのは，乙の証言中の甲の供述部分のみとなり，甲の証言は，単なる「伝聞証拠」というわけです。

18）　田宮390頁，酒巻571頁。リークエ404頁［堀江］は，「証拠を再伝聞という」という一方，「再伝聞（多重伝聞）証拠」「再伝聞証拠」との文言も用いている。

学びの道しるべ

✍ 再伝聞証拠については，324条1項，2項の類推適用により，322条1項，321条1項3号が準用されるが，本設問のような乙の手帳や日記帳，あるいは乙の供述録取書に，原供述者である甲の署名・押印がないので，準用される322条1項，321条1項3号に当たらないとする答案が散見される。

これは，そもそも324条による322条1項，321条1項3号の準用の場合においても，原供述者の署名・押印が必要であると誤解しているのかもしれない。しかしながら，324条は，被告人以外の者の公判準備又は公判期日における供述の中に被告人，第三者の供述が含まれている場合なのであるから，公判期日等の証言の中に，被告人や第三者の署名・押印があることなど物理的にあり得ない。再伝聞証拠の場合に，324条を類推適用する場合についても，同じことであって，原供述者の署名・押印は，不要なのである[19]。

〈参考文献〉

①三好幹夫「伝聞法則の適用」証拠法の諸問題(上)60頁
②田口守一「再伝聞」河上和雄ほか編『警察実務判例解説（取調べ・証拠篇）』（別冊判タ12号）（判例タイムズ社，1992年）116頁
③長沼範良「再伝聞」警察基本判例389頁
④後藤・伝聞法則141頁

19）後藤・伝聞法則141頁。

27 伝聞法則(5)

【設　問】

Xは，Vに対する殺人罪により起訴されたが，殺意はなく，傷害致死罪が成立するに過ぎない旨争っている。第1回公判期日において，証人甲は，本件犯行の1週間前に，XがVから，腹部や頭部を十数回殴打され，大腿部を数回足蹴にされた直後の状況について，「私は，XがVから暴行を加えられた直後に現場に到着した。しかし，その際，Xは，殴られたり蹴られたりした箇所を酷く痛がっていたが，果物ナイフでVの腹部を刺そうとした事実はない」旨証言した。

そこで，検察官は，その証明力を争うために，

(1)　乙の捜査段階における「私は，甲と一緒に，XがVから暴行を加えられた直後に現場に到着したが，Xは，バッグの中から果物ナイフを取り出して，それでVの腹部を刺そうとして突き出したが，Vがこれを叩き落として，そのまま逃げて行ったのを見た」旨の供述を記載した司法警察員K作成の供述録取書の取調べを請求した場合，裁判所は，これを証拠として採用することができるか。

(2)　甲の捜査段階における供述（その内容は，乙の上記(1)の供述と同旨のもの）を司法警察員Lが記載した捜査報告書（Lの署名・押印はあるものの，甲のそれはない）の取調べを請求した場合はどうか。検察官が甲の上記証言後に，甲を取り調べて録取した上記(1)の供述と同旨の供述録取書（甲の署名・押印があるもの）については，どうか。

(3)　甲の捜査段階における供述（その内容は，乙の上記(1)の供述と同旨のもの）を司法警察員Mが録音したICレコーダーの取調べを請求した場合はどうか。

〔ポイント〕

①　328条で許容される証拠の範囲

② 自己矛盾供述の存在についての立証方法

③ 「証明力を争う」の意義――増強証拠，回復証拠を含むか

〔判　例〕

▷最判平成18・11・7刑集60巻9号561頁（東住吉保険金目的放火殺人事件。ケースブック606頁，三井教材569頁，百選〔第9版〕188頁・〔第10版〕198頁）

▷最判昭和43・10・25刑集22巻11号961頁（八海事件。三井教材570頁・676頁・707頁）

▷東京高判昭和54・2・7判時940号138頁（ケースブック623頁，三井教材570頁）

解　説

1　328条で許容される証拠の範囲

A君：今回の問題は，弾劾証拠の許容性（328条）を問うものですね。

教員：328条の検討の前に，まずもって確認しておくべきことは，実質証拠と補助証拠の区別についてだ。実質証拠とは，主要事実（刑罰権の存否および範囲を画する事実）の存否を直接または間接に証明するために用いる証拠（直接証拠，間接証拠）であり，補助証拠とは，実質証拠の証明力に影響を及ぼす事実（これを補助事実という）を証明するために用いる証拠のことだね。補助証拠には，弾劾証拠，増強証拠，回復証拠が含まれる。328条によって許容される証拠は，犯罪事実の認定のために，つまり実質証拠として用いることは許されず（最決昭和28・2・17刑集7巻2号237頁），供述の証明力を争うため，すなわち補助証拠としてしか用いることができないんだ。

Bさん：328条によって許容される証拠については，刑訴法制定後の比較的早い時期においては，自己矛盾の供述に限る必要はないとする非限定説が，328条の文言解釈として素直であり，かつ立案担当者の見解[1]であったこともあって，支配的な見解であり[2]，高裁の裁判例もこれに従うものが多数を占めていたようですね（福岡高判昭和24・11・18高刑判特1号295頁など）。

1）横井・逐条解説Ⅲ 126頁。

2）小野清一郎『新刑事訴訟法概論』（法文社，1949年）200頁など。

A君：そうだね。非限定説は，① 328条は，同条で許容される証拠を文言上は自己矛盾供述に限定しておらず，また320条1項の「321条乃至328条に規定する場合を除いては」との文言や328条の条文の位置からみて，供述内容の真実性を立証するために用いるときは321条から324条までの伝聞例外に当たらない伝聞証拠であっても，公判廷の証人等の供述の証明力を争う目的に限れば，伝聞証拠を用いることができるとする伝聞例外を定める規定と理解すべきであること，②自己矛盾供述のみならず，他人の異なる供述によっても，証明力を減殺することができること，③自己矛盾供述は本来は非伝聞であって，限定説のいうように自己矛盾供述に限定するならば328条の存在意義がなくなることの3点が主な理由です[3]。

Bさん：A君の挙げた3点のうち，③は限定説に対する批判だから，非限定説の論拠は，①と②ね。①の点は，確かに条文の文言には素直かもしれないけれども，「公判期日における被告人・証人らの供述の証明力を争うため」ならば，警察官の捜査報告書，被害者・目撃者・共犯者等の供述書や供述録取書など，被告人・証人らの供述の証明力を弾劾するに足るあらゆる伝聞証拠が，321条から324条までの伝聞例外に当たらなくても，328条の証拠として許容されることになるわ。そんなことになったら，伝聞法則による証拠能力制限の意味は，実質的に失われ，伝聞法則は骨抜きになってしまうわ。

教員：伝聞法則骨抜き論は，他者（第三者）矛盾供述を「証明力を争うため」にだけ（つまり補助証拠としてのみ）用いるといってみても，他者（第三者）の矛盾供述は，自己矛盾供述がそれだけで被告人の公判廷の供述や証人の証言の信用性を減殺することができるのとは違って，その内容が真実であることを前提としない限り，それが存在しているという事実だけでは信用性を減殺することはできない[4]のだから，328条により他者（第三者）矛盾供述を許容することになると，「必然的に第三者供述の内容たる事実が裁判官の心証上では認められ」（非限定説は，職業裁判官である以上，自覚的に心証の操作はできるはずとするが，これを補助証拠としてだけ用いることは「裁判官の心証形成に法が不可能を強いるものであ」[5]る），「弾劾証拠として出された第三

3）　芦澤政治・最判解刑事篇平成18年度406頁参照。

4）　平野252頁，253頁。

5）　笹倉宏紀「328条の意義」新・争点176頁参照。

者供述が実質証拠として機能」することとなり，そうすると，実質証拠としては証拠能力のない伝聞証拠によって主要事実・間接事実を認定することになりかねないことから，伝聞法則を骨抜きにするという論理なんだ[6]。

A君：ああ，そんな理屈だったのですか。僕は，非限定説を採ると伝聞証拠が補助証拠の名の下に，たくさん出てき得るから，「伝聞法則の骨抜き」といわれているんだと誤解していました。いまの説明だと，たくさんだろうが，1つだろうが，他者（第三者）矛盾供述を328条によって許容すると，補助証拠のはずなのに，裁判官の心証においては，実際上は実質証拠として機能することとなるので，「伝聞法則の骨抜き」といわれているのですね。

教員：そのとおりだね。A君のような誤解は，学生の間では，少なくないようだ。最近では，非限定説を採る学説は，もはや存在せず，限定説が通説[7]と言ってよいだろう。最近の高裁裁判例も，限定説によっており（東京高判平成5・8・24判タ844号302頁，東京高判平成8・4・11高刑集49巻1号174頁），のちに議論する平成18年最高裁判決が出る前から，限定説が「実務の大勢」[8]といわれていたんだ。Bさん，限定説の論拠をまとめてくれないかな。

Bさん：はい，限定説は，①自己矛盾供述に限らないとすると（つまり，非限定説を採ると），他者（第三者）矛盾供述が弾劾として機能するためには，他者（第三者）の矛盾供述が裁判官に措信されることを要し，必然的に他者（第三者）矛盾供述の内容たる事実が裁判官の心証上は認められることになり，弾劾証拠は実質証拠として用いてはならないのに，弾劾証拠として出された他者（第三者）供述が実際上は実質証拠として機能することとなって，伝聞法則が骨抜きになること，②これに対して，公判廷供述と矛盾する同一人の公判廷外供述（自己矛盾供述）を公判廷供述の信用性を弾劾するために用いるのであれば，その内容の真実性を前提とするのではなく，同一人が同一事項について，公判廷外において，公判廷供述と矛盾する供述を行ったという事実を証明することによって，公判廷供述が信用できないことを立証することができるのであるから（反対尋問等による信用性のテストは不必要であ

6）以上につき，成瀬剛「刑事判例研究」ジュリ1380号（2009年）137頁による。

7）平野252頁，高田248頁，注解刑訴法㊥798頁［鈴木茂嗣］，鈴木216頁，光藤Ⅱ252頁，田口448頁，上口400頁，川出・判例講座〔捜査・証拠篇〕420頁など。

8）大コンメ刑訴法(7) 764頁［大野市太郎］。

って，非伝聞である)，328 条はこのような立証を許すものにすぎないこと，③沿革上，328 条は英米法における自己矛盾供述許容の証拠法則を継受したものであり，英米法においては，伝聞証拠を弾劾証拠として用いることが許されるのは，自己矛盾供述に限られていることの 3 点が挙げられています。

教員：さきほど，A 君の挙げてくれた非限定説の論拠のうち③の点（限定説に対する批判)，つまり限定説のいうように自己矛盾供述に限るとすると，その要証事実は被告人・証人等の公判準備あるいは公判廷における供述と矛盾する同人の公判廷外の供述の存在自体であって，内容の真実性を問題とするものではないので，伝聞証拠に当たらず，伝聞法則の適用がないのは当然のことであり，そうすると，328 条の存在意義がないという点は，どうかな。

B さん：その点は，確かに限定説の弱点ですね。しかし，328 条を設けないとすると，「自己矛盾供述であっても，これを主要事実を立証するために用いるときは伝聞証拠なのだから，非伝聞として採用しても，裁判官の予断・偏見から，主要事実の心証形成に事実上用いられるおそれがあるので，自己矛盾供述（非伝聞）であっても弾劾証拠として用いることは許されない」との厳格な考え方もあり得ないではなく，そのような疑念を避けるために，注意的に 328 条が設けられたものであるとされています[9)]。

教員：最高裁も，限定説だったよね。

B さん：はい，最判平成 18・11・7 刑集 60 巻 9 号 561 頁が，「刑訴法 328 条により許容される証拠は，信用性を争う供述をした者のそれと矛盾する内容の供述が，同人の供述書，供述を録取した書面（刑訴法が定める要件を満たすものに限る。)，同人の供述を聞いたとする者の公判期日の供述又はこれらと同視し得る証拠の中に現れている部分に限られるというべきである」と説示して，最高裁として初めて，限定説を採用することを明らかにしました。

教員：限定説を採用する理由については，どのように説示しているの。

A 君：平成 18 年判決は，「刑訴法 328 条は，公判準備又は公判期日における被告人，証人その他の者の供述が，別の機会にしたその者の供述と矛盾する場合に，矛盾する供述をしたこと自体の立証を許すことにより，公判準備又は公判期日におけるその者の供述の信用性の減殺を図ることを許容する

9）　平野 252 頁，鈴木・基本問題 245 頁，宇藤崇「328 条の意義」争点〔第 3 版〕192 頁。

趣旨のものであ……ると解するのが相当である」と説示していますね。

Bさん：この説示って，328条は自己矛盾供述により信用性を減殺することを許容する趣旨だから，328条の証拠は自己矛盾供述の証拠に限るっていっているわけであって，これってトートロジーよね。限定説の結論を制度趣旨に盛り込んだだけじゃない。

A君：確かにそうだね。328条については，非限定説と限定説との争いがあるのに，平成18年判決の説示は，ひどくそっけないね。制度趣旨がどうして自己矛盾による減殺を許容する趣旨なのか，そこが問題なのに。

教員：最高裁は，制度趣旨の論拠については何も触れていないが，善解すれば，Bさんの挙げた限定説の論拠を考慮したのだろう。

A君：自己矛盾供述のことを，米国では「（以前の）不一致供述」（inconsistent statement。連邦証拠規則801条(d)(1)）と呼ぶそうですね。

教員：そうだね。公判廷供述と公判廷外供述のどちらかが誤りであり，そのような証人の供述は信用できないとの論理によって，当該者の公判準備・公判供述の信用性を減殺するに足るものであればよいわけであって，必ずしも公判準備・公判供述と正反対の供述である必要はないことになるよね。そうだとすると，「一方が正しければ他方が誤っているとの論理的必然性を持つ程度の食い違い」[10]，「公判廷で供述した内容が真実であると信じている者であれば公判廷外でそのような供述をしそうにないと判断することが合理的であるといえる場合」[11]も，自己矛盾供述に当たるだろう（笹倉教授は，松尾(下)76頁の挙げる，「犯人は吹き出しそうになるほど奇妙な服装をしていた」との証言に対し，服装について言及していなかった公判廷外供述のケースをその例として挙げる）。その意味では，むしろ米国流に，「不一致供述」といったほうが分かりやすいだろうね。

Bさん：限定説や非限定説のほかにも，いろんな見解がありますよね。

教員：純粋補助事実・非限定説[12]，純粋補助事実・自由な証明説[13]，片面的構成説[14]などだね[15]。ちなみに，限定説は，純粋補助事実についての

10） 注解刑訴法(中)758頁［鈴木］。

11） 笹倉・前掲注5)176頁。

12） 松尾(下)75頁。

13） 大野市太郎「刑事訴訟法第328条の証拠についての一考察」中山善房判事退官記念『刑事裁判の理論と実務』（成文堂，1998年）279頁。

証拠も，自己矛盾供述に限るとするようだ[16)]。

2　自己矛盾供述の存在についての立証方法

教員：この平成 18 年判決は，328 条について，もう 1 つ重要な判断を示しているよね。

A 君：そうですね，「328 条は，……別の機会に矛盾する供述をしたという事実の立証については，刑訴法が定める厳格な証明を要する趣旨である」として，「〔自己矛盾の〕供述が，同人の供述書，供述を録取した書面（刑訴法が定める要件を満たすものに限る。），同人の供述を聞いたとする者の公判期日の供述又はこれらと同視し得る証拠の中に現れている部分に限られる」とし，署名・押印のない供述録取書（問題となった消防司令補の報告書を作成者の供述書としてではなく，消防司令補が事情を聴いた相手を供述者とする供述録取書と捉えている）は 328 条が許容する証拠に当たらないとしています。

B さん：この点についても，最高裁は，328 条は自己矛盾供述の存在という事実の立証について厳格な証明を要する趣旨である，だから，供述録取書には署名または押印が必要だというだけで，理由付けが欠けているわ。

A 君：自己矛盾の供述の存在（補助事実）について厳格な証明を要するのは，何故なのかな。

B さん：平成 18 年判決の調査官解説は，要約すると，供述録取書は，供述者が供述録取者に対して供述する過程（第 1 供述過程）と，供述録取者がこれを書面化して伝える過程（第 2 供述過程）から成るが，いずれについても反対尋問にさらされていないので，伝聞性があり，二重の伝聞性を有するところ，328 条によって伝聞法則の制限が外れるのは，第 1 供述過程だけであって，第 2 供述過程の伝聞性は残ることとなるので，第 2 供述過程の伝聞性を外すには，供述者の署名または押印が必要になると，説明しています[17)]。

教員：この「二重の伝聞」説は，夙に，横井大三検事が，「〔328 条の〕書

14)　田宮 395 頁，堀江慎司「刑訴法 328 条再論」論叢 164 号 1 ～ 6 号（2009 年）419 頁以下。
15)　各学説の概要については，大コンメ刑訴法(7) 758 頁以下［大野］が参考になろう。
16)　平野 254 頁，高田 248 頁など。
17)　芦澤・前掲注 3)415 頁。

面とは，供述書又は供述者が自ら録取の正確なことを確認した供述録取書を指す」とし，その理由として，「供述者が自ら録取の正確なことを確認していない供述録取書は二重伝聞……となる」[18]とされており，その言わんとするところは，芦澤調査官が敷衍したとおりだろう。

A君：供述録取書には二重の供述過程があり，限定説によると第1供述過程は本来伝聞法則の適用がないとしても（328条は注意規定），第2供述過程の伝聞性は残るという点はそのとおりだと思うけど，そもそもの議論の出発点は，「自己矛盾供述をしたという事実の立証について，厳格な証明を要するか，あるいは自由な証明で足るか」（公判期日外で自己矛盾供述をした事実を裁判所に厳格な梱包で運ぶか，簡易包装で運ぶか）ということでしたよね。第2供述過程について厳格な証明すなわち伝聞法則が適用されるかどうかを問題にしているのに，芦澤調査官の解説は，第2供述過程に伝聞法則が適用されるから，厳格な証明が必要と論じているわけであって，議論が逆転しているというか結論を先取りしているというか……。

教員：そうだね。芦澤調査官のその解説に対しては，成瀬准教授が，自己矛盾供述の存在という事実の立証について，「当然に伝聞法則が適用されるという前提に立っていることから，最高裁の判断理由を論理的に説明するというよりは，その結論を言い換えたものに過ぎない」[19]と批判しているのは，正当だと思うよ。

Bさん：「二重の伝聞」説（芦澤調査官）はさておき，限定説を採る以上は，自己矛盾供述の存在についての立証は，必然的に厳格な証明を要することになるのではないかしら[20]。

教員：限定説を採ったからといって，必ずしも厳格な証明を要するとは限らないだろう[21]。限定説が非限定説を否定する理由は，非限定説によるとすると，第三者の矛盾供述が，弾劾証拠（補助証拠）として採用されたのに，結局のところ実質証拠として機能することとなるところ，実質証拠として用

18） ポケット註釈(下)933頁［横井大三］。

19） 成瀬・前掲注6）139頁。

20） 上口裕「証明力を争う証拠」村井敏邦先生古稀記念論文集『人権の刑事法学』（日本評論社，2011年）662頁。

21） 成瀬・前掲注6）138頁，後藤昭「供述の証明力を争うための証拠」『三井誠先生古稀祝賀論文集』（有斐閣，2012年）665頁。

いるのであれば厳格な証明を要するので，伝聞法則の潜脱，骨抜きになるということを理由とするんだったよね。限定説は，第三者の矛盾供述が実質証拠として機能するのなら厳格な証明（つまり328条ではなく321条から327条までに該当すること）が必要だったはずではないかといっているだけのことであって，自己矛盾供述の存在（補助事実）について厳格な証明を要するといっているわけじゃないからね。また，限定説が純粋補助事実非限定説を批判する理由は，同じ328条の中に，自己矛盾供述については伝聞証拠は排斥され，純粋補助事実については伝聞証拠を許すという趣旨が混在して規定されているとは考えがたいということだから[22]，限定説が補助事実について厳格な証明を前提にしているとは必ずしもいえないよ。

Bさん：最高裁が厳格な証明を要するとした理由は，どこにあるのかしら。

教員：最高裁は，理由を明示していないので，どのような理由によったのかは明らかではないね。結局のところ，自己矛盾供述の存在もまた，補助事実（実質証拠の証明力に影響を及ぼす事実。自己矛盾供述の存在と純粋補助事実がこれに当たる）の１つなので，補助事実について厳格な証明を要求すべきか，それとも自由な証明で足るのかにかかっているのではないかな。補助事実は，確かに「刑罰権の存否および範囲を画する事実」そのものではないけれども，厳格な証明を要する実質証拠の証明力に大きな影響を及ぼすことを考えると，厳格な証明を要する間接事実とは違って自由な証明でよいとはいいにくいのではないかな[23]。最高裁の考え方ははっきりしないけれど，このような理由で正当化できるだろう[24]。

3　「証明力を争う」の意義――増強証拠，回復証拠を含むか

教員：設問の場合は問題とならないけれども，328条の「証明力を争う」

22)　平野253頁など。

23)　平野254頁，注解刑訴法㈲802頁［鈴木］など多数説である。

24)　なお，山田道郎・平成19年度重判解（ジュリ1354号）218頁は，328条の証明力を争うための証拠には，原供述者の署名押印は必ずしも必要でなく，ただ，関連性との関係で，供述録取者の署名押印で十分であるとして，最高裁の判断を批判するが，原供述者の署名または押印を必要とする最高裁の判断こそが正しい論理というべきであることにつき，堀江・前掲注14)428頁以下参照のこと。

とは，証明力を減殺する場合に限るのか，それとも増強する場合や，回復する場合も含むかについて，限定説を前提にして，議論しておこう。

A君：限定説を採る学説では，「証明力を争う」の意味は，減殺はもとより回復を含むが，増強は含まないとするのが通説ですよね[25)]。その理由について，減殺と回復は328条の「証明力を争う」との文言の語義にかなうが，増強はこの語義に合っていないということでよいのでしょうね[26)]。

Bさん：文言だけでは決定的な根拠とはならないわ[27)]。

教員：例えば，犯行の目撃者甲が公判期日に目撃の状況を証言した場合において，検察官が，他の目撃者乙の司法警察職員に対する供述調書（甲の証言と同旨の内容のもの）を，甲の証言を増強するために（増強証拠として），328条により取調べ請求した場合（「第三者増強」）について考えてみよう。

Bさん：先ほどの論理によれば，増強するためには，内容の真実性を前提にしないと意味がないから，第三者増強を認めると，結局実質証拠として機能することとなるので，328条の大原則（補助証拠は実質証拠として用いてはならない）に反することになるから，許されないということになりますね。

A君：そうだよね。それでは，甲の証言を増強するために，甲の検察官に対する供述調書（証言と同旨の内容）を328条により請求すること，つまり「自己増強」はどうなのかな。

教員：自己増強については，同一人が同じ趣旨の供述を複数回行えば，その信用性を増強するという経験則が存在するのかどうかにかかってくるだろう。供述者が作出した嘘や思い込みによる一貫した虚偽の供述もあり得るのだから，「同じ内容の供述回数が増えれば信用性が高まるという経験則は合理性が疑わしく」[28)]，そのような経験則が存しないのにこれを認めると，第三者増強の場合と同じく，実質証拠として機能してしまい，伝聞法則を潜脱することとなるので許されないとの見解が通説といってよいだろう[29)]。

Bさん：これに対して，回復証拠については，328条の証拠として許容するのが一般のようですが[30)]，増強証拠の場合とどこが違うのかしら。

25） 宇藤・前掲注9）193頁参照。
26） 高田248頁，田宮裕『刑事訴訟とデュー・プロセス』（有斐閣，1972年）345頁。
27） 後藤・前掲注21）673頁。
28） 後藤・前掲注21）673頁。
29） 後藤・前掲注21）673頁，上口403頁。大阪高判平成2・10・9判タ765号266頁。

A君：回復は，「弾劾に対する弾劾」だから許されるということかな。甲の公判廷での証言（A）が，甲自身の矛盾供述（非A）によって弾劾された場合に，甲が証言と同一内容の供述（A）（自己一致供述）を別の機会にしたことを立証することによって，弾劾証拠（非A）を弾劾して，証言（A）の減殺された証明力を回復することは328条によって許されるでしょう[31]。

Bさん：確かに，回復証拠（A）は，自己矛盾供述によって弾劾された証言（A）からみれば自己一致供述ではあっても，弾劾証拠である自己矛盾供述（非A）からみれば，これに矛盾する供述（自己矛盾供述の自己矛盾供述）ですからね。でも，328条による弾劾の対象は，実質証拠じゃないかしら。328条は，弾劾証拠を弾劾するってことまで含むのかしら。

教員：「回復＝弾劾の弾劾」だから許されるという論理は，一見もっともらしいけれども，「弾劾証拠としての自己矛盾供述〔非A〕は信用性を前提としない非供述証拠であるから，それを弾劾することに意味はない」との後藤教授の批判[32]は，誠にもっともだね。また，「別の機会に法廷供述と一致する供述〔A〕をしたからといって，供述者の信頼性が回復するかどうかは疑問である。むしろかえって，しばしば発言を変える人だという推論をもたらすかもしれない」との同教授の指摘[33]もまた，そのとおりだろう[34]。

Bさん：そうすると，回復証拠は認めるべきではないと……。

教員：いやそうじゃない。回復証拠を認めることのできる場合もあるだろう。それは，たとえば，「被告人が犯人である」とする甲の公判廷の証言が「証人甲は証言の直前に被告人と喧嘩をした」（だから被告人に不利益な証言をしたのであろう）との乙の証言により減殺された場合に（乙の証言は法廷での証言なので328条による弾劾証拠ではない），事件直後に甲がした「被告人が犯人である」との供述（自己一致供述）を，喧嘩と証言内容との因果関係を否定するために用いる場合だよ（米国連邦証拠規則801条(d)(1)(B)参照）。このような回復証拠の用法であれば（後藤教授の言を藉れば，「利害関係による弾劾

30）　平野253頁，高田248頁，田宮395頁，松尾(下)76頁，光藤Ⅱ257頁，上口403頁など。
31）　田宮・前掲注26)345頁など。
32）　新コンメ刑訴法953頁［後藤昭］，後藤・前掲注21)671頁。
33）　新コンメ刑訴法953頁［後藤］。
34）　これに対して，光藤景皎「証明力の増強」証拠法大系Ⅲ384頁は，希薄であっても証明力の回復に何がしかの効力はある，という。

に対する自己一致供述による回復」),「一致供述の真実性を前提としない」ので，328条により許されるとする見解が有力だね[35]。

A君：平成18年判決の「供述の信用性の減殺を図ることを許容する趣旨」との説示は，回復証拠を否定する趣旨なのでしょうか。

教員：回復証拠を否定する趣旨なら，その点について何らかの説示があってしかるべきだが，当該訴訟では回復証拠は存在しないので，回復証拠に言及することは，事案の解決にとって必要でなかったことによるのだろう。

Bさん：「利害関係による弾劾に対する自己一致供述による回復」の場合も328条により許容されるとすると，平成18年判決のいう328条の制度趣旨や自己矛盾供述に限るとの説示は，弾劾証拠（証明力の減殺）に限られ，その射程は回復証拠には及ばないということですね[36]。

A君：教科書でも，328条の対象は自己矛盾供述に限ると記述した，その同じページに，328条が許容する回復証拠については自己一致供述を含むと記述しているのですから，矛盾した記述のように思え，混乱していましたが，教科書などで328条の供述が自己矛盾供述に限るというのは，弾劾証拠（減殺）に限っての記述だったのですね。

教員：確かに初学者にとっては紛らわしいけれども，概説書などの記述は，そういう趣旨なのだろう。そこで，限定説を，自己矛盾供述に限る説と呼ぶことは適切でないとして，「非供述証拠としての利用に限る説」と呼ぶべきだとする見解もあり[37]，もっともな指摘だけれども，要は，自己矛盾供述に限るのは弾劾証拠の場合であるということを知っておけば事足りるだろう。

4　設問の解決

A君：設問(1)については，平成18年判決のいうように，328条により許容される弾劾証拠は，自己矛盾供述を内容とする証拠に限られますので，乙の供述録取書は，これに当たらないことは明らかであり，裁判所は，これを

35)　平野253頁，注解刑訴法㈥800頁［鈴木］，後藤・前掲注21)670頁，上口403頁，宇藤・前掲注9)193頁。

36)　後藤・前掲注21)670頁，上口403頁。

37)　新コンメ刑訴法951頁［後藤］。

328条の弾劾証拠として採用することはできません。

Bさん：設問(2)の前段については，甲の供述を録取した捜査報告書は，実質的には供述録取書であり，甲の自己矛盾供述を内容とする証拠ではありますが，自己矛盾供述の存在について厳格な証明を要するので，刑訴法の定める要件である供述者の署名または押印が必要であるところ，設問の捜査報告書には，供述者甲の署名も押印もありませんので，328条が許容する証拠には当たりません。したがって，裁判所は，これを328条により採用することはできず，検察官の取調べ請求を却下すべきことになります。

A君：設問(2)の後段は，自己矛盾供述をした時期の問題ですね。公判期日における証言よりも後になされた自己矛盾供述であってもよいかどうかについて，最判昭和43・10・25刑集22巻11号961頁（八海事件）は，「証人の尋問終了後に作成された同人の検察官面前調書を，同人の証言の証明力を争う証拠として採証しても，必ずしも刑訴法328条に違反するものではない」として，積極説を採っています。平成18年判決も，「別の機会にしたその者の供述」（傍点は筆者による）と説示し，「前にした」とはしていないことから，昭和43年判決を踏襲するものでしょうね（東京高判平成6・7・11高刑速（平成6年）78頁も同旨）。積極説の根拠は，① 321条1項2号後段の検察官面前調書については，明文で「〔公判廷での証言より〕前の供述」に限定されているのに，328条の場合は，そのような限定がなされていないこと，②前者の場合には，犯罪事実の証明に用いられるのですから，憲法37条2項の証人審問権の保障がかぶってきますので，事後的にせよ，検察官面前調書の内容について反対尋問の機会を与えるためには，「前の供述」であることが必要となりますが，後者の場合，憲法37条2項の証人審問権は，実質証拠に関するものであって，補助証拠についてまで保障するものではないので，補助証拠としての検察官面前調書の内容について反対尋問の機会を与える必要はないこと，③自己矛盾供述の存在自体は非伝聞であるので，自己矛盾供述の時期を限定する理由はないことです[38)]。

Bさん：そうすると，設問(2)の後段については，供述者甲の署名・押印があるので，判例によれば，弾劾証拠として採用してよいことになります。

38）　石井・証拠法226頁，石丸ほか・刑事訴訟の実務(下)303頁［石丸俊彦＝服部悟］，大コンメ刑訴法(7) 773頁［大野］。

教員：そうだね。これに対して，学説は，むしろ否定説が多数かな。検察官にとって不利な証言後に法廷外で証人を取り調べて有利な供述を引き出し，これを弾劾証拠として利用するのは，公判中心主義や当事者対等の原則に反することを理由としているんだ39)。

A君：裁判実務は，積極説をベースにしながらも，検察官が特段の事情もなく，証言後の証人を取り調べて証言と異なる内容の供述調書を作成し，これを328条により請求することは，上記の原則，主義に反し許されないが，虚偽の証言をした理由が判明し，あるいは証言が虚偽であったことを自認したような場合には，上記の原則，主義に反するものではないけれども，その場合でも，直ちに328条により請求するのではなく，再度の証人尋問によりその内容を明らかにすべきであり，調書の供述と同趣旨の証言をする見込みがほとんどない場合に限り，328条により証拠請求することも許されるとする慎重な運用がなされているようです40)。

Bさん：設問(3)については，設問(2)の前段のバリエーションですね。この場合は，供述が機械的正確性をもって記録されるものであり，誤謬の介入するおそれはないので，平成18年判決にいう「これらと同視し得る証拠」に当たり，328条により許容されることとなります。

教員：ついでに言えば，証明力を争う対象となる証拠は，文言上は「公判準備又は公判期日における被告人，証人その他の者の供述」だが，実質証拠として取調べ済みの供述書や供述録取書等の書証（伝聞例外として採用された場合）に記載された供述に対する自己矛盾供述による弾劾を否定する理由はないので，328条が類推適用されるとするのが通説41)であることに留意してくれたまえ（米国連邦証拠規則806条も同様）。

Question & Answer

Q 328条の弾劾証拠は，実質証拠としては用いることができないという

39) 松尾(下)76頁，注解刑訴法(中)798頁［鈴木］，光藤II 252頁，笹倉・前掲注5)179頁など。

40) 大コンメ刑訴法(7) 773頁［大野］，条解刑訴法914頁。前掲東京高判平成6・7・11参照。

41) 注解刑訴法(中)799頁［鈴木］，条解刑訴法914頁など。裁判例として，東京高判昭和36・7・18判時293号28頁。

ことですが，設問のような問題に対しては，答案構成は，まずは実質証拠として用いるべく，伝聞証拠に当たるかどうか，これに当たるときは，321条以下の伝聞例外に当たるかどうかを検討したうえ，伝聞例外に当たらないときに初めて，328条を検討するという順序になるのですか。

A　設問のように，当事者が328条により弾劾証拠として取調べを請求したときは，答案では，いきなり328条該当性を検討すべきです。

328条で採用する証拠は，321条から324条のいずれかに当たる場合であっても，当事者が実質証拠ではなくて，328条により補助証拠として取調べを請求した以上，裁判所としては，328条について相手方の意見を聴いたうえ，328条の要件を充足すれば，同条により補助証拠として採用すべきものと考えられます[42]。もとより，例えば裁判所が当該書面を321条1項2号後段に該当すると認めたときは，取調べ請求をした当事者に対して同号後段書面として取調べ請求をする意思がないかどうかを求釈明することはあり得るかもしれませんが，それでもなお当事者が328条により取調べの請求を維持したときは，同条により採用すべきはいうまでもありません。そのような意味において，検察官が328条により証拠請求している以上，答案においては，321条などの伝聞例外規定該当性，ましてや320条の伝聞証拠に当たるかどうかを検討する必要はありません（平成20年度旧司法試験第2次試験論文式出題趣旨参照）。

〈**参考文献**〉

①芦澤政治・最判解刑事篇平成18年度398頁
②堀江慎司「刑訴法328条再論」論叢164号1～6号（2009年）419頁
③成瀬剛「刑事判例研究」ジュリ1380号（2009年）136頁
④後藤昭「供述の証明力を争うための証拠」『三井誠先生古稀祝賀論文集』（有斐閣，2012年）659頁
⑤笹倉宏紀「328条の意義」新・争点176頁
⑥川出敏裕「証明力を争う証拠〔事例から考える刑事証拠法⑦〕」法教475号（2020年）102頁

42）　東京高判昭和26・6・7高刑集4巻6号633頁，注釈刑訴法(5)〔新版〕376頁［香城敏麿］参照。

28 違法収集証拠排除法則(1)

【設　問】

警察官Kは，Xを被疑者とする不動産詐欺事件について捜査中，証拠書類がXの知人Zの自宅に保管されているとの情報を得て，裁判官にZの自宅を捜索場所とする捜索差押許可状の発付を請求したが，疎明資料が膨大で，令状裁判官においてその閲読・検討に長時間を要し，捜索差押許可状がなかなか発付されなかったことから，令状が発付されるまでに関係証拠が隠滅されてしまうのではないかと不安になり，一刻も早く捜索を開始したいとの思いから，令状発付を待たずにZの自宅に赴いた。

Kは，Z宅に向かう途中で，警察官Lから携帯電話により，「令状が発付された」との連絡を受けたことから，請求どおりの捜索差押許可状が発付され，捜索しているうちに令状が届くものと考え，令状の内容をLに確認しないまま，Zを立会人としてZの自宅の捜索を開始し，被疑事件に関連する土地売買契約書等の関係書類を発見した。警察官Kは，引き続きZの自宅の捜索を継続しながら令状の到着を待ったが，Lは，Kが令状を持たないで捜索を開始するとは思わず，Kが令状を取りに帰署するものと考えて，令状を持参することはしなかった。Kは，いつまでも令状が届かないものの，裁判官から令状が発付されていることは間違いないのであるから，後日，被処分者であるZに令状を示せば足ると考え，立会人Zに対して，「令状は裁判官から発付されているが，手違いがあって今は手元にないけれど，明日，令状は持ってくる」と申し向けたところ，Zは，黙って頷いたので，Kは，上記土地売買契約書等を差し押さえた。なお，捜索の範囲および差し押さえた証拠物は令状記載の範囲を超えるものではなかった。Kは，翌日，Zの自宅を訪れ，Zに捜索差押許可状を呈示した。なお，Kは，同日，捜索差押調書，捜査報告書を作成するにあたり，前日のZの自宅の捜索開始前に，Zに対して捜索差押許可状を呈示した旨虚偽の事実を記載した。

上記土地売買契約書等の関係書類は，Xの公判において，証拠とすることができるか。

〔ポイント〕

① 違法収集証拠排除の根拠
② 排除の要件
③ 考慮要素
④ 申立適格

〔判　例〕

▷最判昭和 53・9・7 刑集 32 巻 6 号 1672 頁（天王寺覚せい剤事件。ケースブック 43 頁・633 頁，三井教材 580 頁，百選〔第 8 版〕136 頁・〔第 9 版〕196 頁・〔第 10 版〕204 頁）

▷最決平成 8・10・29 刑集 50 巻 9 号 683 頁（和歌山「そんなあほな」事件。ケースブック 638 頁，三井教材 593 頁）

▷最判平成 15・2・14 刑集 57 巻 2 号 121 頁（大津覚せい剤事件。ケースブック 649 頁，三井教材 581 頁，百選〔第 8 版〕140 頁・〔第 9 版〕200 頁・〔第 10 版〕208 頁）

▷最決平成 21・9・28 刑集 63 巻 7 号 868 頁（宅配便エックス線検査事件。ケースブック 10 頁，三井教材 201 頁，百選〔第 9 版〕70 頁・〔第 10 版〕62 頁）

解　説

1　違法収集証拠排除の根拠

(1)　理論的根拠

A 君：違法に収集された証拠物の証拠能力を否定する理論的な根拠として，適正手続論（規範説），司法の無瑕性（廉潔性）論，抑止効論の３つの考え方があります[1)]。適正手続論というのは，「被告人の権利利益を違法に侵害する手段によって獲得された証拠を用いて当該被告人を処罰することは，それ自体，正義（手続的正義）に反するものであり，『適正な手続』の保障を害す

1）　田宮 398 頁，田口 397 頁など。

るとする考え方」[2]ですね。

Bさん：最高裁として初めて違法収集証拠排除法則の採用を宣言した最判昭和53・9・7刑集32巻6号1672頁は「違法に収集された証拠物の証拠能力については，憲法及び刑訴法になんらの規定もおかれていないので，この問題は，刑訴法の解釈に委ねられているものと解するのが相当である」と説示し，排除法則の根拠を憲法ではなく刑訴法に求めているのですから，この判決は排除根拠を適正手続論（規範説）に求めているとはいえないのではないかな[3]。

A君：でも，この判決の「憲法31条が法の適正な手続を保障していること等にかんがみると，……その証拠能力は否定されるものと解すべきである」との説示部分は，どう理解するんだい。

Bさん：確かに，この判決は憲法31条のほか35条にも言及しているので，紛らわしいんだけど，証拠排除は刑訴法の解釈に委ねられているとの説示と整合的に理解すると，「憲法の趣旨に照らして刑訴法を解釈したという意味」[4]に解釈するほかないわね。

教員：この最高裁判決の理解としては，Bさんの言うとおりだろう。つまり，憲法31条，35条の規定は，刑訴法1条の解釈にあたり，同条の定める「事案の真相の解明」の利益（証拠排除を否定する方向に働く）の対立利益としての「基本的人権の保障」（証拠排除を肯定する方向に働く）の根拠として掲げられたものであって，最高裁は，これらの憲法規定を証拠排除の根拠規定とする趣旨ではないことは文面上明らかだろう。しかし，それは当該事案が適正手続論を根拠にして排除するに適した事案でなかったからだとも理解できるよね。この判決は「適正手続論に基づく証拠排除を積極的に排斥するまでの意図は含まれていないとみるのが相当」であり，「この点の判断は将来に委ねられている」[5]と理解するのが妥当だと思うよ。

A君：適正手続論に関して，井上正仁教授は，憲法31条の適正手続違反があっても常に証拠排除されるというわけではないとされていますが，それ

2） リークエ417頁［堀江慎司］。
3） 井上・証拠排除556頁，大谷直人「違法に収集した証拠」争点〔第3版〕195頁。
4） 田宮裕『刑事手続とその運用』（有斐閣，1990年）73頁。
5） 鈴木・基本問題204頁。

はなぜでしょうか。

教員：弁護人依頼権（憲37条3項）や黙秘権（憲38条1項）は，訴訟における権利保護を「究極の目的」としており，これらの規定はそれを侵害して獲得した証拠の排除までも要求していると解されるのだが，他方で，正当な理由なく身柄拘束されない権利（憲33条・34条）や捜索・押収を受けない権利（憲35条）は，弁護人依頼権や黙秘権とは違って，権利侵害が即成的であり（違法な身柄拘束や捜索・押収によって権利侵害はそれ自体により完了するのであって，その結果が訴訟上利用されたからといって上述の権利の侵害が更に拡大するというわけではない），これらの規定は，公判における証拠の使用を排除する趣旨まで含むものではなく，収集手続の違法が当然にその結果として証拠の使用を禁じるものではないと解するからだね[6]。要するに，憲法35条の保障する個人の権利利益は違法な捜索・押収によって完全に侵害され尽くしており，公判での使用によって，それ以上の侵害を想定できず，これによって得た証拠を有罪認定の証拠とすることについては，これらの規定による保護の範囲外だということだね[7]。

Bさん：適正手続違反により収集した証拠が常に排除されるというわけではないとすると，どのような場合に排除されるのですか。

教員：井上教授によると，適正手続論が証拠排除の根拠となるのは，「当の被告人に対する証拠収集の手続に，後続の訴訟手続を一体として不当なものとするほどの実質を有する違法（明白かつ著しい違法）が存在し（一体説），その結果としての証拠を利用して被告人を処罰することが基本的な『正義の観念』（ローチン判決。Rochin v. California, 342 U.S. 165（1952）参照）に反すると認められる場合」に限られるとされているんだ[8]。そこで，設問の事例では，違法な証拠収集手続は被告人XでなくZに対するものであるのに対して，訴訟手続は被告人Xに対するものであり，証拠収集手続と訴訟手続とを一体として評価することはできないので，この場合は，適正手続論は証拠排除の根拠とはなり得ないわけだ。

A君：昭和53年判決が抑止効論を排除の理論的根拠としていることは，

6）　井上・証拠排除372頁。
7）　リークエ418頁［堀江］参照。
8）　井上・証拠排除547頁。鈴木・基本問題202頁も同旨。

「将来における違法な捜査の抑制の見地から」との説示から明らかだよね。

Bさん：抑止効論って，違法に収集した証拠を排除することによって，そのような証拠収集活動は無益であることを捜査機関に対して知らしめ，将来における違法な証拠収集活動の再発を一般的に抑止しようとする考え方でしょ[9)]。そうだとすると，将来の違法捜査を抑止するためには，捜査機関の活動に違法のある限りそれがどんなに軽微なものであっても証拠排除すべきじゃないかしら。

教員：本来の意味ではそのとおりだね。しかし，将来の違法捜査の抑止の方法は何も証拠の排除だけに限られないこともこれあり（国家賠償請求，行政上または刑事上の制裁など），今日の抑止効論は，違法収集証拠の排除によって真犯人の処罰を犠牲にすることになっても，将来の違法な証拠収集活動を一般的に抑止・予防することの方がより重要な場合に限り，違法収集証拠を排除するとの考え方がとられているんだ[10)]。米国の連邦最高裁の採る違法収集証拠排除法則（exclusionary rule）は，抑止効論を唯一の根拠としているのだけれど，その抑止効論は，「排除に伴うコストを凌駕するだけの抑止効果が期待される場合に限り適用され得る」（キャランドラ判決。United States v. Calandra, 414 U.S. 338（1974））とされているんだ。

A君：米国の判例は，抑止効一元論なのですね。我が最高裁判例についても，令状主義の精神を没却するほど「重大な違法」の場合に限り，真犯人を逸するcostよりも将来の違法捜査を抑止するbenefitの方が凌駕し得ると判断したのだと理解すれば，「排除の相当性」とともに「違法の重大性」を要求する点も抑止効論により説明できますよね[11)]。最高裁昭和53年判決が，その4年前に米国連邦最高裁が言い渡したキャランドラ判決（抑止効一元論）の影響を受けたということもあり得ますからね。

Bさん：A君の推理にも一理あることは認めますが，違法捜査の抑止・予防は，本来的に（コスト・ベネフィット論によるのでなければ），軽微な違法をも対象とすべきもののはずであり，抑止効の観点からの排除を「重大な違法」に限定することには，なじみません（三井教授は，「抑止効という視点か

9） 井上・証拠排除377頁。
10） 井上・証拠排除388頁。
11） 田宮・前掲注4)75頁，鈴木・基本問題204頁。

らいけば，抑止の対象となる違法捜査を『重大な違法』に限る必然性はないであろう。『重大な違法』と抑止効にはロジカルな結び付きはない」[12]とされる)。「違法の重大性」は司法の無瑕性（廉潔性）論によって説明すべきです。

教員：司法の無瑕性（廉潔性）論については，どうかな。

A君：司法の無瑕性（廉潔性）論って，裁判所が捜査機関の違法に収集した証拠を許容すると，国民に，裁判所は捜査機関の違法行為に加担しているのではないかとの「印象」を与え，司法に対する国民の尊敬や信頼を失わせてしまうので，国民の司法に対する尊敬・信頼を確保・維持するために違法収集証拠を排除するのだという考え方[13]でしたよね。

教員：そうだね。司法の無瑕性（廉潔性）論が司法に対する国民の尊敬と信頼を確保・維持することを目的とする以上，違法収集証拠の排除による真犯人の不処罰による司法への信頼の喪失をも考慮せざるを得ず，違法収集証拠の使用による司法の違法捜査への加担の印象と真犯人の不処罰による司法への信頼の喪失とを比較し，いずれが国民の司法への信頼を害するかという衡量判断を伴うことになる。この判断は，国民の司法への信頼を害するかどうかがポイントなのだから，違法の程度はもとより重要な要素だけれど，それだけではなく，証拠の重要性，事件の重大性等の要素が考慮されることになるだろう。

Bさん：そうだとすると，昭和53年判決が「重大な違法」を排除要件としたのは，「重大とまではいえない違法」の場合に証拠排除して真犯人を逸してしまうと，その程度の違法で真犯人を逸することは，証拠排除により司法への信頼を確保しようとして，かえって国民の司法に対する信頼を失うこととなる，つまり「司法の無瑕性（廉潔性）論」によったと理解できるのではないでしょうか。

教員：確かに，「違法の重大性」の要件は，抑止効論よりも，無瑕性論に親和的であるといわれているね[14]。川出教授は，「『重大な違法』という要件は，司法の無瑕性という観点からの一般的な利益衡量の帰結として導き出

12）　三井誠「所持品検査の限界と違法収集証拠の排除㈦」ジュリ 680 号（1978 年）109 頁。

13）　井上・証拠排除 373 ～ 374 頁参照。

14）　井上・証拠排除 554 頁，川出敏裕「いわゆる『毒樹の果実論』の意義と妥当範囲」『松尾浩也先生古稀祝賀論文集㈦』（有斐閣，1998 年）530 頁。

されたもの」とされるが[15]，その意味するところは，個別具体の事件における利益衡量によらずに「事前の一般的・類型的な利益衡量」によって，違法が重大な場合には，他の衡量要素（証拠の重要性，事件の重大性など）を考慮するまでもなく，司法の無瑕性の観点からは証拠排除すべきであること，つまり井上正仁教授の巧みな喩えを藉れば，「衡量の臨界点」として，「違法の重大性」を司法の無瑕性の観点からの証拠排除要件としたものと捉えるということであろう[16]。そして，昭和53年判決の理解としては，このような理解が通説といってよかろう。しかし，それでも疑問は残る。司法の無瑕性の観点からの排除要件（違法の重大性）に限って事前の一般的・類型的な利益衡量により，他方，抑止効論の観点からの排除要件である「排除相当性」については，個別具体の利益衡量によるのは一体，なぜなのか。堀江教授のように，「違法の重大性」が認められるときは，「排除の相当性」についても，排除を否定する方向での個別具体的な利益衡量は許されない[17]とするのであれば，理解可能ではあるのだが，通説的な理解は，「違法の重大性」についてのみ，個別具体の利益衡量をすることなく「違法の重大性」という固い要件を定め，「排除の相当性」については，後に論じるように，個別具体の利益衡量（証拠の重要性，事件の重大性をも考慮する）を認めるわけだ（なお，堀江教授は，「違法の重大性」が認められなくても，個別具体の利益衡量により，司法の無瑕性論の観点から証拠排除すべき場合を認めるようであるが，昭和53年判決の解釈から離れるのであれば，成り立ち得る見解であろう）。いずれにせよ，通説は，この要件を司法の無瑕性（廉潔性）論を理論的根拠とするものと理解しているわけだ[18]。

15）　川出・前掲注14)531頁。

16）　井上・証拠排除555頁。リークエ420頁［堀江］も同様。川出・判例講座〔捜査・証拠篇〕443頁も，「〔昭和53年〕判決が示す，令状主義の精神を没却するような重大な違法という要件は，それが満たされれば，他の要素を考慮することなく，司法の廉潔性の保持の観点からは証拠が排除されるという意味で，最高裁が，その利益衡量を先取りして行ったうえで導いたもの」とされる。

17）　リークエ421頁［堀江］。

18）　これに対し，鈴木教授は，昭和53年判決について，米国の判例と同様，将来の違法捜査の抑止（抑止効論）を唯一の根拠として，「違法の重大性」と「排除の相当性」をその要件としたと解しておられることにつき，鈴木・基本問題228頁参照のこと。

(2) 実定法上の根拠

A君：理論上の根拠はその程度にして，違法収集証拠排除の実定法上の根拠は，昭和 53 年判決によれば，刑訴法 1 条でよいのですね。

Bさん：確かに，担当調査官も，昭和 53 年判決は，「証拠排除の直接の根拠を刑訴法 1 条にお」いているとしているわね[19]。

教員：しかし，刑訴法 1 条には，排除のハの字もないのだから，田宮教授が，「〔1 条〕の趣旨にてらし法全体の精神からの解釈的帰結として，排除法則を導いたと解する方が判文にすなお」[20]とされ，井上教授もこれに賛同される[21]ように，違法に収集した証拠の排除の根拠を 1 条の目的規定に求めることには，少し無理があるだろう。実定法上の根拠は，田宮教授の言われるように，実質的には，刑訴法 1 条に現れた刑訴法全体の精神といってよいだろうが，実務家は，「大陸法的基盤を有するわが国」においては，「法規から完全に自由な法原則を定立することは困難」[22]であり，刑訴法全体の精神の象徴としての 1 条（目的規定）が選ばれたといったところかな。

Bさん：排除根拠を憲法規定に求めるものでないことは，理論的根拠の箇所で検討されたとおりですが，学説は，批判的なようですね。

教員：昭和 53 年判決が，証拠排除について，憲法の解釈によらず，刑訴法の解釈によった点については，確かに批判的な見解が少なくないようだ[23]。しかし，井上教授のように，昭和 53 年判決の事案については，憲法の解釈による解決はできないので（ローチン事件のように正義の観念に反する事案ではなかった），当該事案について，排除法則を刑訴法の解釈によったことは，「基本的に正当なものであった」と評価する見解[24]も有力だね（前掲のキャンドラ判決も違法収集証拠排除法則を「権利を侵害された者の個人的な憲法上の権利というよりも，その抑止効によって修正第 4 条の権利を一般的に保障するために司法が創出した解決策（judicially created remedy）」とする）。いずれ

19) 岡次郎・最判解刑事篇昭和 53 年度 401 頁。
20) 田宮・前掲注 4) 73 頁。
21) 井上・証拠排除 552 頁。
22) 香城・構造 78 頁。香城判事は，「最高裁は，常にその創造的な解釈の基礎に法規の根拠を求めてきた」とされる。
23) 三井・前掲注 12) 108 頁など。
24) 井上・証拠排除 548 頁。

にせよ，昭和53年判決がその実定法上の根拠を刑訴法1条に求めていることは，間違いないようだ。

2　排除の要件

教員：昭和53年判決の提示した2要件（(a)違法の重大性，(b)排除の相当性[25)]）は，証拠排除するためには，両要件を共に充たすことが必要なのかな。

Bさん：(a)は「司法の無瑕性」論に対応し，(b)は「抑止効論」に対応する要件と解するのであれば，排除の理論的根拠ごとの要件，すなわち(a)と(b)の2要件は並列的関係（(a)または(b)のいずれかを充足すれば排除される）と解すべきです[26)]。昭和53年判決が，当てはめにおいて，「違法の重大性」要件を充たさないと判断しながら，さらに「排除の相当性」要件の有無をも検討したのは，並列要件説を採るからにほかなりません[27)]。昭和53年判決が，仮に(a)かつ(b)の重畳要件と解しているのであれば，(a)の「違法の重大性」を否定しさえすれば，(b)の「排除の相当性」要件は判断するまでもないはずなのに，この判決は，(a)を否定しながら更に(b)についてまで判断しているのですから，(a)または(b)と理解しているとみるべきでしょう。

A君：僕は反対だね。この判例にいう「重大な違法があり，これを証拠として許容することが，将来における違法な捜査の抑制の見地からして相当でない」との説示を並列要件と理解することは，文理的に無理じゃないかな。判例の採る証拠排除の理論的根拠を抑止効論のみによる[28)]と理解すればもちろん，司法の無瑕性論と抑止効論の二元的に理解するとしても，この判例の理解としては，(a)と(b)は重畳要件と解するのが素直な読み方だよ[29)]。

25）　第2要件は，「排除の相当性」と略称するのが一般であるが，昭和53年判決は，「許容することが相当でない」としており，「許容の不相当性」と呼ぶ方が適切なように思われる（洲見光男「演習」法教486号〔2021年〕138頁）。しかし，調査官解説など多くの文献において「排除の相当性」としているので，ここではこれに従うこととする。

26）　井上・証拠排除556頁，田口399頁，高橋省吾「違法排除法則」刑事手続(上)613頁。

27）　井上・証拠排除556頁。

28）　鈴木・基本問題204頁。

29）　田宮403頁，鈴木茂嗣・百選〔第5版〕143頁，三井誠「違法収集証拠の排除(1)」法教263号（2002年）152頁，川出・前掲注14)530頁，三好幹夫「違法収集証拠」刑事手続Ⅲ 334頁など。調査官も重畳要件説が有力であるという（朝山芳史・最判解刑事篇平成15年度37頁，増田啓祐・最判解刑事篇平成21年度403頁）。

Bさん：「司法の無瑕性」論と「抑止効」論を共に排除の理論的根拠とするのであれば，排除根拠が違うのだから，排除根拠ごとに排除要件を設定すべきなのではないかしら。

教員：確かにそれは1つの考え方ではあるけれども，必ずそうだとはいえないだろう。「証拠排除の持つ重大な効果に鑑みて，司法の無瑕性の観点からも，また，違法捜査の抑止という観点からも，それが正当化できる場合に初めて排除を認めるという考え方」30)も，成り立ち得るからね。なお，Bさんが指摘したように，昭和53年判決は，あてはめにおいて，違法の重大性を否定したうえ，さらに排除の相当性をも否定している点については，重畳要件説によっても，具体的な事案について，いずれの要件も欠けると判断することは，この問題について最初の最高裁の判断なのだから，念のためと考えれば不合理とはいえないだろう。このことから直ちに判例が並列要件説を採ると解することには無理があるだろう。

3　考慮要素

Bさん：「違法の重大性」の判断は，(a)手続違反の程度（法規からの逸脱の程度，法益侵害の程度），(b)手続違反がなされた状況（遵法行為の困難性，緊急性〔違法行為がやむを得なかったこと〕），(c)手続違反の有意性（令状主義潜脱の意図，計画性，認識性）等を考慮すべきです31)。また，「排除の相当性」の判断は，違法の重大性の考慮要素がここでも考慮されるほか，(d)手続違反の頻発性（反復の可能性），(e)手続違反と当該証拠獲得との因果性，(f)事件の重大性，(g)証拠の重要性の程度等を考慮することになるでしょう32)。

A君：調査官解説でも，最高裁判例を分析し，類型化にはなじまないとしながら，「違法の重大性」の判断要素として，①法規からの逸脱の程度，②警察官等における令状主義の諸規定を潜脱する意図の有無などを挙げています33)。

30)　川出・前掲注 14)530 頁。
31)　井上・証拠排除 404 頁，川出・前掲注 14)531 頁参照。
32)　川出・前掲注 14)532 頁。
33)　増田・前掲注 29)403 頁。

Bさん：排除相当性の判断にあたって，事件の重大性や証拠の重要性を考慮することに反対の見解もあるようですね。

教員：反対するのは，なぜだろうか。

A君：それは，重大な違法があっても，事件が重大ないし証拠が重要なら排除相当性が認められず，証拠排除されないということになると，重大な事件，重要な証拠であればこそ，警察は違法捜査をしてでも証拠を収集したいという誘惑が強く働くわけであって，これを排除できないのでは，違法収集証拠排除法則の存在意義が問われることになるからでしょう[34]。

教員：なるほどもっともだね。警察がいわば故意に違法捜査を行った場合に，事件が重大だ，証拠が重要だから，証拠排除しないというのでは，排除法則なんて，絵に描いた餅ということだね。その点については，事件の重大性や証拠の重要性を考慮する立場は，どう抗弁するのかな。

Bさん：事件の重大性，証拠の重要性をも考慮する立場からは，警察が違法であることを知りながら証拠収集をしたときは，昭和53年判決にいう「捜査官に令状主義に関する諸規定を潜脱する意図」があったと評価することができ，違法の重大性の程度がそうでない場合よりも一層高く，事件の重大性や証拠の重要性を考慮しても排除すべきであるということになるでしょうね。そのような意図が認められないときは，事件の重大性，証拠の重要性をも考慮して排除相当性を判断することとなるでしょう。

A君：最判昭和58・7・12刑集37巻6号791頁の伊藤正己裁判官の補足意見は，いわゆる毒樹の果実についてですが，第1次的証拠の収集方法の違法の程度，第1次的証拠と第2次的証拠との関連性の程度と並んで，「第2次的証拠の重要さの程度」をも考慮して総合的に判断すべきものとし，当てはめにおいては，「事案の重大性」も考慮していますよね。これは補足意見ですが，最判平成15・2・14刑集57巻2号121頁（大津覚せい剤事件）の法廷意見も，同じく毒樹の果実に当たる証拠ではありますが，証拠排除を検討するにあたって，「証拠の重要性等諸般の事情を総合する」と説示しています（最決平成21・9・28刑集63巻7号868頁も同様）。

教員：第1次証拠であっても，このことは同じだろう。ただ，第1次証拠

34）　日比幹夫『警察実務判例解説〔捜索・差押え篇〕』（別冊判タ10号，1988年）178頁。

であれ第2次証拠であれ，排除の相当性の判断は，令状主義の精神を没却するような重大な違法行為の存在が前提となっているのだから，証拠の重要性や事件の重大性を考慮するとしても，その役割は自ら限られたものとなるとの川出教授の指摘[35]は，そのとおりだろう。

Bさん：「違法の重大性」の要件が充たされる場合には，排除が相当でないのはごく例外的な場合であって，通常は，「排除の相当性」の要件も充たされるとする見解が一般のようですね[36]。

教員：昭和53年判決に対する通説的理解である重畳要件説によるときは，「違法の重大性」の考慮要素は，同時に「排除の相当性」の考慮要素でもあるので，「違法の重大性」が認められる限り，よほど特段の事由がない限り，「排除の相当性」も認められると考えておいてよさそうだね。

4　申立適格

教員：設問において，捜索・差押えが違法であるとしても，違法な捜索・差押えの被処分者はZであり，被告人Xは何の法益も侵害されていないのに，Xの公判で証拠排除を申し立てることができるのだろうか。

Bさん：いわゆる申立適格（standing）の問題ですね。

A君：どう考えたらいいのでしょうか。

教員：困ったときは，制度趣旨・根拠に遡ろうよ。

A君：違法収集証拠排除法則の理論的根拠は，適正手続の保障，司法の無瑕性（廉潔性）の保持，将来の違法捜査抑止の3つですよね。適正手続の保障を根拠とする証拠排除は，違法行為の被侵害者（設問ではZ）しか，排除の申立てができないこととなるでしょうね。

Bさん：司法の無瑕性（廉潔性）の保持や将来の違法捜査抑止を根拠とするときは，違法行為による法益を侵害された者がだれであろうと，司法の無瑕性の保持や将来の違法捜査の抑止には無関係ですから，被告人が違法行為の被侵害者でなくても，排除の申立てができることとなるということです

35）　川出・前掲注 14）532 頁。

36）　岡・前掲注 19）402 頁，石井・証拠法 125 頁。朝山・前掲注 29）37 頁，増田・前掲注 29）403 頁も参照。

ね[37]。

5　設問の解決

A君：重畳要件説に従うときは,「違法の重大性」と「排除の相当性」が共に充足されることが必要ですが，並列要件説によれば，いずれかの要件を充足すれば，排除できることになります。いずれにせよ，設問のように令状は発付されていたものの手元にないため呈示することなく捜索・差押えを実施したことは，逮捕状のような緊急執行（201条2項・73条3項）の制度は存しないので，もとより違法な捜索・差押えというべきですが（222条1項・110条),「令状主義の精神を没却するような重大な違法」と評価できるかどうかが問題ですね。

Bさん：発付された令状はKの手元になく，Kは令状記載の捜索範囲や差押目的物についてLに確認もせず，令状をZに呈示しないで捜索に着手し，差押えまで終えたのですから,「法規からの逸脱の程度」が高く（客観面),またKが令状の内容確認も令状の呈示もしなかったのは意図的であって，令状主義の諸規定を潜脱する意図は明白であり（主観面),設問の捜索・差押えには,「令状主義の精神を没却するような重大な違法」があります。

A君：捜索前に裁判官から適法に令状が発付され，Kは実質的には当該場所を捜索する権限も，当該物を差し押さえる権限も有していたのですから,「法規からの逸脱の程度」は必ずしも高くはありません。また，Kは令状発付を知っていたのですから，Kには令状主義の諸規定を潜脱するまでの意図は認められません（なお，令状の呈示は令状主義の内容をなすものではない)。「令状主義の精神を没却するような重大な違法」とまで断ずることはできないのではないかな。

Bさん：Zの自宅の捜索差押許可状が発付されていた点は，むしろ「不可避的発見の法理」に関係するのではないでしょうか。間近い時に確実にZ宅の捜索が実施され，関係書類が発見されて差押えが行われたであろうことが，違法行為と証拠の差押えとの間の因果関係を弱め，排除相当性を否定するこ

37)　井上・証拠排除408頁，石井・諸問題379頁。

ととなりそうですね。

A君：米国連邦最高裁の採る「不可避的発見の法理」を参考にするのはよいとしても，この例外法理は，毒樹の果実論による証拠排除の例外として，適法な捜査手続によっても当該証拠が必然的（不可避的）に獲得されたであろう場合には，それが現実には違法に獲得された証拠であっても，排除法則によって排除されないとする法理だよね。設問は，毒樹の果実ではないよ。

Bさん：確かに設問は毒樹の果実ではないけれど，米国の不可避的発見の法理は，毒樹の果実論の例外のみならず，違法収集証拠排除法則一般に対する例外則とされているわ。

A君：そうか。でも，設問のケースでは，Kが自ら捜索差押許可状を請求し，Lから許可状が発付された旨の連絡を受けた後に，捜索を開始したのだから，「当該権利侵害自体を正当化する理由」がその時点において存在したケースであって[38]，違法行為の時点では客観的に正当化する事由がないことを前提にする「不可避的発見の法理」を参考にすべき場合とはシチュエーションが違うよ。

教員：Kが本件捜索・差押えの後，捜索差押調書，捜査報告書に捜索差押許可状を呈示した旨虚偽の事実を記載した点は，考慮しなくていいのかな。

Bさん：前掲最判平成15・2・14（大津覚せい剤事件）が，「警察官は，その手続的な違法を糊塗するため，……逮捕状へ虚偽事項を記入し，内容虚偽の捜査報告書を作成し，更には，公判廷において事実と反する証言をしているのであって，本件の経緯全体を通して表れたこのような警察官の態度を総合的に考慮すれば，本件逮捕手続の違法の程度は，令状主義の精神を潜脱し，没却するような重大なものであると評価されてもやむを得ないものといわざるを得ない」と判示していますね。

A君：この平成15年判決は，証拠収集後の事情を既に終了した証拠収集手続の違法の重大性の判断に用いているのであって，おかしな判例ですよね。最決平成8・10・29刑集50巻9号683頁（和歌山「そんなあほな」事件）とも矛盾するし……。

教員：いったいどこが矛盾するんだい。

38）　川出・前掲注 14）534 頁注 38。

A君：平成８年決定は，「捜索の経緯に照らし本件覚せい剤の証拠能力について考えてみると，右警察官の違法行為は捜索の現場においてなされているが，その暴行の時点は証拠物発見の後であり，被告人の発言に触発されて行われたものであって，証拠物の発見を目的とし捜索に利用するために行われたものとは認められないから，右証拠物を警察官の違法行為の結果収集された証拠として，証拠能力を否定することはできない」と判示して，覚せい剤の発見と警察官の違法な暴行行為との間に因果関係がないことを理由に違法行為の前に適法に発見された覚せい剤の証拠能力を肯定しているのだから。

Bさん：それはそうだけど，「被告人の発言に触発されて行われたものであって，証拠物の発見を目的とし捜索に利用するために行われたものとは認められない」ことも理由としているわね。この点はどうなの。

A君：ああ，その点については，酒巻教授が，「かりに令状主義潜脱意図をもって証拠物発見目的の重大な違法行為が実行されたとしても，それ以前に適法に発見されていた証拠物の証拠能力を否定する論理的説明は困難である」とされ，Bさんの指摘した判示箇所は，不必要なものとされているけれど[39]，そのとおりだと思うよ。

Bさん：そうかしら。暴行行為は，捜索・差押えすべてが終了した後ではなく，その実施中に行われたものだから，「捜索行為の一部」と見得るかどうかについて，違法行為と証拠物発見の先後関係だけでは判断できず，捜査官の暴行の動機・目的にも言及したのではないかしら[40]。三好調査官は，「警察官の暴行が証拠物の発見との間に因果関係をもたないからといって，一概に違法収集証拠の排除法則が働かないということはできないことになるわけであり，本決定もこの点を慎重に考慮したものではないかと推測される」「どのような違法行為が介在したとしても，証拠物発見との間に因果関係さえなければ証拠能力を否定されないというように判旨を一般化して受け取るべきではあるまい」[41]とされているのは，適切だと思うよ。

教員：この点については両様の考え方が成り立ち得るだろうが，最高裁が違法行為と証拠物発見の時間的先後だけでなく，違法行為の主観面としての

39） 酒巻匡・平成８年度重判解（ジュリ 1113 号）180 頁。

40） 三好幹夫・最判解刑事篇平成８年度 143 頁。

41） 三好・前掲注 40)146 頁。

動機・目的にも言及している以上は，この判例の理解としては，三好調査官のように解すべきだろうね。

A君：大津覚せい剤事件は，後日の関係書類への虚偽記載や法廷での偽証が問題とされているのですから，「逮捕行為の一部」とみることは不可能な事案でしょ。そうすると，平成15年の大津覚せい剤事件判決は，どんな論理なのでしょうか。既になされた逮捕手続の違法の程度が，捜査機関の事後的な違法行為によって，軽微なものから重大なものに転化することなどあり得ないですよね。

教員：それはそのとおりだね。逮捕行為の一部とみることのできない，事後の違法行為によって，既に終了した手続の違法性（違法の有無または違法の程度）が影響されることはあり得ないだろう。

Bさん：そうすると，大津覚せい剤事件判決は，事後の違法行為の存在は，当初の逮捕行為時点において違法捜査の意図があったことを推認する事情として用いていると理解するほかないのでしょうね[42]。

教員：そうだね，そう理解するよりほかないだろう。朝山調査官も，内容虚偽の捜査報告書の作成と逮捕状への虚偽記入は，違法な逮捕の際における警察官らの令状主義に関する諸規定を潜脱する意図の存在を推認させるものであり，公判廷における偽証は，更にこれを強めるものとみるのが，この大津覚せい剤事件判決の理解として最も素直だとされているんだ[43]。

Bさん：そうすると，設問のケースでも，関係書類に虚偽の記載をして，違法行為を糊塗しようとしたことは，Kが，本件証拠収集手続（違法な捜索・差押え）の当時，令状主義に関する諸規定を潜脱する意図を有していたことを推認させ，違法の程度の判断に影響することになるわけですね。

教員：そのとおりだね。

Question & Answer

Q　最判昭和53・9・7の構造がよく理解できないのですが。

A　昭和53年判決の構造[44]は，次の(1)から(4)のとおりですが，この判決

42）石井・諸問題419頁など参照。
43）朝山・前掲注29)43頁。

は，⑵と対になる⑶を，⑷と併せて説示しているので，分かり難くなっているのだと思います。昭和 53 年判決の当該部分を⑶と⑷に分ければ，幾分なりとも分かり易くなるのではないでしょうか（⑴〜⑷の内容は，昭和 53 年判決の文言に，筆者の理解を適宜追加したものである）。

⑴　違法に収集された証拠物の証拠能力については，憲法にも刑訴法にも何らの規定もおかれていないが，憲法 35 条，31 条は，38 条 2 項と異なって証拠排除の規定をおいておらず，これらの憲法規定から，それに反して収集された証拠の排除を導き出すことは困難であるから，この問題は，刑訴法の解釈にゆだねられていると解するのが相当である。

⑵　刑訴法は，事案の真相を明らかにして，刑訴法令を適正・迅速に適用実現することを目的とするところ（1 条[45]），証拠物は押収手続が違法であっても，物それ自体の性質・形状に変異をきたすことはなく，その存在・形状等に関する価値に変りのないことなど証拠物の証拠としての性格にかんがみると，その押収手続に違法があるとして直ちにその証拠能力を否定することは，事案の真相の究明に資するゆえんではなく相当でない[46]。

⑶　しかしまた，他方において，1 条は，事案の真相の究明も，個人の基本的人権の保障を全うしつつ，適正な手続のもとでされなければならないとする[47]ものであって，同条の定める基本的人権の保障と適正手続の保障は，いずれも憲法 35 条，31 条の規定に根差す重要なものであるから，押収手続にいかに重大な違法があろうとも証拠能力はいっさい否定されないと解することもまた，相当でない。

違法に収集した証拠物の証拠能力の否定は，このような刑訴法の解釈から導き出されるが，その理論的根拠は，司法の無瑕性（廉潔性）の保持，将来の違法捜査の抑止に求められるべきである。

⑷　そうすると，このような 2 つの理論的根拠から[48]，証拠能力否定の

44）　昭和 53 年判決の説示は，東京高判昭和 41・5・10 高刑集 19 巻 3 号 356 頁のそれと酷似するので，昭和 53 年判決は，あるいは東京高裁昭和 41 年判決を参照したのかもしれない。

45）　岡・前掲注 19）401 頁参照。

46）　最判昭和 24・12・13 集刑 15 号 349 頁。米国連邦判例の採る絶対的排除法則は，我が国ではこれを採用しないという宣明である。

47）　ここにいう「適正な手続」とは，憲法 31 条のそれではなく，刑訴法 1 条の定める基本的人権の保障の前提をなす手続的な権利の総体である（松尾㊦341 頁）。

要件について検討すると，前者の根拠から，①証拠物の押収等の手続に憲法35条及びこれを受けた刑訴法218条1項等の所期する令状主義の精神を没却するような重大な違法があり，かつ，後者の根拠から，②これを証拠として許容することが将来における違法な捜査の抑制の見地からして相当でないと認められる場合において，その証拠能力は否定されるものと解すべきである。

学びの道しるべ

✍　学生諸君の中には，違法収集証拠排除の根拠に関して，刑訴法1条に言及することなく，適正手続の保障，司法の無瑕性（廉潔性）の保持，将来の違法捜査の抑止とするものが散見されるが，なるほどこれらは証拠排除の実質的なあるいは理論的な根拠ではあるが，正義の観念に反するような事例でない限り，最高裁昭和53年判決に従い，答案では，排除法則は，刑訴法1条の解釈から導くことこそが肝要である。なお，適正手続の保障は，憲法31条の定めるところであって，ローチン事件のようなケースでない限り，排除法則を刑訴法の解釈問題とする昭和53年判決と整合しないだけでなく，適正手続論による証拠排除は，「当の被告人に対する証拠収集手続に，後続の訴訟手続を一体として不当なものとするほどの実質を有する違法が存在し，したがって，その結果たる証拠を利用して被告人を処罰することが基本的な『正義の観念』に反すると認められる場合に限り証拠排除される」のであって[49]，いわゆる絶対的排除説によることとなり，相対的排除説を採る昭和53年判決の提示した2要件（違法の重大性と排除相当性）と整合させることができない。

✍✍　排除の第1要件としての違法の重大性に関して，学生の答案においては，「令状主義に反する重大な違法」などと表現するものがある。

しかし，これは，昭和53年判決のいう「令状主義の精神を没却するよう

48)　これに対し，三好・前掲注29)343頁は，「昭和53年判例は，刑訴法1条の基本的人権の保障と事案の真相の解明という2つの要請を調和させる観点から，……証拠排除の要件として，重大な違法（没却違法）と証拠の許容の不相当性（違法捜査抑制）という2つのものを設定した」とする。

49)　井上・証拠排除547頁。

な重大な違法」とは似て非なるものである。最高裁が「令状主義に反する」ではなく「令状主義の精神を没却する」と説示しているのは，単に令状主義に反する程度の違法ではこの要件を充足しないことを含意するのである。「精神」とは「物事の最も根本的な意義」「根本理念」をいい（憲法の精神，建学の精神というがごとし），「没却する」とは「捨て去って無視してしまうこと」といった意味である[50]。そうすると，「令状主義の精神を没却する」とは，令状主義の根本理念・根幹理念を捨て去り無視するというほどの意味になる。単に「令状主義に反する」というだけでは，これには当たらないのである。例えば，岡調査官は，捜索に当たる行為であっても，重大な違法とはされない場合があり得るとされ[51]，また，判例においても，最決平成7・5・30刑集49巻5号703頁は，自動車内を丹念に調べた行為を捜索と評価したものと思われるが，それにもかかわらず違法の重大性を否定しているのである[52]。

なお，令状主義の精神を没却するような重大な違法かどうかは，客観面において，法規からの逸脱の程度を問題にするだけでなく，主観面において，警察官において令状主義の諸規定を潜脱する意図の存否も，併せ考慮されるべきである。現に平成15年判決（大津覚せい剤事件）ケースも，「逮捕状の緊急執行の要件もある程度満たされていたといえるから，法規からの逸脱の程度は実質的に大きくないという評価」[53]もあり得ないわけではないところ，主観面において，警察官において令状主義に関する諸規定を潜脱する意図があったと認められること（逮捕状への虚偽記入，虚偽の記載のある捜査報告書の作成，公判廷における事実に反する証言）が，令状主義の精神を没却するような重大な違法が肯定された主要な理由ではなかろうか。朝山調査官も，「警察官に令状主義の諸規定を潜脱する意図が認められる場合には，法規からの逸脱の程度がさほど重大でなくても，『違法の重大性』が肯定されることも，可能性としては認められよう」[54]とされる。

このような理解を前提にすれば，任意処分として違法（法規からの逸脱の

50） 松村明編『大辞林〔第4版〕』（三省堂，2019年）1492頁，2534頁。
51） 岡・前掲注19）401頁。
52） 今崎幸彦・最判解刑事篇平成7年度229頁。
53） 朝山・前掲注29）38頁。
54） 朝山・前掲注29）39頁。

程度は大きくない）としながら，「重大な違法」を認めて，証拠能力を否定した大阪高判平成 29・10・13 判タ 1439 号 127 頁（所持品検査について，警察官の法無視の態度を重視したものであろう）や，さいたま地判平成 30・5・10 判時 2400 号 103 頁の説示も理解が可能であろう。

〈参考文献〉

①井上・証拠排除
②川出敏裕「いわゆる『毒樹の果実論』の意義と妥当範囲」『松尾浩也先生古稀祝賀論文集㈦』（有斐閣，1998 年）513 頁
③大谷直人「違法に収集した証拠」争点〔第 3 版〕194 頁
④三好幹夫「違法排除法則――裁判の立場から」新刑事手続Ⅲ 341 頁
⑤中谷雄二郎「違法収集証拠の排除――裁判の立場から」三井誠ほか編『刑事手続の新展開㈦』（成文堂，2017 年）395 頁
⑥池田公博「違法収集証拠排除法則――判断基準と判断要素㈤㈦〔事例から考える刑事証拠法⑯⑰〕」法教 487 号（2021 年）124 頁，488 号（2021 年）113 頁

29 違法収集証拠排除法則(2)

【設　問】

検察官Ｐは，強盗殺人事件の被疑者Ｘに対する捜査の過程で，Ｚ国に帰国していたＹの所持する証拠物を獲得すべく，Ｚ国に対し，捜査共助の要請をしたところ，Ｚ国の捜査機関は，Ｙの自宅を無令状で捜索し，関係証拠物を収集して，検察官Ｐに送付してきた。なお，Ｚ国の法令では，証拠物の所在する蓋然性が高い場所について無令状で捜索し，発見した証拠物を差し押さえることが許されている。この証拠物をＸの公判で証拠として用いることができるか。

〔ポイント〕

① 外国の捜査機関が獲得した証拠の許容性

② 証拠排除の要件

〔判　例〕

▷最大判平成7・2・22刑集49巻2号1頁（ロッキード事件丸紅ルート。ケースブック449頁，三井教材603頁，百選〔第8版〕148頁・〔第9版〕150頁・〔第10版〕154頁）

▷最決平成12・10・31刑集54巻8号735頁（三井教材552頁）

▷最判平成23・10・20刑集65巻7号999頁（三井教材553頁，百選〔第10版〕188頁）

▷福岡地判平成17・5・19判時1903号3頁（ケースブック654頁，三井教材608頁）

▷東京高判平成29・9・21高刑速（平成29年）171頁

解　説

1　外国の捜査機関が獲得した証拠の許容性

A君：無令状の捜索・差押えは，Z国においてはZ国の法令に従った適法な手続なのだから，Z国捜査機関の適法に獲得した証拠を日本の刑事裁判において使用することに何らかの問題があるのでしょうか。

Bさん：設問の証拠収集活動を我が国において我が国の捜査機関が行ったのであれば（Z国の承認を得てZ国において日本の捜査機関が捜査活動として行った場合も同様である），違法収集証拠として証拠能力が否定されるような場合に，Z国の法令を遵守さえしていれば，獲得した証拠を常に我が国の刑事裁判で用いてよいのかしら。例えば，Z国の捜査機関がYを拷問して得た自白についてはどうかしら。仮にZ国では一定要件の下に拷問が許されている（適法）としても，それを日本の刑事裁判で使ってよいはずがないでしょ。

A君：うーん。そう言われると，Z国では拷問が適法でも，拷問によって獲得した自白を日本の刑事裁判で用いることは躊躇せざるを得ないね。

教員：Z国ならぬ我が国の刑事裁判において証拠として用いる以上，その許容性は，我が国の刑訴法等の法令に従って判断すべきは当然であって，捜査共助被要請国（設問ではZ国）の法令によれば適法かどうかは証拠の許容性の判断には直接の関係がないというべきだろう[1)]。最高裁も，刑事免責を付与して得られた供述を録取した嘱託証人尋問調書の証拠能力を判断するにあたって，「国際司法共助によって獲得された証拠であっても，それが我が国の刑事裁判上事実認定の証拠とすることができるかどうかは，我が国の刑訴法等の関係法令にのっとって決せられるべきものであ〔る〕」と説示しているんだ（最大判平成7・2・22刑集49巻2号1頁）。

A君：この平成7年大法廷判決が，「我が国の刑訴法は刑事免責制度を採用していないので，嘱託尋問調書を証拠として許容できない」との論理によるものだとすれば，設問の場合も，同様に，我が刑訴法は無令状の捜索・差押え制度を例外的な場合を除き採用していないので無令状捜索・差押えによ

1）　川出敏裕「国際司法共助によって獲得された証拠の許容性」研修618号（1999年）4頁。

って獲得した証拠は証拠として許容されない，といえませんか。

Bさん：この大法廷判決は，確かにそのように理解する余地もなくはなかったのですが，最決平成12・10・31刑集54巻8号735頁が，宣誓供述書という我が国の刑訴法が採用していない手続によって米国において得られた証拠であっても，証拠として許容される場合のあることを認めていますので，平成7年大法廷判決をA君のように一般化して理解すべきではなく[2)]，A君の論理によって設問のケースの証拠の許容性を否定するのは困難でしょう。

A君：そうすると，捜査共助を要請した我が国の検察官の共助要請そのものが違法だといえないかな。

教員：どの条項に違反して違法なんだい。

A君：捜査共助要請の根拠規定と理解されている刑訴法197条1項はそのような要請を禁じていると解することはできませんか。

Bさん：捜査共助要請をした検察官PがZ国に共助要請をすればそのような手続によることとなることを知っていた場合であれば，そうかもしれないわね[3)]。でも，被要請国の証拠獲得手続を知っていながら共助要請をしたことが「重大な違法」って評価できるかしら。それに，共助要請した捜査官が被要請国の証拠獲得手続を知らなかった場合や，既に被要請国で獲得済みの証拠の送付のみの共助要請については，この論理は当てはまらないわね。

A君：確かにそうだね。それじゃあ，証拠の許容性は「我が国の刑訴法等の関係法令にのっとって決せられる」（平成7年大法廷判決）のだから，Z国の捜査機関の活動は日本の憲法や刑訴法に違反するものとして，違法収集証拠排除法則を適用するってのはどうだい。

教員：A君の言う「Z国の捜査機関の活動は日本の憲法や刑訴法に違反する」というのは，我が国の憲法や刑訴法がZ国にも適用され，Z国の捜査機関の証拠獲得活動をも規制するという意味なのかしら。

Bさん：我が国がZ国に捜査共助の要請をしたからといって，我が国の憲法や刑訴法がZ国の捜査機関の証拠獲得活動に適用されてその活動を規制できるはずはないでしょうね[4)]。

2）　池田修・最判解刑事篇平成12年度226頁。

3）　福吉貞人「我が国の捜査機関から米軍当局に嘱託して行われた捜索差押の結果取得された証拠物の証拠能力」判タ968号121頁参照。

A君：それはそうだね。どの構成をとってみてもうまくいかないね。それじゃあ，外国捜査機関の活動には我が国の刑訴法の適用がない点においては私人と同じだから，この問題は「私人が違法に収集した証拠」の問題とパラレルに考えられないかな。

教員：私人の証拠収集に刑訴法の適用がない点においてはこの問題と類似するのだが，私人とはいえ我が国における活動である限り，刑訴法の適用はなくても，憲法，民法，刑法等の国内法が適用され，これらの法令により私人の証拠収集行為を違法と評価することができるだろうが，外国の捜査機関の活動には我が国のいかなる法令も適用され得ない以上，違法と評価することはできないから，この問題を私人の違法収集証拠と同様に考えることには無理があるだろう。

A君：結局のところ，違法収集証拠排除法則を用いて証拠能力を否定することは困難なようですね。証拠獲得活動が違法でなくとも，証拠としての許容性（証拠能力）は，それとは別個に考えられないかな。

教員：証拠能力の制限事由としての「証拠禁止」とは，「手続きの適正等一定の優越的利益を守るために，いわば手続政策上排除すべきものとされる場合」[5]をいい，違法収集証拠排除法則はその典型であるとしてもこれに限定されるわけではなく，必ずしも違法を前提としないことに留意すべきだろう[6]（ドイツでも証拠禁止〔Beweisverbot〕においては，違法収集証拠排除法則に当たる従属的証拠使用禁止〔unselbständige Beweisverwertungsverbote〕のほかに，違法行為を前提としない独立的証拠使用禁止〔selbständige Beweisverwertungsverbote〕が問題とされている）。そうだとすると，この問題は，ドイツでいわれるところの独立的証拠使用禁止論によるのが適切であり，証拠禁止を根拠づける「（守られるべき）優越的利益」が認められるかどうかは，当該証拠獲得活動が仮に我が国で行われたとしたら違法収集証拠排除法則の適用が問題となるのだから，類似の問題状況にある違法収集証拠排除法則の根拠

4）　東京高判平成29・9・21高刑速（平成29年）171頁は，「タイ警察のタイ国内における捜査は，タイの法律に基づいて行われたものであり，日本の法令が適用されないから，日本の法令上合法か否かという問題は生じず，本件覚せい剤等が，違法収集証拠に該当してその証拠能力が否定されるという問題は生じない」とする。

5）　田宮286頁。

6）　田宮286頁，鈴木192頁，田口391頁。

論を参考にするのがよいだろう[7]。

A君：抑止効論については，外国の捜査機関の証拠獲得行為なのだから，将来の違法捜査の抑止という根拠論を援用することは無理じゃないかな。

Bさん：確かにそうね。でも，適正手続論（規範説）なら証拠禁止の根拠たり得るのではないかしら。川出教授は，「外国の捜査機関の行為によって被告人の権利，利益が侵害されたという場合，わが国の法令の違反はないけれども，被告人の権利，利益の侵害というその実質においては，それがわが国の捜査機関によって行われた場合と違いはない。そうだとすると，基本的な正義の観念という観点からは，形式的にわが国の法令上違法ではないというだけで，直ちに，適正手続違反を認定する余地がおよそないということはできない」とされ，「外国での証拠獲得手続をわが国の憲法ないし刑訴法に引きなおして評価した場合に，それが，憲法あるいは刑訴法の基本理念に反していると評価されるような場合に限」り，「適正手続違反という理由によって，証拠が許容されない場合もありうる」[8]とされています。

A君：それって，日本国憲法は外国の捜査機関の証拠獲得活動に適用されないという大前提と矛盾しないのかな。川出教授の見解は，結局のところ，違法収集証拠排除法則を適用しているんだよね。

教員：川出教授の見解は，違法行為を前提としない独立的証拠使用禁止の根拠を適正手続論に求めたものであって，違法収集証拠排除法則によるものではないんだ。この見解は，外国官憲の証拠獲得手続ではあっても，証拠の公判での使用禁止の観点からは，実質的には，我が国の法令に違反した場合と同様に，後続の訴訟手続を一体として不当なものとすることがあり得，当該証拠を使用して被告人を処罰することが「基本的な正義の観念」に反し，適正手続違反となるという趣旨だよ。

Bさん：司法の無瑕性（廉潔性）論は根拠になりませんか。

A君：司法の無瑕性（廉潔性）論は，「わが国の法令に反する行為が行われているわけではない以上，その前提を欠く」[9]ことから，証拠禁止の根拠たり得ないのではないかな。

7）　川出・前掲注 1）5 頁。
8）　川出・前掲注 1）6 頁，7 頁。
9）　川出・前掲注 1）6 頁。

教員：司法の無瑕性論が伝統的に違法行為について論じられてきたことはそのとおりだが，それに拘泥する必要が果たしてあるのだろうか。この問題は適正手続論よりも司法の無瑕性論にこそ馴染むのではないかな。外国の捜査機関の当該国における証拠獲得活動であっても我が国の憲法や刑訴法の根本理念に反するがごとき活動によって取得された証拠を我が国の刑事裁判で用いることが，国民の司法に対する尊敬や信頼を失わせかねないことは，我が国の捜査機関の違法行為の場合と異なるところはないだろうからね。

A君：適正手続論を根拠とする見解（例えば川出教授）には問題があるのでしょうか。

教員：証拠獲得手続とその使用手続（公判での）との「一体性」が適正手続論の前提条件とされているが，証拠獲得手続が外国の機関による場合は両者の「一体性」が薄弱だ。この点につき，川出教授は，「外国の捜査機関による証拠獲得行為はわが国の捜査機関の依頼に基づくものであり」「わが国の国家機関が証拠獲得手続に関与している」ので，「一体性」を肯定できるとされるのだが10)，外国における証拠獲得手続において被告人以外の者の権利・利益が侵害されたときはその者が被告人の共犯者であった場合は格別，第三者の権利・利益を侵害する当該証拠獲得手続と被告人の公判での証拠としての使用手続の「一体性」を認めることは困難ではないだろうか。百歩譲って「一体性」を肯定できるとしても，被処分者でない被告人に排除の申立適格を認めることができるのか疑義がある。また，この論理では既収集の証拠の送付要請については，「一体性」を認めることは，困難だろう。

2　証拠排除の要件

教員：適正手続論であれ司法の無瑕性論であれ，違法収集証拠排除法則でなく独立的証拠使用禁止論による限り，証拠排除の範囲は，「わが国の捜査機関によって証拠が獲得された場合よりも限定され」るだろう11)。それは，捜査共助が国によって証拠獲得手続・要件が異なることを当然の前提とする制度だからではなく，我が国捜査機関の違法行為を前提としないことから，

10)　川出・前掲注 1) 6 頁。前掲注 4) 東京高判平成 29・9・21 も同旨。
11)　川出・前掲注 1) 7 頁。

適正手続論では前記のとおり「一体性」が薄弱であり，司法の無瑕性論では当該証拠の採用による国民の司法への信頼の失墜の程度がより低いことに求められるべきだろう。

Bさん：適正手続論によれば，具体的には，「拷問によって得られた自白の使用等」，「外国での証拠獲得手続をわが国の憲法ないし刑訴法に引きなおして評価した場合に，それが，憲法あるいは刑訴法の基本理念に反していると評価されるような場合に限られる」[12]のでしょうね（大阪高判平成 8・7・16 判時 1585 号 157 頁も参照）。もとより，「憲法あるいは刑訴法の基本理念に反する」との基準が想定しているのは，「令状主義の精神を没却するような重大な違法」基準（最判昭和 53・9・7 刑集 32 巻 6 号 1672 頁は抑止効論ないし司法の無瑕性論による）と同義ではあり得ませんね。外国捜査機関の証拠獲得手続が「良心にショックを与える（shock the conscience）」場合（ローチン原則）に限り排除されるというべきでしょう。

教員：適正手続論を根拠とする場合は，そのように解することになるだろうね。他方，司法の無瑕性論によっても，同様の基準になるだろう。外国の捜査機関が当該国で行った証拠獲得活動なのだから，我が国の裁判所が当該証拠を許容することが国民の司法に対する信頼を失わしめることとなるのは，極めて極限的な場合，つまり当該証拠獲得手続が「個人の尊厳」を害し，「憲法や刑訴法の根本理念に反する」場合に限られ，そのような限局された要件の下では，事件の重大性や証拠の重要性・必要性を考慮する余地はないと考えられるからだ。

3　設問の解決

Bさん：川出教授のような独立的証拠使用禁止論によることとし，さらに適正手続論によると，設問において権利・利益を侵害されたのは被告人XではなくYなので，証拠獲得手続と被告人の公判手続での使用手続との「一体

12）　川出・前掲注 1）7 頁。前掲注 4）東京高判平成 29・9・21，福岡地判平成 17・5・19 判時 1903 号 3 頁も同旨。東京高裁平成 29 年判決は，「外国で行われた捜査が，日本国憲法及び刑訴法の基本理念である適正手続に著しく反し，それに由来する証拠を証拠として許容することが正義の観念に反するといえる場合には，その証拠の証拠能力を否定する場合もあると考えられる」という。

性」を肯定することはできず，「憲法や刑訴法の基本理念」に反するかどうかを論じるまでもなく，当該証拠を排除することはできません。

A君：同じ独立的証拠使用禁止論でも先生の言われるように司法の無瑕性論によるならば，権利・利益を侵害された者が被告人XであれZ国在住のYであれ，司法の無瑕性（廉潔性）の保持の観点から証拠を排除することは可能ですね。ただ，設問の無令状捜索・差押えが「個人の尊厳」を害し，「憲法や刑訴法の根本理念」に反するとまではいえないので，証拠として許容できると考えます。

〈参考文献〉

①川出敏裕「国際司法共助によって獲得された証拠の許容性」研修618号（1999年）3頁
②松田岳士「国際捜査共助の要請に基づき，中華人民共和国において，同国の捜査機関が作成した共犯者の供述調書等の証拠能力」刑ジャ4号（2006年）100頁
③福吉貞人「我が国の捜査機関から米軍当局に嘱託して行われた捜索差押の結果取得された証拠物の証拠能力」判タ968号（1998年）116頁

30 違法収集証拠排除法則(3)

【設　問】

警察官Kは，以前覚醒剤事犯で捜査したことのあるXが覚醒剤中毒者特有の表情で歩いているのを発見し，覚醒剤使用の疑いを抱き，嫌がるXの背中を1度押してパトカーの後部座席に座らせ，KがXの左側に座り，警察署に同行した。Xは，パトカー乗車後は，同行を拒否したり，帰らせて欲しい旨申し出たことはなかった。Kは，警察署において，直ちに，Xに対して，排尿・提出を求めたところ，Xは，素直に排尿のうえ，これを任意提出したので，これを領置した。当該尿を鑑定したところ覚醒剤成分が検出され，Xは覚醒剤使用の罪で起訴された。

尿の鑑定書をXの公判で証拠として用いることができるか。

〔ポイント〕

① 「違法性の承継」論

② 「毒樹の果実」の理論

③ 新たな判断枠組み

〔判　例〕

▷最判昭和61・4・25刑集40巻3号215頁（奈良生駒覚せい剤事件。ケースブック644頁，三井教材587頁，百選〔第9版〕198頁・〔第10版〕206頁）

▷最決昭和63・9・16刑集42巻7号1051頁（浅草覚せい剤事件。ケースブック645頁，三井教材590頁）

▷最決平成6・9・16刑集48巻6号420頁（会津若松覚せい剤事件。ケースブック647頁，三井教材594頁，百選〔第9版〕6頁・〔第10版〕6頁）

▷最決平成7・5・30刑集49巻5号703頁（第1京浜職質事件。ケースブック648頁，三井教材595頁）

▷最判平成15・2・14刑集57巻2号121頁（大津覚せい剤事件。ケースブック649頁，三井教材581頁，百選〔第8版〕140頁・〔第9版〕200頁・〔第10版〕208頁）

▷最決平成15・5・26刑集57巻5号620頁（西多摩ラブホテル事件。ケースブック46頁，三井教材31頁）

▷最決平成21・9・28刑集63巻7号868頁（宅配便荷物エックス線検査事件。ケースブック10頁，三井教材201頁，百選〔第9版〕70頁・〔第10版〕62頁）

解　説

1　「違法性の承継」論

Bさん：設問の任意同行は明らかに違法であり，違法な手続によりもたらされた状態を直接利用し，これに引き続き行われた採尿手続によって得られた尿の鑑定書は，採尿手続自体には何ら強制がなく，自由意思に基づいて行われたとしても，違法収集証拠として排除されるかどうか問題となります。

A君：いわゆる「違法性の承継」論が問題になる典型事例ですね。

教員：違法性の承継を論ずる前に，まずは，基本から考えてみよう。任意同行と採尿手続とは，別個独立の手続であるのだから，採尿手続の適否については，原則として，採尿手続自体（任意提出・領置）がその要件を充足するかどうかにより判断されるべきだ。まず，その点をしっかり押さえておこう。そのうえで，どのような特殊な場合に，先行手続の違法が証拠収集手続（後行手続）の適否に影響するのかを考えるべきだね。そのことを念頭に置いて判例をみてみようか。

A君：「違法性の承継」論を初めて採用した最判昭和61・4・25刑集40巻3号215頁は，「任意同行及び警察署への留め置きの一連の手続と採尿手続は，被告人に対する覚せい剤事犯の捜査という同一目的に向けられたものであるうえ，採尿手続は右一連の手続によりもたらされた状態を直接利用してなされていることにかんがみると，右採尿手続の適法違法については，採尿手続前の右一連の手続における違法の有無，程度をも十分考慮してこれを判断するのが相当である」と説示していますね。

教員：最高裁昭和61年判決の「違法性の承継」論は，「同一目的・直接利用」の要件が充たされれば，後行手続（採尿手続）の違法性は，先行手続の違法の有無・程度を十分考慮して判断するという枠組みを示したものであって，「同一目的・直接利用」要件が充たされれば必ず後行手続が違法性を帯びるとしているわけではないことに留意が必要だね。この点は，学生諸君が間違いやすいところだ。昭和61年判決の調査官解説が，「先行手続が違法であるからといって，常にそれを利用して行われた証拠収集手続が違法性を帯びるというものでなく，その先行手続の違法の内容及び程度によっては，引き続いて行われた証拠収集手続の適法性に何ら影響を及ぼさないということもあり得る」「先行手続におけるいかなる又どの程度の違法が，それを利用した証拠収集手続を違法たらしめ，且つどの程度の違法性を帯びさせるか……は，結局，先行手続における違法の内容及び程度，更にはその違法な点が証拠収集の手続とどの程度の密接度を有するか，いわば因果性の濃淡などがポイントとなる」[1)]（傍点は筆者による）としているのは，そのことをいっているわけだ。

Bさん：本当にそうなんでしょうか。最決昭和63・9・16刑集42巻7号1051頁や最決平成7・5・30刑集49巻5号703頁は，違法な先行手続によりもたらされた状態を直接利用し，これに引き続いて行われた後行手続（採尿手続）は違法性を帯びるとしており，先行手続の違法の程度を考慮することなく，直ちに後行の証拠収集手続がいわば必然的に違法性を帯びるとしているように読めるのですが……。

教員：Bさんの挙げた判例は，説示の仕方から見て分かるとおり事例判例であり，昭和61年判決と整合的に理解するためには，昭和61年判決のいう「先行手続の違法の有無・程度を十分考慮」した結果として後行手続が違法性を帯びるという結論のみを示したものと理解すべきだろう。

A君：そうすると，判断枠組みは，まず第1段階の判断として，(1)先行手続（例えば任意同行）と後行手続（採尿手続）との関係の間に「同一目的・直接利用」の関係があるときは，先行手続の違法の有無・程度を十分考慮して後行手続（例えば採尿手続）の違法性を判断すべきである，そして，後行手続が違法性を帯びると判断されるときは，次に，第2段階の判断として，(2)「違法の重大性」と「排除の相当性」，つまり違法収集証拠排除法則により証拠能力の有無を検討することになるでしょうね。

1） 松浦繁・最判解刑事篇昭和61年度73頁。

Bさん：これまた，二段階の判断枠組みですか。ところで，このようなケースについては，「違法性の承継」論が唯一の判断枠組みなのでしょうか。

教員：理屈としては，①後行手続の適法性は，先行手続の適否とは無関係であって，後行手続の適法性は，その固有の適法要件を充足するかどうかで評価すべきとする独立評価説，②先行手続と後行手続を一体として，全体について適法性を評価すべきとする全体評価説，③同一目的・直接利用関係にあるときは，先行手続の違法性の有無・程度は後行手続の適法性に影響を及ぼすとする「違法性の承継」論の３つがあり得るといわれているんだ[2)]。先ほども言及したように，各手続の適否は本来独立に評価すべきなのだが，一定の関係があるときは，先行手続の適否が後行手続に影響することがあり得ると考えるべきであり，③説も，そのような関係にないときは，①説のいうようになるはずであり，また，すぐ後で述べるように，②説も，③説のベースにある考え方だとすれば，相互に排他的な見解ではないだろう。

A君：最決平成６・９・16刑集48巻６号420頁は，後行手続が違法性を帯びるとは明言せず，先行手続から後行手続に至る一連の手続全体の違法性を判断しようとしているので，②の全体評価説のようであり，③の「違法性の承継」論を採ってはいないのでしょうか[3)]。

教員：いや，そうじゃないと思うよ。この判決は，法的判断の冒頭において昭和61年判決を引用しているし，同じ第三小法廷（裁判官も全員同じ）の前掲平成７年決定は，「違法性の承継」論を堅持しているのだから，平成６年決定も，昭和61年判決および昭和63年決定の「判断方法を踏襲したもの」[4)]で，後行手続が「違法性を帯びることを当然の前提としているもの」[5)]と思われ，先行手続と後行手続とを「全体として評価しようとしたのは，同一目的・直接利用という密接な関連性を有する一連の手続を一体とみなすことにより，先行手続の違法が後行する証拠収集手続に影響する理由を実質的に説明しようとしたもの」[6)]と理解すべきなのだろう。

Bさん：ああ，確かに，同一目的・直接利用の関係にあるときに，先行手

2）　三井誠「違法収集証拠の排除⑴」法教263号（2002年）152頁，松浦・前掲注1)71頁。
3）　酒巻匡・平成６年度重判解（ジュリ1068号）168頁。
4）　中谷雄二郎・最判解刑事篇平成６年度190頁。
5）　中谷・前掲注4)190頁。
6）　中谷・前掲注4)194頁。

続の適否が後行手続に影響を及ぼす実質的理由は，同一目的・直接利用という密接な関連性を有する一連の手続を一体と評価することができるからなのですね。そうだとすると，同一目的・直接利用（密接な関連性）は，先行手続と後行手続とを一体評価するためのツールに過ぎないのですね。

A君：「違法性の承継」の実質的根拠が先行手続・後行手続を一体とみなし，全体を違法評価できることにあるのなら，なにも，先行手続の違法性が後行手続に承継されるとして後行手続の違法性を判断する必要はなく，先行・後行手続を一体的に違法評価すれば足ると思うのですが（前記②の全体評価説）。

教員：確かに，A君の言うとおりなのだが，最高裁の一連の判例は，「直接の証拠収集手続」（例えば採尿手続）の違法に固執しているんだよ。最高裁は，最判昭和53・9・7刑集32巻6号1672頁の採用した違法収集証拠排除法則は当該証拠の「直接の証拠収集手続」（後行手続）が違法な場合に限って適用できると理解しているようだね。

Bさん：そうだとすると，「令状主義の精神を没却するような重大な違法」や「将来における違法な捜査の抑制」は，それ自体は瑕疵のない後行手続（例えば採尿手続）について判断するということですね。違法の実質が先行手続（例えば任意同行）にあり，後行手続自体には固有の瑕疵がないのに，後行の証拠収集手続が「令状主義の精神を没却する……」って，どう判断したらいいのかしら。それに，違法な先行手続ではなくて，それ自体何らの瑕疵がなく，先行手続の違法性を承継して違法性を帯びるにすぎない後行手続について「将来における違法な捜査の抑制」の要否を判断できるのかしら。

教員：確かにそうなんだが，昭和61年判決，昭和63年決定，平成7年決定は，いずれも，後行手続（採尿手続）について重大な違法か否かを判断していることは明らかだし，将来の違法捜査の抑制の評価の対象もまた，当然のことながら，後行手続（採尿手続）についてみているのだろう。この点については，「最高裁理論にあって，証拠排除という手段によって抑制を意図するのは違法捜査一般ではない。そのなかの違法な証拠収集行為だけであり，それゆえ裁判官がまず判断を求められるのは，結局，当該証拠収集行為が違法かどうかである」との指摘があり[7]，実務家としては，証拠能力が争点となっている証拠の直接の収集手続の適否にフォーカスする思考は，理解できなくはないのだが，そうすると，Bさんの言うように，直接の証拠収集手続（例えば採尿手続）について違法の重大性と排除の相当性を判断することとなり，この点が「違法性の承継」論の弱点だろう。

Bさん：最高裁が初めて違法収集証拠の排除を肯定した最判平成15・2・14刑集57巻2号121頁（大津覚せい剤事件）は，直接の証拠収集手続（採尿手続）ではなく，先行手続（逮捕手続）について，「本件逮捕手続の違法の程度は，令状主義の精神を潜脱し，没却するような重大なものであると評価されてもやむを得ない」と判示していますし，採尿手続が違法性を帯びるとはいっていませんので，「将来における違法な捜査の抑制」も，先行手続（逮捕手続）について述べていると理解すべきなのではないでしょうか。平成15年判決は，「令状主義の趣旨を没却するような重大な違法」や，「将来における違法な捜査の抑制」について，違法の実質の存する先行手続を対象に判断することとして，「違法性の承継」論を捨てたのではないでしょうか。

教員：平成15年判決の判示は，累次の最高裁の判断枠組みとは異なるようにみえるよね[8]。しかし，朝山調査官は，「『直接利用』が認められることを前提として，先行の逮捕手続の違法の程度が重大である場合には，後行の採尿手続が先行の逮捕手続の影響を受けて違法となることを明らかにした趣旨であるとみることが可能であろう」（傍点は筆者による）とされ[9]，平成15年判決も「違法性の承継」論によるものと理解されているんだ[10]。

A君：朝山調査官は，平成15年判決は，逮捕手続（先行手続）に令状主義の精神を潜脱・没却するような重大な違法があると判示することによって，採尿手続（後行手続）の「重大な違法性」を肯定するとともに，「排除相当性」をも肯定したと解説しておられますね[11]。

教員：この朝山調査官解説は，平成15年判決の判示文言とはかなり食い違うように思われなくもないが，平成15年判決が小法廷によるもので，そ

7）山田耕司「尿の任意提出における『同一目的・直接利用』基準」判タ779号（1992年）52頁。

8）長沼範良「排除法則に関する判例理論の展開」現刑5巻11号（2003年）33頁参照。

9）朝山芳史・最判解刑事篇平成15年度41頁。

10）石井一正「最新重要判例評釈」現刑6巻4号（2004年）76頁，石井・諸問題108頁，大澤裕・百選〔第8版〕141頁，池田公博「刑事判例研究」ジュリ1338号（2007年）215頁，事例研究Ⅱ 640頁注50［小川佳樹］も同旨。

11）朝山・前掲注9)42頁。

れ以前の一連の最高裁判例の判断基準を実質的に変更したものではないとすれば，平成15年判決が先行の逮捕手続の違法が重大であることのみを判示しているようにみえても，それによって，後行の採尿手続について，重大な違法性を帯びるとの判断と，排除の相当性の判断を併せ行っているのだというほかないだろう。平成15年判決の判示が累次の最高裁判例の流れから逸れているようにみえるのは，単なる憶測だが，平成15年判決の裁判官構成（刑事裁判官出身の裁判官が一人も関与していない）に原因があるのかも知れないね。

Bさん：結局のところ，平成15年判決は，朝山調査官の解説するところによれば，「違法性の承継」論を捨てたわけではなく，昭和61年判決など累次の判例が採用してきた二段階の判断枠組み，すなわち，(1)先行手続が違法な場合において，先行手続と後行手続との間に一定の関係があるときは，先行手続の違法の程度を十分に考慮して後行手続が違法性を帯びるかどうかを判断し，後行手続が違法性を帯びるときは，(2)後行手続について違法収集証拠排除法則を適用して，「違法の重大性」と「排除の相当性」とを検討するという枠組みがとられていることになりますね。

A君：そうだね。そうすると，これまでの最高裁判例がいう「同一目的」「直接利用」は，平成15年判決だと，どうなるのかな。

Bさん：「同一目的」「直接利用」を2つとも掲げていたのは，実は最初の昭和61年判決だけで，その後の昭和63年決定，平成7年決定は，当該事案は「同一目的」といえるはずなのに「直接利用」だけで「同一目的」には何ら言及していませんし，平成15年判決は「同一目的」はおろか「直接利用」さえも明示していませんね。

教員：これらの判例を整合的に理解するならば，「同一目的・直接利用」基準は，先行手続と後行手続との関連性（因果関係）を判断するための重要なメルクマールの1つであって，本来の基準ではなかったというべきだろう[12)]。そして，平成15年判決のいう「密接な関連性」は，「同一目的・直接利用」を包括するところの，違法性承継の基準と理解されているんだ[13)]。

A君：そうすると，「任意同行（違法逮捕）→採尿」類型については，ま

12） 朝山・前掲注9)41頁参照。

ずは第1段階の判断枠組みとしては，「同一目的」「直接利用」を「密接な関連性」に置き換え，先行手続の違法が後行手続に承継されるかを検討し，これが承継されて後行手続が違法性を帯びるときは，第2段階の判断枠組みである，後行手続の「違法の重大性」（もとより先行手続の違法に依存する）と「排除の相当性」を検討するということですね[14)]。

教員：そのとおりだね。ただし，「同一目的・直接利用」基準が一切放擲されたかといえばそうではなく，平成15年判決後もなお有効なメルクマールあるいは下位基準として生きていることに留意してほしい。「同一目的」「直接利用」が認められるので，その上位基準としての「密接な関連性」が認められるということになるだろう。

＊　違法性の承継要件につき，平成15年判決後においてもなお，「同一目的・直接利用」基準による裁判例として，東京高判平成28・4・15東高刑時報67巻1～12号28頁，東京高判平成24・3・16東高刑時報63巻1～12号38頁などが，「直接利用」のみによる裁判例として，大阪高判平成30・8・30 LLI/DB L07320326，大阪高判平成28・10・13判タ1439号127頁，東京高判平成28・8・23判タ1441号77頁，東京高判平成21・7・1判タ1314号302頁，東京高判平成20・9・25東高刑時報59巻1～12号83頁などがある。

2　「毒樹の果実」の理論

Bさん：平成15年判決は，(1)違法な先行手続（違法逮捕）を利用した後行手続（採尿手続）により採取した証拠（尿およびその鑑定書）の証拠能力について，昭和61年判決などと同じく違法性承継論によったものと理解されるわけですが，(2)尿の鑑定書（証拠能力がない）を疎明資料として発付された捜索差押許可状によって差し押さえられた証拠（覚せい剤）の証拠能力については，どのような判断枠組みを採用したのでしょうか。

A君：平成15年判決は，当該覚せい剤の証拠能力の判断にあたっては，

13)　大澤裕・百選〔第8版〕141頁，村瀬均・百選〔第9版〕199頁，石井・前掲注10)76頁，大澤裕＝杉田宗久「違法収集証拠の排除」法教328号（2008年）77頁［杉田発言］，緑325頁，斎藤389頁など。

14)　川出敏裕「演習」法教390号（2013年）141頁。

①当該覚せい剤は，証拠能力のない証拠（尿の鑑定書）と関連性を有する証拠である，②当該覚せい剤の差押えと証拠能力のない鑑定書との関連性は密接なものではない，③両者の関連性が密接でないので，当該覚せい剤の収集手続に重大な違法があるとはいえず，排除相当性も認められず，当該覚せい剤の証拠能力を否定することはできない，という構成を採っていますね。

Bさん：②の関連性が密接でないとした理由として，平成15年判決は，(a)当該覚せい剤の差押えは，司法審査を経て発付された捜索差押許可状によってされたものであること，(b)逮捕前に適法に発付されていた別件の捜索差押許可状の執行と併せて行われたこと，の2点を挙げています。このような介在事情があったから，関連性はあっても，密接ではないとしたものです。

A君：これも，「違法性の承継」論によっているのかな。

教員：どうもそうではないようだよ。朝山調査官は，これについては，いわゆる「毒樹の果実」の理論によったものとしているんだ。同調査官によると，①については，当該証拠が証拠能力のない証拠と「関連性」を有するときは，当該証拠を「毒樹の果実」として排除すべきかどうかが問題になるということを意味するようだ[15)]。

Bさん：「毒樹の果実」の理論については，最判昭和58・7・12刑集37巻6号791頁（勾留質問調書等の証拠能力が問題となった事例）の伊藤正己裁判官の補足意見がありますね。伊藤裁判官の補足意見は，「第二次的証拠が，いわゆる『毒樹の実』として，いかなる限度で第一次的証拠と同様に排除されるかについては，それが単に違法に収集された第一次的証拠となんらかの関連をもつ証拠であるということのみをもって一律に排除すべきではなく，第一次的証拠の収集方法の違法の程度，収集された第二次的証拠の重要さの程度，第一次的証拠と第二次的証拠との関連性の程度等を考慮して総合的に判断すべきものである」とされています。

教員：平成15年判決の②の密接関連性は手続と証拠との関連性を問題にするが，実質的には，伊藤裁判官の補足意見にいう「第一次的証拠と第二次的証拠との関連性の程度」と同じ意味だろう。また，同補足意見にいう「第一次的証拠の収集方法の違法の程度」については，平成15年判決では，第

15）朝山・前掲注9)47頁。増田啓祐・最判解刑事篇平成21年度404頁も，平成15年判決について「毒樹の果実」の理論が問題となる場面であるという。

1次証拠（尿およびその鑑定書）の証拠能力の判断の中で判断済みなので，毒樹の果実の判断においては言及されていないのだろう（これに対して，エックス線検査事件の最決平成21・9・28刑集63巻7号868頁は，第1次証拠であるエックス線検査の射影写真が証拠として取調べ請求されず，その証拠能力が問題となっていないため，毒樹の果実の排除を検討するなかで，「第一次的証拠の収集手続の違法」について，言及している）。

Bさん：そういうことですか。でも，平成15年判決は，伊藤裁判官の補足意見やいわゆる「毒樹の果実」の理論とは違って，第2次証拠の証拠能力を判断するために，第2次証拠の収集手続の「違法の重大性」を検討しているように読めますね。

教員：そうだね。平成15年判決は，第2次証拠である覚せい剤と第1次証拠である尿の鑑定書との関連性（物と物との関連性）ではなく，覚せい剤の差押えと尿の鑑定書との関連性（第2次証拠の収集手続と第1次証拠との関連性）について，「密接なものではない」から，覚せい剤の収集手続に重大な違法はないとしているね。ここでは，「密接関連性」は，第2次証拠の収集手続の「違法の重大性」の判断要素になっているようだ。

Bさん：①については，物と物との関連性を問題にしたのに，②については，第2次証拠の収集手続と第1次証拠との関連性（手続と物との関連性）の密接性を検討しているのですね。よくわからないはずです。

教員：まず①で「毒樹の果実」の問題であることを明らかにした，だから物と物の関係だよね。そうすると，果実を排除するかどうかについても米国の毒樹の果実論や伊藤裁判官の補足意見のいうように，「第一次的証拠と第二次的証拠との関連性の程度」を検討するのが，素直な論理構成だろうね。でも，我が国の最高裁は，敢えて，この論理構成をとることなく，②で，第2次証拠収集手続について重大な違法があるかどうかを検討するという構成を採用したわけだ。そのため，どうしても，第2次証拠収集手続と，証拠能力のない第1次証拠の関連性が密接かどうかを検討せざるを得ないことになるわけだね。

A君：ということは，最高裁は，①について「毒樹の果実」の理論によりながら，②については，第2次証拠の収集手続に違法収集証拠排除法則を適用して，違法の重大性と排除相当性を検討するという枠組みを採っているのですね。米国の判例や伊藤裁判官の補足意見[16]の毒樹の果実論と異なって，あくまで第２次証拠の収集手続の違法にこだわるなんて，中途半端ですね。それならいっそのこと，「毒樹の果実」のケース（物と物）についても，毒樹の果実論ではなくて，最初から「違法性の承継」論（手続と手続の密接関連性）を採用すればすっきりしたのに。

Ｂさん：そうね。最高裁が第２次証拠の収集手続への排除法則の適用にこだわるのは，「違法性の承継」論を引き摺っているのかもしれませんね。

教員：そうかもしれない。まとめてみよう。「毒樹の果実」のケースに関する最高裁の判断枠組みは，⑴第２次証拠が証拠能力のない第１次証拠（証拠が公判に顕出されていないときはその収集手続）と関連性があるときは（証拠能力のない第１次証拠を疎明資料として発付された令状によって差し押さえられたときは，両証拠の間には関連性がある），いわゆる「毒樹の果実」の問題となる，⑵その場合には，第２次証拠の収集手続に違法収集証拠排除法則を適用し，その「違法の重大性」は，①第２次証拠の差押え手続と証拠能力のない第１次証拠（証拠が公判に顕出されていないときはその収集手続）との間の密接関連性（平成21年決定においては判文上現れていないが，増田調査官は，当該事案においては，関連性は密接とはいえない[17]という）と，②第１次証拠の収集手続の違法の程度を考慮して判断し，また「排除の相当性」は，証拠の重要性などの要素を考慮する，ということになるようだ。そして，⑵①の関連性が密接かどうかは，司法審査を経て発付された捜索差押許可状による捜索により発見されたものであること（第１次証拠以外の証拠も疎明資料として令状裁判官に提出されたこと），あるいは適法に発付された他の事件の捜索差押許可状と併せ執行された等の介在事情を考慮することになるのだろう。

Ａ君：米国の「毒樹の果実」の理論は，第２次証拠の収集手続の違法性を問題にしないのだけれども，我が国の最高裁は，「毒樹の果実」の理論を採りながら，第２次証拠の収集手続の違法性とその「重大性」を問題にするのですね。しかし，後行手続に固有の瑕疵がない以上，その違法性は先行手続のそれに依存するほかないはずですが，違法性を承継するかどうかについては，少なくとも明示的には言及していませんね。

16）　森岡茂・最判解刑事篇昭和58年度186頁は，「法廷意見を代弁したもの」という。

17）　増田・前掲注15）409頁。

3　新たな判断枠組み

A君：最高裁は，「違法性の承継」論によるケースでも，「毒樹の果実」の理論によるケースでも，証拠能力が問題となっている証拠の直接の収集手続の違法にこだわっているわけですが，その必要はあるのでしょうか。昭和53年判決の射程とは別個に改めて考えてみてよいのではないでしょうか。

教員：そうだね。行政訴訟の違法性承継論のように後行手続自体に違法がないとその取消しができないケースとは違って，違法収集証拠排除法則においては，「違法性の承継」論による場合であれ，「毒樹の果実」の理論による場合であれ，後行手続の違法性それ自体を問題とする必然性はないだろう。要するに，「最終的に獲得された証拠の証拠能力の有無を判断」すれば足るのだから，「直接の証拠獲得手続が先行手続の違法性を承継するか否かを論じる必要はない」[18]はずだよね。判例が後行手続の違法の重大性の判断にあたって，先行手続の瑕疵を考慮要素の中心に据えているのは，後行手続に瑕疵がない以上はそうするほかないからだけど，そうであるならば，むしろ，川出教授のいわれるように，「端的に，当該違法行為〔先行行為〕と因果関係を有する証拠が，どのような場合に，その証拠能力を否定されるのかを検討すればよい」[19]のであって，川出教授の見解は，違法の実体に即した素直で優れた理論構成といえるだろう[20]。そうだとすると，判例が「違法性の承継」論の問題とするケースであっても，「毒樹の果実論」と「統一的に検討するのが妥当」[21]であり（平成15年判決や平成21年決定の採るそれとは違って，直接の証拠獲得手続の違法を問題にする必要はない），①先行手続の違法の程度と，②先行手続と当該証拠との関連性（因果関係）を基準とする「先行手続の違法の波及効」の問題に還元されることとなるだろう。

18)　川出敏裕「いわゆる『毒樹の果実論』の意義と妥当範囲」『松尾浩也先生古稀祝賀論文集(下)』（有斐閣，1998年）517頁。
19)　川出・前掲注18)517頁。
20)　光藤II 168頁，酒巻517頁のほか，大澤＝杉田・前掲注13)77頁における杉田発言もこれに賛意を表しておられる。
21)　川出・前掲注18)520頁。

4　設問の解決

教員：さて設問のケースは，最高裁が「違法性の承継」論で解決するケースだね。最高裁の枠組みによると，どうなるのかな。

Bさん：いわゆる二段階の判断枠組みですね。まずは，設問の任意同行は，違法であり，違法の程度は高いといえます。そして，本件の任意同行と本件採尿手続（それ自体には固有の瑕疵はない）は，覚醒剤捜査という同一目的に向けられたものであり，違法な任意同行により警察署に同行後直ちに行われているので，違法な先行手続によってもたらされた状態を直接利用していますから，違法な任意同行と採尿手続とは「密接な関連性」がありますので，任意同行の違法の程度を考慮すると，任意同行の違法性が採尿手続に承継されて，本件採尿手続は違法性を帯びることとなります。そうすると，第2段階の判断として，採尿手続に違法収集証拠排除法則を適用し，採尿手続について「違法の重大性」と「排除の相当性」を検討することとなります。そこで，採尿手続の違法の重大性，排除の相当性についてみるに，任意同行は，有形力が行使されてはいるものの，背中を1回押しただけであり，後部座席のXの両側に警察官が乗車したわけではなく，また，Xは同行を拒否したり，帰らせて欲しい旨申し出たこともないというのであって，法規からの逸脱の程度が実質的に大きいとまではいえないこと，警察官に令状主義の諸規定を潜脱する意図があったとは認められないこと，採尿手続には何らの強制も加えられることなく，Xの自由な意思による応諾に基づいて行われていることなどの事情にかんがみると，採尿手続の違法は重大であるとまではいえず，尿の鑑定書をXの罪証に供することが将来における違法捜査の抑制の見地から相当でないとは認められないので，本件鑑定書の証拠能力を認めることができるでしょう。

A君：僕は，本件任意同行は実質的逮捕に当たり，令状主義の諸規定を潜脱する意図の有無にかかわらず，令状主義の精神を没却するような重大な違法であって，採尿手続の違法もまた重大であると評価すべきだと思うんだけどね。そうすると，本件鑑定書の証拠能力は否定すべきじゃないかな。

Question & Answer

Q　毒樹の果実の証拠能力に関して，判例・学説が錯綜していますが，どう整理すればよいのでしょうか。

A　いわゆる毒樹の果実の証拠能力に関しては，

①我が国学説の理解における「毒樹の果実」論のアプローチ

証拠能力のない証拠（毒樹）とその派生証拠（果実）の間の関連性の程度を検討し，派生証拠（果実）の証拠としての許容性を判断する手法（関連性を弱める法理として，希釈法理，不可避的発見の例外などがある）

②川出教授のアプローチ

証拠能力のない証拠（毒樹）を収集した違法な手続（先行手続）と派生証拠（果実）との関連性の程度を問題にする手法

③我が国の最高裁の「毒樹の果実」論のアプローチ

まず，証拠能力のない証拠（毒樹）とその派生証拠（果実）の間の関連性があるときは，当該派生証拠は「毒樹の果実」として証拠能力が否定されないかどうか問題になる。そして，次に，派生証拠（果実）の収集手続（後行手続）と，証拠能力のない証拠（毒樹）との関連性が密接かどうかを検討し（その際，介在事情をも考慮する），これが肯定されるときは，派生証拠（果実）の収集手続（後行手続）に重大な違法があるとして，更に，排除の相当性を検討する手法

いずれにせよ，この問題の核心が，①先行行為の違法性の程度と②毒樹と果実（手続）との因果関係（関連性）にあること[22]に疑いはありません。

＊　我が国の学説は，「毒樹の果実」とは，違法に収集した証拠（毒樹）に基づいて発見された証拠（派生証拠）とするのが一般であるが[23]，米国連邦最高裁の「毒樹の果実」論は，このような類型のみならず，我が国の最高裁の採る違法性の承継論の類型についても，違法な手続自体を「毒樹」として，その「果実」の証拠能力を論じる（毒樹の果実論一元説）ものである[24]（Wong Sun v. United States, 371 U.S. 471（1963），Utah v. Strieff, 136 S.Ct 2056（2016））。

22）　松尾(下)121 頁。

23）　田宮 405 頁，光藤Ⅱ 158 頁，上口 435 頁，リークエ 426 頁［堀江］，ポイントレクチャー 352 頁［加藤］など。

24）　川出・前掲注 18）523 頁，緑 326 頁，斎藤 386 頁。

毒樹の果実の証拠能力に関する３つのアプローチ

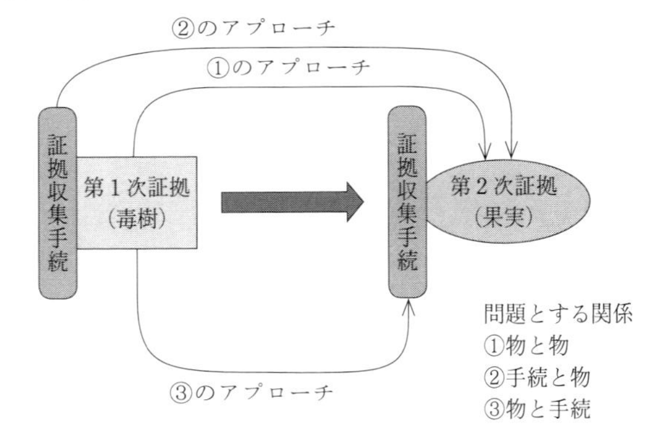

我が国の最高裁が問題となる証拠の直接の収集手続の違法にこだわるのであれば，毒樹の果実の類型においても，「違法な任意同行→採尿」類型において採用していた「違法性の承継」論を毒樹の果実の証拠能力の判断枠組みに用いることも（違法性の承継論一元説），最高裁の判例の連続性を考慮すれば，あり得る選択肢だったのではなかろうか。

〈参考文献〉

①朝山芳史・最判解刑事篇平成 15 年度 21 頁
②佐藤文哉「違法収集証拠排除の新局面」法教 275 号（2003 年）38 頁
③大澤裕・百選〔第 8 版〕140 頁
④川出敏裕「いわゆる『毒樹の果実論』の意義と妥当範囲」『松尾浩也先生古稀祝賀論文集㈦』（有斐閣，1998 年）513 頁
⑤笹倉宏紀・平成 21 年度重判解（ジュリ 1398 号）208 頁
⑥洲見光男「派生証拠」新・争点 184 頁
⑦川出敏裕「派生証拠の証拠能力〔事例から考える刑事証拠法⑱〕」法教 489 号（2021 年）139 頁

31　択一的認定

【設　問】

Xは，連れ子であるV（当時3歳）が内縁関係のあるYからその頭部等に暴行を受けてぐったりしているのを発見し，いったんはVに医師の診療を受けさせるべく，Vを自己の運転する車両の助手席に乗せて病院に向かったものの，途中で，Vの様子が瀕死状態であったことから，治療を受けさせても到底助からないであろうと考えて，車両を止めて，Vを道路脇の草むらに放置して逃げたところ，翌日，Vは，通行人により死体で発見された。

検察官は，Xについて，保護責任者遺棄罪により公訴を提起したが，後に死体遺棄罪について予備的訴因の追加を請求し，許可された。

裁判所は，審理を尽くしたものの，被告人XがVを道路脇に遺棄した時点において，Vが生存していたか，それとも死亡していたか，のいずれであるかについて明らかでないとの心証を得た。

裁判所は，「保護責任者遺棄又は死体遺棄」との択一的な事実を認定したうえ，軽い死体遺棄罪の罰条で処断することができるか。

〔ポイント〕

① 同一構成要件内の択一的認定
② 異なる構成要件間の択一的認定
③ 秘められた択一的認定
④ 故意犯と過失犯の択一的認定

〔判　例〕

▷大阪地判昭和46・9・9判時662号101頁（ケースブック681頁，三井教材635頁）

▷札幌高判昭和61・3・24高刑集39巻1号8頁（ケースブック657頁，三井教材636頁，百選〔第9版〕202頁・〔第10版〕210頁）

▷東京高判平成4・10・14高刑集45巻3号66頁（ケースブック661頁，三井教材640頁）

▷東京高判平成10・6・8判タ987号301頁（三井教材643頁）

▷最決平成13・4・11刑集55巻3号127頁（三井教材639頁，百選〔第9版〕98頁・〔第10版〕102頁）

解　説

1　同一構成要件内の択一的認定

教員：裁判所が審理を尽くしても「甲又は乙」のいずれかであることしか証明されていない場合に，裁判所は，「甲又は乙」との事実を認定してよいかが，いわゆる択一的認定の問題だね。択一的認定に関しては，(1)同一構成要件内の択一的認定，(2)異なる構成要件間の択一的認定に分けて議論され，後者はさらに，(ア)包摂・被包摂（大小）関係にある場合と，(イ)包摂・被包摂（大小）関係にない場合に分けて検討するのが一般だが，まずは，(1)の同一構成要件内の択一的認定について考えてみよう。

Bさん：例えば殺人の罪となるべき事実の認定に際して，動機について，単なる恨みによるものか保険金目的によるものかのいずれかであることは確実であるが，どちらであるか明らかでない場合には，「恨み又は保険金目的」という明示的な択一的認定はできますか。

教員：そうだね，択一的認定の種類について説明しておくべきだったね。択一的認定には，「明示的択一的認定」（本来の択一的認定）と「秘められた択一的認定」（隠れた択一的認定ともいう）の2つがあるんだ。前者は，「甲又は乙」と認定することだが，後者は，裁判官の心証は択一的でありながら，被告人に有利な軽い方の事実を認定・判示することだ[1]。ところで，択一的認定の可否は，刑訴法の何条の問題なのかな。

1）　米田泰邦「択一的事実認定について」法時39巻3号（1967年）85頁。東京高判平成4・10・14高刑集45巻3号66頁も，「軽い罪の限度で事実を認定して，その事実を判示す」ることを「いわゆる『秘められた択一的認定』」という。この場合に，判決裁判所以外の者にとっては，裁判官の心証が択一的であったことを有罪判決から窺い知ることができないので，「秘められた（隠れた）」というわけである。

Bさん：335条1項が有罪の言渡しをするには「罪となるべき事実」を示さなければならないと定めているので，335条1項の解釈だと思いますが。

A君：335条1項は，有罪判決に何を摘示するかの問題であって，むしろその前に，「甲又は乙」のいずれかであることしか証明されていない場合に，333条1項の「被告事件について犯罪の証明があった」といえるかどうかこそが問題じゃないのかな[2)]。択一的認定の問題は，333条1項の解釈問題だと思うよ。

教員：335条1項は有罪判決における「罪となるべき事実」としてどのように摘示するかについての定めだが，論理的順序としては，A君の言うように，まず333条1項，つまり，甲か乙のいずれかであることは間違いないという証明があっただけで，「被告事件について犯罪の証明があった」（333条1項）といえるのかが問題となり，これが肯定できるときに限って，335条1項の「罪となるべき事実」の摘示の仕方が問題になるはずだ[3)]。刑訴法に限ったことではないが，どの条文の解釈が問題となるのか，常に自覚的に考察することが肝要だね。

A君：同一構成要件内であれば，明示的な択一的認定が許されるといわれていますよね。

Bさん：ええ，択一的にしか証明されていなくても，他の事実と相まって，特定の構成要件に該当すべき具体的事実を，それが当該構成要件に該当するかどうか判定するに足りる程度に証明されているときは，「被告事件について犯罪の証明があった」（333条1項）といえるので，より具体的な態様や方法等については，択一的（または概括的）認定が許されるというべきでしょう（最決平成13・4・11刑集55巻3号127頁）。「択一的認定は概括的認定の一場面」といわれるのは，択一的認定は，概括的認定よりもより具体的だからでしょう。

2）　田宮423頁。

3）　大澤裕「刑事訴訟における『択一的認定』（4・完）」法協113巻5号（1996年）751頁は，「判決の『罪となるべき事実』の記載方法は，『AまたはBのいずれか』であることしか証明されていない場合に，そのような事実の証明に基づいて有罪とすることが許される，という前提に立って初めて問題となる」とし，同「刑事訴訟における『択一的認定』(1)」法協109巻6号（1992年）924頁は，「有罪判決において，その理由となった犯罪事実をどのように摘示するかという問題は，択一的認定に基づいた有罪判決が許されるかという問題の，いわば裏面をなすものといってよい」とする。

教員：そのとおりだね。最決昭和58・5・6刑集37巻4号375頁が「有形力を行使して被害者を屋上から7メートル下の路上に落下された」との第1審判決の摘示について，このような摘示も許されるとしているのは，知っていると思うけど，「有形力を行使して」との認定が許されるのであれば，より具体的な有形力行使の態様を「甲又は乙」と認定することはもとより許されてよいだろう。

A君：その場合に，「路上を覗き込んだ被害者の背中を押し，または被害者を抱き上げて，路上に落下させた」との明示的な択一的認定も許されますかね。あまりに犯情が違うので，疑問に思ったのですが。

教員：もっともだね。㋐量刑判断に影響を及ぼすような犯情に差異がある場合においても，同一構成要件内の択一的認定であるので，罪刑法定主義には抵触しないし，軽い事実に基づいて量刑をすれば，利益原則に反することもないとして，明示的な択一的認定が許され，量刑を軽い事実に基づいて行えば足りるとする見解[4]と，㋑量刑判断に影響を及ぼすような犯情に差異がある場合には，択一的にせよ裁判所の確信に達していない犯情の重い事実を認定することは，利益原則に照らして許されず（明示的な択一的認定は許されない），犯情の軽い方の事実を認定すべきである（秘められた択一的認定）とする見解[5]があるが，裁判実務家の間では，後者の見解が有力なようだ。

2　異なる構成要件間の択一的認定

⑴　包摂・被包摂関係（大小関係）にある場合

教員：それでは次に，異なる構成要件にまたがる択一的認定のうち，2つの犯罪が包摂・被包摂の関係（大小の関係）にある場合は，どうかな。

A君：強盗と恐喝，殺人と傷害致死，殺人未遂と傷害，殺人と承諾殺人，

4）　三井誠「概括的認定・択一的認定⑵」法教214号（1998年）102頁など。なお，同「概括的認定・択一的認定⑴」法教213号（1998年）117頁，鈴木茂嗣・平成13年度重判解（ジュリ1224号）196頁は，「類型的・定型的」に犯情に違いがある場合は，軽い事実を認定すべきであるという。

5）　小林充「択一的事実認定」争点〔初版〕239頁，戸倉三郎「いわゆる不特定的認定」新実例刑訴法Ⅲ194頁など。なお，東京地判昭和60・3・13判時1154号3頁（無盡蔵店主殺害事件）参照。

強盗と恐喝，業務上横領と単純横領，既遂と未遂などですね。

教員：この場合には，被包摂の犯罪事実を認定することは許されるといわれるが，罪刑法定主義や利益原則との抵触は問題にならないのだろうか。

Bさん：確かに，例えば強盗か恐喝かどちらかという意味で択一的認定の問題に似ていますが，被包摂犯罪事実の存在については，確信に達しており，包摂する犯罪事実の証明がないに過ぎないのですから，証明されている被包摂犯罪事実の限度で認定することは，罪刑法定主義に反するものでないことはもとより，利益原則の当然の帰結として許されるわけです（予備的認定と呼ばれる。一部認定，縮小認定ともいう）。

教員：両事実が包摂・被包摂関係（大小関係）にあるときは，被包摂事実（小さい事実）を認定することができることにほぼ異論はないだろう[6]。

A君：しかし，中野次雄判事は，「殺意があるかもしれない，既遂であるかもしれないのに，どうして傷害や未遂が疑いなく証明されたといえるのか」として，上記の通説の論理に疑問を呈し，包摂・被包摂関係（大小関係）の場合も，裁判所は，そのような判示こそしないが，実際には，「甲又は乙」と認定しているのであり，利益原則により重い方を認定することができないので，これが存在しないものとして取り扱われ，その結果，軽い方の罪を認定するに至るとされていますよね[7]。中野判事は，通説がこの場合に認める予備的認定（一部認定，縮小認定）の場合も，後記3の「秘められた（隠れた）択一的認定」の問題（ただし論理的択一関係）として，被包摂事実を認定すべきであるとするわけですね。

教員：通説は，中野判事とは違って，殺意があったかも知れないとしても，また，既遂に至っていたかもしれないとしても，傷害罪，未遂罪は成立すると解しているわけだ。中野判事は，傷害罪，未遂罪の成立要件として，殺意が存しないこと，既遂に至っていないことを要求するようであるが，刑法の解釈として誤りというべきだろう（傷害罪は，殺意がなかった場合のみならず，殺意があったかどうか不明の場合にも成立するのであり，未遂罪も同様である）。

6）　松尾(下)127頁，田宮424頁，田口456頁，上口456頁，リークエ481頁［松田岳士］など。

7）　中野次雄・百選〔第5版〕207頁。松本一郎『事例式演習教室刑事訴訟法』（勁草書房，1987年）148頁も，中野判事と同じく，「殺意の不存在が十分に証明されて初めて傷害致死罪が認定されるはずであり，また，既遂に至っていないことが証明されて初めて未遂を認定しうるはずである」という。

(2) 包摂・被包摂関係（大小関係）にない場合

A君：設問は，構成要件を異にする甲訴因事実（本位的訴因）と乙訴因事実（予備的訴因）に包摂・被包摂関係がなく，この場合に，択一的認定が許されるかどうかを問うものですね。

教員：そうだね。異なる構成要件間の択一的認定であって包摂・被包摂の関係にないケースとしては，保護責任者遺棄と死体遺棄，あるいは窃盗と盗品等有償譲受けが典型例とされているよね。いずれかであることは合理的な疑いを容れない程度に証明されているのだが，いずれであるか確信が得られない場合に，裁判所は，どのような裁判をすべきかが問題となるわけだ。

A君：この場合については，①明示的な択一的認定が許されるとの考え方，②明示的な択一的認定はもとよりのこと，被告人に有利な軽い犯罪の認定（秘められた択一的認定）も許されない（すなわち無罪判決を言い渡すべき）とする考え方，③被告人に有利な軽い方の犯罪を認定すべきであるとの考え方の３つがあるようですね。

教員：まずは，①の明示的な択一的認定により有罪とすることは許されるのだろうか。

Bさん：訴因とは異なって，裁判所の認定については，構成要件を異にする事実間における，明示的な「択一的認定」（判決の罪となるべき事実として「甲又は乙」と認定すること）については，刑訴法に規定がなく，許されないことについては，今日では，異論がないようですね[8]。

教員：そうだね。ドイツでは，包摂・被包摂関係にない異なる構成要件間にまたがる明示的択一的認定が許容されるとするのが判例・通説であり[9]，

8） 平野 280 頁，松尾(下)124 頁，田宮 423 頁，光藤Ⅱ 289 頁，田口 458 頁，上口 456 頁，酒巻 486 頁，中野次雄・百選〔第５版〕206 頁，佐藤文哉・百選〔第６版〕185 頁など。リークエ 481 頁［松田］も参照。

9） ドイツの判例・通説は，異なる構成要件にまたがる明示的択一的認定を肯定する。帝国最高裁判所 1934 年５月２日刑事連合部決定は，それまでの判例を変更して，窃盗と贓物罪の明示的な択一的認定を認め，1935 年６月 28 日のドイツ刑法改正により類推解釈の許容規定と並んで追加された第２条 b は，明示的な択一的認定を法により認めたうえ，刑罰は軽い犯罪に基づく旨定めたが，第２次大戦後の 1946 年に廃止された。しかし，その後も，連邦通常裁判所 1956 年 10 月 15 日大刑事部決定，連邦通常裁判所 1957 年 10 月 17 日判決など，累次の連邦通常裁判所の判例は，択一的認定が問題となる犯罪の間に「法倫理的心理的等価性（rechtsethische und psychologische Vergleichbarkeit）」が認められる限りにおいて，明示的な択一的認定を肯定している。

我が国でも，かつては，明示的な択一的認定が許されるとする見解[10]も主張されたことがあるものの，今日では，そのような見解は見当たらないようだ。ところで，このような異なる構成要件にまたがる明示的択一的認定は，なぜ許されないのだろうか。

Bさん：明示的択一的認定が許されない理由として，(a)訴因については256条5項において択一的な記載が許されており，これを「審理の終結まで維持することができる」[11]のだけれども，有罪判決の「罪となるべき事実」については，そのような規定がないこと[12]，また，(b)明示的択一的認定は，甲についても乙についても確信に至っていないのに，これにより有罪とすることは，「疑わしきは被告人の利益に（in dubio pro reo）」の原則[13]（利益原則）に反すること，(c)明示的択一的認定により有罪とすることを許すと，実質的には，裁判所が甲罪と乙罪との合成的構成要件を創り出し，それに基づいて処罰することになるから，罪刑法定主義に反すること，の3点があげられています。

A君：そうだよね。(a)の点は，刑罰を科す根拠となる事実が択一的であっては，いずれの構成要件の法定刑を基準にして宣告刑を量定したらよいのか確定できないからね[14]。(c)については，「『人又は死体』を遺棄する行為」「『他人の財物を窃取し又は盗品を無償（有償）で譲り受ける』行為」という，刑罰法規には存在しない犯罪構成要件によって処罰するのと実質的には同じことになるというわけですね。

Bさん：(c)の罪刑法定主義に反するとの通説的理解に対しては，「甲」についても「乙」についても（設例でいえば，保護責任者遺棄罪も死体遺棄罪も），それが可罰的であることは，行為の時点で法律（刑法）に規定されているのだから罪刑法定主義に反するとはいえないとの古田佑紀検事の批判があります[15]。この批判は，まことにもっともなように思うのですが……。

---

10)　安平政吉『団体主義の刑法理論』（巌松堂書店，1935年）463頁〜464頁，横井大三『刑訴裁判例ノート(4)』（有斐閣，1972年）137頁。

11)　松尾(下)128頁。

12)　松尾(下)128頁，田宮423頁など参照。

13)　In dubio pro reo judicandum est. 略して，プロレオ（pro reo）原則と呼ばれることもある。

14)　明示的択一的認定を肯定するドイツの判例・通説は，被告人に有利な犯罪を基準に量刑する。

15)　古田佑紀・百選〔第8版〕199頁。

教員：確かに，「罪刑法定主義の要請が，被告人の行為を犯罪として処罰するには，行為の時点において，その可罰性が法律上定められていなければならない，とすることに尽きるものであるとすれば」[16]，古田検事のいうように，甲罪も乙罪も刑罰法規に明示されている以上，そのような意味における罪刑法定主義に反することにはならないだろう。しかし，罪刑法定主義は，「被告人の行為を犯罪として処罰するには，行為の時点において，その可罰性が法律上定められていなければならない，とすることに尽きる」わけではなく，「有罪判決が許されるために証明されるべき対象」が，「実体法上の構成要件を基準に個別化されること」[17]（傍点は筆者による）をも要請するものというべきだろう。つまり，刑罰権は，いずれかの構成要件を充足することによって発生するわけではなく，個別特定の構成要件を充足することによってはじめて生じるのだから[18]，「甲」も「乙」もそれ自体としては証明されておらず「甲か乙のいずれか」であることしか証明されていないのに被告人を処罰することは，畢竟，個別特定の構成要件ではなくて甲と乙の「合成的」構成要件によって処罰することとなり，罪刑法定主義の「証明対象の構成要件的個別化」の要請に反して許されないということだ。罪刑法定主義とは，いずれかの構成要件に当たることではなく，個別特定の構成要件に当たることが確かな場合にのみ，その構成要件に定められた刑罰の範囲で刑を科することを要請する原則と理解するわけだ。

Bさん：明示的択一的認定は許されないとしても，被告人に有利な軽い方の乙事実だけを認定することはできないのかしら。

A君：この場合も，「甲事実か乙事実のいずれかであること」が証明されていても，「乙事実」自体の存在は証明されていないのだから，いくら乙事実が軽い方の事実だからといって，「乙事実」を認定することは，明示的択一的認定の場合と同様に，利益原則に反することになるだろう。また，軽い乙事実を認定する場合でも，乙事実ではなく「甲事実か乙事実のいずれかであること」しか証明されていないのだから，実質的にみれば，甲罪または乙

16）　大澤・前掲注 3)「(4・完)」743 頁。

17）　大澤・前掲注 3)「(1)」974 頁。

18）　大澤・前掲注 3)「(4・完)」743 頁は，「実体法上，刑罰権は，法律に規定された個別の構成要件が充足されることによって生じ，それが被告人を処罰する根拠である」という（傍点は筆者による）。

罪の合成的構成要件によって処罰するに等しく，罪刑法定主義に抵触することにもなるのではないかな。

教員：軽い方の事実を認定することは，A君の言うとおり，明示的択一的認定と同様の問題（利益原則と罪刑法定主義）を孕むというべきだろうね。そこで，通説によるときは，裁判所は無罪を言い渡すほかないだろう[19]。

3　秘められた択一的認定

教員：このような通説の見解に対しては，Vは遺棄された当時，生きていたか死んでいたかのどちらかしかあり得ず，保護責任者遺棄罪か死体遺棄罪のどちらかが成立することは明らかなのに，無罪を言い渡すほかないという結論は，国民の法感情に反するとか，一つの判決の中で，一方については生きていたとはいえないとし，他方については死んでいたとはいえないとするのは，事実認定として矛盾しているといった批判があるよね。

Bさん：確かに，通説に対しては，中野次雄判事や佐藤文哉判事など著名な裁判実務家を中心に批判が強いですね。批判の１つ目は，①保護責任者遺棄か死体遺棄のいずれかであることが合理的な疑いを容れない程度に証明されているにもかかわらず，遺棄の当時におけるVの生死が不明であるがゆえに，保護責任者遺棄罪でも死体遺棄罪でも処罰できず無罪を言い渡さざるを得ないというのでは，国民の法感情[20]に反するのではないかということですね。２つ目は，②同一の訴訟において同時になされる裁判所の事実判断は合一的であるべきなのに，保護責任者遺棄罪については「Vは生きていたとはいえない」とし，死体遺棄罪については「Vは死んでいたとはいえない」とする認定は，合一的で矛盾のない事実認定とはいい難いことです。

教員：中野判事や佐藤判事の見解は，保護責任者遺棄と死体遺棄との明示的な択一的認定が許されない点は，通説と異なる点はないのだけれども，利

19)　大阪地判昭和46・9・9判時662号101頁は，本位的訴因・死体遺棄，予備的訴因・保護責任者遺棄の事案において，無罪を言い渡した。

20)　ドイツの判例・通説が明示的択一的認定を認めることは先述のとおりであるが，このようなケースについて，無罪とすることも，また犯罪の一方を擬制的に認定することも，一般の法感情や刑法の任務に照らせば，いずれも望ましくないとの理解を前提とするものである（大澤裕「刑事訴訟における『択一的認定』(2)」法協111巻6号〔1994年〕856頁参照）。

益原則を重い方の罪の事実（Vが生きていた事実）に適用すると，その事実（Vが生きていた事実）の不存在が導かれ，結果として，当該事実と論理的択一関係（Vは論理的に生きていたか死んでいたかのいずれかしかない）にある残った方の罪に当たる事実（Vが死んでいた事実）を認定できるとするものだね[21)]（これもまた，利益原則適用前の裁判官の心証が択一的であったことを有罪判決から窺い知ることができないという意味において，「秘められた択一的認定」と呼ばれる[22)]）。

Bさん：論理的択一関係の場合だけでなく，窃盗と盗品等譲受け，放火と失火のように，論理的には他の可能性もあるので論理的択一関係にない場合（窃盗や放火の存在に疑いのあることが当然に盗品等譲受けや失火の存在を導くわけではない）であっても，裁判官の心証上，二者以外の事実の可能性が否定される場合，すなわち「心証上の択一関係」にある場合でも，この理屈は同じなのでしょうね[23)]。

教員：重い方の罪の事実に利益原則を適用して軽い方の罪の事実を認定するというこの見解の論理は，心証上の択一関係の場合でも同様だろう。

A君：中野判事らの見解は，魅力的ではありますが，軽い方の事実が主位的訴因，重い方の事実[24)]が予備的訴因であっても，検察官の順位付けを顧慮することなく，利益原則をまず重い方の罪の事実（Vが生きていた事実）に適用するのは，いったいなぜなのですかね。利益原則をまず軽い方の罪の事実（Vが死んでいた事実）に適用すると，その事実（Vが死んでいた事実）の不存在が導かれ，その結果，他方の事実（Vが生きていた事実）を認定できるともいえるのではないでしょうか。

教員：その点は，択一的認定否定説（通説）から厳しく批判されているところだね。まず重い罪の方に利益原則を適用するのは，軽い罪について有罪

---

21)　中野次雄・百選〔第5版〕207頁，佐藤文哉・百選〔第6版〕185頁。小林284頁，荒木友雄編『刑事裁判実務大系(5)』（青林書院，1990年）293頁［椎橋隆幸］，大コンメ刑訴法(8) 86頁［中谷雄二郎］も同様である。同旨の裁判例として札幌高判昭和61・3・24高刑集39巻1号8頁がある。

22)　佐藤文哉・百選〔第6版〕185頁。なお，大澤・前掲注3)「(4・完)」752頁も参照。

23)　中野次雄・百選〔第5版〕207頁。なお，佐藤文哉・百選〔第6版〕184頁は，窃盗と贓物罪のような心証上の択一関係の場合については，無罪とする。

24)　窃盗罪と盗品等有償譲受罪（贓物故買罪）とでは，罰金併科の後者が法定刑としては重いのに，この見解は，事実上窃盗罪が重いとして，窃盗罪に利益原則を適用する。

にすべきとの結論を先取りしているからだとの誹りを免れないだろう。

Bさん：この見解は，利益原則の理解にも問題があるのではありませんか。つまり，利益原則って，「生」を証明できないときは「生」が存在しなかったこと（つまり「死」）を認定するまでの機能を有するのでしょうか。

教員：そうだね，その点に関しては，大澤教授が，「『疑わしきは』の原則も，端的に，犯罪の要件を充足する事実が証明不十分である場合に，その犯罪で有罪とすることを許さない働きをすれば足り」，「さらに進んで，証明不十分な事実を『存在しなかった』と積極的に認定することまで命じるものである必要は必ずしもない」[25)]と指摘されるとおり，心証上の択一関係の場合はもとより論理的択一関係の場合であっても，利益原則は，「生」の証明が不十分であるから「生」は存在しなかったこと（＝「死」）を認定すべきということまでも求めるものではないだろう。

4　故意犯と過失犯の択一的認定

Bさん：故意犯と過失犯は，異なる構成要件間の択一的認定ですが，包摂・被包摂の関係（大小関係）にあって，包摂事実の故意を認定できないときは，被包摂事実の過失を認定することができますよね。

A君：両者は包摂・被包摂の関係にあるのかな。

教員：故意犯と過失犯が包摂・被包摂の関係にあるのなら，証拠上，殺人の訴因については無罪とするほかなくても，過失犯が成立するときは，その訴因が訴訟手続に上程されていなくても，予備的認定（一部認定，縮小認定）ができるはずだけど，最決昭和43・11・26刑集22巻12号1352頁は，「〔殺人の訴因を〕重過失致死罪の訴因に変更すれば有罪であることが明らかな場合には，例外的に，訴因変更を促しまたはこれを命ずる義務がある」と説示しているよね。つまり，故意犯と過失犯は包摂・被包摂の関係にはなく，過失犯を認定するためには，訴因変更手続が必要ということだ[26)]。

Bさん：ああそうですね。過失は，予見義務違反，結果回避義務違反だか

25）　大澤・前掲注3)「(4・完)」757頁。

26）　三井誠「概括的認定・択一的認定(3)」法教215号（1998年）99頁は，行為態様が同一の場合に限り，包摂・被包摂関係に準じるという。鈴木・前掲注4)196頁も同旨。

ら，故意の中に包摂されることはできませんね。

A君：そうすると，これが包摂・被包摂の関係になく，予備的認定（一部認定，縮小認定）ができないとしたら，故意か，過失のいずれかではあるが，いずれであるかが証明できていない場合には，異なる構成要件間の択一的認定の問題になるわけですか。

Bさん：そうだよね。そうすると，通説によれば，この場合には，明示的択一的認定は許されないし，利益原則を適用して被告人に有利な過失を認定をすることもできないので，やはり無罪ということですか。

教員：そうだね，事実αが存在した場合は故意，事実βが存在した場合は過失であるけれども，どちらかではあってもどちらの事実も証明されていないのであれば，たとえ過失犯の方が被告人にとって有利であったとしても，過失に係る事実βを認定することは，許されないだろうね[27)]。

A君：そうすると，客観的事実αとβとが異なるケースではなく，先ほどの昭和43年決定の猟銃暴発事件のように，客観的な事実γは，まったく同じで，ただ，主観面において，故意で行ったこと（殺意）が認定できないケースはどうなんだろう。

Bさん：主観的要素としての故意の中に過失が包摂されるわけではないのだから，過失を認定するためには，「故意でないこと」が証明されなければなりません。そうすると，このケースでも，通説によれば，いずれについても証明がなく，故意又は過失との明示的な択一的認定はもちろんのこと，軽い過失犯についても「故意でないこと」の証明がないので，無罪です。

教員：本当にそうかな。過失犯は，「故意でないこと」が成立要件なのだろうか。大澤教授は，過失犯により有罪とするために，故意の不存在が要件となっているわけではないので，故意の存否がいずれとも確定できないとしても，過失を基礎づける注意義務違反を証拠上認定できる場合には，「たとえ故意の疑いが残っていようとも，故意犯の証明がなく，故意犯によって有罪とされることがない限り，過失犯を認定して有罪とすることを妨げ（ない）」とされるが[28)]，どうかな。

27）　大澤・前掲注3)「（4・完）」767頁。田宮424頁も，東京高判昭和46・6・3判タ267号263頁につき，ライターで放火したためかタバコの不始末が原因なのか不明だというように，それぞれ別の（態様の）故意行為と過失行為の択一的認定はもちろんできない，という。

A君：なるほど，この点は刑法の解釈ですが，過失犯が成立するための要件として，故意の不存在が必要なわけではないですね。

教員：ところで，これに関連して留意すべきは，異なる構成要件間の択一的認定においては，(1)大小関係にある場合は，小の訴因は，検察官により明示的に設定されていなくとも，黙示的に予備的訴因が設定されていると解されることから，大の訴因だけで足るのだけれども，(2)大小関係にない場合には，例えば保護責任者遺棄と死体遺棄，故意犯と過失犯のケースでは，訴因に設定されていない事実を認定することはできず，当初より予備的又は択一的に訴因として設定されているか，審理の途中で，明示的に訴因の予備的あるいは択一的な追加を要することだ[29]。

A君：もし，保護責任者遺棄の訴因で死体遺棄を，故意犯の訴因で過失犯を認定できるという見解に立つのであれば，包摂・被包摂の関係にない以上，死体遺棄，過失犯の訴因が訴訟手続に上程されていなければならないということですね。

5　設問の解決

Bさん：設問については，どの見解に立つかによって結論はおのずから明らかですね。通説によれば，裁判所は，無罪を言い渡すほかないわけですね。

A君：それに対して，秘められた択一的認定を肯定する中野元判事，佐藤元判事の見解によれば，被害者は生きていたか死んでいたかのいずれかしかあり得ないので，被害者の生死は「論理的択一関係」にあるところ，重い保

28)　大澤・前掲注3)「(4・完)」767頁。大澤教授は，「学説上，しばしば，故意の不存在が過失犯の要件であるといわれることの意味は，……故意犯が成立する場合には同時に過失犯処罰規定が適用されることはないという，両者の適用上の優劣関係を明らかにすることにあるように思われる。そうであれば，過失犯で有罪とすることにとって，故意の不存在は，積極的証明を要しないというべきであろう」とされる。

29)　小林・前掲注5)241頁は，「〔択一的認定が許されるとしても,〕手続的には，その事実のすべてが被告人の防御にさらられなければならない。通常は，それらの事実が主たる訴因と予備的訴因，または択一的訴因として掲げられることによって（刑訴法256条5項参照），この要請は満たされる」とし，大澤裕「いわゆる単独犯と共同正犯の択一的認定」『田宮裕博士追悼論集(下)』（信山社，2003年）489頁は，「手続的な問題として，択一的に認定される事実は，訴因として審判の対象に含まれ，防御の対象となっていることが必要である」という（三井・前掲注26)99頁も同旨）。

護責任者遺棄罪の「生きていた」事実が確定できなければ，利益原則により「死んでいた」事実を認定することができ，裁判所は，死体遺棄の事実を認定すべきこととなるわけですね。

Question & Answer

Q　過失の態様について，いずれかであることは証明されているものの，そのいずれであるかについて確信に達していない場合に，犯罪の証明があったとして，有罪判決を言い渡すことができますか。

A　この問題については，次の2つの考え方があります。

(a)　過失犯は，裁判官による補充を要する構成要件（いわゆる開かれた構成要件 offene Tatbestand）であるので，過失の内容である注意義務違反が異なるときは，構成要件的に別個の法規範の違反があったものと解されるから，過失犯における択一的認定は，「異なる構成要件間の択一的認定」の問題であるとする考え方

通説によるときは，犯罪の証明があったとはいえず，明示的択一的認定はもとより，軽い方の事実を認定することも，許されないこととなります[30)]。

他方，中野次雄判事らの秘められた択一的認定説によれば，この場合は心証上の択一関係にあり，重い方の過失の態様に利益原則を適用し，軽い方の過失の態様を認定できることとなるでしょう。

(b)　過失犯における過失の態様について択一的にしか証明できなくとも，同じ法条の細目に過ぎないので（刑法211条，自動車の運転により人を死傷させる行為等の処罰に関する法律5条など），異なる構成要件間の択一的認定で問題となるような，合成的構成要件を作り出すことにはならず，したがって罪刑法定主義に反することにもならない。そうすると，「同一構成要件内の択一的認定」の問題であるとする考え方

このように考えるときは，同一構成要件の細目的な認定であり，明示的な

30）　鈴木茂嗣『刑事訴訟法の基本構造』（成文堂，1979年）331頁，光藤II 286頁など。光藤教授は，「過失犯は開かれた構成要件といわれ，具体的注意義務により補充されて完成するものと考えると，注意義務違反の態様は，構成要件にも類する重要性を持っている……そうすると，注意義務違反の態様にずれがある場合の択一的認定は許されないと解するのが妥当」という。

択一的認定が許されることとなるでしょう[31]。ただし，量刑に影響を与えるような犯情の違いがあるときは，利益原則を適用して軽い犯情の過失の態様を認定すべきであるとする見解[32]が有力です。

裁判実務上は，(b)説が有力なように思われます。

＊　筆者は，択一的認定については，333条1項の「被告事件」が訴因を意味するのであるから，「1つの訴因の内部の択一的認定」か「2つの訴因に跨る択一的認定」かを問題にし，同一構成要件内部であっても，訴因が異なる以上，択一的認定は許されないとの少数説に左袒するものであるが，（本書〔第2版〕430頁以下，百選〔第9版〕203頁），通説は，同一構成要件内か異なる構成要件に跨るかという枠組みでこの問題を捉える見解を堅持しているので[33]，本講では，読者の学習の便を考慮して，通説によることとした。

〈参考文献〉

①大澤裕「刑事訴訟における『択一的認定』(4・完)」法協113巻5号（1996年）711頁

②川出敏裕「訴因の機能」刑ジャ6号（2007年）120頁

③中野次雄・百選〔第5版〕206頁

④佐藤文哉・百選〔第6版〕184頁

⑤三井誠「概括的認定・択一的認定(1)～(3)」法教213号115頁，214号101頁，215号97頁（1998年）

⑥辻裕教「択一的認定」新・争点186頁

---

31)　小林・前掲注5)240頁，佐藤文哉・百選〔第6版〕184頁。

32)　戸倉・前掲注5)201頁は，2つの過失の態様の間に犯情の差がなければ，明示的択一的認定を認めるが，犯情に差があれば，択一的認定ではなく，犯情の軽い方の過失を認めるべきであるとする（秋田地判昭和37・4・24判タ131号166頁）。

33)　池田修・最判解刑事篇平成13年度65頁，リークエ480頁［松田］，上口544頁，ポイントレクチャー416頁［加藤克佳］など。

32 一事不再理効

【設　問】

被告人Xは，1件の窃盗罪（現金500円を窃取）により懲役1年，3年間執行猶予の判決を受け，同判決はそのころ確定したが，その後になって，前訴の窃盗罪の犯行前に10件，犯行後起訴前に20件（現金合計2000万円を窃取），第1審判決後に2件の各窃盗罪をそれぞれ犯していたことが判明したため，検察官は，所要の捜査を遂げて，被告人Xにつき常習特殊窃盗罪により公訴を提起した。

弁護人は，前訴の1件の窃盗と，本件常習特殊窃盗とは実体的に一罪を構成し，その一部である前訴の窃盗について既に確定判決を経ているから，前訴の確定裁判の一事不再理効が後訴である本件に及び，本件については免訴判決を言い渡すべきであると主張した。

裁判所は，いかなる措置を採るべきか。

〔ポイント〕

① 裁判の効力
② 一事不再理の効力
③ 一事不再理効の及ぶ範囲
④ 公訴事実の単一性の判断方法

〔判　例〕

▷最判昭和43・3・29刑集22巻3号153頁
▷最判平成15・6・2集刑284号353頁
▷最判平成15・10・7刑集57巻9号1002頁（八王寺常習窃盗事件。ケースブック677頁，三井教材622頁，百選〔第9版〕208頁・〔第10版〕222頁）
▷東京地判昭和49・4・2判時739号131頁（ケースブック675頁，三井教材621頁）

解　説

1　裁判の効力

A君：一事不再理効は，苦手な分野です。

Bさん：私もそうです。形式的確定力，実体的（実質的）確定力，拘束力，内容的確定力，一事不再理効，既判力とか，いろんな用語があって，しかも同じ用語でも教科書によって意味が違うのだから，混乱するばかりです[1)]。

教員：学生諸君の悩みは，よく分かるよ。田宮教授のいわれるように，裁判の効力については，「あたかも戦国時代さながらに多彩に展開されている」[2)]のだから，初学者が混乱してしまうのも無理はないよ。

Bさん：どのように整理したらよいのですか。

教員：そうだね。いろんな考え方があるし，それぞれ理由があるのだけれど，学生諸君にとっての分かりやすさを重視するなら，さしあたり，確定裁判の効力を，(1)当該裁判における効力と，(2)別訴に対する効力とに分けて考え[3)]，(1)当該裁判における効力として，①形式的確定力（当該手続内部で取消し・変更ができない効力），②執行力（確定判決の言い渡した刑罰を執行する効力），(2)別訴に対する効力として，①拘束力（内容的確定力ともいう。確定裁判の判断内容が後訴の判断内容を拘束する効力），②一事不再理効（同一事件による再訴を禁ずる効力）と整理しておけばよいのではないかな。

A君：拘束力と一事不再理効は，同じく別訴に対する効力ですが，どこが違うのですか。

教員：拘束力は，確定裁判（実体裁判，形式裁判とも）の内容と異なる判断をなし得ないという効力だけど，一事不再理効は，異なる判断ができないどころか，そもそも再度の公訴の提起，審理ができないという効力だから，両者は，明らかに異なる効力ではあるのだけれど，一事不再理効さえあれば再訴が許されないわけだから，一事不再理効の発生する裁判（有罪・無罪の実体裁判，免訴の判決）については「実際上，拘束力を論ずる意味はない」[4)]こ

1）　堀江慎司「一事不再理の効力」法教364号（2011年）41頁。

2）　田宮437頁。

3）　斉藤金作『刑事訴訟法(上)』（有斐閣，1961年）324頁参照。

とになるだろう。そうすると，拘束力が意味をもつのは，形式裁判（管轄違いの判決，公訴棄却の判決・決定）に限られるだろう。

Bさん：最高裁の判例が用いる「いわゆる内容的確定力」（最決昭和56・7・14刑集35巻5号497頁）というのは，「裁判の形式的確定によって発生する，その判断内容の後訴を審理する裁判所に対する拘束力のこと」であり[5)]，学説のいう「拘束力」と同じ意味なのですね。

教員：そのとおりだね。最決平成12・9・27刑集54巻7号710頁も，判文上は，「内容的確定力」の文言を用いていないものの，調査官解説によれば，確定裁判の内容的確定力に基づく判断とされ，ここでも，調査官は，「内容的確定力」と「拘束力」とを同じ意味だとしているんだ[6)]。ただ，学説の中には，拘束力を，判例のように「内容的確定力」と同義とするのではなく，拘束力は「内容的確定力」の対外的効力であると整理する見解も有力であることに留意が必要だろう[7)]。

A君：ところで，「既判力」は，どこに位置付けたらよいのでしょうか。

教員：「既判力」とは，「既に裁判された事項に関する効力」[8)]なので，確定した裁判の内容のもつ効力，つまり「内容的確定力」と同じ意味というべきだろう[9)]。かつては，「既判力」を「一事不再理効」と同義に用いるのが通説であったけれども[10)]，一事不再理の効力は，二重の危険の禁止の効果であって，確定裁判の効果ではないとするのが近時の通説なのだから，一事不再理の効力を「既判力」（確定裁判の効力との意味をもつ）と呼ぶのは適切でないだろう[11)]。そして，「既判力」の語は，かつての通説によって「手

4） リークエ487頁［松田岳士］。

5） 木谷明・最判解刑事篇昭和56年度195頁。

6） 福崎伸一郎・最判解刑事篇平成12年度210頁。

7） 平野281頁など。酒巻622頁も，「拘束力」を「裁判の『内容的確定力』の対外的効果」と捉える。上口462頁も同様である。

8） 刑事法辞典115頁［白取祐司］。

9） 田宮438頁，刑事法辞典115頁［白取］。

10） 団藤312頁，平野282頁，平場219頁など。田宮裕「既判力論の新展開」同『日本の刑事訴追』（有斐閣，1998年）340頁は，一事不再理効を既判力と呼ぶのが長い間のならわしになっているという。最近の文献でも，裁判所職員総合研修所監修『刑事訴訟法講義案〔4訂補訂版〕』（司法協会，2015年）481頁，池田＝前田525頁は，一事不再理の効力を既判力と呼んでいる。

11） 田宮・前掲注10)340頁，松尾浩也＝田宮裕『刑事訴訟法の基礎知識〔質問と解答〕』（有斐閣，1966年）182頁［田宮］。

垢」がついた用語だから，混乱の元となるおそれがあり，用いない方がよいだろうね[12]。

Bさん：そうすると，確定判決の別訴に対する効力としては，拘束力（判例のいう内容的確定力）と一事不再理の効力の２つと整理しておけばよさそうですね。

教員：そのとおりだね。

2　一事不再理の効力

(1)　その根拠

Bさん：一事不再理の効力（一事不再理効）は，「判決の確定に伴い生じる，同一事件に対する再度の公訴提起を許さない効果」のことで，有罪および無罪の判決ならびに免訴の判決について生じ，管轄違いの判決，公訴棄却の判決・決定には生じないとされ[13]，田宮教授のいうように，「内容的確定力」（確定裁判の判断内容の効力）から切り離して，確定裁判の判断内容の効力とは別個の根拠である「二重の危険の禁止」（憲 39 条）にその根拠を求めるのが今日の通説ですよね[14]。

教員：そうだね。旧刑訴法の時代には，訴訟物は公訴犯罪事実（起訴状記載の犯罪事実の背後にある歴史的・社会的事実）であって，起訴状記載の犯罪事実だけではなくてその背後にある歴史的・社会的事実の全体について訴訟係属が生じると解されていたので，確定裁判の内容的確定力（拘束力）は訴

12）　酒巻 622 頁，リークエ 484 頁以下［松田］等は，「既判力」の語を用いていない。平野・概説 200 頁は，「既判力という言葉は，……実体的確定力と同じ意味に使われることもあり，いくらか紛らわしい」とする。

13）　酒巻 627 頁。二重の危険の禁止の観点からは，管轄違いの判決，公訴棄却の判決・決定については，処罰の危険にさらされておらず，また，刑訴法に再度の訴追を許容することを前提とする規定がある（13 条，15 条 2 号，254 条 1 項，340 条）。免訴判決については，これらと異なり，一事不再理効が生ずるとするのが通説であるが，337 条の事由があるときに，処罰の危険は発生しておらず，二重の危険説によって，免訴判決に一事不再理効が生じることを説明することはできないように思われる（田宮 450 頁，451 頁）。もっとも，免訴判決につき再訴を前提とする規定は存在せず，かえって，有罪・無罪の判決と同様に取り扱われており（254 条 1 項，435 条 6 号），法は，再訴を禁ずる趣旨であることは明らかであり，一事不再理効とは別個の再訴禁止効（拘束力の反射的効果としての）を考えるべきではなかろうか。

14）　田宮 453 頁，川出敏裕「裁判の確定と一事不再理の効力」法教 245 号（2001 年）45 頁など。

訟物全体（公訴事実の同一性の範囲内にあるすべての事実）に及ぶこととなり，そうすると，旧刑訴法下では，確定裁判の「内容的確定力（拘束力）」によって，後の裁判では，同一の訴訟物（公訴事実の同一性の範囲内にあるすべての事実）について確定判決と異なる判断ができないこととなっていたわけだ。内容的確定力（拘束力）は異なる判断を阻止するだけで，再訴の禁止効までは生じないが，再訴を禁止しなくとも，異なる判断が阻止されるのなら，検事はわざわざ再訴をするはずもないから（再訴はできるが無意味であるので，再訴することはない），実務的には，これで十分だったのだが，ローマ法以来諸国の立法において採用されていた，再度の起訴を禁止する一事不再理の効力（ne bis in idem[15)]）との関係を説明する必要に迫られた学説は，旧刑訴法下では，「一事不再理の効力は，実体判決の確定した意思表示内容が後訴の判断を拘束することのいわば反射として，生じる」[16)]とか，「確定実体判決の内容的確定力（拘束力）が再度の起訴を禁止する機能として発現するのが，一事不再理の効力である」[17)]と説明したというわけだ。

A君：旧刑訴法下では，一事不再理の効力は，拘束力（内容的確定力）のいわば反射的効力として，拘束力（内容的確定力）と同じく，旧刑訴法下の審判の対象（訴訟物）である公訴事実の同一性の範囲内のすべての事実に及んでいたわけですね。

教員：そのとおりだね。ところが，新刑訴法では，審判の対象（訴訟物）は旧法時代の「公訴事実」ではなく「訴因」とされたことから（訴因対象説），裁判所は訴因の範囲内でしか審判できないこととなり，そうすると，確定裁判の拘束力（内容的確定力）は，裁判所の審判対象たる訴因にしか生じないし，一事不再理の効力を，拘束力の反射的効力として，あるいは拘束力が再度の起訴を禁止する機能として発現すると説明したのでは，一事不再理の効力は，訴因の範囲でしか生じないこととなってしまうわけだ。

A君：現行刑訴法のもとにおいても，一事不再理の効力は，審判の対象である訴因に限られることなく，公訴事実の同一性（狭義の公訴事実の同一性と

15）ラテン語の ne は禁止命令（〜してはならない），bis は「二度」という意味の副詞，in idem は「同一のことについて」の意味である。

16）光藤Ⅱ 295 頁。田宮 445 頁も同旨。

17）酒巻 628 頁。

公訴事実の単一性）の範囲内にある事実全体に及ぶことについては，異論がないようですが[18]，このことを審判の対象である訴因にしか生じない拘束力（内容的確定力）の反射的効果によっては説明できないということですか。

教員：そうなんだよ。そうすると，一事不再理効の根拠については，旧刑訴法時代の拘束力（内容的確定力）の反射的効力に代わる新たな理由付けが求められたわけだ。

Bさん：それが，「二重の危険の禁止」（憲 39 条）なのですね（いわゆる二重の危険説。最大判昭和 25・9・27 刑集 4 巻 9 号 1805 頁）。二重の危険の禁止というのは，「同一の犯罪事実について有罪とされる危険，つまり，実体審理を受ける危険に重ねてさらされることはないとする原則」[19]ですよね。

A君：二重の危険説を採るのはよいとしても，「有罪とされる危険（実体審理を受ける危険）」が公訴事実の同一性の範囲内の事実全体に及ぶのはなぜなんだろう。この説によっても，訴訟物が訴因に限定される以上，有罪とされる危険は，訴因にしか生じないはずですよね。そうだとすると，二重の危険説だって，一事不再理の効力は，拘束力（内容的確定力）の反射的効力説と同じく，訴因についてしか及ばないということになるんじゃないかな。

教員：二重の危険説は，公訴事実の同一性の範囲の事実全体について，「検察官は，訴因を変更して，審判を受けることが可能であったのであり，かつ，その義務があるものと解すべきものである」（同時訴追義務説）[20]，あるいは，「訴因の変更の可能性を含みつつ手続きが追行されたことにかんがみ，その全範囲で被告人は手続きの危険にさらされたといえる」（手続危険説）[21]のであるから，危険は，訴因だけでなく，公訴事実を同一にする範囲の事実全体について生じると説明するわけだね。

A君：でも，なんか変ですよ。現実に訴因変更をしたのなら，旧訴因についても新訴因についても「危険」を認めてよいと思いますが，単に訴因変更の可能性があったというだけで，実際には審判の対象になっていないのに，「危険」にさらされたっていうのは，なんとも現実感のない「危険」（潜在的

18）　川出・前掲注 14)45 頁。
19）　川出・前掲注 14)45 頁。
20）　平野 282 頁。
21）　田宮 453 頁。

な危険）ですよね。

教員：そうだね。だから，田宮教授も，危険は，「間接的・抽象的危険ともいうべきもの」[22]とされているわけだ。

A君：「被告人の法的地位の安定を図る」べく[23]，一事不再理効は旧刑訴法下と同じく公訴事実の同一性の範囲に及ぶという結論（既得権）が初めにあって，訴因変更の可能性という理屈はあとから取ってつけたようで，僕には，どうもしっくり来ませんね。

(2)　一事不再理効の発生時期

教員：うん，まあ，そういう面があることは否めないね。ところで，一事不再理の効力は，いつ発生するのかな。

Bさん：一事不再理効の「時間的範囲（時間的限界）」の問題ですね。通説的な見解は，第1審判決言渡し時説であったと思いますが……。

教員：えええっ，それは，ちょっと違うよ。似たような言葉が使われるので，間違えやすいけれども，ここで問題としている一事不再理の効力の「発生時期」は，一事不再理の効力が，裁判手続の流れの中で，どの時点で発生するか（公訴提起時か，第1審判決言渡し時か，あるいは，裁判確定時かなど）という問題だよ。これに対して，Bさんのいう「時間的範囲（時間的限界）」は，一事不再理の効力がある時点（例えば裁判確定時）で発生したことを前提にして，その効力がどの時点の行為にまで及ぶか（どの時点までの行為が一事不再理効の対象となるか）という，全く別個の議論なんだね。

Bさん：あっ，そうですね，勘違いしました。一事不再理の効力の「発生時期」については，刑訴法337条1号が，前訴の「確定判決を経たとき」は，後訴では「免訴の言渡し」をする旨定めていますので，前訴の一事不再理の効力の「発生時期」は，前訴の判決確定の時ということで，何の問題もないと思うのですが……。

A君：いや，一概にそうともいえないよ。旧刑訴法下の学説のように一事不再理の効力を内容的確定力（拘束力）の反射効と捉えれば，その裁判の確定時というのは論理必然だけれど，二重の危険説によると，一事不再理効は

22）　田宮454頁。
23）　小島淳「一事不再理効」法教460号（2019年）40頁。

裁判の内容とは無関係（すなわち手続の効果）なのだから，必ずしも裁判確定時に一事不再理効が発生すると解しなくてもいいんじゃないかな。つまり，手続の危険が生じれば，裁判の確定を待たずに，「危険」にさらされたといえるんじゃないかな。

教員：そうだね。米国では，手続の危険は，陪審事件では，「陪審が構成されて宣誓したとき」，非陪審事件では，「最初の証人が宣誓したとき」に発生し，それが手続の進行とともに蓄積し，有罪・無罪の判決言渡しの時点で再訴禁止の効力が生ずるとされているようだ[24]。田宮教授が，「一事不再理効が二重の危険の問題だとすると，……発生時期（段階）が裁判の確定時に結びつく必然性はなくなる。つまり，確定以前の手続段階へ遡上する可能性がでてくる」[25]とされるのは，そういう意味においてだろう。

Bさん：でも，我が国の刑訴法には，前訴の確定判決があるときに後訴の処理を定める337条1号の明文規定が厳然として存在するのですから，一事不再理効の発生時期は，「前訴の判決確定時」と理解するほかないのではないかしら。

A君：刑訴法の解釈としてはそのとおりだよね（337条1号の規定は旧刑訴法363条1号の文言をそのまま引き写したものである）。でも，刑訴法より前に，憲法39条の解釈として「危険」はいつ発生するかが問題ではないかな。「はじめに憲法解釈ありき」だろう。

教員：二重の危険説を前提にすると，「危険」は，どんなに遅くとも，手続の最終段階である有罪・無罪の判決の確定時には発生することは間違いないが，英国では，訴訟の終結によって危険が発生するとされており[26]（英米法に「確定」という概念は存在しない[27]），我が国の憲法39条は，この英国法に倣ったものであって，前段後半の「既に無罪とされた行為」の文言は，英国法の「前の無罪」の抗弁を，後段は，同じく英国法の「前の有罪」の抗弁

24）　Serfass v. United States, 420 U.S. 377（1975）, Crist v. Bretz, 437 U.S. 28（1978）, North Carolina v. Pearce, 395 U.S. 711（1969）. 小島淳「アメリカ合衆国における二重の危険の政策的基礎――連邦最高裁判決を中心に」刑雑50巻2号（2011年）205頁，田宮・一事不再理182頁，186頁，川出・前掲注14）46頁。

25）　田宮452頁。

26）　田宮446頁。

27）　田宮・一事不再理71頁，72頁。

（後段の「重ねて刑事上の責任」を「重ねて刑罰を受けること」と解することになる）を継受したものであり，そうだとすれば，裁判確定の概念を有する我が国では，憲法39条の解釈としても，裁判確定時を危険発生時としたものと解してよいのではないだろうか[28)]。

Bさん：米国のように，再訴禁止の効力の発生時期が判決確定時より前にあると解するときは，351条1項が無罪判決に対する検察官の上訴を許すものだとすると，351条1項は憲法39条違反ということになりますよね[29)]。

教員：確かにそうだね。この点については，前掲最大判昭和25・9・27が，憲法39条の根拠を二重の危険の禁止と捉えた上，「危険とは，同一の事件においては，訴訟手続の開始から終末に至るまでの一つの継続的状態と見るを相当とする。されば，一審の手続も控訴審の手続もまた，上告審のそれも同じ事件においては，継続せる一つの危険の各部分たるにすぎない」（傍点は筆者による）として，憲法39条の解釈として，いわゆる「継続的危険」説に立ち，一事不再理効の発生時期を判決確定時と解することを明らかにしているよね。

A君：学説でも合憲説が通説のようですね[30)]。「継続せる一つの危険」って，直訳ぽいけど，英米法に元となった判例でもあるのでしょうか。

教員：米国では，検察官による不利益上訴は，修正5条の二重の危険条項に触れるとして，これを許容していないことは知っているよね。米国連邦最高裁は，Kepner v. United States, 195 U.S. 100（1904）において，法廷意見は，無罪判決に対して検察官上訴を認める制定法は修正5条の二重の危険条項に反するとしたんだ。ところが，この判決の中で，ホームズ判事（Oliver Wendell Holmes）が反対意見を表明しており，同判事は，“The jeopardy is one continuing jeopardy from its beginning to the end of the cause”（修正5条の二重の危険条項にいうジェパディとは，訴訟の開始から終局に至るまで継続せる一つのジェパディである）としているんだ。我が最高裁のいう「継続せる

28） 田宮裕『刑事訴訟法入門〔3訂版〕』（有信堂高文社，1982年）270頁，田宮・一事不再理89頁参照。

29） 渥美526頁，田口477頁など。

30） 平野299頁，注解刑訴法(下)30頁［中武靖夫］，注釈刑訴法(6)〔新版〕11頁［藤永幸治］など。これに対しては，違憲とする見解（田宮・一事不再理384頁など），違憲の疑いがあるとする見解（鈴木249頁など）が主張されている。

一つの危険」論がこのホームズ判事の見解に由来することは，どうも間違いなさそうだね。

Bさん：結局，一事不再理効の発生時期については，刑訴法の立法者は憲法 39 条から歩を進めて米国型にすることもできたでしょうが，337 条 1 号は，その時期を実体裁判の形式的確定の時点に求めたということですね[31]。

3　一事不再理効の及ぶ範囲

(1)　客観的範囲

教員：一事不再理の効力の「発生時期」の問題はこの程度にして，一事不再理の効力の及ぶ客観的範囲，主観的範囲，時間的範囲について，考えてみよう。まずは，客観的範囲からだね。

Bさん：一事不再理の効力の及ぶ「客観的範囲」については，すでに議論したように，確定判決に係る訴因との間で「公訴事実の同一性」が認められるすべての事実に及ぶとするのが通説です。二重の危険説によれば，「検察官が同一手続において，したいとおもえばいつでも全事実を訴追することが許されるという意味で，被告人としては常に訴追の危険，したがって有罪判決を受ける危険にさらされている」[32]，「訴因の変更の可能性を含みつつ手続きが追行されたことにかんがみ，その全範囲で被告人は手続きの危険にさらされたといえる」[33]から，「公訴事実の同一性」が認められる範囲の事実に一事不再理効が及ぶのですね。

A君：じゃあ，「公訴事実の同一性」の範囲内の事実であっても，訴因変更が不可能なケース，具体的にいえば，㋐科刑上一罪の一部が親告罪で告訴のないまま非親告罪部分について確定判決があったが，その後に告訴がなされた場合，㋑判決確定後に犯罪事実が変化した場合（例えば，傷害罪の判決が確定した後になって，被害者が死亡した場合）には，検察官は，前訴では，親告罪（㋐）あるいは傷害致死罪（㋑）に，いずれも訴因を変更できなかったのですから，被告人は「手続の危険」にさらされてはいないよね（一事不

31)　平野 282 頁，光藤Ⅱ 294 頁，上口 470 頁など通説。なお，白取 487 頁，田口 477 頁も参照。
32)　田宮・一事不再理 125 頁。
33)　田宮 453 頁。

再理効の及ぶ客観的範囲の縮小の問題)。

Bさん:㋐のケースは,検察官からみれば訴因変更できなくても,「被告人から見れば,告訴がなされたうえで訴追される危険はやはり存在したわけであり,その意味で,結果的に告訴が得られなかったことは訴追側の内部事情に過ぎないともいえる」[34]ので,一事不再理効を及ぼすことができるわ。

A君:ただでさえ,訴因変更の可能性が潜在的なのに,さらに告訴の可能性まで潜在的なものであり,ずいぶんと微かな「危険」だね。でも,㋑のケースは,そうはいえないよ。「検察官において他の罪〔筆者注:公訴事実の同一性がある事実〕をも探知して同一手続で訴追することが著しく困難であった」(傍点は筆者による)場合について(前訴〔酒気帯び運転〕においては,交通切符・略式手続で処理され,氏名を詐称したため,無免許運転〔後訴〕の発覚を免れたケース),一事不再理効は,「他の罪については及ばないと解するのが相当である」とした裁判例(東京地判昭和49・4・2判時739号131頁)があるのだけれど,「著しく困難」なケースでさえも一事不再理効が及ばないとすれば,ましてや㋑のケースは,同一手続での訴追が「およそ不可能」だったのだから,一事不再理効を及ぼすことはできないでしょう。

教員:東京地裁昭和49年判決については,これに賛同する見解もあるけれども[35],学説は,総じて,この判決に批判的だ。通説は,「事実上の困難ということをいいだすと,被告人側,捜査機関側双方の事情を含めた個別の事例ごとの判断になり,その限界が極めて不明確にならざるをえない」[36]ので,「事実上の困難」という理由で一事不再理の効力の客観的範囲を限定・縮小することは相当でないとするんだ[37]。

A君:この東京地裁判決は相当でないとしても,㋑のケースは,「事実上の困難」ではなく,訴追が「およそ不可能」な場合ですから,二重の危険説によるなら一事不再理効を及ぼすことはできないと思いますが。

Bさん:「およそ不可能」なら,二重の危険説では,一事不再理効は及ばないとするのが,確かに論理的よね。㋑のケースについて,平野教授も,

---

34) 川出・前掲注14)47頁,平野283頁。

35) 椎橋隆幸編『基本問題刑事訴訟法』(酒井書店,2000年)324頁〔中野目善則〕。

36) 川出・前掲注14)47頁。

37) 田宮455頁,田口478頁,酒巻630頁など通説。

「この部分についての追加訴訟（死亡の部分だけの訴訟）を認めても，憲法には違反しないであろう」とされているわ。でも，追加訴訟を認めることが憲法に違反しないとしても，現行法上は追加訴訟という法制度は存在しないので，「死亡を認定するためには，傷害全体の審理をやりなおさなければならない」わよね。しかし，傷害全体の審理は一事不再理効によって許されないから，「それが許されない以上，既判力〔筆者注：一事不再理効〕は，死亡の部分にも及ぶことにならざるをえない」[38]わけですね。

教員：米国では，㋐㋑のケースについては，一事不再理効が及ばないという考え方が有力なようだけど[39]，我が国では，一事不再理の効力が及ぶとするのが通説のようだね。

Bさん：これとは逆に，一事不再理効が「公訴事実の同一性」の範囲外の事実にまで及ぶかどうかも議論されていますよね（一事不再理効の及ぶ客観的範囲の拡張の問題）。たとえば，併合罪関係にある殺人とそれに用いた銃砲刀剣類の不法所持，過失運転致死傷と道路交通法違反（無免許運転や酒酔い運転）などは，同時訴追が可能なはずだから，公訴事実の単一性がなくとも，一事不再理効を及ぼそうとする見解も有力です[40]。

教員：これについても，先ほどの一事不再理効の及ぶ客観的範囲の縮小に対する批判と同じく，「同時訴追の可能性」という事実概念を持ち込むことは，個別の事案ごとにどこまでが同時訴追が可能であったかを検討することになり，一事不再理効の及ぶ範囲を著しく不明確にし，その判断を不安定にするので，一事不再理効の客観的範囲の縮小と同様に，その拡張もまた，妥当ではないだろう[41]。

⑵　時間的範囲（時間的限界）

教員：次に，一事不再理効の時間的範囲（時間的限界）の問題に移ろう。

Bさん：これは，さきほど，私が一事不再理効の「発生時期」の問題と混同したものですね。裁判の確定により発生した一事不再理効が及ぶのは，ど

38）　平野 283 頁。
39）　田宮 454 頁。
40）　田宮 455 頁，田口 479 頁。
41）　川出・前掲注 14）47 頁。

の時点の犯罪事実までかということですね。

A君：そうだね。一事不再理効の及ぶ時間的範囲については，①前訴の起訴時までとする見解[42]，②前訴の弁論終結時までとする見解[43]，③前訴の第1審判決言渡し時までとする見解[44]，④原則として第1審判決言渡し時までであるが，控訴審が破棄自判したときはその時点までとする見解[45]，⑤前訴の判決確定時までとする見解など，さながら百花繚乱の趣ですね。最高裁の判例はまだありませんが，高裁の裁判例は，③の見解に立つものとして大阪高判昭和61・9・5判タ623号223頁などがあり，④の見解に立つものとして東京高判昭和46・11・29判時659号96頁などがあるようです。

Bさん：②の見解に対しては，弁論を終結しても，検察官は，弁論の再開を請求し再開されれば訴因の追加・変更をすることは可能ですし，①の見解も起訴後に訴因変更できるのはいうまでもありませんから，弁論終結時あるいは起訴時を時間的限界とするのは相当ではありません。③の見解と④の見解は，いずれも，事実審理が法律上可能な最後の時点に求めるものですね。確かに，訴因変更が可能なのは，原則として第1審判決時までですが，例外的には，控訴審において第1審判決が破棄されることが予想される場合に裁判所は訴因の追加・変更を許可することができるし，控訴審で第1審判決が破棄が相当とされた場合には，追加・変更された訴因について審理判決（自判）することができる[46]のですから，例外的に破棄自判時とする見解（④の見解）が妥当だと思います。

教員：果たしてそうだろうか。確かに，控訴審で第1審判決の破棄が予定されているときは訴因の追加・変更が可能であり，破棄が相当とされたときは，控訴裁判所は，追加・変更された訴因について審理判決ができるとされているけれども，それは，第1審判決言渡し前に行われた犯罪についてであ

42）中野目善則「常習罪と後訴遮断の範囲」新報92巻10・11・12号（1986年）56頁。

43）平場224頁。

44）松尾㈦151頁，226頁，注解刑訴法㈥874頁［中武靖夫］など。坂本武士『刑事訴訟法』（酒井書店，1992年）196頁は，「判決の既判力が判決後〔筆者注：第1審判決後〕の事実にも及ぶことになれば，後はやり放題ということになっていかにも不合理である」，「〔判決言渡し日後の犯罪については〕別個の犯罪として取扱うべきもの」という。

45）田宮456頁，川合昌幸「裁判の効力――裁判の立場から」新刑事手続Ⅱ510頁など。なお，リークエ497頁［松田］も参照されたい。

46）最判昭和42・5・25刑集21巻4号705頁。

って，第1審判決言渡し後に犯した犯罪については，別途考えなければならないのではないだろうか。思うに，「第一審判決後に犯した犯行すなわち第一審判決後に新たに生じた事実を訴因の追加・変更により審判の対象とすること」は，控訴審の事後審的性格と相容れず，また被告人の審級の利益を奪うことともなり，「許されない」[47]と解すべきではないだろうか。そうだとすると，私は，③の見解が妥当だと思うのだが，どうだろうか。

(3)　主観的範囲

教員：一事不再理効は，確定判決を受けた被告人についてのみ生じ，共犯者には及ばないことに異論はない。

A君：ひとたびある共犯者の判決（有罪にせよ無罪にせよ）が確定したら，残りの共犯者は起訴されないというのは，残りの共犯者は有罪判決の危険にさらされたわけではないのだから，どう考えてもおかしいですからね。

4　公訴事実の単一性の判断方法

教員：話を一事不再理効の及ぶ客観的範囲の問題（上記**3**(1)）に戻そう。一事不再理効の及ぶ客観的範囲は確定判決を経た訴因との間に「公訴事実の同一性」の認められる範囲の事実だけど（定説），「公訴事実の同一性」をどうやって判断するのかな（判断手法の問題）。たとえば，(1)確定判決を経由した事件（以下「前訴」という）の訴因，確定判決後に起訴された確定判決前の行為に関する事件（以下「後訴」という）の訴因とも，単純窃盗罪である場合，あるいは(2)前訴・後訴の一方が常習窃盗罪，他方が単純窃盗罪である場合において，後訴裁判所が，いずれの窃盗も（(1)）または他方の窃盗（(2)）も常習窃盗に該当するものとみるべきものであって両者は常習窃盗として包括一罪を構成すると認めた場合に（公訴事実の単一性），前訴の確定判決による一事不再理効は，後訴に及ぶだろうか。

A君：最判平成15・10・7刑集57巻9号1002頁の説示を参考にすると，両訴因間の公訴事実の単一性（実体上一罪か併合罪か）を判断するにあたっ

47)　大阪地判昭和61・7・3判時1214号141頁。

ては，①両訴因に記載された事実のみを基礎とする方法と，②双方あるいは一方の訴因の記載内容となっていない犯罪の常習性の発露という要素について証拠により心証形成して，その結果を基礎とする方法とがあるわけですね。

教員：そうだね。かつては，②の方法によるのが当然のことと考えられており[48]，それを前提に，②の方法によると一事不再理効の及ぶ範囲が広くなりすぎるとして，確定判決の拘束力（前訴の単純窃盗を常習窃盗と認定することは確定判決の拘束力により許されない）あるいは訴因の拘束力（後訴の単純窃盗の訴因を常習窃盗と認定することは許されない）によって一事不再理効の及ぶ範囲を制限すべきであるとする見解や，捜査の困難などの理由により同時審判の請求が不可能であったときは，一事不再理効は及ばないとする見解も，検察実務家を中心に有力に主張されていたんだ[49]。

Bさん：高松高判昭和59・1・24判時1136号158頁が，(1)のケースについて，前訴の確定判決の一事不再理効を肯定して，後訴を免訴としたことに対して，検察実務家から強く批判されたようですね[50]。

教員：前訴の単純窃盗（確定判決）は，わずか1件の窃盗（1360万円相当の陶芸品）だったが，後訴の単純窃盗は，前訴の第1審判決前に犯された34件の窃盗（腕時計，陶芸品など）で被害総額は時価4億円を超えるものだったんだ。控訴審は，第1審の実刑判決を破棄し，捜査・公判とも自白していた被告人に免訴判決を言い渡して，4億円以上の窃盗犯人を放免したわけだ。控訴審判決は，一事不再理効に関しては確定判決の拘束力を問題とする余地はないとし，また，検察官の「事実上同時審判を求めることができなかったので，確定判決の一事不再理効を及ぼすのは不当である」との主張に対しても，「既判力制度の画一性を害し，被告人の立場を不安定ならしめる」として採用しなかったんだ。ここでは，上記の②の方法を当然の前提にしているわけだね。

A君：高松高裁は，前訴，後訴の単純窃盗罪の両訴因のいずれについても，その実体に踏み込んで，両訴因ともに常習性の要件を具備することを認定し，

48） 小島・前掲注23）40頁注10。
49） 筑間正泰・百選〔第7版〕202頁。
50） 押谷靭雄「大泥棒法網を潜る」判タ532号（1984年）69頁，古田佑紀「罪数論の功罪」判タ535号（1984年）78頁など。

そのうえで，前訴と後訴との間の「公訴事実の単一性」の有無について判断し，これを肯定したのですから，②の手法を採用しているわけですね。

Bさん：最高裁判例をみると，平成15年10月判決の前に，最判昭和43・3・29刑集22巻3号153頁と最判平成15・6・2集刑284号353頁がありますね。昭和43年判決は，前訴・単純窃盗，後訴・常習特殊窃盗の事案について，前訴の確定判決による一事不再理効は後訴に及ぶとしています。平成15年6月判決は，これとは逆に，前訴・常習痴漢，後訴・単純痴漢の事案についても（いずれも大阪府のいわゆる迷惑防止条例違反），同様に前訴の確定判決の一事不再理効が後訴に及ぶとして，後訴を免訴としています。

教員：そうすると，最高裁は，単純罪の訴因（昭和43年判決の前訴，平成15年6月判決の後訴）につき，「実体に踏み込み，当該訴因が常習性の要件を具備することを認定し」，そのうえで，「前訴と後訴との間の公訴事実の単一性を判断している」[51]というわけだね。そうだとすると，①の「両訴因を比較対照するだけで公訴事実の単一性を判断する立場」（多和田調査官はこれを「固い訴因基準説」と呼ぶ）[52]には立っていないということになるだろう。

Bさん：この2つの最高裁判決は，いずれも，単純罪の「実体に踏み込んで」，その心証を基準として公訴事実の単一性を判断していることは明らかですが，それに加えて，常習罪の訴因（後訴の常習窃盗罪の訴因，前訴の常習痴漢罪の訴因）の実体にも踏み込んでその心証を基準として判断したのかどうか，言い換えれば，単純罪の「実体」と常習罪の「実体」とを比較対照したのか（実体と実体との比較対照。多和田調査官は「心証基準説」と呼ぶ），それとも，単純罪について心証形成した「実体」と常習罪の「訴因」とを比較対照したのかは（実体と訴因との比較対照），これらの両判決自体からは，必ずしも明らかではありませんが[53]。最高裁平成15年10月判決を考慮に入れれば，実体と訴因の比較対象と理解すべきものと思われます。

A君：高松高裁昭和59年判決は，実体と実体とを比較対照する手法で，前訴と後訴の各訴因の間で公訴事実の単一性を肯定し，前訴の確定判決の一事不再理効が後訴に及ぶとして，後訴について337条1号により免訴とし

51）　多和田隆史・最判解刑事篇平成15年度469頁。
52）　多和田・前掲注51）467頁。
53）　多和田・前掲注51）467頁，468頁。

たわけですが，これは，実体と実体との比較対照（多和田調査官のいう心証基準説）によるもので，前訴，後訴の単純窃盗罪の各訴因の実体に踏み込んで，心証を形成し，心証形成された前訴の訴因についての「実体」と後訴の訴因についての「実体」とを比較対照して，両者が常習窃盗一罪を構成すると認められるとして，公訴事実の単一性を肯定したものですね。

Bさん：これに対して，最高裁平成15年10月判決は，高松高裁昭和59年判決の立場を否定しています。この最高裁判決は，「前訴の訴因と後訴の訴因との間の公訴事実の単一性についての判断は，基本的には，前訴及び後訴の各訴因のみを基準としてこれを比較対照することにより行うのが相当である」と説示しています。

A君：そうだね。この判決は，Bさんの指摘した説示に引き続き，両訴因がともに単純窃盗罪であるときは，(1)「両訴因を通じて常習性の発露という面は全く訴因として訴訟手続に上程されておらず，両訴因の相互関係を検討するに当たり，常習性の発露という要素を考慮すべき契機は存在しないのであるから，ここに常習特殊窃盗罪による一罪という観点を持ち込むことは，相当でない」として，両訴因は公訴事実の単一性を欠き，「前訴の確定判決による一事不再理効は，後訴には及ばない」としています。

教員：この判決は，「犯行の常習性という訴因外の事実を考慮すべきではなく，それゆえに，両事実は併合罪として扱われることになるから，一事不再理効は及ばないとした」[54]ものだろう。ところが，昭和43年判決や平成15年6月判決（痴漢事件）は，常習性の発露という訴因外の事実を考慮して公訴事実の単一性を肯定しており，訴因外の事実を考慮するかどうかの判断が分かれており，両者は矛盾しないのかな。

A君：前訴の訴因，後訴の訴因のいずれか一方が単純罪，もう一方が常習罪のケースについて，平成15年10月判決は，(2)「両訴因の記載の比較のみからでも，両訴因の単純窃盗罪と常習窃盗罪が実体的には常習窃盗罪の一罪ではないかと強くうかがわれるのであるから，訴因自体において一方の単純窃盗罪が他方の常習窃盗罪と実体的に一罪を構成するかどうかにつき検討すべき契機が存在する場合であるとして，単純窃盗罪が常習性の発露として

54) 川出敏裕「訴因による裁判所の審理範囲の限定について」『鈴木茂嗣先生古稀祝賀論文集(下)』（成文堂，2007年）330頁。

行われたか否かについて付随的に心証形成をし，両訴因間の公訴事実の単一性の有無を判断すべきである」とし，このような事例では，常習性の発露という訴因外の事実を考慮することとしており，平成 15 年 10 月判決は，昭和 43 年判決や平成 15 年 6 月判決の判断と矛盾するわけではありません。

教員：平成 15 年 10 月判決によって，(1)公訴事実の同一性（単一性）の判断は，基本的には訴因と訴因とを比較対照して行うが（訴因外の事実を考慮しない），(2)両訴因の記載の比較のみからでも，両訴因の両罪が実体的には一罪ではないかと強くうかがわれることから，実体的に一罪を構成するかどうかにつき検討すべき契機が存在するときは，補充的に，訴因外の事実を考慮するという最高裁の考え方（多和田調査官は「柔らかい訴因基準説」と呼ぶ[55]）が明らかになったわけだ。

A君：訴因変更の要件としての 312 条の「公訴事実の同一性」の判断方法と似てますね。

教員：そうだね。この判例は，訴因変更と一事不再理効を統一的に理解し，同じ手法を用いているわけだ。二重の危険説が訴因変更の可能性の範囲で危険にさらされたとする以上，両者の判断方法を同じものとすることは，正当だろう。

A君：基本的に訴因と訴因とを比較対照して判断するのは，なぜなのかな。

Bさん：最高裁は，その理由として，①「訴因制度を採用した現行刑訴法の下では，少なくとも第 1 次的には訴因が審判の対象であると解されること」，②「犯罪の証明なしとする無罪の確定判決も一事不再理効を有すること」，③「常習特殊窃盗罪の性質」，④「一罪を構成する行為の一部起訴も適法になし得ることなど」の 4 つを挙げていますね。

教員：①は，訴因と訴因とを比較対照する理由は，訴因が訴訟物であるからというわけだね[56]。②は，無罪判決についても一事不再理効が生じるのだから，「実体」は基準にできず，「訴因」を基準にするほかないという意味だろう。③の「常習特殊窃盗罪の性質」とは，常習特殊窃盗罪は，「その構造を見ると，常習性の要件を除けば，複数の単純窃盗に分割が可能であり，

---

55)　多和田・前掲注 51)475 頁。

56)　「少なくとも第一次的には」との文言を付加した理由は必ずしも明らかではない（第 16 講参照）。

その構成単位である窃盗行為は，客観的には，本来相互に関連性の薄い，独立的色彩の強い犯罪」[57]であるということだろうが，そのことから直ちに，訴因のみを基準として比較対照すべきだとの結論に至るわけではないだろう[58]。また，④については，訴追裁量権により，一罪の一部起訴を適法になし得ることは，一罪を分割して両者とも起訴することの許容性と必ずしもイコールとはいえない（住居侵入・窃盗罪について，住居侵入を呑んで窃盗のみを起訴することは許されても，両者を分割してともに起訴することは許されないが，他方，かすがい一罪について，かすがいとなる犯罪をはずし，かすがい作用により結び付けられる犯罪を併合罪として起訴することは許される）[59]。③の常習特殊窃盗罪の性質を考慮に入れてはじめて，④の分割起訴が許されるのではないだろうか。

A君：実体的に一罪を構成するかどうかを検討すべき契機の存否による区別（(1)と(2)）の基準は明確で，分かりやすいですよね。

教員：それはどうかな。両訴因がともに単純窃盗罪のケースであっても，両訴因に記載された犯行の日時，場所や態様等からみて（いずれも夜間に住居等に侵入して金員を窃取したという事案など），それらが実体的には常習窃盗罪一罪を構成するのではないかと強くうかがわれる場合もあり得るのであって，そうすると，このような場合，両訴因の比較だけからでも，実体的には一罪ではないかと強くうかがわれ，実体的に一罪を構成するかどうかについて「検討すべき契機が存在する」といえなくもないだろう。しかし，多和田調査官は，このようなケースについて一罪かどうか検討すべき契機があることを否定し，全体を一罪に導く要素がいずれか一方の訴因に掲げられていなければならず，夜間侵入窃盗を実体上の一罪（常習特殊窃盗）として結びつける「常習性の発露」という要素がいずれの訴因にも含まれていない以上，一罪を構成するのではないかと強くうかがわれることはなく，一罪かどうかを検討すべき契機は存しないとされるんだ[60]。このように考えると，平成15年10月判決の基準は，決して成功したものとはいえないと思うよ[61]。

57） 多和田・前掲注51）478頁。
58） 多和田・前掲注51）479頁の理由付けを参照されたい。
59） 多和田・前掲注51）481頁参照。
60） 多和田・前掲注51）475頁。前田巌「一事不再理効の範囲」実例刑訴法Ⅲ 254頁も同旨。

Bさん：そうですね。そうすると，平成 15 年 10 月判決の結論は，是認できませんね[62]。

教員：いや，結論自体に異論があるわけじゃないんだ。「実体上の一罪かどうかを検討すべき契機」の存否という基準は，必ずしも明確なものとはいえないということだ。そこで，大澤教授は，平成 15 年 10 月判決の事案と昭和 43 年判決の事案とで後訴の許容性が異なる理由は，「検討すべき契機」の存否にあるのではなく，「一部起訴としての許容性の差異に遡る」とされているんだ。

A君：「一部起訴としての許容性」って，平成 15 年 10 月判決の説示の④と同じなのですか。

教員：④の説示が分割起訴の許容性を意味するのであれば，そうだろう。大澤教授が「一部起訴としての許容性の差異」といわれるのは，強盗を恐喝で，殺人を傷害致死で起訴できるかという，いわゆる「一罪の一部起訴」（一部のみの起訴）のことではなくて，実体法上の一罪を分割して両方とも起訴できるかどうかという意味だ（つまり，ここでいう一部起訴とは，住居侵入・窃盗において住居侵入を呑んで窃盗だけで起訴することができるかという問題ではなくて，一罪を住居侵入と窃盗に分割して，両者とも起訴できるかという問題である）。大澤教授は，二重起訴の禁止に反するかどうかと一事不再理効が及ぶかどうかとは一致すべきである[63]との前提に立ったうえで，常習窃盗罪が設けられた趣旨（常習性の発露として行われた複数の窃盗行為につき，単純窃盗罪の併合罪として処断するよりも刑を加重した犯罪類型である）にかんがみれば，常習窃盗罪を構成する複数の窃盗行為を単純窃盗罪の併合罪として起訴したとしても被告人に不利益が生じることはないので，二重起訴の禁止に触れず，一事不再理効は及ばないが（平成 15 年 10 月判決の事案），常習窃盗罪を構成する複数の犯罪行為のうちの一部を単純窃盗罪，他を常習窃盗

---

61)　大澤裕「常習一罪と一事不再理の効力」研修 685 号（2005 年）9 頁，川出・前掲注 54)332 頁。

62)　結論を支持するものとして，酒巻 631 頁，大澤・前掲注 61)12 頁，川出・前掲注 54)334 頁，池田＝前田 527 頁など。結論を批判するものとして，光藤Ⅱ 300 頁，田口 480 頁，上口 473 頁，白取 489 頁，宇藤・平成 15 年度重判解（ジュリ 1269 号）204 頁，小島淳「最新重要判例評釈」現刑 62 号（2004 年）96 頁など。

63)　多和田・前掲注 51)476 頁も，二重起訴の禁止と一事不再理効とは，前訴と後訴とが時間的に重なり合っているかどうかの違いであって，問題状況は共通するという。

罪で起訴することは，処断刑において被告人の不利益となるばかりか，常習窃盗罪が設けられた趣旨にも反することとなり，二重起訴の禁止に触れるので，一事不再理効は及ぶとされているんだ（昭和 43 年判決の事案，平成 15 年 6 月判決の事案）。大澤教授によれば，平成 15 年 10 月判決の結論は，このような意味における「一罪の一部起訴としての許容性」（むしろ分割起訴の許容性というべきであろう）の有無によって正当化できるというわけだね[64)]。

A君：単純窃盗罪で起訴しておきながら，それと実体法上の一罪の関係にある窃盗行為を常習窃盗罪で起訴することは（順序が逆の場合も同じ），常習窃盗罪が設けられた趣旨からして許されない＝二重起訴となり，したがってまた一事不再理効が及ぶ，他方，単純窃盗罪で起訴し，それと実体法上一罪の関係にある窃盗行為を単純窃盗罪で起訴することは，常習窃盗罪の設けられた趣旨からみて許される＝二重起訴とはならないし，したがってまた一事不再理効も及ばないということですね。

Bさん：一部起訴（分割起訴）の許容性によって，昭和 43 年判決の事案と平成 15 年 10 月判決の事案とを区別できるのはよいとしても，二重の危険説との関係は，どう説明するのかしら。

A君：どういうことなの。

Bさん：二重の危険説って，訴因変更が可能だから手続の危険にさらされることを一事不再理効の根拠とするのだったわよね。平成 15 年 10 月判決の事例だって，前訴において，単純窃盗罪の訴因を 2 つの窃盗罪を取り込んだ常習窃盗罪の訴因に変更することは可能だったはずでしょ[65)]。そうすると，二重の危険説からは，後訴の単純窃盗罪にも一事不再理効が及ぶのでないと，論理一貫しないでしょ。

教員：そうだろうか。前訴＝単純窃盗の訴因のままでは，単純窃盗の訴因に新たに単純窃盗の訴因を追加することはできず，単純窃盗の訴因を常習窃盗の訴因に変更したうえ，後訴の単純窃盗の事実を追加することによってはじめて，後者についても有罪の危険が生ずるというべきじゃないかな。

Bさん：しかし，川出教授のいわれるように，常習窃盗罪を介在させることにより訴因変更は可能であったと考えるときは，どうですか。

64) 大澤・前掲注 61)10 頁，11 頁。
65) 川出・前掲注 54)331 頁。

教員：訴因変更が可能であったのに一事不再理効が及ばないとすれば，二重の危険説の根拠として，「訴因変更が可能な範囲で危険にさらされた」という考え方自体が，再検討を迫られることにならざるを得ないだろうね。この判決の結論を是認するとすれば，手続の「危険」については，川出教授のいわれるように，「訴因変更によって審判の範囲に取り込むことができたかどうか」（訴因変更可能性）ではなくて，「検察官が後訴の事実を訴追するのなら訴因変更によって前訴に取り込むべきであったかどうか」が問題とされることにならざるを得ないだろう[66]（傍点は筆者による）。

Bさん：なるほど，前訴の審判手続において訴因変更により取り込むことができたかどうかではなく，取り込んでおくべきであったかどうか，が問題だということですね。前訴が単純窃盗罪であるときは，後訴の単純窃盗罪を訴因変更手続により取り込むことはできたはずだけれども，常習窃盗罪の立法趣旨や処断刑（単純窃盗罪の併合罪の方が常習窃盗罪一罪よりも処断刑が軽い）ことにかんがみれば，前訴において単純窃盗罪を常習窃盗罪に訴因変更した上，後訴の窃盗行為を訴因追加して，前訴に取り込むべきであったとまではいえないわけですね。

A君：川出教授のいう「訴因変更によって前訴に取り込むべきであったかどうか」の基準は，大澤教授のいう分割起訴の可否と裏腹の関係にあり，いずれも，当該加重類型の設けられた趣旨によって決まることになるのですね。

教員：そのとおりだね。加重類型が設けられた趣旨に照らして分割起訴が許されるときは，分割起訴しても二重処罰のおそれはないのだから，訴因変更によって前訴に取り込むべきであった（同一手続内で処理すべきであった）とはいえないので，手続の「危険」にはさらされていないというべきであり，前訴の確定判決の一事不再理効は後訴には及ばない。これに対して，分割起訴が許されないときは，分割起訴は二重処罰のおそれがあり，検察官が後訴の事実を訴追するのなら訴因変更によって前訴の手続に取り込むべきであったということができ，そうすると，手続の「危険」にさらされていたというべく，前訴の確定判決の一事不再理効は後訴に及ぶことになるわけだ。

66）　川出・前掲注 54）333 頁。

5　設問の解決

教員：まず，一事不再理効の及ぶ時間的範囲（時間的限界）はどうかな。

A君：先ほど論じた**3**(2)の③第1審判決時説によろうと，④例外的に破棄自判時説によろうと，本件では，前訴は控訴審が破棄自判したわけではないので，同じ結論になりますね。そこで，③，④説で考えてみますと，前訴の窃盗の犯行前の10件，前訴の窃盗の犯行後起訴前の20件については，一事不再理効の及ぶ時間的範囲に属するけれども，第1審判決後の2件については，時間的範囲から外れるので，一事不再理効は及ばないことになります。

教員：そうだね。次に，一事不再理効の及ぶ客観的範囲はどうだい。

Bさん：平成15年10月判決の枠組みによると，前訴の訴因と後訴の訴因との「公訴事実の単一性」の判断は，基本的には，両訴因のみを基準として，これを比較対照して行うのが相当ですが，両訴因の記載の比較のみからでも両訴因が実体的には常習窃盗罪の一罪ではないかと強くうかがわれるときは，訴因自体において，両者が実体的に一罪を構成するかどうかについて検討する契機が存在するので，単純窃盗罪が常習性の発露として行われたかどうか付随的に心証形成し，両訴因間に「公訴事実の単一性」があるかどうかを判断すべきである，ということになるでしょう。

A君：設問の場合は，前訴・単純窃盗罪，後訴・常習特殊窃盗罪ですから，両者が実体的に一罪を構成するかどうかについて検討すべき「契機」が存在する場合に当たるので，前訴の単純窃盗罪が常習性の発露として行われたか否かについて付随的に心証形成し，これが肯定できるときは，前訴の単純窃盗罪と後訴の常習特殊窃盗罪とが実体的に一罪を構成し，両訴因間に「公訴事実の単一性」が認められ，そうすると，前訴の確定判決による一事不再理効が後訴に及び，後訴は免訴とすべきです。他方，これが肯定できないときは，両者は併合罪の関係にあって，「公訴事実の単一性」は認められず，一事不再理効は後訴に及びません。

Question & Answer

Q　前訴，後訴の一方が常習窃盗罪，他方が単純窃盗罪のケースにおいて，前訴（単純窃盗罪）について無罪判決が確定し，あるいは後訴（単純窃盗罪）について裁判所が無罪の心証を形成している場合に，単純窃盗罪について常習性の発露として行われたかどうかを付随的に心証形成することはできないように思われますが，どのように考えたらよいでしょうか。

A　ご質問とは逆のケース，すなわち前訴の常習窃盗が無罪，後訴が単純窃盗のケースについては，多和田調査官は，「常習窃盗→単純窃盗の事案で，前訴の常習窃盗が無罪となった場合，後訴の単純窃盗が常習性の発露と認められる場合には，『柔らかい訴因基準説』からは，免訴となるという結論もあり得ると思われる」[67]とされています。なるほど，前訴（常習窃盗）が無罪であっても，後訴（単純窃盗）が常習性の発露として行われたか否かについて付随的に心証形成し，これが肯定されるときは，前訴の常習窃盗罪（訴因の限度で）と後訴の単純窃盗罪とが実体的に一罪を構成し，両訴因間に公訴事実の単一性が認められるといえなくもありません。

しかし，ご質問のケース，すなわち前訴が単純窃盗（無罪），後訴が常習窃盗の場合に，前訴の単純窃盗が常習性の発露として行われたかどうか付随的に心証形成することは，困難といわざるを得ません（多和田調査官はこの場合については言及していません）。前訴が常習窃盗，後訴が単純窃盗のケースでも，後訴について，裁判所が犯人性に疑いをもち無罪の心証を形成しているときは，単純窃盗が常習性の発露として行われたかどうか付随的に心証形成することは困難でしょう。

そうすると，平成 15 年 10 月判決（一方が単純窃盗罪，他方が常習窃盗罪の場合の説示）の射程は，少なくとも前訴または後訴の単純窃盗が無罪のケースにまでは及ばないといわざるを得ないようにも思われます。平成 15 年 10 月判決は，訴因基準説の理由の一つとして「無罪の確定判決も一事不再理効を有すること」を挙げていますし，それが通説でもあるのですが，このような常習一罪のケースを前提にするものではないのかもしれません。

67）　多和田・前掲注 51）486 頁注 26。

しかし，単純窃盗罪について，検察官の主張のとおり被告人が犯人であるとすれば，常習性の発露として行われたと認められるならば，当該窃盗行為は常習窃盗罪の一罪を構成することもあり得たわけであって，二重の危険の禁止の観点からいえば（終局判決において無罪であっても，審理の過程においては有罪の危険にされされていた），検察官の主張するとおり被告人が犯人であるとすればとの仮定のもとに，当該単純窃盗罪が常習性の発露として行われたかどうかについて，付随的に心証形成をし，常習窃盗罪と実体上一罪を構成するかどうかを判断することもできるように思われます（なお，前訴が無罪の場合に，確定判決の拘束力をどう考えるかという問題も伏在しています）。

このことは，分割起訴の可否の観点（大澤教授）からも正当化されるように思います。検察官としてはあくまで被告人が犯人であることを前提に起訴しているわけですから，検察官の主張のとおり被告人が犯人であるならば二重起訴の禁止に触れるのであれば，一事不再理効も及ぶといえるからです。

〈参考文献〉

①川出敏裕「裁判の確定と一事不再理の効力」法教 245 号（2001 年）43 頁
②田宮裕「既判力論の新展開」同『日本の刑事訴追』（有斐閣，1998 年）
③多和田隆史・最判解刑事篇平成 15 年度 456 頁
④川出敏裕「訴因による裁判所の審理範囲の限定について」『鈴木茂嗣先生古稀祝賀論文集㈦』（成文堂，2007 年）313 頁
⑤堀江慎司「一事不再理の効力」法教 364 号（2011 年）40 頁

33　攻防対象論――上訴審における職権調査の限界

【設　問】

検察官は，被告人を甲罪および乙罪により起訴（両罪は観念的競合）したところ，第１審裁判所は，甲罪については無罪（理由中で判断し，主文で無罪の言渡しをしなかった），乙罪については有罪の判決を言い渡した。この第１審判決に対して，被告人が控訴を申し立て，有罪とされた乙罪について事実誤認があり，犯罪は成立しない旨主張したが，検察官は，無罪とされた部分（甲罪）について控訴しなかった。控訴裁判所が，甲罪，乙罪共に有罪であり，第１審判決には甲罪を無罪としたことについて事実誤認があると考えた場合において，控訴裁判所は，破棄自判して，起訴事実の全部について有罪とすることができるか。

〔ポイント〕

① 控訴と移審効

② いわゆる「攻防対象論」

〔判　例〕

▷最大決昭和 46・3・24 刑集 25 巻 2 号 293 頁（新島ミサイル事件。三井教材 667 頁）

▷最判昭和 47・3・9 刑集 26 巻 2 号 102 頁（大信実業事件。三井教材 672 頁）

▷最判昭和 57・4・22 判時 1042 号 147 頁（富士銀行背任事件）

▷最決昭和 63・2・29 刑集 42 巻 2 号 314 頁（チッソ水俣病事件。ケースブック 292 頁，三井教材 274 頁，百選〔第 9 版〕94 頁・〔第 10 版〕96 頁）

▷最決平成元・5・1 刑集 43 巻 5 号 323 頁（船橋交差点事件。三井教材 672 頁）

▷最判平成 16・2・16 刑集 58 巻 2 号 133 頁（三井教材 672 頁）

▷最決平成 25・3・5 刑集 67 巻 3 号 267 頁（三井教材 671 頁）

解説

1 控訴と移審効

Bさん：設問の場合は，検察官も無罪部分について控訴を申し立てていれば，有罪部分も無罪部分も控訴審に移審するのは当然ですが，被告人だけが控訴を申し立て，検察官は控訴の申立てをしていないのに，無罪となった甲罪についても控訴審に移審するのかしら。もしも，被告人のみの控訴申立てによっては甲罪（無罪部分）について控訴審に移審しないとすれば，控訴裁判所は，第1審判決が甲罪を無罪とした点に事実誤認があろうとも，被告人を甲罪で有罪とすることはできないのは当然よね。

A君：確か「一部上訴」（357条）という制度があったはずだよね。被告人の控訴は，第1審判決中有罪となった乙罪についての控訴であって，一部上訴だから，乙罪しか控訴審に移審していないんじゃないかな。

Bさん：そうかしら。357条の「一部上訴」って，主文の一部に対する上訴を意味しており，「裁判の理由の一部のみを争うのは，一部上訴の問題ではない」[1]とされているわ。

教員：そうだね。357条は，主文が複数ある場合（併合罪の一部を有罪とし他を無罪とした場合や，併合罪の全部を無罪とした場合，刑法45条後段により複数の刑が言い渡された場合）の規定であって，設問のように科刑上一罪や包括一罪の場合は，一部に無罪があっても，主文は1つ（有罪部分について宣告刑を言い渡すのみ）だから，今回の設問は，そもそも357条の「一部上訴」の問題ではないんだよ[2]。

A君：そうすると，科刑上一罪の一部が有罪で，残りの部分について理由中で無罪の判断を示したときは，この第1審判決に対して被告人だけが控訴した場合，被告人にとって不服のない無罪部分（設問では甲罪）も含めて，全部が控訴審に移審し，係属することになるのですか。

教員：そうなるだろうね。新島ミサイル事件の最大決昭和46・3・24刑集25巻2号293頁は，「第一審判決がその理由中において無罪の判断を示

1） 大コンメ刑訴法(9) 37頁［原田國男］。
2） リークエ515頁［宇藤崇］など参照。

した点は，牽連犯ないし包括一罪として起訴された事実の一部なのであるから，右第一審判決に対する控訴提起の効力は，それが被告人からだけの控訴であっても，公訴事実の全部に及び，右の無罪部分を含めたそのすべてが控訴審に移審係属すると解すべきである」と説示しているんだ[3]。

2　いわゆる「攻防対象論」

A君：千葉裕調査官のいうように第1審判決の無罪部分は控訴審に移審せず，確定するとの解釈を採るのなら，控訴裁判所が無罪部分について判断できないのは当然だけれども，新島ミサイル事件昭和46年大法廷決定のいうように無罪部分も含めて控訴審に移審するのであれば，控訴裁判所が，無罪部分についても判断することが許されるのは，当然だろうね。

Bさん：そうかなあ。検察官の控訴がなくても無罪部分も確定することなく控訴審に移審すると解したとしても，控訴裁判所が，無罪部分についてまで判断できるとは限らないわ。

教員：どうして，そう考えるんだい。無罪部分まで含めて控訴審に移審したのなら，A君の言うように控訴裁判所が無罪部分について判断できてもよさそうなものだが……。

Bさん：移審しても，控訴審は事後審ですから，「事件（犯罪）を裁く」のではなく，第1審裁判所の下した裁判が間違っていないかどうか点検する，つまり「裁判を裁く」[4]のであって，しかも，控訴審の審判は控訴理由（第1審の訴因に匹敵する）をめぐって展開されるのですが[5]，被告人の控訴理由は，有罪部分についての事実誤認などであって，無罪部分についてではないので

3）　千葉裕調査官は，最判解刑事篇昭和46年度97頁において，「牽連犯などの科刑上一罪は，……本来は数罪なのであって，ただそれらが全部有罪である場合に，いわば被告人に対する処分上の配慮から，科刑上一罪としての取扱いをするというだけにすぎない。従って，それらの一部が無罪である場合は，無罪部分と有罪部分とが一罪となるいわれはないから，もはやこれを不可分のものとみる必要はないのである。それを，『検察官が一罪として起訴したものであるから』として，主文で無罪の言渡をせず，その結果被告人だけの控訴によっても無罪部分までが控訴審に移ることになるというのは，起訴時の罪数……に拘束されすぎるものであって，不合理というべきではなかろうか」として，検察官が控訴しなかった無罪部分は，控訴審に移審せず確定するとの見解を表明されている。

4）　田宮473頁。

5）　田宮474頁。

すから，被告人が控訴理由として挙げていない事由を審査することはできないのではないでしょうか。

A君：控訴審においては，控訴理由の有無が審判の対象であって，控訴裁判所は，控訴趣意書で主張されている控訴理由を調査しなければならないのは（392条1項。義務的調査），Bさんの言うとおりだけど，義務的調査のほかに，刑訴法は，控訴趣意書で控訴理由として主張していなくても，控訴裁判所が，控訴理由に当たる事由について職権で調査することができることを定めているよね（392条2項。職権調査）。職権調査としてなら，無罪部分について事実誤認など控訴理由の有無を調査することもできるのではないかな[6)]。

Bさん：仮に2項の職権調査ができるとしても，控訴裁判所が第1審で無罪となった事実について有罪とするのは，不利益変更禁止の原則に反するのではないかしら。

A君：その点は大丈夫だよ。402条の不利益変更禁止の原則は，刑の不利益な変更を禁止するものだから，控訴裁判所が第1審判決の無罪部分を有罪に変更しても，刑さえ重い刑を言い渡さなければ，これに反することはないんだ[7)]。

教員：制度としては，義務的調査（392条1項）の対象ではなくても，職権調査（同条2項）はできそうだね。しかし，無罪部分について，被告人には控訴の利益がなく，控訴の利益を有する検察官は控訴の申立てをしていないのに，この点について392条2項によって職権調査を加えて，有罪の判断ができるという結論に問題はないだろうか。392条2項の文言からは，職権調査に関して何ら制限はないように思われるけど，職権調査に何らかの限界はないのかな。

Bさん：392条2項による裁判所の職権調査は，裁判所の裁量によるものとはいえ，控訴審でも当事者主義が採用されていることは392条1項の規定から明白であり，そうすると，当事者主義の観点からは，職権調査にも何らかの限界があってしかるべきではないでしょうか。

教員：そうだね，そのような観点から前掲の最大決昭和46・3・24（新島

6） 名古屋高判昭和32・12・25高刑集10巻12号809頁参照。

7） 最決昭和36・9・6集刑139号129頁参照。上掲新島ミサイル事件の控訴審判決も，無罪部分を含めてすべて有罪とし，刑は第1審判決と同じ刑を言い渡している。

ミサイル事件）が採用したのが，いわゆる「攻防対象論」なんだ。A君，どんな事案か説明してくれたまえ。

A君：牽連犯または包括一罪として起訴された事実について，第1審裁判所は，その一部（住居侵入及び共同脅迫〔暴力行為等処罰法違反〕）を有罪とし，その余の部分（共同暴行等〔暴力行為等処罰法違反〕及び傷害）については有罪部分とは実体上一罪の関係にあるものとして起訴されたことから理由中で無罪の判断を示した（主文においては無罪の言渡しをしていない）のですが，これに対して，被告人だけが控訴を申し立てた事案です。控訴裁判所は，被告人の控訴は理由がないとしたものの（義務的調査），392条2項による職権調査によって，第1審判決中無罪部分に事実誤認があるとして，第1審判決を破棄して，自判し，起訴事実の全部について有罪とする判決をしました（言渡刑については，上記のとおり第1審判決と同じ刑を言い渡した）。それに対して，弁護人が上告しました。

教員：Bさん，最高裁大法廷の判断はどんなものだったのかな。

Bさん：最高裁大法廷は，牽連犯または包括一罪を構成する各部分はそれぞれ一個の犯罪構成要件を充足し得るものであり，訴因としても独立し得たものであって，右無罪部分については，被告人から不服を申し立てる利益がなく，検察官からの控訴申立てもないので，当事者間においては攻防の対象からはずされたものとみることができ，控訴審が職権により調査を加え有罪の自判をすることは，被告人に対して不意打ちを与えるものであるから，職権の発動として許される限度を超えたものであって，違法である旨説示しています。最高裁の用いた「攻防の対象からはずされた」との文言から，「攻防対象論」と呼ばれています。

教員：そうだね。控訴審における職権調査（392条2項）に一定の限界があることを明らかにした初めての最高裁判例だね。攻防対象論を採る理由はどこにあると考えるべきだろうか。

Bさん：大法廷決定は，無罪部分については当事者間においては攻防の対象からはずされたとみることができるのに，事後審である控訴審が職権により調査を加え有罪の自判をすることは，被告人に対し不意打ちを与えることになるから，刑訴法の基本構造（当事者主義が基本原則であり，職権主義は，当事者主義の補充的・後見的なものであること），控訴審の性格（控訴審は，第

１審と同じ立場で事件そのものを審理するのではなく，第１審判決に事後的審査を加えるべきものであり，事後審査は当事者の申し立てた控訴趣意を中心としてなすのが建前であって，職権調査はあくまで補充的なものである）にかんがみて，職権調査にも一定の限界があるとしたものです。

教員：そうだね。無罪部分が当事者間の攻防の対象から外されたのはなぜかといえば，「訴因制度の下では検察官に処罰範囲の限定につき裁量権が認められ，検察官の処罰請求が維持されていない事実には裁判所の職権調査が及ばない点にある」[8)]，つまり，検察官が処罰請求を維持していないからということだ。

A君：なるほど，検察官が無罪部分について控訴していないということは，有罪部分の処罰だけで十分であって，無罪部分については検察官の処罰請求は維持されていないのだから，当事者間では攻防の対象から外されているのに，控訴裁判所が職権調査を加えて有罪とすることは，被告人に不意打ちを与えることになるので，現行刑訴法の基本構造や控訴審の事後審的性格にかんがみ，許されないというわけですね。

教員：そのとおりだ。新島ミサイル大法廷決定は牽連犯または包括一罪に関するものだけど，観念的競合の場合でも同じなのかな。

A君：観念的競合の場合についても，最判昭和47・3・9刑集26巻2号102頁（大信実業事件）は，上告審の職権調査（414条，392条2項）についてのものですが，攻防対象論を肯定しています。第１審判決は，無免許輸出あるいは無許可輸出罪（関税法違反）の訴因につき無罪とし，検察官が控訴を申し立てたところ，控訴審判決も，第１審判決と同様にこれらは罪とならないとしたものの，上記の訴因と観念的競合の関係にある無承認輸出罪（外国為替及び外国貿易管理法）の成立する余地があるとして第１審判決を破棄して差し戻したのに対し，被告人のみが上告した事案です。

教員：そこで，上告審において，当初の訴因について職権調査を加えて，有罪とすべきものとして破棄差戻し，または自判することができるかどうかが問題となったわけだね。最高裁は，当初訴因と控訴審が犯罪成立の余地があるとした部分との罪数関係については，明示していないが，観念的競合と

8）　演習刑訴法341頁［長沼範良］。

理解してよいだろう。

A君：そうですね。最高裁は，第1審および控訴審が無免許輸出罪あるいは無許可輸出罪の成立を否定したのは，いずれも法令の解釈を誤ったものとしていますが，だからといって，職権調査をして破棄差戻し・自判をすることができるとはしていません。昭和47年判決は，無免許・無許可輸出罪の訴因については，第1審判決において無罪，控訴審においても同じく犯罪は成立しないとされたのであるから，被告人からこの点について不服を申し立てる利益がなく，検察官からの上告申立てもなかったので，もはや無免許・無許可輸出罪の成否の点は当事者間において攻防の対象からはずされたものとみるのが相当であり，上告審が職権により調査を加え，これを有罪とすべきものとして破棄差し戻し，または自ら有罪の裁判をすることは許されない旨説示しています。観念的競合の場合についても，いわゆる「攻防対象論」を適用したわけですね。

教員：じゃあ，次のような単純一罪の事例はどうだろうか。第1審裁判所が本位的訴因（例えば詐欺）を認定せずに予備的訴因（例えば横領）を認定した場合に，検察官は，予備的訴因が認定されたことでよしとして，控訴を申し立てず，被告人のみが控訴を申し立てた場合は，本位的訴因はいわゆる「攻防の対象」からはずされたものとみて，控訴審が392条2項を根拠にして職権により調査を加えることは許されないということになるのだろうか。

Bさん：今までの議論の流れからは，そうなりそうですね。本位的訴因を認定しなかった第1審判決に対して，検察官が控訴を申し立てなかったのだから，検察官は本位的訴因の処罰請求（訴訟追行）を放棄したものであって，認定されなかった本位的訴因は，当事者間においては攻防の対象からはずされたものとみることができ，控訴裁判所は，本位的訴因について職権調査をすることはできないのではないでしょうか[9]。

A君：そうかなあ。このようなケースにおいて，検察官が第1審判決に対して控訴しなかったからといって，検察官は本位的訴因について処罰請求（訴訟追行）を本当に放棄したといってよいのだろうか。検察官が控訴を申し立てないのは，予備的訴因について有罪であれば，敢えて控訴してまで本

9）能勢弘之・判評324号（判時1173号）61頁，後藤昭・昭和60年度重判解（ジュリ862号）189頁。

位的訴因について処罰を求める必要がないということであって，控訴審において予備的訴因について無罪となるような場合にまで，検察官が本位的訴因による処罰を断念しているとみることはできないのではないでしょうか。控訴裁判所は，本位的訴因について職権調査が許されると解すべきでしょう[10)]。

教員：最高裁は，A君の言うように，392条2項により本位的訴因について職権調査をすることが許されるとしているね。最決平成元・5・1刑集43巻5号323頁がそれだが，「本件の場合，本位的訴因の犯罪事実も予備的訴因の犯罪事実も同一の被害者に対する同一の交通事故に係るものであり，過失の態様についての証拠関係上本位的訴因と予備的訴因とが構成されたと認められるから，予備的訴因に沿う事実を認定した第一審判決に対し被告人のみが控訴したからといって，検察官が本位的訴因の訴訟追行を断念して，本位的訴因が当事者間の攻撃防禦の対象から外れたとみる余地はない」と説示しているんだ。理由付けは，A君の言ったとおりだろう。

Bさん：それって，一連の最高裁判例と整合しないように思うのですが，いかがでしょうか。

教員：そうでもないよ。科刑上一罪や包括一罪（新島ミサイル事件，大信実業事件）については，本来的には複数の罪を一罪として審理するものだから，分割可能であり，無罪部分について検察官が控訴しなかったということは，複数の罪の一部について処罰意思を放棄したものと評価でき，攻防の対象からはずれるので職権調査をすることはできないけれども，単純一罪については，当該罪をそれ以上分割できないので（分割不能），検察官が処罰意思を放棄したものと評価することはできず，攻防の対象からはずされておらず，控訴裁判所による職権調査は可能であるということになるのだろう。

Bさん：ああ，そういうことですか。確かに，科刑上一罪や包括一罪とは異なり，単純一罪の場合には，1つの事件を角度をかえてみたというだけのことで，本位的訴因の処罰意思と予備的訴因の処罰意思というように，検察官の処罰意思が2つあるわけではないですものね。

10）　大阪刑事実務研究会「刑事控訴審の研究(3)」判タ348号（1977年）48頁［朝岡智幸］，注釈刑訴法(6)〔新版〕254頁［小林充］，田口守一「下級審・時の判例」ジュリ849号（1985年）60頁，香城敏麿・百選〔第5版〕232頁。

教員：そのとおりだね。

A君：あっ，でも，こんな最高裁判例もありますよ。最決平成25・3・5刑集67巻3号267頁は，第1審判決の理由中で，本位的訴因の賭博開張図利の共同正犯は認定できないが，予備的訴因の賭博開張図利の幇助犯は認定できるとの判断が示されたが，検察官が控訴の申立てをしなかった事案について，「検察官は，その時点で本位的訴因である共同正犯の訴因につき訴訟追行を断念したとみるべきであって，本位的訴因は，原審当時既に当事者間においては攻防の対象から外されていたものと解するのが相当である」「そうすると，原審としては，……職権により本位的訴因について調査を加えて有罪の自判をしたことは，職権の発動として許される限度を超えたものであり，違法というほかない」と説示しています。これって，一連の最高裁判例とは整合しても，平成元年決定の判断と矛盾するのではありませんか。

教員：同じく本位的訴因と予備的訴因のケースなのに結論を異にするのだから，矛盾するようにも思えるよね。しかし，平成元年決定がなされた当時から，平成元年決定は，(1)両訴因の犯罪事実のいずれか一方しか成立し得ない類型（詐欺と横領，過失の態様など）についての判断であって，(2)両訴因の犯罪事実相互が排他的でない類型（両訴因の犯罪事実とも理論上は成立し得る場合や，両訴因が大小の関係にある場合）については，平成元年決定の射程外といわれていたんだ[11]。

Bさん：平成25年決定の事案は，本位的訴因・共同正犯，予備的訴因・幇助ですから，両訴因が大小の関係にあり，(2)の類型の事案なんですね。

A君：でも，(2)の類型については，いったいなぜ，検察官の処罰意思が放棄され，訴訟追行を断念したと評価されるのですか。

教員：(1)の類型については，検察官の合理的な意思の解釈として，予備的訴因について有罪であれば，検察官としては，敢えて控訴を申し立てて本位的訴因について処罰を求めるまでもないという考えに基づき控訴をしないのであって，控訴審で予備的訴因について無罪となる場合にまで，本位的訴因の処罰を断念する意思ではないというべきだろう。これに対して，(2)の類型については，例えば，第1審が本位的訴因である殺人の事実を認定せず，予

11）　山田利夫・最判解刑事篇平成元年度128頁，129頁。

備的訴因である傷害致死の事実を認定したのに対して，検察官が控訴を申し立てなかったということは，控訴審で予備的訴因について無罪となる場合に，検察官が本位的訴因の処罰を求めるとは解せられないから，本位的訴因である殺人の事実については，訴訟追行を断念した，つまり，もはや検察官の処罰請求は維持されていないということだろう。

3　設問の解決

Bさん：設問については，上掲の千葉調査官のように，無罪部分は有罪部分と一体とみる必要はなく，科刑上一罪の無罪部分は検察官の控訴申立てがない限り移審しないとの見解によるときは，既に無罪部分は確定しており，控訴裁判所が無罪部分について有罪とすることができないこととなりますね。

A君：新島ミサイル事件大法廷決定をはじめとする累次の最高裁判例の採る攻防対象論によるときは，設問の場合は，無罪部分も有罪部分と共に移審するものの，無罪部分については，被告人から不服を申し立てる利益がなく，検察官からの控訴申立てもなかったのですから，当事者間においては攻防の対象から外されたものとみることができるので，控訴裁判所は，無罪部分については職権調査（392条2項）をすることはできず，したがってまた，有罪とすべきものとして破棄差し戻し，あるいは自判することはできないということになりますね。

教員：そのとおりだね。

〈参考文献〉

①岩瀬徹「いわゆる攻防対象論について」『小林充先生・佐藤文哉先生古稀祝賀刑事裁判論集(下)』（判例タイムズ社，2006年）374頁
②千葉裕・最判解刑事篇昭和46年度87頁
③鬼塚賢太郎・最判解刑事篇昭和47年度92頁
④山田利夫・最判解刑事篇平成元年度121頁
⑤平木正洋・最判解刑事篇平成16年度104頁

事項索引

あ行

か行

さ行

た行

な行

は行

ま行

や行

ら行

判例索引

昭和 20～24 年

昭和 25～29 年

昭和 30〜34 年

昭和 35〜39 年

昭和 40〜44 年

昭和 45～49 年

昭和 50～54 年

昭和 55～59 年

昭和 60～63 年

平成元～4年

平成5～9年

平成 10〜14 年

平成 15〜19 年

平成 20〜24 年

平成 25〜29 年

■著者紹介

古 江 頼 隆（ふるえ・よりたか）

1974年　東京大学法学部卒業
　　　　東京地方検察庁検事，東京高等検察庁公判部長
2004年　東京大学大学院法学政治学研究科教授
2009年　同志社大学大学院司法研究科教授
2021年　退職

事例演習刑事訴訟法〔第3版〕
Seminar in Criminal Procedure (3rd. edition)

2011年2月25日　初　版第1刷発行
2015年3月10日　第2版第1刷発行
2021年9月10日　第3版第1刷発行
2024年5月30日　第3版第4刷発行

法学教室
LIBRARY

著　者　古 江 頼 隆
発行者　江 草 貞 治
発行所　株式会社 有 斐 閣

郵便番号 101-0051
東京都千代田区神田神保町 2-17
https://www.yuhikaku.co.jp/

印刷・株式会社暁印刷／製本・牧製本印刷株式会社

ISBN 978-4-641-13949-7